叢大民
書學國

民国大学丛书

文化人类学

WENHUA RENLEI XUE

林惠祥 著

人民东方出版传媒
東方出版社

出版说明

在学术氛围相对开放自由的20世纪三四十年代，以“国化教科书”为鹄的，以“学术独立”为旨归，商务印书馆等出版机构陆续规划出版了一系列以“大学丛书”、“大学用书”等命名的著作。这些著作虽名为教科书，但突出的是学术性和专业性，许多著作至今仍是相应学术领域的必读必备之书，就其思想性而言，更有着当今学林难以企及的高度。

且以商务印书馆之“大学丛书”为例。其最为人所瞩目的一大特点即是名家集萃。丛书的编委、作者大多不但学有专精，且学贯中西，如冯友兰、胡适、王云五、李四光、何炳松、马寅初、傅斯年、蔡元培、竺可桢、蒋梦麟、顾颉刚、郑振铎、金岳霖等，可谓极一时之盛。故不管是译著还是编著，俱能保证较高的学术水准。

其特点之二是选题的多元性。不同于今天学术界，尤其是教育界指导思想自上而下的整齐贯一，民国时期推崇的是学术自由，包涵万流。如同名《中国近三百年学术史》，梁启超与钱穆的著作就各有千秋，甚至钱穆的很多观点就是针对梁启超而言的。再比如胡适的《中国哲学史大纲》，其观念更是与冯友兰的《中国哲学史》大相径庭。不同观念、不同流派、不同思想的著作俱为同一“大学丛书”所收录，并由全国各大高校师生自由选择，这本身就是学术自由的一种最直观的体现。只有传道授业者拥有了这种得以在大学课堂上传播一见一得的自由，才有可能建成“大学之为大”的理想高校，培养出“独立之精神”的一流人才。盖民国大学之辉煌，正在于此。

正因为“大学丛书”等一系列著作对中国学术文化及高等教育发展的特别意义和重大影响，自上个世纪出版发行以来，始终备受各界学人和普通读者的推崇喜爱，即便是于战火之中，亦屡有重印。然至今时今日，“大学丛书”中虽有部分名家名著零散出版，却不成系统，拣选不易，甚或有明珠蒙尘，一般学子遍寻不得者。有感于此，我们重新编辑出版了这套民国大学丛书。

此次重编民国大学丛书，是在商务印书馆出版之“大学丛书”，中华书局出版之“大学用书”，以及上海生活书店、三联书店出版的“新中国大学丛书”基础上，融入了北京大学丛书、清华大学丛书、中山大学丛书、东南大学丛书等民国著名高校名师课程讲义而成。丛书由著名历史学家李学勤担纲选目，既可再现民国大学学术繁荣之盛景，又可为今日之大学学科建设服务。

我们希望，这套民国大学丛书能对广大青年学子拓展知识视野，培养独立人格有所裨益。

我们更希望，这套民国大学丛书能对诸多大学的学科建设、教育理念及学术精神有所启发。

东方出版社

2012 年 5 月

目　录

序

文化人类学即是专门研究文化的人类学，原文为 cultural anthropology。这种科学还有其他名称，如社会人类学（social anthropology）、民族学（ethnology）都是（见本书第一篇）。还有许多学科或书籍，例如社会起源（social origins）、社会演进（social evolution）、原始文化（primitive culture）、文化演进（cultural evolution）、文明起源（origin of civilization）等也都是属于这种科学的。观于这些名称便可晓得文化人类学即是研究原始文化即人类文化起源及进化的科学了（详见本书第一篇）。这种科学的范围似乎太窄，其实不然，因为它是研究全人类的文化的；似乎太广，其实又不然，因为它只着重在“原始的”文化，即文化的起源而已。阅者请注意各篇名称中“原始”二字。

文化人类学的分科，各家大同小异，还不一律，编者兹以己意分为五部。（1）物质文化，在原始生活中最为重要，故立为一篇，一一讨论各种古代的发明及其对于人类生活的影响。（2）人对物既发生物质文化，人对人也发生了社会组织；人与人的组织使人类更能对付物质环境，故社会组织也宜成为一篇。（3）由原始人观之，物与人都是有形的，此外还有一种无形的超自然、超人类的势力，为他们所不得不对付，由此便发生宗教，故宗教也为一重要部门。（4）生活余暇，原始人也发挥其审美性而生出艺术来，故艺术也宜成为一篇。（5）人类的社会生活不能无传达意见的方法，于此便有了语言。保留语言的方法便成为文字，故语言与文字也应有一个地位。以上五个部分似乎适可以包容文化人类学的各种材料。此外再加以人类学总论一篇，以当导言，文化人类学略史一篇，以说明各种重要原则及学派。

这种科学也像其他社会科学一样，有各种不同的学说，故编述者宜有一定的主旨，然后选材方不致自相矛盾。本书的主旨是依最近的趋势，综合社会进化论派、传播论派与批评派的意见，采取各家的长处，融合为一，以构成相对的观念。故如讨论一种事物的起源，常列举多种学说，然后加以批评。选材时必先悉其著者属于何派，然后选其不悖于众说的材料，以合于一处，免致发生矛盾。

本书材料是由各书取来编译的，但这些材料常错综参杂，有时且由编译者参考众说加以修改。此外还有少数地方是编者自己的臆说（例如中国的姑舅表婚，兄弟妇婚，原始社会组织的通性等），也插入其中。每篇之末各附参考书目，以明来源，并当介绍。

第一篇
人类学总论

第一章　导　言

当代人类学大家克娄伯（A. L. Kroeber）曾在其大著《人类学》（*Anthropology*）中下了一个题名，即“人类学的时代”（Age of Anthropological Science）一语。自然不能说现在是人类学独霸的时代，一切学问都要让它；但却也许可以说人类学这种学问正应现代的需要，所以现在是它兴起的时代了。

学问的兴盛，大都由于时势的需要与机会的便利；机会不顺，学也难成，需要一生，应者四起；虽有少数例外的学者，也不能与时势抗衡。像人类学这种学问发源何尝不早，然终迟至近世方才成为一种科学。这也不过是由于过去时世不要求，机会又不能便利的缘故。号称“历史之父”的希腊学者希罗多德（Herodotus）在其九卷的大著作中有一半是人类学的材料。又如罗马诗人卢克莱修（Lucretius）在其哲学诗中讨论人类起源文化发生等问题，与现代人类学的目的正相同。又如我国的《山海经》中人类学材料也很多。人类学的发源是这样的早，但因这种学问对于古代的一般人还无十分重大的关系，非他们所急于知晓，只不过当作一种趣谈而已；有一二个研究的人也因时机未到，无别种科学做根柢，又难得与异民族接触的机会，游谈无根，荒唐不经，终难成为科学。至于近代则因航海术进步，地理学上的“大发现时代”开始，世界交通大为繁盛，各民族间接触的机会甚多，种族间的关系日密；于是先进的民族希望知晓异族的状况——特别是野蛮民族的状况——以为应付。经过无数次调查探险的结果，发现世界上种族的复杂与风俗习惯的歧异：东方的与西方的不同，野蛮的与文明的更有异。对于这种现象自然生出二类问题，便是：

(1) 这些种族究竟要怎样解释？他们同是“人”，为什么有不同的形状？“人”究竟是什么东西？“人”的起源是怎样的？

(2) 各民族的文化为什么不同？是否由于心理原素——知、情、意——根本上有差异？野蛮民族的奇怪风俗与简陋的生活如何解释？文化有高下的差异，是否文化有变动——进化？退化？文化若是进化的，文明人的祖先是否也是野蛮人？文明人的祖先的状况究竟是怎样的？

这些问题很能影响于实际的种族关系以及现代文化的进退，因此很被近代的人所注意而欲求其解答，于是人类学的研究遂应运而兴了。19世纪以来的大学者如达尔文（Darwin）、斯宾塞（Spencer）、赫胥黎（T. H. Huxley）、拉策尔（Ratzel）、普理查德（Prichard）、泰勒（E. B. Tylor）、博厄斯（F. Boas）等都尽力于此，各提出重要的学说，于是人类学遂确实成立为一种科学。至于近来学问界发生两种扩张的趋势：其一是竖的扩张，不以有史时代的几千年为限，更欲上溯荒古的原始时代；又其一是横的扩张，不以一地域一民族为限，而欲综括全世界全人类。人类学的性质本来便是这样的，所以也有人说这两种扩张的趋势便是受人类学的影响。总之，人类学是极能适合现代的趋势与需要，无怪它勃然而兴，为学问界放一异彩了。

人类学在现代几个文明国虽是兴盛，但在别的地方它的性质还常被人误会，它的目的也少有人明了；而人类学的系统也有很多种，各有同异，互相冲突，不易使外人了解。兹以综合的方法，取舍众说，参以己意，略述于下。

第二章　人类学的定义及其对象

人类学英文作 Anthropology，此外西洋诸国文都与此相同，只语尾稍有变换。这字的来源是出自希腊文 αυθρωποϚ + λογοϚ，即 Anthropos + Logos，上一字是“人”，下一字有学问科学的意思；合言之便是指研究人的科学。

由于上述语源的缘故，人类学的定义通常都作“人的科学”（The Sciencc of Man）。这个定义原是正确的，但因为太简了，容易使人发生误会，而以为人类学的范围是广漠无限的，凡属于人的事情都在研究之列。有很多种科学都是讨论人和人事的，如生理学、心理学以及历史、政治、社会、经济等学科都是；照上面讲来，岂非将人类学当作这些学科的总称，而它本身反没有独立的地位，反不能成为一种科学了吗？

因为恐人误会，人类学家们便再想出些较为详细明显的定义来，但他们的定义也很有不相同之处。旧派的人类学家大都把人类学当作专门研究人类躯体的科学，因为那时人类学范围极狭，只可算作动物学的附庸，还不配做一种独立的科学。例如托皮那（Topinard）在 1876 年著的《人类学》（*Anthropologie*）书中说：“人类学是博物学的一分科，为研究人及人种的学问”，可以代表这派的定义。其后范围逐渐扩大，性质大为改变，人类学的地位竟由附庸而蔚为大国，这些旧定义自然不能适用了，新派的定义，于是代之而兴。

新派的定义也有许多种，现在把最近所定最能表现改变性质以后的人类学的定义，选列数条于下：

美国人类学大家威斯勒（Clark Wissler）说："人类学是研究人的科学，包括所有把人类当作社会的动物（social animal）而加以讨论的问题。"在别一文中说："人类学是一群由探索人类起源而生的问题之总名。"又说："我们可以制定人类学的定义为'人类自然史'（natural history of man），或是一种科学：努力于历史所不及的地方，期于重新发现人类的起源，及其在洪荒之世即所谓'史前时代'（prehistoric era）之繁变的境遇（varying fortune）。"

英国人类学家马雷特（R. R. Marett）说："人类学是沉浸于演进的观念之全部人类史，以在演进中的人类为主题，研究在某时代某地方的人类，肉体与灵魂二方面都加以研究。"

伦敦大学的人类学专家马林诺斯基（Bronislaw Malinowski）说："人类学是研究人类及其在各种发展程度中的文化（culture）的科学，包括人类的躯体，种族的差异，文明（civilization），社会构造以及对于环境之心灵的反应等问题之研究。"

以上诸定义语气虽有不同，但都有一个共通之点，便是提出文化的研究：如威斯勒所谓"社会的"、"境遇"，马雷特所谓"灵魂"都是。马林诺斯基且明白说出文化这个名词，而以文明、社会构造、心灵的反应为文化的具体问题。这是和专限于体质一方面的旧派人类学不同的地方。但一面虽是注重文化，而对于体质的方面也不放弃：如威斯勒所谓"动物"、"自然史"、"人类的起源"，马雷特所谓"肉体"，马林诺斯基所谓"人类的躯体"、"种族的差异"，都是指体质方面的研究。

所以新派人类学的定义是包括人类与其文化的。

文化是什么？为什么人类学家这样注重文化的研究？据以前的人类

学大家泰勒（E. B. Tylor）所下的定义，文化乃是“一团复合物（complex whole），包含知识、信仰、艺术、道德、法律、风俗以及其他凡人类因为社会的成员而获得的能力及习惯”。威斯勒也说：“文化一名词是用以指人类的习惯与思想之全部复合物（toltal complex），而这些习惯与思想是由于所出生的群而得的。”威斯勒更用一个简单的名词来解释文化，这便是所谓“生活型式”（mode of life）一语。据他的意见：人类无论文野都有其“生活型式”，所以都是有文化。文化是人类活动的结果，但不是遗传的，而是积累的。

由上述的这些定义看来，文化便是人类行为的总结，是动的即用的方面，而人类的躯体乃是静的即体的方面，文化与躯体有极密切的关系，合之乃成为动静俱全，即体用兼备的全个人类。若研究人类只偏于躯体一方面而不问其文化，哪里可以算是完全的呢？

克娄伯（Kroeber）在其大著《人类学》的开篇曾设一个譬喻，大意说：黑人的厚嘴唇与黑脸孔是遗传的，可以用生物学的原理来说明；但他们也会唱美国的歌，做浸礼会的教徒，雨天也懂得穿外套，这也是遗传的吗？若不是，那便不得不求之于别种解释了。据他的下文，他所谓别种解释便是指社会环境的解释即文化的解释。

威斯勒在《新国际百科全书》（*New International Encyclopaedia*）中又说：“人类的起源有些是地质学的问题，但人类的存在与否与其说由遗骸断定，毋宁说是常由其‘文化的活动’（cultural activities）的遗留物或副产物而断定。”譬如由某地层中发现了破石器、坏兽骨等物，便当由人类学家审察其物是否人为的，并推论那种人类所有的文化是怎样。关于该地层的年代及状况，应当请问地质学家；至于文化的问题和地质学家全无关系，完全属于人类学家的领域。

由这样看来，人类学的研究由体质而推广到文化是很有理由的了。

我们再转回来讨论人类学的定义。上述的定义都兼含文化与体质两方面，都是可以采用的，但还嫌各有不甚适当的地方：如威斯勒的第一条稍觉宽泛，恐被误会与社会科学同意思；第二三两条都只提出史前时代的研究，其实现代人类学的趋势是要涉及有史时代和文明民族的研究了（解释见下文）。马雷特的定义也还嫌笼统。只有马林诺斯基的定义较为适当，但还有不完全之处。现在我们就综括众说，另外构成一个定义如下：

> 人类学是用历史的眼光研究人类及其文化之科学：包含人类的起源、种族的区分，以及物质生活、社会构造、心灵反应等的原始状况之研究。换言之，人类学便是一部“人类自然史”，包括史前时代与有史时代，以及野蛮民族与文明民族之研究；但其重点系在史前时代与野蛮民族。

这个定义里的字眼应当略加解释。所以说“用历史的眼光”是因为人类学原是有历史性质的，人类学所要考出的原是人类历史上的事实，所用的方法也是历史的方法，明其不是用玄想的方法或别种方法。“人类的起源”及“种族的区分”是体质一方面的二大问题。“物质生活”便是马林诺斯基所谓“文明”，他的意思便是指物质生活，所以这里便改用了，较为明了。“心灵反应”便是指迷信、魔术、神话、宗教、知识、美的观念等，很能简括，所以便沿用了。所谓“自然史”是包括人类的体质与其行为（即文化）二方面的叙述。所谓“野蛮民族”是指现代的蛮族，“文明民族”则为有史以后的人类。所谓原始状况及“重点在于史前时代与野蛮民族”，则因为：

（1）人类自发生以来至今约有 50 万年，而有史时代最古者不过 8000

年，只占人类全部历史的1/60，其余59分即49万年的长期间，无异于漫漫长夜，有史时代不过其破晓10余分钟而已。有史时代的史乘可以说是汗牛充栋了，而史前时代却全无记载留给我们后来的人类。人类学既是全部人类史，何能不着重于这未明白的59/60呢？

（2）我们知道人类的文化不是突然发生的，我们又晓得文化的进步是先缓后速的，而有史之初的人类已经有了灿然可观的文化了。然则有史之初人类所有的文化必是有史以前49万年的漫漫长夜里，人类在生存竞争中经过无数次的经验逐渐发生的，我们如要探求文化的根源，若不深入于史前时代哪里可得呢？

（3）现在人类因种族的不同而发生了很多问题，而种族的区分在有史之初便已定了，所以如要了解种族的起源，也不得不求之于史前时代。

（4）以上三条都是说史前时代的，以下要说明人类学注重野蛮民族的原因：

人类学家对于野蛮民族的观念有二种：一是古典派演进论的，以为现存的蛮族等于文明人的史前的祖宗，他们的文化完全等于史前的文化；他们的文化也有很多种，那便是在演进中的各阶段。所以研究现存的蛮族便完全是研究文明民族的史前时代。另一种是现在的批评派的，他们以为人类的文化是有很多系统的，不是一线进来的，不能把各种不同的文化算作在一直线中的各阶段，所以现存蛮族的文化并不全是文明民族的史前文化。以上二派都有所偏，我们现在研究蛮族文化的原因：（1）是因为蛮族的文化既与文明人的不同，而我们通常所晓的不过限于文明民族的文化，如要晓得文化的全体何能不注重蛮族的一方面；（2）蛮族的文化，虽不能全部当作文明民族所曾经的阶段，但总不能不说是比较的简单，富于原始性，比较文明民族的文化易于找出人类文化的原始状态。人类学家很可以将各种蛮族文化的原素综括出一个大概；这些综括出来的通则须有伸缩性，能够容纳不很重大的例外。这些通则或原理，虽不可以武断一切，但也有相当的价值，可用以为研究人类初期文化的参考，并试为相当的说明。

至于所谓兼含有史时代与文明民族之研究，则因：

（1）人类学既然是人类的全部自然史，虽是应当偏重史前时代，但也应当略为涉及有史以后，方才算得完全。

（2）有史时代与史前时代的文化是相联的，文明民族与野蛮民族的文化也是相关的；不能硬把文化分成两截，绝对不过问有史时代及文明民族的文化。

（3）有史之初，人类的状况虽略有记载，究竟也是荒渺难稽，不很明白，与史前时代也差不很多；还需兼用人类学的方法探究它。

（4）所谓有史以来的文明民族的文化也还有与史前时代及野蛮民族无甚差异之处，他们的战争、迷信、魔术、宗教、婚姻等事，也常见有原始的色彩。所以有时也很可以由文明民族中找出低等的文化来研究，而所谓汗牛充栋的文明典籍中也尽有野蛮的原料为人类学家所欣赏。

第三章　人类学的名称

如上所说，人类学原来的意义是指人类动物学及人体比较解剖学；但久已扩张范围，改变性质了。它现在的定义，已经不是按照它的语源或历史上的原因，而是按照它的对象而定的了。

但人类学这个名词是在美国与英国方有这种扩大的意义；在欧洲大陆大都仍用狭义的解释，把人类学当作专门研究人体，特别是骨骼的科学。至于文化的研究，在欧洲大陆并不是没有，不过不把他归入人类学范围内，却另用“民族学”（Ethnology）一名词来称这种研究。所以我们应当先认清这些名词的意义。现在试将欧洲大陆与英美所用的名词的异同列一个表于下：

英美		欧洲大陆
人类学—广义	体质人类学	═══人类学（狭义）
	文化人类学	═══民族学

这表里的意思是说：英美所谓人类学是广义的，其中分为体质人类学（Physical Anthropology）与文化人类学（Cultural Anthropology）二部分。欧陆所谓人类学是狭义的，等于英美的体质人类学，而其民族学则等于文化人类学。但民族学一名在英美也很盛行，其意义与欧陆无别，而与文化人类学可通用。在英美文化人类学又别称为“社会人类学”（Social Anthropology），体质人类学又别称为“人体学”（Somatology）。兹再将英美的这些别名列为一个表于下：

人类学——┌体质人类学═══人体学
　　　　　└文化人类学＝民族学＝社会人类学

欧陆与英美的学者为什么关于人类学这个名词会有广义与狭义的差异，这也有它的历史上的原因。原来人类学的真正的研究是始自德国格丁根（Göttingen）地方的布卢门巴赫（Blumenbach）（1752—1840 年），他曾创用测量形状的方法来区分人的头颅。这种计划固然前此的先驱者如维萨柳斯（Vesalius）、林奈（Linnaeus）等人都曾想到，但人类头颅按照形状与大小的分类还是他最先想到正确的办法。其后有雷茨乌斯（Retzius）创立头幅指示数（cephalic index）、坎帕（Camper）发明“面角”（facial angle），最后则法国的人类学大家布罗卡（Broca）和托皮那（Topinard）更加以系统的整理。他们这些人都是专门研究人体的解剖学一方面的。

当上述这些人用功于人体解剖学的时候，别的学者们却开始在整理他们所得到的关于异民族的风俗习惯。这种研究常称为民族学。这种学问运动的领袖便是德国的拉策尔（Ratzel）和法国的勒克吕（Reclus）。这些人的著作专门讨论人类的社会生活，物质文化，人种的分布；显然异乎当时所谓人类学。如拉策尔的大著《人类历史》（*History of Mankind*），头一篇可以算作文化人类学，他却起一个篇名叫作《民族志原理》（*Principles of Ethnography*），并不是说他的书就是人类学。在当时人类学与民族学，由其定义而观，差不多全无共通之点，到了现在，欧陆各国还是这样。这便是人类学在欧陆常用为狭义的缘故。

至于英国则因自普里查德（Prichard）（1786—1848 年）出了一部综合大著，始把这研究人的学问的二大部门结合起来，成为一个全体。据他的意见，人的分类应当依照各种性质，如解剖学的性质，心理学的性质，地理的分布以及民族习惯等。他又以为动物学上的性质是人的发展之枢纽，所以便用人类学这个名词做这种综合的学科的名称。从此以后，这种意见便成为英国人类学家的共同观念；他们以为人类学的研究，应当用综合的方法，尽所有关于人类起源及其原始的行为的材料都拿来探索。在这种意见上，美国人是赞同英国的，所以英美同以人类学当作广义的，包括体质与文化二部分。

这里应当声明一句，便是上文说人类学名称的解释有欧陆与英美二种，但这不过是说名称而已；至于人类学（广义的）的内容，并无英美派与欧陆派的分别；人类学思想的分派，是用根本观念，如进化论、传播论等为标准，不是依照地方的。

第四章　人类学的分科

人类学的分科是一个不容易的问题，从来人类学家们对这问题意见纷歧，互有同异；他们都按照自己的心得建立一个系统，以此分类法至少有三四十种之多。但系统虽是不一，分科的名目总是大体相同，不过在系统中的地位有异就是了。那些分科的名目虽也有些很特别的，如“人类志”（Anthropography）等；但大都不外是：人类学，人体学，体质人类学，民族学，文化人类学，社会人类学，考古学（archaeology），史前考古学（prehistoric archaeology），史前学（prehistory），民族志（ethnography），工艺学（technology），语言学，宗教学，社会学，心理学，民俗学（Folk-Lore），神话学（mythology）等名称，还有再加以形容词的，如一般的（general），特殊的（special），本体的（proper），叙述的（descriptive），比较的（comparative），历史的（historical）等。它们的系统有的太宽了，把社会学、心理学都列在里面（如梅森 C. T. Mason 等）；有的是门类太琐碎了，不能简括（如沃利斯〔W. D. Wallis〕及法国《人类学辞典》）。

人类学的分类法既是这样纷杂，那么我们要采用那一种，或完全不用，而另定一种呢？据最近的意见以为人类学分科的自然趋势是倾于二分的，即体质与文化二科；此外的科目都可归入这二科里面：如语言学、宗教学、工艺学之关于起源的一部分，应当划入文化人类学内；民俗学和神话学，全部属于文化人类学；社会学与心理学是人类学以外的科学，但原始社会组织与原人心理的研究，也属于文化人类学内。至于史前考古学中，关于人类遗骸的研究可以归入体质人类学；关于原始遗器的考究，可以归入文化人类学；民族志中关于记载各民族的肤色、体格、鼻、眼、毛发等事的，可以并入体质人类学；关于叙述各民族的生活状况、风俗习惯的，可以附属于文化人类学。

所以由学理上看来，人类学是应当分为二分科的。

但为研究的便利并顾及从来的习惯起见，人类学的分科不妨扩为四种，这便是将史前考古学及民族志仍旧提出来，给它们独立做二分科。因为若把史前考古学中关于人类遗骸及其遗器的研究硬分二截，划给体质人类学及文化人类学，恐怕对于原始人类不能通盘观察而得完全的了解。如把它合在一起研究便无此弊；至于民族志原是要记载一民族的全相的，更不可把体质与文化分开。在研究的便利上固应如此，在习惯上也是很少分开的。因此这二科也应当独立起来与上二者合而为四科。

考古学范围太宽，不全属于人类学，所以另用史前考古学的名称，而史前考古学便是史前学。为求名称的简括明显便用后一个名词。

兹将人类学的四分科列表于下：

人类学—
- 文化人类学══社会人类学══民族学
- 体质人类学══人体学
- 史前学══史前考古学
- 民族志

现在我们把文化人类学与体质人类学当作综括的，理论的，重在原理的研究；而史前学与民族志则为具体的，叙述的，重在事实的叙述。史前学与民族志贡献具体的材料于文化人类学与体质人类学，而文化人类学与体质人类学也贡献说明的原理于史前学与民族志，所以它们的关系是如下图表。

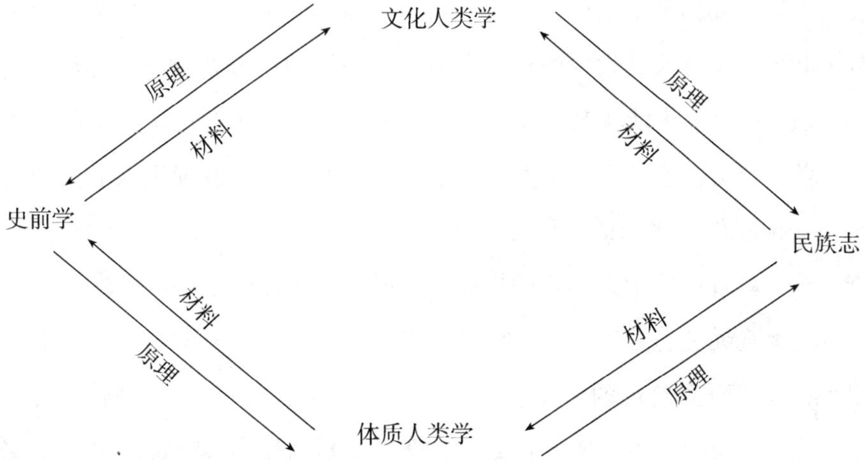

兹将这四分科的定义及其对象，略述于下：

（一）文化人类学即民族学——威斯勒在《纳尔逊百科全书》中说的定义最好，可以采用。他说："民族学便是'社会生活的自然史'（The Natural History of Social Life）。换言之，便是关于各民族的文化的现状及其演进的研究。"详言之，便是探讨人类的生活状况、社会组织、伦理观念、宗教、魔术、语言、艺术等制度的起源、演进及传播。这种研究始自一个原始民族的探讨，终则合众民族的状况而归纳出些通则或原理来使我们得借以推测文化的起源并解释历史上的事实及现代社会状况，然后利用这种知识以促进现代的文化并开导现存的蛮族。

（二）体质人类学——这便是"种族的解剖学"（racial anatomy），应用比较的方法研究各民族的体质特征，要寻出一定的标准，以审察各民族相互间的遗传的关系，而发现种族分合的陈迹，并据之以区分人类。所研究的体质特征，例如：头、面、眼、鼻、肤色、毛发、躯干、骨骼等的形状；又如心灵反应、遗传、适应等现象。

（三）史前学——这便是有史以前的人类及其文化的历史。一面根据化石的骸骨及别种史前的遗留物（prehistoric remains），一面参考现代蛮族的状况而推究人类发生的地点及时代，种族的区分及散布，史前人类的体质、心理、生活状况及其年代，原始文化的发生等问题。史前学由于前此的努力已能考出数十万年以来的人类的历史，发现了六七大种数十小支在进化程序中的体质互异的史前人类，区分了三大段（始石器、旧石器、新石器）十余小段的史前文化时期。史前学所用的方法是直接观察与客观证实的方法，不是靠臆测想象的。它的材料多数是由地下寻出来，或地面上发现的，如人骨化石、兽骨化石、石器、铜器、陶器、角骨器、住所的遗迹、食余的废物、绘画雕刻的作品等，都由考古学家即史前学家亲自找寻出来。到现在，欧洲的西部发现最多，已可构成一部很详细的史前时代的历史了。什么“旧石器人”（men of old stone age）呀，“穴居人”（cave men）呀，都已经变成一般人的老生常谈了。可惜世界上的别处发现还是不多，但其将来的希望之大也就在此。威斯勒在《人类学的职业观》（*Anthropology as a Career*）（按：这书是美国国立研究会 National Research Council 所发刊的）中说：“人类学家们确信人类关于其本身的起源是方在踏入大发现的门阈，他们又信除此以外几乎没有更能动人的事业。”

（四）民族志——民族志是各民族的叙述（description）。详载各地方的民族的体质的特征，及其物质的与精神的文化。这种记载有由人类学家亲身调查而得的，也有由旅行家所记的；材料重在确实，而且应当注意各民族的特点。

第五章 人类学的地位及其与别种科学的关系

这个总括四科统览人类的科学，因是后起之故，到现在它的地位还常被人误会，如上所说：有时被视为一个笼统的名词，把它当作多种科学的总称；有时又被当作范围极小而又不很重要的一种学科，不把它编入动物学内做研究最高灵长类的一个小题目，便把它派入历史学内当一种谈论荒古人类与奇怪风俗的小分科。所以会有这种误会，便是因为人类学的发生和这二种科学很有关系。现在我们先把它与各科学的关系讨论清楚，便晓得它的地位。

人类学探索人的发生的问题很与动物学有关系，但其研究各种族的体质特征便非动物学所顾及。至于人类学的研究文化，更和动物学全不相关；所以把人类学算作动物学的一分科，实在是极大误谬。不过人类学获益于动物学之处也很不少，如遗传的定律、生物进化论等学说，都能帮助人类学家明了人类的本质及其在自然界的地位。

解剖学、生理学、心理学三者，曾被派入人类学范围内；其实这三者是研究个人的，人类学是研究种族的。它们不能相统属，但却互有贡献。

地质学中的历史地质学与人类学关系很大，史前人类的年代大都由地质学断定，人类学家发现了原人遗存物，常须请地质学家察看其地层以为佐证。

历史学与人类学关系极为密切，所以也很为相近，没有确切明显的界限。人体讲起来：（1）历史学是研究某个民族生活的过程的，是较为特殊的研究；人类学是研究全人类的生活的过程的，是较为普遍的研究。

(2) 历史注重时地与个人的记载，是较为具体的；人类学只论团体，不问个人，时地也只记大概，是较为抽象的。(3) 历史的范围几于全在有史时代及文明民族；人类学则偏重史前时代及野蛮民族。以上的区分只可说是相对的，历史与人类学原有很多互相交错、互相借重的地方，以后且有愈进愈近的趋势。近来历史学家很注重史前的情状，如威尔斯的《世界史纲》便从人类学中取了很多材料来说明史前时代，补救以前历史著作的缺憾，为史学界开一新法门。至于人类学家因为宣言以文化为对象，而文化是贯穿史前与有史时代的，所以也渐趋于兼用有史时代的材料。

社会学与人类学的关系也像历史学一样密切，社会学讨论人类社会的根本原则，而人类的社会现象其实就是“超有机的现象”（super-organic phenomena），即文化的现象（cultural phenomena），而人类学所研究的也就是文化的现象。由这样看来，这二科几于全同了。所以社会学家与人类学家很多为同一人（如斯宾塞、萨姆纳、托马斯、哥登卫塞等人），而这两种著作也常相通，社会学中论“社会起源”（social origins）之处更完全是人类学的材料（如斯宾塞〔Spencer〕：*Principles of Sociology*；孙墨楠〔Sumner〕：*Folkways*；孙墨楠和凯勒〔Sumner & Keller〕：*Science of Society*；托马斯〔Thomas〕：*Source Book for Social Origins*；托泽〔Tozzer〕：*Social Origin and Social Continuities*；凯斯〔Case〕：*Outlines of Introductory Sociology*），而大学中也常将这两种科学合为一系。但这两科究竟还有差异之点，不能不分别清楚。(1) 人类学的性质是历史的，社会学则为理论的。人类学是实地研究各种制度的原始状况而寻出相对的原理，社会学则就取这种原理，并广取别种社会科学所得的原理合并一处，而统论人类社会的全局。(2) 社会学详究人类的“结合”（association），即社会的生活；人类学则对此问题不过考究其原始状况，此外人类的物质生活、心灵生活都要顾到；至于人类的发生与种族的区分，全属于体质方面的，更和社会学无关了。（3）社会学常就文明社会特别是现代社会而论，人类学虽也涉及文明社会，然其研究多关于史前时代及野蛮社会。

宗教学也很与人类学有关系，因为宗教在原始文化中占很重要的地位；要懂得原人及蛮人的心理，即人类心灵活动的根本状况不得不由原始宗教的探索入手。宗教并不一定是高等的才可算，野蛮人的宗教虽很简单，但也已经有了宗教的原素；要懂得高等的宗教也不得不寻求根本原素于下等的原始的宗教。人类学中关于原始宗教的研究已经有很好的成绩，人类学家专力于此的很是不少，如弗雷泽（Frazer）、泰勒（Tylor）等人都是。

语言学从前曾算作人类学的一部分，现在已经独立了；但与人类学仍是有密切的关系。人类学常利用语言学来研究民族间的关联以及民族心理的表现；语言学也借助于人类学而得悉原始的语言及其传播。

艺术的起源也是很早的，原人及蛮人都喜欢艺术；史前遗留的绘画、雕刻品以及现代蛮人的装饰与跳舞，都是艺术家与人类学家共同研究的材料。

又如伦理学如要探索道德观念的起源，以及各民族道德观念不同的原因，教育学如要查出最初的教育方法，政治学、经济学、法律学如要寻求各该种现象的原始状况，都可求之于人类学；所以都和人类学有关系。

由此观之，人类学实是一种独立的重要的科学，有它固有的对象与范围，并不附属也不统辖其他科学，而与它们互有贡献。

第六章　人类学的目的

人类学的目的是什么？是否只要像《山海经》一样说些怪异的风俗与人种，如所谓黑人鼻孔的开展呀，某种语言中连字成句的接头语的繁复呀，某处蛮人用指甲戳进木像以杀害仇人的魔术的奇异呀等不相衔接的杂事，以供普通人茶余酒后的谈资吗？这决不然。这些杂事不是不当说的，但人类学的论及它们，却是与通常的闲谈不同，是要探索其中的意义，寻出一个合理的解释来。

人类学寻出这些以及其他无数的解释来有何用处呢？对于这个问题的答案，便是人类学存在的理由，便是它的目的，也便是它的贡献。列举于下：

（一）人类历史的“还原”——所谓“还原”（reconstruction）便是把已经消灭或毁损的东西，重新构造使它回复原状；而人类历史的还原便是要把人类的已经淹没的过去的行为考证出来，使我们后来的人能够晓得原来的情状。如上文所述人类发生在最少50万年前，而人类能自己记录的时代最多不过8000年，在那其余的49万年间人类的情状究竟如何，我们若不靠人类学的研究，把它慢慢的发现出来，如何得知。人类学家得了原人的遗骸遗器，并不像古董家一样，拿来欣赏欣赏，当作好玩的东西；他们是要根据这些实物，推究原人躯体的形状，人类发生的地方，种族区分的陈迹，器物、制度发明的程序，原人心理的状态等问题。这便是人类历史的还原。

（二）文化原理的发现——这是要用综括的方法，探索人类文化所蕴藏的原理，使我们晓得它的性质，而用人为的方法以促进它。分析言之，例如文化以何种条件而发生？文化的发展遵何程序？文化何故有不同的形式？文化的各种要素，如社会组织、物质生活、宗教艺术、语言文字的起源演进各如何？这些问题都是人类学，特别是其中的文化人类学所希望解决的。

（三）种族偏见的消灭——种族偏见（racial prejudice）是世界和平的障碍，这种偏见的发生是由于各种族不能互相了解。一面对于外族懵无所知，或知而不完全，多生误会；一面只看见己族有文化或己族的文化特别高明，只觉得己族的身心得天独厚，与众不同，似乎造物主特别眷顾己族，而世界专为己族而设；由于这种心理自然夜郎自大起来。于是歧视异族，不讲人道，欺侮凌辱，侵略杀戮，这都是种族偏见的流毒。若要消灭种族偏见，必须散布人类学的知识。因为人类学告诉我们：人类的身体与心理在根本上是相同的，无可歧视；而人类的文化不过就是“生活的型式”，各民族都是有的，并且都是适应其特殊环境而生的，对其民族都有实际的价值，外族的人不应当任意蔑视。有些风俗在外人看来是无理的，可笑的，但在那种环境中却不得不行这种风俗。又如古代的风俗在后代的人看来也很有莫名其妙的，但在当时却行了很有效。不过风俗也不是根本上绝对好的，换了环境，便失了功效，变成“遗存物”。所以文化的价值是相对的。我们如能知道别种民族的文化也有相对的价值，自然会发生相当的敬意，而偏见便因而消灭了。

（四）蛮族的开化——蛮族的文化固然也是适应其环境而生的，也有其相对的价值，似乎不必再讲什么开化。其实不然。因为现代各民族接触日繁，竞争日烈，没有一种民族能够永远闭阈自守，维持其环境使不受改变。环境既会改变，旧时的文化中有不能适合新环境的，便要成为无用甚且有害的“遗存物”。现代的蛮族在这种新世界中，如还要保持旧时适应小环境的一点儿文化，恐怕不能逃过天演淘汰的公例。我们先进的民族，若有不怀种族的偏见的，便应当设法开导他们。开导的第一步便须先懂得他们的状况，方有头绪，而关于蛮族的知识却就是人类学所贡献的。

（五）文明民族中野蛮遗存物的扫除——文明民族中也有很多的野蛮“遗存物”（savage survivals），如迷信、魔术、装饰、宗教、氏族等制度中，很可看出原始时代遗下的原素。克洛德（E. Clodd）说：“我们人类做感情的动物已经有几十万年了，做理性的动物还不过是昨日才开始。”弗雷泽（J. G. Frazer）也说现代人类与原始人类的相似还多于其相异。艾克勒（Q. Eichler）更设一个譬喻说：“文明（civilization）不过是理想主义的一层薄膜罩在百万年的野蛮上面，揭开了这层薄膜人类的生活还是差不多与几千年前一样。”又说：“所谓现代的文明，其实很像‘文化的白粉水’（cultural whitewash）刷的一件薄外衣，不过是一种装饰品，包着人类由长久时间的生存竞争而得的情绪、冲动、本能、迷信、恐怖等在内。这层‘文化的外皮’时时都有失掉的危险。”由这样说来，现代的文明社会中还有很多野蛮的原素，我们应当继续努力，把它们逐渐扫除，而这种工作也是人类学家所应担任的。扫除的方法，便是把这些遗存物剔了出来，宣布它们的流弊，解释它们的起源并搜罗蛮族中与它们相类似的风俗来比较说明；使那些执迷的人发现他们所珍重护持的宝贝，不过和野蛮人的一样，他们如要自居为文明人，便不得不把这些遗存物废弃了。

人类学的目的还不止上述的五种，不过这五种是最为明显易见的，只此六种也可证明人类学使命的重大了。

参考书目录

（1）Boas，F. —*Anthropology and Modern Life.*

(2) Wissler, C. —*Anthropology as a Career.*

(3) Marett, R. R. —*Anthropology*, chap. Ⅰ.

(4) Kroeber, A. L. —*Anthropology*, chap. Ⅰ.

(5) Wallis, W. D. —*An Introduction to Anthropology*, chap. Ⅰ.

(6) James, E. Q. —*An Introduction to Anthropology*, chap. Ⅰ.

(7) Wissler, C. —*An Introduction to Social Anthropology*, chap. Ⅰ.

(8) Rolt-Wheeler—*Anthropology.*

(9) Haddon, A. C. —*History of Anthropology.*

(10) Ogburn and Goldenweiser—*The Social Sciences*; chap. Ⅱ—X *Anthropology.*

(11) Rivers, W. H. R. —*Reports upon the Present Condition and Future Needs of the Science of Anthropology.*

(12) Dieserud, J. —*Science of Anthropology.*

(13) Boas, F. —*Anthropology* (*in Encyclopedia of Social Sciences*).

(14) Wissler, C. —*Anthropology* (*New International Encyclopedia*).

(15) Wissler, C. —*Anthropology* (*Encyclopedia Americana*).

(16) Wissler, C. —*Anthropology* (*Nelson's Encyclopedia*).

(17) Malinowski, B. —*Anthropology* (*Encyclopedia Britannica*).

(18) Munro, R. —*Anthropology* (*Encyclopedia of Religion and Ethics*).

(19) Wissler, C. —*Ethnology* (*New International Encyclopedia*).

(20) Lowie, R. H. —*Social Anthropology* (*Encyclopedia Britannica*).

(21) Seligman, C. G. —*Applied Anthropology* (*Encyclopedia Britannica*).

(22) Spier, L. —*Anthropology* (*New International Year Book*, 1926), *Larned History*: *Anthropology.*

(23) 西村真次——《人类学泛论》第1章。

(24) 同上——《文化人类学》第1章。

(25) 同上——《体质人类学》第1章。

(26) 滨田耕作——《通论考古学》第1章。

(27) 松村瞭——《人類學の部門に関する諸說》(《人类学杂志》第43卷，第1号)。

第二篇
文化人类学略史

第一章 文化人类学的先锋
——巴斯蒂安及拉策尔

文化人类学的思想虽起自上古，然真正的文化人类学家实始自近世的阿道夫·巴斯蒂安（Adolf Bastian）（1826—1905）和拉策尔（Friedrich Ratzal）（1844—1904）。两人的研究都应用当时的宏大而散漫的地理学、生物学及心理学知识，并根据一大堆的旅行家的漫谈，传教士的记载，以及其他关于异民族的零碎知识或谬说等。他们都是科学家而且又是专门家。他们在德国大学里受过多方面的训练，得了许多方法，而且又极熟悉世界及其居民之情状。他们也有不同的地方。巴斯蒂安近于哲学家，拉策尔则为自然科学家；巴斯蒂安的心理与性情倾于宗教及抽象的意识学，拉策尔则倾于物质文化及艺术的研究。但从广义言之，他们都可算是历史学家，而且都是由地理环境以讨论人类的。

巴斯蒂安——二人之中，巴斯蒂安尤为更大的旅行家。他曾经过9次的世界大旅行，其间有时远离文明世界至许多年之久。他曾游过美洲、非洲、印度、东亚、南海群岛。游了一次，以后还再来，每次的旅行都产生许多著作，记载着关于人类及其文化的事实观念及学说。

巴斯蒂安旅行次数愈多，愈信人类根本上是一致的，于是他便发生了所谓“根本观念”（Elementargedanken）的思想，以为人类都有相同的根本观念。但若在巴斯蒂安的著作中寻找这些根本观念的目录是没有的。因为他只提出根本观念而已，并不解释它或区分它。但这却不必责他，因为他所谓根本观念其实不过指人类的天性，即发生人类文化的心理的源泉。除过度的意义以外，我们现在也是信有一种人类的天性，但我们也像巴斯蒂安一样不能解释它或分析其内容范围与限度。换言之，根本观念是抽象的东西，只在特殊境状中方有实际的表现，这些境状便是地理区域。在地理区域中，根本观念便成为“民族观念”（Völkergedanken），这是受过地理要素的影响，以及和他部落及地理区域有历史上之接触的。

巴斯蒂安虽空泛地信有文化的并行现象（culture levels）和文化阶段（culture stage），但他从不曾完全赞成演进的学说，尤其是在社会现象方面。文化的传播与独立发生的问题在后来的人类学思想中很为重要，在巴斯蒂安的心中却不当作紧急或明晰的问题。他说这种问题是没有的，类同的观念及其产物会独立发生于许多地方及部落中，这些观念及其产物也会由一个部落传过一个部落，而融合于别地方的文化中。

巴斯蒂安的著作除其卷帙繁多的游记外，有下列诸种关于文化人类学理论的书：

《人类根本观念》（*Ethnische Elementargedanken*）。

《民族观念》（*Der Völkergedanken*）。

《历史上的人类》（*Der Mensch in der Geschichte*）。

拉策尔——拉策尔早年的训练是地理学的。在他的地理学著作中很早便发生一种兴趣：要研究在环境关系中的生命，这便是他的环境主义

(environmentalism)的起点，他终身都守着这种主义。但若将拉策尔当作后来的意义的环境主义者是错的。他并不将生命人类及文化当作和物质环境相对的实物，而是将他们视为环境的结果。动物界，包括人类，是地球发展的最后产物，而文化则为地理与气候的终局。

拉策尔关于文化的传播与独立发生的问题发生两歧的意见。精神方面的文化，如宗教、社会组织或者艺术，这一方面是他比较不大注意的，他承认其能独立在各地方发生；至于物质文化，这是他所专门研究的，则主张不妥协的传播论；因此他极重调查，以为可以发现各处文化在历史上的接触和地理上的移动。他曾依此意作物质文化散播的具体的研究，例如板状盾和非洲弓箭的流传等问题。他的这种意见不断地激使他从事不倦的调查。他的这种注意传播的意见和上述的视文化为环境产物的意见是不相符的，这一点很可怪。

对于社会演进的观念，拉策尔像巴斯蒂安一样也是不着意的，他的不朽的大著《人类历史》，既不是历史，也不是演进的研究，而是在各种文化阶段的许多民族的很精详的记述。

拉策尔的重要著作如下：

《人类地理学》(*Anthropogeographie*)。

《民族学》(*Völkerkunde*)即英译本《人类历史》(*History of Mankind*)。

其他学者的著作——这是专指在社会演进论发生以前的著作，他们都不专主一种学说。

(1) 普里查德(J. C. Prichard) (1786—1848)著《人类自然史》(*The Natural History of Man*)。

(2) 德穆兰(Antoine Desmoulins)著《人类种族自然史》(*Histoire Naturelle des Races Humaines*, 1826)。

(3) 莱瑟姆(Latham)著《人类分支自然史》(*Natural History of the*

Varieties of Man，1850），又《叙述的民族学》（*Descriptive Ethnology*，1859）。

（4）威兹（Waitz）著《自然民族的人类学》（*Anthropologie der Naturvölker*，1859—1872）。

（5）缪勒（Friedrich Muller）著《普通民族志》（*Allge Meine Ethnographie*，1873）。

（6）彼克林（Pickering）著《人类之种族》（*Races of Man*，1848）。

（7）诺特及格利登（Nott & Gliddon）著《世界之土著种族》（*Indigenous Races of the Earth*，1857）。

第二章　社会演进论派

社会演进论的发生——自很早的时候人们便已有演进（evolution）的观念，不过那时所谓演进只指无机物及有机物，而不是指社会的事情。社会演进论（social evolutionism）是比较近时的思想。自孔德（Auguste Comte）创始以后，经黑格尔（Hegel）以辩证法发展以来，第一次在斯宾塞的手里得到精致堂皇的正式陈述。拉普拉斯（Laplace）和康德（Kant）的天文学，莱尔（Lyell）的地质学，巴尔（Baer）的胎生学，都助成斯宾塞的意见，至于达尔文的《物种起源》（*Origin of Species*）的出现正好帮他完成生物学的计划。

在社会学的方面，斯宾塞便觉得遇到困难了，那时材料还不多，尤其是能够拥护社会演进说的材料。斯宾塞于是广览记述的材料，并由于一群助手的帮助，便搜集了极多的事实，以应用于其《社会学原理》及《伦理学原理》中，反对派以为他的演进论的概念并不是由历史材料的归纳得来。在天文学，地质学，生物学，甚或心理学，其演进论至少都有一部分是根于所观察的现象。但在社会学及历史便不是这样，其演进的系统是预先成立，其后方由演进论派的学者将社会现象强塞在这系统里面。

社会演进论的原则——（1）第一条是心理一致说（theory of psychic unity），这是说人类无论何族在心理方面都是一致的。（2）物质环境也处处大同小异。心力既然相同而物质环境的刺激也无甚差异，于是无论何族便都会自己发生文化，这叫作“独立发明说”（theory of independent invention），刺激与反应相同，则其社会演进必循可以比较的甚或完全相同的路径，这叫作“并行说”（parallelism）。路径既相同，自然可算作一条，故又称为“一线发展说”（unilinear development）。这三条其实是一样意思。（3）各族文化都循同一路线，而其现在程度却很不等，那便是代表一条路线上的各阶段（stage），各阶段在次序上是固定的，在时间上却不一律，有些民族进得快，有些民族进得慢，但他们总都会一段一段进前去，而其前进必是逐渐的，不会越级突进，这便叫作“逐渐进步说”（gradual progressivism）。

社会演进的阶段——由于这种意见于是有些学者便规定了社会演进阶段的系统。摩尔根（L. H. Morgan）最先规定了野蛮（savagery）、半开化（barbarism）、文明（civilization）三大阶段，野蛮与半开化各再区分为低、中、高三期，以取火、渔猎、弓箭的发明属于野蛮阶段。以陶器、畜牧、农耕、铜铁工属于半开化阶段，而陶器的发明更被当作半开化开始的标准。以标音文字的发明为文明阶段开始的标准。以野蛮低期的人类为已绝灭，现在的人类各按其程度代表自野蛮中期以至于文明阶段的文化。摩尔根之后，再经别人将这种系统加以增补，例如萨瑟兰（Alexander Sutherland）、海斯（E. C. Hayes）、埃尔伍德（E. A. Ellwood）

都有大同小异的系统，皆比摩尔根的详细，兹举萨瑟兰的系统于下以代表其余：

（甲）野蛮人（savages）——食物只赖天产物，集团极小，一生为生存而奋斗不息。

（一）下级野蛮人——体躯矮小，腹大脚细，鼻平，发卷，脑量甚小。除围腰以外无他衣服。集成10人至40人的社会，无一定的住所，徘徊求食于四处。现存者如南非的布须曼人（Bushman）及锡兰岛（斯里兰卡）的维达人（Veddahs）。

（二）中级野蛮人——身长已有相当的程度，体格颇佳。虽有衣服，然大抵裸体，寝所以屏围护之。以木石为武器，集成四五十以上200人以下的团体而转徙。无阶级，无组织，只有惯例。例如塔斯马尼亚人（Tasmanians）及霍屯都人（Hottentots）。

（三）高级野蛮人——以幕为屋，虽有衣服，然两性犹常裸体。携带石、骨、铜等所制的武器。合成200人以至500人的群而转徙。有酋长，有阶级，以严格的部落惯例维持秩序。例如爱斯基摩人。

（乙）半开化人（barbarians）——大部分的食物由人为的生产法而得，以畜牧农耕为主业，然只各家族自给自足，多人的分业协作未发达。唯因生活资料颇丰，稍有余力以从事于科学及艺术。

（一）下级半开化人——造简单的家屋，定住而成为村落。有衣服，女子裸体者少。制作土器，独木舟，以木、石、骨为器具。耕作于家的近地，行物物交换。集成1000人至5000人的部落，共戴酋长，有基于传说的法规，稍具今日的社会形态。

（二）中级半开化人——以木及草造成坚牢的住屋，集成市镇。有较美丽的衣服，然尚不禁裸体。有陶器、织物、冶金业等制造。用货币，开定期市场，营幼稚商业。多数小部落合成人口10万的小国家，有小王统治之，有基于惯例的法规。以个人或家族在战争上的功业定人民的阶级。例如荷马时代的希腊人、凯撒以前的日耳曼人。

（三）高级半开化人——能以石造屋。平时须着衣。纺织为女子的专业。铁器的使用甚普通。金属工业发达。铸货币。有舟，以桨推助之。分业颇繁。简单的法律及法庭已具。阶级世袭。文字始见。在确定的主权下合成50万人左右的小国家。例如初期共和的罗马，白人侵入时代的墨西哥土人及秘鲁人。

（丙）文明人（civilized men）——因分业繁，协作盛，生活资料的生产容易，专门技艺发达，社会组织复杂，科学艺术益进步。

（一）下级文明人——以石为城垣，造成城堡都市。有其石造的重要的建筑物。耕作用锄。战争成为特别阶级的专业。文字发达，文学发现。始有简单的成文法，设定正式法庭及裁判制度。例如越南人，古埃及人，古巴比伦人。

（二）中级文明人——有砖石砌造的美观的寺院及富人家屋，有玻璃窗。初有帆船，商工业发达。手抄的书籍颇多。文字的教育初发现。兵士全为特别阶级的职业。成文法律完成，专门法律家出现。例如伯里克利时代的希腊，中世纪的英国。

（三）高级文明人——砖石造成的建筑物已属普通。敷设道路，有运河，水车，风车。航业已成为科学的。始用烟囱，通文为普通必要事，手抄书甚多，高等文学发达。在强固的中央政府之下集成人口千万的国家，成文法典书写而刊布。多数官吏分级任职。例如帝政时代的罗马人，15世纪的欧洲英、法、意诸国，中国（应指清以前）。

（丁）文化人（cultured men）——此为文化发达最高的民族。

（一）下级文化人

（1）财的生产问题大致解决。

（2）因广用自然力以代人力，生产组织方法进步，使多数人有余暇余力，于是智的及美的修养发达，普通教育普及。

（3）武勇及门第的名誉减少，在财产、学术、技艺、政治及其他普通生活上个人的实力之价值，大被注重。

（4）因教育的普及印刷术的发达，舆论的唤起及实行甚易，于是民主主义盛行，立宪代议制确立。

（5）除兵事及经济以外，国家亦甚注意于科学及艺术的普及与提高。

（二）中级文化人

（1）财的分配问题略有圆满的解决，普通人大抵不愁衣食住。

（2）高等教育普及。

（3）战争虽时或有之，然不过视同个人间的争闹而加以非难。各国并依协定限制军备而协力保持世界的和平。

（4）单纯的财富的蓄积不得为成功，经济的功业必须以发明、组织及管理等为准。

（三）高级文化人——现在的文化最高的国只进及下级文化的地位，中级文化为今日所希望的境状，至少亦须数世后方得达到；至于高级文化则为理想的境地，为今人理想中的黄金世界，其美好与快乐之状不是现在所能确实叙述的。所可悬拟的，是那时凡关于疾病及物质上的缺点大抵可望避免，而所有进步也必遍于全世界。但因地理之异，其生活状况或有不同而且采取地方分工之制而各呈其特别贡献。要达到此级至少也在一二千年以后。

以上是将整个文化区分为阶段的，还有文化的每一部分，例如宗教、经济、社会组织、艺术等方面，也各有演进的阶段。略举如下：

经济方面：生产上分为（1）狩猎阶段；（2）畜牧阶段；（3）农业阶段。器物的演进上分为（1）石器阶段；（2）铜器阶段；（3）铁器阶段。

社会组织方面：（1）乱婚与游群（horde）；（2）群婚；（3）母系氏族及个人婚；（4）父系氏族；（5）家族与村落。母系氏族必在父系氏族之前，而母系又必带母权。氏族之后方有家族。结婚也必先有乱婚，中经群婚，最后方有个人结婚。

艺术方面：最先为写实体，其后方由习惯化而成为几何体。

宗教方面：例如拉伯克（J. Lubbock）所拟：（1）无神主义（atheism），其实只有魔术；（2）自然崇拜或图腾崇拜；（3）巫觋信仰（shamanism），专靠巫觋为神与人的媒介；（4）偶像崇拜或神人同形主义（anthropomorphism）；（5）神成为造物主；（6）宗教方与道德结合。又如斯宾塞以为各种宗教都是源于鬼魂崇拜即祖先崇拜。

社会演进论派的方法——最主要的方法是比较法，由各时代各地方各民族搜集许多事实，来互相比较。其次应用“遗物”（survivals）的观念，以为凡是旧俗，都可以证明其以前一定盛行一时，成立一个普遍的阶段。还有对于起源，尤其是最初的起源，也被视为极重要。以为文化既是只循一条路线，则其起源必只有一个，而这一个起源一寻到，则其以后的发展都可知道了。演进论者（evolutionists）也常觉有某种要素的搅乱，这些要素之中以文化的传播（diffusion）为最重大。演进论者很晓得任何民族都曾接受外面传来的事物与观念，这种外来的东西很会破坏自然发展的演进系统，但却以为它们不过是不规则的侵入者，其价值比不上“内部发生”的事实，须把它们分别剔除开来，方能晓得进化的真相。

社会演进论者及其著作——社会演进论派的学者中和斯宾塞平分开创者之名的是泰勒（E. B. Tylor）。斯宾塞的学问是多方面的，泰勒则专精于人类学。泰勒不但在选择及提出材料上更有批判的精神，并且还有由于熟谙异文化而得的一种眼光。他不学斯宾塞的用演绎法，而专赖证据以立说，其论断也很为平允。美国有摩尔根也是演进论派的主要人物，固持进化论的原则，所著《古代社会》一书系统更为严密，更适于做这派的代表。德国方面有一位威廉·冯特氏（Wilhelm Wundt）著十巨册的《民族心理》一书，详论语言艺术、宗教神话、社会组织、法律等的发展，其用力不输于上二人；其意见也很有些异于上述的原则之处，不固守一线进化说，而且晓得传播的重要。

社会演进派出现后赞成者很多，在思想界中占有势力约经两世之久，不但人类学，便是社会学、政治学、经济学、法律学及其他社会科学上都有大影响。兹将可以代表这派的人类学者及其著作列举一二：

（1）斯宾塞（Herbert Spencer，1820—1903）所著关于社会演进论的为：《社会学原理》（*Principles of Sociology*，1876—1896），《伦理学原理》（*Principles of Ethics*，1879—1893），《叙述社会学》（*Descriptive Sociology*，1874—1881）。

（2）泰勒（E. B. Tylor，1832—1917）著《原始文化》（*Primitive Culture*，1871），《人类早期历史之研究》（*Researches into the Early History of Mankind*，1865），《人类学》（*Anthropology*）。

（3）摩尔根（L. H. Morgan）著《古代社会》（*Ancient Society*，1877），又《人类家庭的血亲与姻亲制度》（*Systems of Consanguinity and Affinity of the Human Family*）。

（4）威廉·冯特（Wilhelm Wundt）著《民族心理》（*Völkerpsychologie*）。

（5）巴霍芬（J. J. Bachofen）著《母权论》（*Das Mutterecht*，1865）。

（6）麦克伦南（J. F. Mclennan）著《古史研究》（*Studies of Ancient History*，1876）。

（7）波斯特（A. Post）著《古代种族联盟》（*Die Geschlechtsgenossenschaft der Urzeit*），《非洲法律》（*Afrikanische Jurisprudenz*）。

（8）勒图尔脑（C. Letourneau）著《婚姻与家族的演进》（*Evolution of Marriage and the Family*）。

（9）拉伯克（J. Lubbock）著《文明起源》（*Origins of Civilization*，1870）。

（10）弗雷泽（J. G. Frazer）著《金枝》（*The Colden Bough*），《图腾制及外婚制》（*Totemism and Exogamy*）。

（11）朗格（A. Lang）著《风俗与神话》（*Custom and Myth*），《神话仪式与宗教》（*Myth*，*Ritual and Religion*）。

（12）哈特兰（E. S. Hartland）著《神话与仪式》（*Myth and Ritual*）。

（13）布克（C. Bucher）著《生业的演进》（*Industrial Evolution*）。

（14）鲍尔弗（H. Balfour）著《装饰艺术的演进》（*The Evolution of Decorative Art*）。

（15）哈登（A. C. Haddon）著《艺术的演进》（*The Evolution of Art*）。

此外还有很多，不及详举。

社会演进论的批评——古典派社会演进论经后来的批评派和传播论派的攻击暴露了些弱点，其假说几乎全被否认。第一条原则心理一致说还是被保留，但其余的便都被摈斥了。这些反对派的意见以为物质的环境异点与同点都有，而且物质环境也不是文化的性质及发展的重要制定者，故不能根据心理与环境便说各族的文化都有并行的现象，而各族现在的文化程度也未必便是在一条路线上的阶段。假如将澳洲土人当作第一阶段，美洲印第安人当作第二阶段，非洲尼格罗人当作第三阶段，以为他们一定是照这种次序演进，美洲人的过去一定全象现在的澳洲人，将来则全象现在的非洲人。如果情形会这样，那么三处的文化必须全在一条路上；但何以知其在一条路上，则其根据又在于假定各种文化是不同的阶段。这样其实是假说与假说互相证明，正陷于循环论证的谬误。不但整个文化难以分别为阶段，便是文化的一部分也不能断定其有一定的阶段。例如母系氏族未必先于父系氏族，乱婚也不是最初的社会现象，群婚也不是以前的普遍制度，家族也不是氏族以后的产物。宗教的演进阶段都不确实，不论是拉伯克的六阶段，斯宾塞的鬼魂说，杜尔克姆(Durkheim)、冯特的图腾阶级说，都不成立。艺术方面则几何体与写实体没有先后的次序。经济方面，狩猎、畜牧、农业三种生产方法，石、铜、铁三种器具的次序，都不是没有例外。

反对派以为文化的变迁虽不是一致的，但并行发展的现象有时确曾存在，例如美洲土人在欧人发现以前也像旧大陆一样由石器时代发展到铜器时代，这种现象似乎全由于并行发展，但批评派另提出“辏合”或“殊途同归”（convergence）一种程序来说明文化变迁的相同，除并行发展外，有时是由于不同的历程归结到相同的结果。

演进论的第三条原则逐渐进步说，也被驳斥。反对派以为文化的全部自然是有进步，或者在某时间某地域或文化的某方面有进步也是实在的事。但若推拟凡文化的变迁都是进步的，而进步是普遍的事实，便太武断了。若由于这两种观念以为凡现代的文化无论哪一部分都完全胜过以前的文化，便很难说。或者以欧美的文化无论在哪方面都是比较亚洲民族及非、美、澳的原始民族为进步，也极不易讲。还有一点，进步也不是一定逐渐进行的，也有由突变而进步的事实，例如外来文化的影响常生急激的变化。

反对派以为演进论派的原则既然不对，所用的方法自然也错了。如比较法是任意将各民族文化的事物拿来凑合为一个阶段，其根据是因为各民族都循同一条路线。一线演进既不成立，这种比较法自然也是错的。阶段既不确实，遗存物便也不能一律指为以前普遍行过的证据。各族的文化既不一定循一条路走，那么起源自然不一，而最初起源的追求更无意义。

反对派说文化传播的事实，也很能破坏演进的系统。演进论派以为各族的文化全由于独立发生，他们非不见到传播的事实，只是不加注意。但实际上文化的传播却是永久的无所不在的现象。外来的文化既被接受及融化起来成为自己文化的一部分，于是对于以后的变迁便也负有一部分的责任。每次的传播都能使文化现状错杂起来，使它更不易用内部的原因解释其发展。故传播之接受必能改变了演进系统原来形状。对于这种批评演进论派也有反驳。他们说：外来的文化固然有被接受融化而加入为自己文化的一部的，但这种结果却未必是一定的。外来的文化有些是被全盘承受，有些则接受较慢且融化不全，有些则全被拒绝。这种原因在哪里？这是在乎“心理的或文化的预备”（psychic or cultural preparedness）。

“一个民族若是已有这种预备，它便能接受外来的文化，若还无预备便不能接受。究竟构成文化的或心理的预备的是什么？还不是发展中的各阶段么？如已达到某种文化阶段，则一面固能接受某种外来的文化，一面也能自己独立发生和外来相同的文化。故无论自生或外来的文化所以能加入于文化全体，都须已达到相当的文化阶段。由此言之，外来的文化不能改变演进的系统，故不注意它们实不为过。”这种反驳也很有理，但反对派又再提出驳论，他们说：“文化的预备确是有的，而其能决定外来文化的接受与拒绝也是真的。但预备与不预备也不过是一种宽泛的限度，在其间特殊的事物或观念的出现与不出现还有无限的可能性。一个民族虽已有某种预备，但却不一定会自己发明，即发明也有迟速。其时如适遇到外来的同种发明，必被接受而成为自己文化的一部分，甚或是极重要的贡献。如果不由外面传来，则这种发明或者永不会发生，或者发生很迟；这样对于这民族的命运以及它与别民族的关系，它的兴起或衰落，便很有关系了。”

第三章　传播论派

巴斯蒂安和拉策尔都知道文化传播的重要，泰勒虽大体上属于演进论派，但也晓得有传播的事实，常承认相似的文化有些是由于传播而致，对于传播的事实很公平的讨论。真正的传播论派又分为二派：即德国派与英国派。

德国传播论派——第一个真正的传播论者（diffusionist）是德国的格雷布内尔氏（F. Graebner）。他不但创成一条民族学的学说和方法，还成为一个学派的领袖。属于这派的有福伊（W. Foy）、安克曼（B. Ankermann）、施密特（W. Schmidt）诸人。格雷布内尔的具体的研究始自一篇论海洋洲的文章，登在1905年的《民族学杂志》上。其后又有一篇更精详的论文名《美拉尼西亚的弓文化》，此外尚有许多文章继续出现。其理论的原则成为一本书，名为《民族学方法论》（*Die Methode der Ethnologie*）。

格雷布内尔全盘反对演进论。他以为各民族文化的相似即便不是全部，也有大半可以由历史上的接触发生的传播或“借用”（borrowing）解释它，否则也是由一个共同的来源传来的。人类的创作力极不足道，发明本是很罕见的事，而不同的民族有相同的发明，尤为绝无仅有。故独力发明说不当轻信，必须在寻不到传播的痕迹后方可论及发明。因此在他看来民族学的工作便是重新发现各民族的历史上接触的事实，并寻觅文化传播的痕迹。格雷布内尔以为要寻觅传播的痕迹，当先分析文化的类似点（similarities）。分析类似点有二种标准：一是“质的标准”，例如物质的东西的形状及社会制度或观念的构造与作用。二是“量的标准”，即指质的类似点的多少。分析完毕，如发现类似是真确的，便可解释为由于传播，即是说两处的文化必是由一方传播于别一方；至于两处的距离是无关紧要的。无论是互相邻近，或远隔几个大洋，都不能为传播的妨碍。

格雷布内尔便用“文化波”（cultural wave）或“文化层”（strata）为寻觅文化传播的单位。他所研究的地方以南海群岛（South Sea Is.）和澳洲为最详，他还扩大其分析于非洲的文化。施密特氏也用格雷布内尔的方法研究南美洲的文化。北美洲还未全经他们研究过。

传播论派既以为发明不易，而各族的文化大都由传播而来，然则为文化源头的民族必定很少。这种源头的多少，德国派与英国派不同。德国派主多元，英国派主一元。据施密特说人类最初的文化像最近的矮黑人（Pygmy）的狩猎生活一样。由此在不同时间及不同地域生出三种文化：

第一种是由于妇女发明种植，其后发生母权政治，有女神及太阴神话。

第二种是由于初步的狩猎法之完成，男子技术发生，行父系制，和图腾制相连，有男神及太阳神话。

第三种由狩猎而发生畜牧，成为游牧民族的文化。

以后的历史都不过是这三种初步文化的传播及互相影响。由第一二种的混合便发生村落生活，农业与工业的联合，再加以第三种的游牧文化便成为近东的“原文化”（proto-civilization）。

德国传播论派的重要著作如下：

（1）格雷布内尔著《海洋洲的文化圈及文化层》（*Kulturkreise und Kulturschichten in Ozeanien*），在《民族学杂志》（*Zeitschrift für Ethnologie*，1905）内；《美拉尼西亚的弓文化》（*Die Melanische Bogenkultur und ihre Verwandten*），在《人类学杂志》（*Anthropos*，1909）内；《民族学方法论》（*Die Methode der Ethnologie*）。

（2）格雷布内尔及福伊合著《民族学的意义问题及历史》（*Begriff Aufgaben und Geschichte der Völkerkunde*，1908），也是论文。

（3）安克曼著《非洲的文化圈与文化层》（*Kulturkreise und Kulturschichten in Africa*，1905），论文。

（4）施密特著《南美洲的文化圈及文化层》（*Kulturkreise und Kulturschichten in Südamerika*，1913）。

英国传播论派——英国的传播论派以里弗斯（W. H. R. Rivers）为首，像多数英国人类学家一样，他的训练原是心理学家的，其研究人类学初时原是赞成演进论。其后转喜作特殊问题的研究，参加托雷斯海峡的剑桥人类学探险队（Cambridge Anthropological Expedition to Torres Straits），应用发生学的方法（ginealogical method）于社会组织的研究很见成功。里弗斯在其论托达人（Toda）的小册里方较有冥想的趋势，以为民族学家尽可以自由作历史的复原，只要能将原不关联的事实解释得互相连合起来便可。当其从事于美拉尼西亚的较长期调查时深有感于其处文化的复杂，同时他便倾向于格雷布内尔的方法。自此以后便很急速的变成武断的传播论者了。

里弗斯定了几条原则，如在两种文化的相对的程度上“借用”的重要，少数移入人民发生重大的文化影响的可能，在某种境状中极有用的部分，例如有用的技术，也会遗失等。他便应用这些原则要将现在的文化状态的过去背景重新复原起来。他用以研究美拉尼西亚，著成《美拉尼西亚社会历史》，其第二册纯粹是美拉尼西亚的冥想的复原。传播论被用为解释的总原则，但却不是有历史的证实的传播。

格雷布内尔与里弗斯颇有异同。里弗斯不像格雷布内尔的注意类似点的分析，而不顾地理的远近。他的那些原则在本身上都很可赞同，不过于实用时太倾于冥想。他的推理比较格雷布内尔也较有判别性，他又能应用心理学的方法，这也是格雷布内尔所不及的。他们两人的同点在乎对于传播的态度，他们都用此为解释的通则，完全不问有无历史上的实证或特殊状态的或然性，也不和相反的独立发生说平心衡量看看。

英国派还有史密斯（G. Elliot Smith）、佩里（W. J. Perry）二人也很有名。传播论的流于纯粹幻想便是由于他们。史密斯原是很成功的体质人类学家。可惜在文化人类学这一方面，全用非批判的方法泛论全世界的文化复原。传播论到此地步已经大显错误了。

英国派的假说是“全埃及论的”（Pan Egyptian）。据说在纪元前2600年以前，埃及便有一种“古文明”（archaic civilization），其后传播四方，重见于别处，但却都有退步，只是程度不同。世界上的较为粗朴的文化不是“原始的”而实为“退化的”，即由埃及的古文明退化下来的。澳洲在未与埃及古文明接触时没有魔术及宗教的信仰和行为，而两合社会的组织若发现于世界上边鄙的地方必可证明埃及影响的存在。故这一派可称为一元论的。

英国派的著作如下：

（1）里弗斯著《美拉尼西亚社会历史》（*The History of Melanesian*

Society, 2 *Vols*),《亲族制度与社会组织》(*Kinship and Social Organization*),《社会组织》(*Social Organization*),《心理学与民族学》(*Psychology and Ethnology*),《心理学与政治学》(*Psychology and Politics*),以上为书本。《民族学研究之发生学的方法》(*The Genealogical Method of Ethnological Enquiry*),《有用技术之遗失》(*The Loss of Useful Arts*)及其他论文多篇。

(2)史密斯著《早期文化之迁移》(*The Migration of Early Culture*, 1915),《龙的演进》(*Evolution of the Dragon*),《象与民族学家》(*Elephants and Ethnologists*),及论文数篇。

(3)佩里著《印度尼西亚的巨石文化》(*The Megalthic Culture of lndonesia*),《太阳之子》(*The Children of the Sun*),《文明之生长》(*The Growth of Civilization*)等。

传播论的批评——这种批评是批评派所加的,他们对于传播也很看重,但因见传播论派越过批判的范围而武断地进行解释,故也加以指摘。

批评派对于格雷布内尔的类似标准的分类不大赞成,以为质的标准实际上永不能纯粹客观地应用,一定不能免去主观的见解。量的标准分解为最后的单位,不过仍是质的标准。还有不顾距离的解释有时也过于牵强。不顾地理的要素便也是不顾历史上的可能性。所以这一派虽自称为“文化历史派”(Culture Historical School),其实是非历史的。反之,对于类似点的估定不固定,便是承认历史地理的要素之存在。文化也不是机械的而是心理的结合物,估定文化的真相不能专靠客观地枚举在并存上或地理分布上的文化的事物,心理的要素不能一笔抹煞。格雷布内尔又太轻视了人类的发明力,以为独立发明是极少见的,其实在各地方不常都有新的发明、新的适应环境的方法吗!

批评派对于里弗斯的学说除赞同其原则的一部分外也很有不满之处。

里弗斯不谨慎地应用冥想的方法实在很不合于稳当的历史的复原。例如有用技术的遗失及少数移民的影响，在理论上很可承认，但若不管地方的及历史的实证，只靠这些理论来解释未免牵强。其次他又不肯将别地方的可比较的材料拿来解释本地的情形，这也是一个缺点。最后一点是假说繁衍太多，或然的程度减少。

第四章　批评派或历史派

批评派或历史派（Critical or Historical School）采取批评的态度，对于演进论或传播论都加以批评，自己在积极方面则提出一种历史的方法，故有这两种名称。他们的破坏方面的工作，已见于上二派的批评中，此处只述其建设的方面。

博厄斯（Franz Boas）——这一派的领袖是美国的人类学前辈博厄斯，故从属者大都为美国的学者。博厄斯早年受物理学及数学的训练，其具体研究的能力与批判的精神很适于做人类学思想的工作。他加入人类学界时，这种新科学的基础已牢固了，原始的材料已搜集许多，博物院已成立，供给研究的机会，受过科学方法训练的青年的人类学家，也已准备着出发赴原始民族的地方去实地调查，想要带回经得起批评的结果。但是在这人类学家的营盘内还没有秩序或系统。正确的方法和主观的幻想，随便地应用，其趋向易倾于泛漫的综论。而对于人类学要求供给材料，以完成社会科学的基础也逼出了未成熟的结论和匆促的终局。其实人类学还是幼稚，可以容许一个人尽览其广漠的范围。博厄斯便是这样的一个人。他提出了方法和批评。统计学的方法原是应用于优生学的，被博厄斯取来应用于神话的研究，将事件与人物做单位以发现神话的分布及其趋向，觉得很有效。根于鲍威尔（Powell）的分类基础，博厄斯又建立了美洲印第安言语的科学。这有二种效果，其一是对于比较语言学有重大的贡献；其二是成为美洲的民族学研究的不可少的工具，因为传播的问题有时须用语言的分析法。

博厄斯以为研究一种民族的文化，应当在其有限的历史地理的家乡内（historical geographical homes），并须着眼于其对于物质环境，四围文化，以及文化各方面的许多错杂的心理连结等的关系。这种意见可再分为二方面说：其一，研究原始民族的文化是只就其现在的相互关系而论，每个部落被当作一个单位，而论其与别族的关系。其二，文化的变迁被推原于以前的文化，而不是由于种族环境或普通的心理等原因，分述于下。

历史的方法（historical method）与"文化区域"（cultural area）——文化区域便是依文化的异同而区分的地域，博厄斯的产生这种观念，是由于整理美国自然史博物馆的标本的暗示。他因见各种标本依地域而自相集成为一群，遂将北美洲按照其物质文化分为几个区域，于是这种概念便发生了。这种概念是根据于物质的标本的，故差不多纯粹为客观的，虽在选择及估量上免不掉有一点主观，但却无伤于其效用。兹依据威斯勒（C. Wissler）所说的略释于下。

人类学的研究单位是一个部落的文化。一个部落的文化便是其"生活样式"（mode of life）或思想与行为的团集体。一个部落的文化包含许多单位，这便是"文化特质"（culture-trait）研究者入手时须以一个特质为单位。这些特质其实也不是简单的一件事物，它必有许多附带的东西合成为一个"文化丛"（culture complex），例如食米的文化丛必附带些培养、收获、保存、烹吃等技术以及财产权、法律、社会惯例、宗教禁忌等事结合为一团，这便可以称为"米文化丛"。此外如猎头、图腾、麦、马、外婚、杀人祭神等都是著名的文化丛。一部落的文化丛常自成一种“型式”，这便叫作“文化型式”（culture type）。同样的型式常集于同一地域，故可以文化型式为标准而区分地域为“文化区域”。例如美洲的每个区域中包含多数部落，这些部落都各有其文化，但其文化都属同一型式。在一个文化区域内的部落有的在中央，有的在边境，其文化虽大体相同，但也有差异。在边境的（marginal area）常和别区域的文化混杂渐脱离本区文化的性质。在中央的（central area）最可为本区文化的标准，因为本区的文化原是从这里传出来的，故这里又称为“文化中心”（culture centre）。其余在中心与边境之间的，其文化也依次减少标准的性质。故一个文化区域可依其标准的文化特质的多少而分为“文化带”（culture zone）。标准的文化特质最多的地方便是中央带，也即是文化中心，中央的四围特质较少的为一个带，更少的又为一个带，最后以边境为最外面的带，其间特质必最少。这样研究起来便能明悉各地方或民族的文化真相。若是边境的，便是由于传播。若是中心的，便是由于独立发明。反之，若就文化特质的本身而说，也可以晓得它是从何处发生的，向何处传播（见《人与文化》）。

文化区域的方法用于美洲已有成效，如威斯勒分北美为9个区域，克娄伯（A. L. Kroeber）更合南北美为15区，很为明晰。非洲也已有近于文化区域的发现。其他原始民族的地方将来也可照此研究起来。至于现代文明民族的文化也有依地方而差异的情形，也很可以应用这种方法区分它。因此文化区域的观念很受社会学家的注意，将来想必盛用为研究文明民族的工具。

历史派的方法更由哥登卫塞概括如下：（1）集中探索于有限度的“地理、历史的”地域，研究其在历史上经过的深度及其地理上和别部落接触的广度。（2）应用客观的及统计的方法，以追溯文化特质及文化丛的流播，并用心理学的方法，以研究文化特质的连合、相侵与同化。(3)应用型式的概念以描述区域文化，尤其是在吸收本地的或外来的新文化特质之际。(4) 扩大求异的方法，寻出部落内的区别及个体。(5) 采用语言学的方法以探索精微的意义。(6) 分解文化丛之历史的及心理的成分。(7) 排斥粗陋的古典派的演进论与环境论。(8) 应用"传播"、"独立发展"、"并行""辏合"等概念，但不过作帮助的工具而不是武断的假说。

文化定命论（cultural determinism）——这便是上述的第二条的意义。发挥此说最详者为克娄伯氏（A. L. Kroeber)，在他的两篇著名的论文即《超有机论》和《宣言十八条》中提出。据他所说文化现象是超有机的，超个人的及超心理的，文化是自治的，历史事件有决定以后事势的能力，且是不可免的，个人在历史上的地位无关紧要，甚或可以完全否认。他在《超有机论》中说：

> 我们信有四种现象同是实在的：这便是质与力的现象，生命的现象，意识的现象，社会生活或文化的现象。这些现象又可称为"无机的"（inorganic)、"直接有机的"或"生命的"(directly organic or vital)、"心理有机的"或"心灵的"（mentally organic or psychic）以及"文明的"或"超有机的"或"超心灵的"(civilizational or super-organic or super-psychic)。

再录其《宣言十八条》于下：

> (1) 历史的目的在乎知晓社会事实对于文明全体的关系。(2) 历史所研究的材料不是人而是人的工作。(3) 文明虽由人

类携带并由人类而存在，但它却自成一体，与生命也不同。(4)历史家应知人有某种心理构造，但不当即用此解决社会现象。(5)真的本能存于社会现象的底面及起源，但不能由历史研究之。(6)人格或个人除用为例证外无历史的价值。(7)地理或物质环境是文明所利用的材料，而不是形成或解释文明的要素。(8)历史家应主张所有人种都绝对的同等或相同为文明的负担者。(9)遗传在历史上完全无力。(10)后得的遗传是生物学上及历史上的怪事。(11)淘汰以及其他有机的演进都不能影响文明。(12)所谓野蛮人并不是动物与受过科学教育的人的中间物。(13)没有社会的种类或标准的文化形态或阶段。(14)无所谓种族心，只有文明而已。(15)在历史上没有像理化科学的定律。(16)历史只研究为一定条件的境状，不研究原因。(17)历史的原因论便是终局论。(18)总之，生物学的、心理学的或自然科学的定命论和方法都和历史无关，就像历史的方法之无关于生物学一样。

同派的人也不完全赞成其中论点，例如哥登卫塞说他赞成其大意而不同意其过分抹杀个人在历史上的地位，过度的历史定命论，以及混视了心理学与生物学。

总之，批评派以为演讲论和传播论都是要用一种原则泛论全世界的各民族或各地方，全不问它们在历史上及地理上的特别情形，其方法实在是演绎的主观的，而不是归纳的客观的，无怪其结果的武断与穿凿。他们有鉴于此，故不敢再做这种泛漫的论调，而只是小心谨慎缩小研究范围并注意特殊情形，而求完全了解一小单位的真相。由于他们的注意实地调查，这种调查报告也增加了很多。

此派的著作——这派的学者除博厄斯外大都是新近的人类学家如罗维、哥登卫塞、威斯勒、克娄伯等人。最先揭起反演进论的旗帜的魏斯特马克（E. Westermarck）著《人类婚姻史》（*History of Human Marriage*），实为批评派的前导。

（1）博厄斯因注意实地调查，故多有报告的册子而少有理论的著作。除1911年出版的一本《原始人的心理》（*Mind of Primitive Man*）外，其意见散见于杂志及报告中。其报告例如《北美土人故事的散布》（*Dissemination of Tales among the Natives of North America*，1891），《印第安神话的生长》（*The Growth of Indian Mythologies*，1896），《温哥华岛的瓜扣特尔人》（*The Kwakiutl of Vancouver Island*），《阿拉斯加的针匣上饰纹》（*Decorative Designs of Alaskan Needlecases*）等。

（2）克娄伯（A. L. Kroeber）著《阿拉帕霍人之装饰的象征》（*Decorative Symbolism of Arapaho*），《加利福尼亚印第安人之宗教》（*The Religion of the Indians of California*）等调查报告。又《超有机论》（*The Super-organic*），《宣言十八条》（*Eighteen Professions*）等论文。

（3）威斯勒（C. Wissler）著《黑足印第安人的物质文化》（*Material Culture of the Black-foot Indians*），《平原印第安人的服饰》（*Costumes of the Plains Indians*）等。

（4）罗维（R. H. Lowie）著《平原印第安人的年龄结社》（*Plains Indian Age Society*），《北美洲的仪式主义》（*Ceremonialism in North America*），《文化与民族学》（*Culture and Ethnology*）。

（5）哥登卫塞（A. A. Goldenweiser）著《北美印第安人的社会组织》（*The Social Organization of the Indians of North American*）等报告。

其他的人也都有很多的调查报告，不复列举。

批评派最近的趋势——最近美国人类学界的趋势又略有改变，兹将哥登卫塞的话译述于下以代表这派的意见。

批评派或历史派还不是人类学思想的结局，它显然有其限度。英国及欧陆的人类学家曾批评美国的文化人类学为无生产。其故因为批评派确有几个缺点。其一，这派的贡献中几乎全没有“综论”（synthesis）的著作。从事综论的工作不但需有知识和眼光，还需有勇气和建设的想象。批评派只尽力于批评的分析，和特殊的具体的调查，怯于从事观念上的即较广阔的及较近思辨的问题；这在人类学本身固是一个缺陷，即对于别种社会科学也减少其贡献。

第二种缺点在乎对于“假说”的怀疑态度太过。批评与方法论固是重要，但同时必须有建设性的观念并存着，方才用得着批评与方法论，否则便陷于不生产了。

和上一条有关的便是漠视文化的发展方面。反对演进论为文化发展的定律，并不就是说文化没有发展。故文化人类学家仍需继续解释文字以前的历史。它当不坚执事实的整齐与呆板，而容许很多的罅隙。这种工作现在已经有人从事，其中一种可以称为“新演进论”（neo-evolutionism）。

演进历程的普遍性，整齐性与渐进性都可否认，换言之旧演进论的并行，一线发展，独立发明，逐渐进步诸说都可排斥。但此外是否还有“演进”存在着？有的，只要研究者的目的不要存得过大，演进时间不要算得太促，不要概括文化的全体或其一大部分，而只着眼于单个文化特质，或几个相关联的文化特质（文化丛），那么，还是看得出有演进。现在是没有了不可免的定律，而却有某种发展的原则或趋势可以指出。在数学或哲学的发展上，在机械概念及物质发明上，在社会的分群上，都有颇整齐的趋势翘出于复杂的历史经过之中，可以容许某种程度的先见及预测。由此言之，这些趋势便是稍为固定的发展路线，它们凝结了错杂不定的历史经过，把它弄成较为固定的形式。

演进论的复活还有赖于“辏合”（convergence）的概念，这是历史派的人所创设的，用以代替或补助旧派的并行说。并行说以为凡相类同的事物都是由于相类同的历程演成的，但世界上像这样的事实却很少，有许多相类同的事物却是由于相异的历程演成的，这便是“辏合”或“殊途同归”。辏合虽与并行不同，但都是一种发展的历程。其实例如新大陆的陶器加釉的发明与旧大陆的结果相同，但其历程却有异，旧大陆加釉于陶器的本体，新大陆的却先加于器上的装饰部分，后来方加于全体。又如埃及的铜斧与古秘鲁的铜斧也是这样。

起源的复原或初期发展的研究也再出现，但与以前的不同。现在不像旧时把它当作历史的事实，放在演进历程的起头，以为说明全历程之用。现在明言起源是冥想的产物，根于现在的或近时的情形，而推论远古，取概略的形式而容许特殊的变态。

比较方法也有一部分复兴。破坏的热心冷却以后，批评派也觉得由比较的方法而得的眼光也很有助于研究特殊民族或地域的文化，在指导及纠正解释时是不可少的。比较法在别种科学如解剖学及语言学上已有很光荣的效果，在社会科学上安见它一定不可用。旧演进论派应用比较法的失败在于选择材料不谨慎，且要利用静的事实支持动的概念。现在如以批评的态度且用于适当的目的，则比较法必可为历史的及史前的研究的一种重要工具。

还有一种有用的观念，便是社会科学的“相对性”。如所谓偶然论或定命论，演进论与传播论，甚或最受排斥的进步论，如应用不致太过，且有一定的范围及明了的观点，便都可以获得新意义而可以应用于历史的研究及解释。故如除去了它们的形而上学的意义，则这些曾经被斥为空泛的、不自然的或太抽象的观念，也可以再被取为整理及了解社会现象之用。

自旧演进论失败以后，心理学的方法也被弃不用，现在却又有抬头之势。如罗维论心理学可以为民族学解释文化。又如威斯勒论人类的普遍的根本的“文化模式”和人类的天性有关。又如哥登卫塞也从心理方面解释人类原始文化的物质方面何以比精神方面为正确。还有精神分析学（psychoanalysis）对于文化人类学的贡献也很大，例如关于魔术、禁忌、乱伦、神话等的解释都是别开生面的见解。

哥登卫塞更概括那时（1921 年）的趋势说：“我们所希望的是更多的综论，更深的心理学的索究，应用语言学及精神分析学的方法并持批评的及相对的态度以立论。”

自彼时以后批评派的人大都改变了态度，跑上了上述的途径；除实地调查特殊问题以外还从事范围较大的研究，各人大都出了二三册所谓“综论”的大著。其范围虽很广，但材料的去取大都根据批评派的调查报告。其方法则除历史的方法以外，语言学的方法，心理学的方法，比较的方法，统计的方法，也都被采用。其原则除少数外大都不拘一种，演进论、传播论、文化定命论都被兼容并包，但都只取其相对的意义不像以前的极端。兹将这一类的著作略举数种于下：

（1）博厄斯（F. Boas）著《人类学及现代生活》（*Anthropology and Modern Life*，1928），又《原始艺术》（*Primitive Art*，1927）。

（2）罗维（R. H. Lowie）著《初民社会》（*Primitive Society*，1920），又《原始宗教》（*Primitive Religion*，1924），《我们是开化了吗?》（*Are we Civilized*?）。

（3）哥登卫塞（A. A. Goldenweiser）著《初期文化》（*Early Civilization*，1922）。

（4）克娄伯（A. L. Kroeber）著《人类学》（*Anthropology*，1923）。

（5）威斯勒（C. Wissler）著《人与文化》（*Man and Culture*，1923），又《社会人类学绪论》（*An Introduction to Social Anthropology*，1929），又《美洲印第安人：新大陆人类学绪论》（*The American Indian：An Introduction to the Antropology of the New World*，1922）。

（6）托泽（A. M. Tozzer）著《社会起源及社会继续》（*Social Origins and Social Continuities*，1925）。

（7）沃利斯（W. D. Wallis）著《人类学诸论》（*An Introduction to Anthropology*，1926）。

第五章　文化压力说（以上各说的总评）

以上各派的争论到现在还是不曾完全结束。但最近却又有一派异军突起，以另一种方法探察各派的背景，而找出其成立的原因，然后加以批评。这派的文字还少，兹将卡尔弗顿（V. F. Calverton）在《美国社会学杂志》发表的一篇撮择如下。

> 人类学的生长和演进论的发展密切地连合在一起。两者如不曾互相帮助便不能有大进步。两者的发生都表示19世纪的一种趋势：即以现在为准，而解释前人的观念，判断以前的制度。
>
> 演进的理论起自希腊人，但却须到了18世纪方有长足的进展。在达尔文之前的学者如布丰（Buffon）、歌德（Goethe）、圣希莱尔（Saint-Helaire）、拉马克（Lamarck）等的人的著作中演进的假说相继发生出来。达尔文和华莱士（Wallace）的同时发见自然淘汰及适者生存的学说，可以证明那时这种观念的兴盛。

所有环境中的势力无论是经济的或社会的，都促成了这种学说。

我们要了解19世纪西欧的特性是“变迁”的话，便不觉得上述的话的奇怪。人类从来不曾在这样短的时间经过了这样大的革命。工业革命尤其是西方生活急速转变的原因。它是促使时代向于新欲望新幻想的原动机。新的发明层出不穷，机器应许人类以一个可驾驭的新世界。人类以新的眼光睥睨世界。没有一物免被探察。

人类的精力像这样由新时代的机器而解放了以后，科学至少在新知识分子，便成为新的人生哲学了。分析之后，继以精究；于是没有一物能脱出侵略者的手。甚至《圣经》，虽原是西欧文化的神秘中心，也不能免去科学的检查。近代世界的急变也表现在社会科学和历史学说里面运动和变迁的观念成为强逼的观念。这些情形便开辟了接受演进论的路。不但把它当作一种科学原理，而且当作新增加的文化。

在1859年以前，西方文明若是根于《圣经》的教条；则1859年以后，便是演进论的世界。一种学说被采用，必是它对于人的生活，无论是感情或智慧上，能够应付某种重大需要。达尔文的演进论，正好应付新的人生哲学的需要。它不但供给了人类发展的一种新预测，还就西方文明而提出世界进步的新辩护。人类的演进被视为无限的进步，自低等以至于高等，而近代西方文明则代表演进阶段的最上级。不止这样，达尔文的适者生存的学说，使生存与上进成为同一意义。因为所有生物，都为生存而竞争，故生存的便是优胜的。西方文明既然在各种文明的竞争中，得到最成功的生存，那一定是代表人类演进的最高级的了。以此说之，西方文化中的原理与制度自然是人类

“德型”（mores）史上最进步的了。故如私有财产制，一夫一妇的家族，平民主义的政体，都被当作人类道德上的大进步。个人主义被视为文明人胜过野蛮人的特征，即“分化的”胜于“未分化的”。换言之，达尔文的演进说及其推论，最能辩护19世纪的欧洲现状。它和当时的统治阶级的哲学完全相合。近代的工商业已经破坏了附于封建制度和农村习俗的意识学上的辩护，自然新的意识也需有新的辩护。达尔文的学说，正好当这种辩护。演进论使放任主义的经济学及其竞争的逻辑植根于自然的系统中。它又根据了为适者生存的必须的斗争，而批准了个人主义和阶级的区分。它甚至还充当民族主义及当时扩展中的帝国主义的支柱。一言以蔽之，这种学说的态度是“这样便是这样，因为它必定这样，因为它必须这样”。

人类学的起源，便是在这种文化环境里头。使演进论成为新知识力的那些经济因子、社会因子也同样使人类学成为演进论的附属物。演进论于是成为人类学的基本结构。自1871年泰勒的《原始文化》出版后，19世纪人类学的历史，便是应用演进论以讨论人类的过去，应用时必牵连及于19世纪的“价值”（译者按：似指文化），而这种价值常指维多利亚时代的。换言之，那时人类学家的研究原始人类，不是要寻究他们是怎样的，而是要证明他们所推想的原始人类应有的状态。他们不自觉其错用了演进论，以为19世纪文明的“价值”既然超过其他“价值”而生存，自然是道德上进步的最高点。于是他们便要在原始生活中寻出最低等的行为来。他们在不自觉中，把自己的理智，高置于原始人类之上。在这里，是整个心理都在这样活动着，不止是科学上的一种错误。这种心理，是由于19世纪巨大的物质进步和将要完成的新意识的武器所养成的。这种心理，使那时的人类学家不能如其真相地运用事实和解释它。他们的研究原始人类像猜谜一样，多方改变事实，以求解决他们急于要寻出普遍的演进定律以解释人类怎样由粗陋的原始时代进到精美的19世纪文明。这些人类演进派的人类学家受了摩尔根的影响，便断定社会曾经过几个一定的阶段，自低等进到高等，而时代的文明矗立于其顶点。例如以为婚姻形式，始自乱婚，继为群婚，最后方为一夫一妻制。摩尔根又着重财产在原始社会的决定力。摩尔根的学说创立不久，便被急进派接受以证明马克思哲学。19世纪的急进派思想家几乎全都引用摩尔根的话以为最后的权威。恩格斯（F. Engels）的《家庭、私有制和国家的起源》、考茨基（Kautsky）的《结婚及家族起源》(*Entstehung Der Ehe und Familie*）都根据摩尔根的书。普列汉诺夫（Plechanov）关于原始艺术与文化的著作也常引用他。甚至现在也还有许多急进派引用摩尔根的书，似乎它至今还是新书。

虽有麦克伦南（Mclennan）以及许多思想家的攻击，摩尔根的学说还是在19世纪的人类学中大大发展。其初所引起的敌意，不过是知识上而已。因为这种学说并无违反维多利亚时代的人生观之处。里弗斯（Rrivers）说得不错，他以为摩尔根的被人反对在于他描写人类的过去时代大大刺伤了文明人的感情。对野蛮人绝不应当说他们有高等的道德，因为文明是由原始时代演进来的。虽是如此，摩尔根的学说还是很适合于演进论。不过由其广被急进派的接受，并被革命思想家所应用，故使它在19世纪的心理中，忽然变成“可厌恶的”。觉其“可厌恶的”不是急进派的心理，而是保守的布尔乔亚的心理。因为他们最注意保护中等阶级的被19世纪文明所提高的“价值”（文化）。摩尔根的学说如只限于过去，而其演进历程只限于指明现代为最后阶段，那便没有什么可怕。但却因那些急进派的解释演进为相对的，而不是绝对的，于是危险便发生了。依此，19世纪的制度，便不是最后的阶段。其中如私有财产、家族等，便不是不会破坏的了。按照演进派的演进历程，这些制度，都决定会在下次的社会进展时消灭了。

当演进论表现了它除建设以外还有破坏的可能时，便需有一种新学说以辩护现有“价值”（文化）的永久性。只有如此方能答复急进派的对于演进论的解释。于是一班人便开始了寻找“绝对的事物”，即那些可以满足19世纪心理的绝对的事物。故原始共产说最受反对，私有财产被宣布为一种本能，为各种社会生活的基础。宗教亦被解释为人人都有的一种冲动，无论文明人或野蛮人都有之，而不是环境的产物。家族也被辩护为文化的柱石，社会存在的必需物。还不止此，现行的一夫一妻制，更被宣布为人类婚姻的基本形式，甚至动物都被用以证明这说，无论如何暧昧的证据都被采用。依此，一夫一妻制便不是生自某种经济生活的一种结婚形式，而是人类以及近于人类的哺乳动物的根本的结婚形式。像这样，19世纪的制度，便从变动和衰落中救出来了。无论演进是向何方向的，私有财产和家族，都是不可侵犯的。这些便是绝对的事物，不可变的事物，没有一种急进的演进或革命能够动摇它。

阶级逻辑在这里的作用是很明显的。人类学于是便又被用作拥护中等阶级逻辑的支柱了。它为现状辩护，加以所谓最后的科学的批准。猴子有了一根树枝便是资本家的比喻，竟可以满足每个大学二年生，使知道无论何人如有无论怎样小而可用以产生财货的一物，便是一个资本家。又如一夫一妻制被“合理化”起来，以为是人类结婚的自然形式，也都是人类学所作的欺骗勾当。

最可以证明上述话的是魏斯特马克的著作及其影响。当他的《人类婚姻史》出现于1891年时，他还是科学界的无名小卒。如华莱士（A. R. Wallace）在其序言中曾说魏斯特马克是“尚未知名的学生”、“新来者”。但其后不到10年间这个“新来者”竟成为研究结婚与道德的权威，以他的新逻辑扫倒了前辈的势力。其第二部著作《道德观念的起源与发展》不过再巩固他既得的势力而已。他的权威若只限于他的专门科学，其成绩也已经很重要了；但事实上他的影响却扩大及于其他科学，甚至于通俗的世界中，这种成功更不是寻常的事。自18世纪以来，人类学家中没有一个像他有这种势力。几乎每本书籍、讲义或论文凡讲到道德或结婚的，自以前到现在都将他的著作当作基本参考书。在大学中更立刻选它为南针。无人敢无视他的权威。这部人类婚姻史便成为社会科学的新《圣经》了。直到20世纪的20年代，他的结论方才被布里福特（Robert Briffault）在其所著《母论》（*The Mothers*）中加以攻击。

但魏斯特马克以前的优胜，比较他现在的失败尤为重要。观于布里福特对他的正确而致命的批评，觉得他能操纵了40年的人心，实在是不可思议。在那长时期中，他的尊严不曾受人指摘，尤其是一种异事。一个人的学说，既然证据是很薄弱谬误的，何以会这样广受赞同？问题既然是很有辩论性的，何以他的结论却这样快这样完全地被人接受？他的证据既然是非权威的，何以他忽然变成为一个权威?

这个答案须由社会逻辑内找出。魏斯特马克的学说不止反对摩尔根、麦克伦南、拉伯克（Lubbock）等人而已，他还满足了那时的“社会知识的”需要。反对摩尔根时，便是破坏急进派的逻辑，因为那是根据于摩尔根的著作的。又如主张一夫一妻制普遍于最原始的人类，家族在人类以前便存在，人类结婚是由猿类的祖先遗传下来等说，便是辩护19世纪文明中的主要制度，供给以绝对的事物。家族于是变成不可动摇的制度，非急进派所能破坏，无论何种社会演进，都不能消灭它。一夫一妻制也不可攻击，因为它根植于人类的远古的过去。

无疑的，魏斯特马克的学说会被19世纪的中等阶级的知识分子这样地热心地接受和顽强地拥护。不赞成的知识分子只有那些急进派。大学教授们不必再依赖斯宾塞的话而说“一夫一妻制是男女关系的最后形式”以抬高19世纪的制度使驾于别时代或别种文明之上了。由于魏斯特马克之力，人类学已经给予一夫一妻说以科学的批准了。

因为那些急进派，采用了摩尔根的学说，以为他们的革命武器，故须加以非难。魏斯特马克学说于是便被我们的社会科学家全盘接受了。这表示着什么呢？这不过表明我们的社会科学家不注意客观的事实，只喜欢那种辩护现在态度与制度的文章而已。

现在的人类学家除极少数而无力的以外，几乎都拥护魏斯特马克的学说，例如马林诺斯基（Malinowski）、托马斯(Thomas)、罗维等人无不如此。

现在我们应该把这关于人类趋势和制度之起源的旧学说重

新加以估价。人类并不像以前所断定的那样异于其他动物。人类趋势不但远在家族发生以前，而实是始于猿类的游群。据米勒（Gerrit Miller）所说“我们很有理由可以相信在现在的人类社会系统之前是一种猿类的乱交的游群生活。要了解人，这是人类学的工作，我们应当不规避不掩饰地注目于制驭人类行为的先人类的和原始的冲动和动机。我们如固执着以为它一定照我们意中的原始的绅士的样子行动，那便不对了”。

由于这些批评。可见魏斯特马克的道德观念的全部上层结构，是没有事实的基础的了。那不过是满足意愿的思想，放在人类学的建筑上面而已。它的广被接受便由于此。社会科学常易于接受这种辩护的逻辑。在放任主义当权的时候，经济学家和社会学家便是其不批判的主张者；到了现在，放任主义失势了，经济学家和社会学家便反过来批评它，甚或不再拥护它。只在一种学说或制度破坏的时候方使它以前的主张者，能够客观地观察它。由于这种理由反魏斯特马克的学说也才能兴起。19 世纪的伦理学和经济学，由世界大战而促成全盘破坏，致使中等阶级的美满神话动摇起来。绝对的演进概念势须抛弃，相对的概念便起而代兴。自然科学中的相对论的发生，无疑的也有影响于社会科学中的相对论。

但这也不是说人类学家和社会学家须再回到摩尔根那里寻求材料和解释。正相反的，摩尔根的演进学说也不可以辩护，摩尔根并不是不比魏斯特马克的意见更为近真，不过我们不能依他说结婚制度在任何部落都一定是由某种阶段进到某种阶段。乱婚制的存在于几个部落中，并不能够算作充分的证据以推论全体原始人类的历史。同样一夫一妻制的存在于几个部落也不能使魏斯特马克即据以判断凡人类的祖先都是倾于一夫一妻制。我们殊无充分的证据，来正确地追溯两性关系的发展，在所有原始人群都是循行几个明确的演进阶段。换言之，可以断定为普遍于全部原始生活的事情，实在比不能断定的为少。摩尔根的错误也便在此。他发见了许多事情在特殊部分是真的，但却非普遍地是真的，他的弱点便由于要把这两者看成同一。而由于演进派的教条更使他的弱点扩大。

现在，关于这些人类学学说的分析，可以得到什么结论呢？对于这一点我要提出一条学说来解释它。这条学说便是要说明上述两派的争论是表现那些社会力要发展成为“文化压力”(cultural compulsives)。环境的势力，能影响学说的形成，但要发现这种环境却以观察对于学说的反应比较观察其起源更为容易而明显。换言之，观察对于魏斯特马克的反应是比较其起源更为重要，关于摩尔根的学说也是这样。对于这两个人的学说的反应成为活泼生动的事情。其为现代文化的一部分，不殊于一次的政治选举或一件科学发明。他们学说的正确或错误，较之对于他们专门科学及全部社会科学的影响还在其次。这种影响便是反应的结果。反应能将一种学说所蕴藏的社会意义表现出来。

急进派握住了摩尔根的学说，不是因为它代表人类学的最后结论，而是因为它很适合他们自己的社会演进学说，可以做历史的说明。它给予无产阶级的学说以新的历史意义。魏斯特马克的学说很适合于中等阶级的道德观念，它给予中等阶级的“德型”（mores）以所谓科学的批准。魏氏学说所以被中等阶级接受，而被急进的知识分子拒绝，能盛行于大学及大学教授中，而无声于急进派的中心，便由于此。

这两方都可以为“文化压力”的说明，阶级逻辑是明显的决定者。魏斯特马克的被中等阶级知识分子接受，是因为他辩护了中等阶级的伦理。摩尔根的被急进派的知识分子接受，也是因为他帮助巩固无产阶级的地位。一被接受以后，两人各变成所辩护的阶级的权威了。两人的著作都成为“文化压力”，他们的著作都不可以客观地考察了。像其他的文化潮流一样，情绪的方面驱逐了理智的方面。批评只发生于敌人而不见于同伴中。魏氏的势力较大，不是因为他的逻辑的优胜，而是因为中等阶级的拥护者大都和大学及其他学术机关有关系。至于拥护摩氏的人则没有这种机关。魏氏的称雄是因为所有中等阶级的教育家都拥护他，以此他的学说遂成为文化压力，即中等阶级的文化压力。

但急进派也不能免去文化压力的束缚。摩尔根之于急进派，也像魏斯特马克之于中等阶级。如有批评摩尔根的便被号为资产阶级，在这里也有一种文化压力了。

文化压力的被反对只有到了该种学说及制度开始衰替的时候。中等阶级的道德若不曾在世界大战之后急速的堕落，家族不曾经过一种空前的大变迁，魏斯特马克的学说便也不会于近年来受人攻击。布里福特对于魏氏的批评即曾写出来也只有少数人赞同而不能流传开来。只因为中等阶级的道德学说及经济学说一般地衰替，方才预备魏氏学说的没落。

总之，除文化压力以外，没有别法可以说明带有社会性质的观念，如魏氏与摩氏两人所表现的。用这说我们便可以了解社会变化对于一种学说的兴衰所发的作用。观念的兴盛并不是由于其所含的真理，而是由于它适应别种意旨，特别是阶级意旨。这些别种的，更根本的意旨，方能把观念变成文化压力，赋以社会的意义。而这些意义，是比观念本身更为重要的。

社会史中充满着这种文化压力。例如卢梭便也像魏斯特马克和摩尔根一样。文化压力代表着心理形式的群的意旨。所以谓之压力是因为它所代表的观念，依赖着群的意旨的力量。其内容是更为感情的而不是理智的。必须等到构成它的意旨变动了方能破坏它。但这些意旨必需在新的社会方才失去作用，否则它仍是存在。我们虽要力求客观，但总不免被这些意旨所左右，故我们不必否认文化压力，而只须小心不被它蒙蔽了事实便是。

我们要郑重说明的，是说所谓社会思想，无论是急进的或反动的都带了这种压力的色彩。凡自夸能避免它的，不过是自欺而循着错误的路线而已。

文化压力的存在使社会科学里面不能有客观性。在社会科学中自称有客观性的大都是自己辩护，是一掩饰压力要素的不自觉的企图而已。关于社会现象的解释和估价，是无人能够客观的。只有在观察或采集事实时能够客观，解释时却不能客观。因为解释需要一种心理倾向，一种意愿，一种目的。这些心理倾向、意愿、目的，都是被文化压力所制驭的。任何人住在任何社会都是由那个社会浸灌以意识、思想倾向、幻想的偏见。以此他所属的阶级，便能指导他的思想及幻想。

但文化压力，对于社会思想是必需的。没有它，社会思想便没有统一和完成，变成无意义的了。人类学的价值不在于它汇集了关于原始人民的事实，而在那些事实有关于我们的文明。

“为人类学的人类学”是比较“为艺术的艺术”更为荒谬。人类学的学说也同别种社会科学一样充满了文化压力。我们虽晓得文化压力的存在，却不能避免它。避免它无殊于说个人的心理比较发生它和制驭它的社会心理还伟大。虽是如此，我们却也可以拒绝那些较荒谬的地方。换言之，了解社会思想的压迫性便可以在文化压力的范围内发展较多的伸缩和批判。

参考书目录（以采用多少为序，括号中即为本篇内采用之章数）

（1）Goldenweiser，A. A. —*Four Phases of Anthropological Thought*（in *Publications of Amer. Socio. Society* Vol. 16）（第2、3、4章）

（2）Goldenweiser，A. A. —*Cultural Anthropology*（in *The History and Prospects of the Social Sciences*）（第1、2、3、4章）

（3）Goldenweiser，A. A. —*Diffusionism and the American School of Historical Ethnology*（*Amer. Jour. Socio*. Vol. 31 No. 1）（第3、4章）

（4）Goldenweiser. A. A. —*Early Civilization*：*Introduction*，ch. XIV（第2章）

（5）Lowie，R. H. —*Social Anthropology*（in *Ency. Brit*，*13th*，ed. Supplement）（第3章）

（6）Lowie，R. H. —*Culture and Ethnology*（第4章）

（7）Lowie，R. H. —*Primitive Society*：chap. Ⅰ（第2、3章）

（8）Wissler，C. —*Anthropology*（in *New Intern. Ency.*）（第2章）

（9）Wissler，C. —*Ethnology*（in *New Intern. Ency.* Sup.）（第3、4章）

（10）Wissler. C. —*Man and Culture*（第4章）

（11） Haddon，A. C. —*History of Anthropology*（第1、2章）

（12） *History of Anthropology in New Larned Histoty*（第2章）

（13） Smith，G. E. etc. —*Culture*（第3、4章）

（14） Rivers and Others—*Report upon the Present Condition and Future Needs of tho Science of Anthropology*（第1、2、3章）

（15） Dieserud，J. —*Science of Anthropology*（第1、2章）

（16） Calverton，V. F. —*The Making of Man，An Outline of Anthropology*: *Introduction*（第5章）。

第三篇
原始物质文化

第一章 绪 论

人类赤裸裸地进到这个世界来。他没有用具也没有武器。藏身之所只有洞穴，连洞穴都没有呢，就只有丛树；有危险的时候呢？就爬上树顶。他在地上唯一的转运的器具，就只有他的两条毛腿，要过水呢？就得涉过或泅过，但还要那种地方是可以这样做的。他不懂什么技术，他的食物是随地拾取的。他的食物大都是植物，但若有时运气好，碰着了动物的死体，那才有肉吃。“自然”对他不是常常仁爱的，而他的躯体、力量、脚力、感觉以及天生的武器，都比很多种动物为劣。

但是，在别方面，他却也不是没有充分的预备来和环境竞争的。他的双手自始即是最有用的器官，在他的前途有无限的用处。他有说话的能力，即在还未发展到能够充分表示及范畴思想的时候，也已经极有实际的效用，并能满足其情绪。最重要的，尤其是他的脑，他这个脑的复杂的程度是所有陆上海中的动物都无与抗衡的，以脑和躯体的比例观之，也是比任何动物为大而且灵，即如类人猿的脑量已经是很大的了，还是望尘莫及。这个奇异的器官使他能够积存他的经验以备后来的参考，并且能够把个人的经验综括起来，创出可惊的办法，以应付环境。简言之，人类进入这个世界是带了相当的探索力与创作力来的。

由于这样天然的预备，人类便能用两种方法解决他的生活问题。一种是“生业”（industry），另一种是“超自然主义”（supernaturalism），人类由生业而渐能适应其所在的特殊的环境。当这些适应的方法达到某种复杂及顺遂的程度，情形便固定了，结果是在自然境状与生业程序之间发生一种均势。这种均势虽不是完全不动，但大体显然是固定的，保守的，只有微细的变更，这样过了很长的时代。对于“自然”的这种生业的适应大抵可以说是满意的，结果是发生相当的平安舒服与快乐。

但是生业还漏了多种欲望不曾满足，多种问题不曾解答，所以“自然”究竟还不曾被制服。因此超自然主义便发生了。它使人类与自然有情绪上的符合，它给人类以一种系统使能解释各种现象，换言之，便是给人类一种世界观，他又使人类的欲望都得实现，因为在超自然主义中意愿与观念都变成客观的实体了。

我们再转论生业范围内的事。经过多少时候的苦痛以后，依照地方的情形，人类便把所有根本的生存问题一一解决了。他们发明了用具、兵器、陷井、罗网等。于是渔猎和战斗便都是他们所会做的事了。发明了生火的方法，他们便能够取暖，驱逐野兽并烹煮食物。烹食的方法或是把热炭堆在地面小穴中，然后把食物放在炭上，或是把石子放在火内烧热了，然后投入盛水的器物内，这些盛水的器物很速的出现了许多种，有的是石头，有的是泥罐，有的是编成的篮或者还有木造的箱。所居住的，现在是天幕、茅屋、土屋、木屋或雪屋了。在水上的转运是用筏、牛皮艇、独木艇、真的小舟。在陆上则除使狗以外还不晓得利用别种动物时，已经发明橇了。狗是人类最早的伴侣，能替人类守门，拖运，并做狩猎的先锋。兽的毛皮则充为衣料、天幕以及他种用途。总之人类最初的发明，是不胜枚举的，现在不必一一提出。

原人对于客观界的认识也应当说说。渔猎以及野生物产的采集使他们对于动植物的形状性质与习惯的认识，有不断的进步。他们的利用动植物以为衣服、食物与住所，使他们对于动物的解剖学的要素以及植物的性质如耐久性、拒水性、韧性、硬度等能有更进的知识。对于动物生活的谙熟且更进一步，而禁止屠杀乳兽的规则因之发生，狩猎时期也定在各该种动物繁殖最多的季候。后来发生的大事业，即种植与畜牧二者，不用说是人类对于自然界的这二大部分的动静两种性质在已经有了很为扩大的知识后方才发明的。

还有一种知识的增加，便是在工业上将详细的见闻极小心地利用。材料用过了后它的性质便明了了，于是这种知识，便见之于适当地应用。如用木材建筑时，便能依其年龄与性质选择以用于特殊物件或特殊部分。在编筐篮时较软的材料便用于应软的地方，至于底面或边缘应当稍强固的地方，便拣较为强韧的充用。皮的刮削、鞣熟与缝合，都应用很多的知识。至于烹煮自然也是这样的，例如美国人类学家博厄斯（Boas）所调查的瓜扣特尔人（Kuakiutl）印第安人的烹煮法便很能表现这种现象。还有纺织、雕刻、石器的剥削、金属物的熔铸等精细的手续都是这样。

制造毒药的技术可见之于最低的民族中，如布须曼人（Bushmen）及非洲中部的“矮民”（Pygmy）等。他们所以能够保存他们比较低等的文化经过很长的时间，便是受他们的毒箭之赐。几种植物的治疗作用也已经在原始时代发现，所以各处的“巫师”（doctormagician）的法术常佐以真的药剂，并且巫师与药剂师也很常为同一人。

在具体的、客观的、实用的知识及其应用上，原始人类是几乎与现代人一样，但在批判的思想与清醒的观念方面，他们是不曾有的。他们看是直的，听是直的，他们用稳当的手以造成工具，并用之以制造实用的及装饰的物件。他们很有常识、聪敏和熟练的动作，以对付动物、植物和人类。但是他们的思想不是直的，最少也可以说在解释事物拟定假说时是不直的。他们的世界观不过就是“超自然主义”。现象的解释是原始思想中极重要的一部分，为什么他们那种常识、聪明与灵敏却不应用于这方面？这个问题的解答是原始心理研究的任务，这里不必多说（见本书宗教篇）。

简言之，原始的知识系统是极为实用的系统（pragmatic system）。他是半自动的，直见之于行为；而不就本身加以思虑。绘画的技术是要根据很多互相比较的事物然后抽出抽象的概念的，所以初时还不能发生，还有证实假说的习惯也是非实用的，所以也未成立。

第二章 发 明

物质文化的起源都是由于发明（invention）。例如在渔猎、转运、造屋、造舟、制陶器、编筐篮、纺织、鞣皮以及家具、兵器的制造及运用都可以证明原始心理的发明力。

所谓发明在客观方面讲，便是事物与程序的新结合，以获到所生的结果。由心理方面言之，发明便是在思想上利用已经发现的事物与程序的性质，以产生客观的新事物。

发现（discovery）及发现的利用，即发明，是齐驱并进的，但不常能觉察得出，尤是原始社会为然。要使这一点明白应当把原始工业中可称为发明的提出来说说便晓得。用磨擦的动作而生火是一种发明，磨擦是利用两块木头的相锯作用，或者用一根木棒插入一块木板的孔内旋转，而旋转是由于两手掌夹住木棒而为急速往复的转动。易洛魁印第安人（Iroquois）和其他部落的"唧筒钻"以及爱斯基摩人的"弓钻"是再进一步的发明，能使旋转得以继续而速率得以增加。小舟和独木艇有许多要素是发明，例如长而狭的形状、龙骨、桨、短桡的加宽与接柄、帆的吃风的原理等。此外的发明例如鱼钩，差不多处处都晓得用以钓鱼，箭镞及长矛添一倒钩以增加效率。掷标枪的应用杠杆的原理，以增加力量和准确。爱斯基摩人的复合杈应用球窝关节的方法，上面并有分离点；他们还有复合弓附带些骨头，有的用以增加劲度，有的增加韧性。箭上附加鸟羽及螺旋形物也见于很多部落。杠杆的应用在上述瓜扣特尔印第安人的便是一个例。陷阱陷机的施放法，也是一种发明。拗曲并缀合木片的方法在北美西北海岸的土人中也是常见的。用捶击、浸水、曝干等方法将树皮制成衣料，也是一种发明。所有这些发明都是很古的，至于畜养动物和栽种植物的发明等，都是后来的事。

"发明"这个名词常只用以指实物或方法，但却应当扩张意义兼指专用手的动作。例如制陶器、编篮、雕木等工作都用一定的动作方能快捷而正确。这些动作常是极为复杂，不易学习。这些复杂的动作，博厄斯（Boas）称之为"动作习惯"（motor habit），应当算作发明，是纯粹动的方面的发明。手和所作的实物若暂时假定为自动的机械，那么手的动作就是"动力原理"的运用。所做的工作若是新的，则手的动作常做得不好。工夫的进步由于动作习惯的成立。动作习惯的成立由于在工作程序中由思考或自动的逐渐发现"动的适应"的方法。这种"动的适应"（dynamic adjustment）便是发明。就使结果是纯粹"动的"，也可以说是发明，例如兵器的舞弄或划桨等。

"动作习惯"像别的事物一样，也会固定成为技术，工业中的青年要学习便须由长辈教授。但各工人根于个人的经验都会发明新适应，而所谓大技师不过就是这种技术较多的人，换言之，即能将“动的发明”加入其“动作习惯”的就是了。

这些发明，不论是静的或动的，不是“发现”也是“发现”所引起的。由摩擦而生火的发明必是其先曾经偶然由磨擦而发现了火，后来方有意地利用这种方法。在偶然的发现中即已暗示了用什么方法可以发火，例如将两块木板相锯，或将木棒插入另一木板的孔内旋转。小舟发明必是很长久的，非慎虑的试行错误法的程序，在其间乃逐渐发现某种形状最能增加速率及平稳。复合的杈一定是偶然并且累次由于不完好的长矛的暗示，因为杈的分离节的发明，除屡次看见长矛的断折的暗示以外，还有什么可说明？此外别种发明也都是这样。别种事物的影响例如宗教的或魔术的事物或者也会发生实际的发明和发现，如冯德（Wundt）所说的：因见飞鸟而联想到飞箭，遂将鸟羽附加于箭尾，使它也能像鸟一样的善飞；这在心理上或者是可能的，但这种解释却全为冥想而不能证实。像这样用外界的事物来说明发明与发现的常趋于过度，其实实际的客观的程序已经足以解释了。

发明虽然有时不过是发现的重演，但它的本身总不能不说是有意的。在较为复杂的发明，有的是由多种发明结合的。但这多种的发明必是逐一获得，其间或各隔了长久的时期方能再起一步。虽是这样，可是原始人类能够利用及联合所发现的事物以生出发明，这一点不能不佩服他们的聪慧与创作力。

但是我们同时也很易于把原始的发明所表现的心力推崇太过。因为每种新步骤都是很微细，不过是由于错误或缺点的显露，因而稍加改良。或者由于偶然发现新方法，因而采取以增加效率。我们没有证据可以说原始时代曾有专门创出这些发明的个人，那时的人的发明力自然也有不会像现在一样，他们运用这种能力的范围是有限制的。

现代的发明家是有很充分的预备的。例如机械的发明家，他曾受了机械学的训练，使他省费许多无效的动作，他晓得机器的全部性质，他有良好的工具。像这样，现代的科学工业与社会组织使发明很易实现。至于原始时代供给发明与发现的条件便很不完备。原始的发明家对于他的工作的性质还懂得不完全。可以应用的知识还是有限，学理上的了解更可以说是没有；他所经过的试行错误的程序是不规则的，偶然的，不曾受思考的制驭。因此，现代发明家在实验室里由数星期的努力而完毕的工作，在原始时代恐怕要延长几百年，经过多数人的努力、失败、绝望与零碎的成功，然后方能获到满意的结果。

第三章　原始物质文化之地理的分布

根本上的经济上的适应，在无论哪一地方都发生了器具、武器、衣服、住所和转运具。但若指特殊的一种器物或方法，刚分布的地域便缩小而不普遍了。经济的状况，器物的发明，有的是分布于极广大而连接的区域，有的则较小或不连接，有的则只限于一个小区域内。

试看以下的实例：弓箭除澳洲以外差不多遍布于一切原始民族，但弓的特殊种类、箭镞的形状、箭上附加羽毛的方法（若是有的）、放箭的方法等，都处处不同。天幕是很多地方都有的，但如特殊的天幕如“底比”（Tipi）只见于美国平原带及其附近。如易洛魁人的树皮屋，奥马哈（Omaha）印第安人的土屋，美国西南部印第安人的用曝干的砖造成的“普埃布洛屋”（Pueblo），美国西北部印第安人的三角顶的屋，爱斯基摩人的雪屋，英属哥伦比亚土人的“半地下屋”，都有其特殊的区域，但也有些重叠交错。非洲土人的茅屋，也有同样的情形。还有几种住所是很罕有的，并且都限于特殊地域，如接连的屋只见于美拉尼西亚群岛北部和新几内亚；造在树上的“树屋”只见于南洋的几个部落及非洲乍得湖（Lake Tchad）畔的土人。

水上的转运也是这样。在美洲便有加利福尼亚的“巴尔萨”筏（balsa），东部与西部的各不相同的两种树皮艇，村居的印第安人的牛皮艇，西北部的大独木艇（dugouts），爱斯基摩人的豹皮艇（kayak）和妇女用的艇。在南海（South Sea）区域内则有澳洲的粗制树皮艇，美拉尼西亚的带木架的独木艇，所罗门岛（Solomon）的木板砌边的独木艇，还有波利尼西亚的巨大精巧的战斗用独木艇。

还有衣服的分布也是同样。如在非洲，皮和毛所制的衣服几乎遍布全洲（中间刚果河流域一大片地区及撒哈拉（Sahara）以北的地方等处除外）。树皮制的衣服则在刚果河流域和马达加斯加岛，棕榈纤维做的衣服则在马达加斯加岛全部及其他一二小地方，有些地方，他们的分布相重叠。又如美洲西部土人衣服的形状是大体相同的，但较细的差异却很多，各处都有特殊的形式。

以外还有很多的例可以说明原始生活状况的地理分布的。

观于这种情形，可见物质文化中的单独物件或工业技术能够单独传播，和别种文化情状甚至和别种物件都不相关联。这种单独的传播要怎样解释呢？

还有一种趋势很可以看得出，便是物件以及制造和使用那种物件的方法常合为一起，在一个地域内。例如在北美洲所定的“文化区域”（culture area）显然是由其物质的特征而定。

我们如应用“经济的适应”的原理便可以解释上述的问题。当一个部落进入新的物质环境，它就用多种的物质文化的事物与程序来适应它。适应的方法是不止一种，不是物质境状所制定的。但当一种适应的方法成功了后，均衡的即稳固的局势成立，这一种适应法便不易摇动。人们对于物质文化便生了一种厌嫌变动或改良的态度，不论那些变动是内生的或外来的。还有一层，这种适应的方法常趋于向外流传，方向是沿比较相同的环境去。但除了比较相同的区域以外，便不再扩充，只有其中的单独的事物自自由由地再向外传播去。

第四章　取火法

火与原始人类——现在世界上的民族未曾见有不晓得用火的，而据我们现在所能知道的最远古的人类也已经有了用火的痕迹。但在初时人类必定有无火的时代，在那时候人类不但不晓得生火，并且不晓得利用自发的火。

人类的认识火并知晓它的作用，必定是由于自然发生的火。自然物有时也会生起火来，例如由火山口喷出来的熔岩液飞坠于近处的树木上，而使之燃烧起来；又如有的地方夏天亢旱的时候树木枯燥自相摩擦，也会生火；而雷电轰击树木，也是生火的一个原因。这种自然发生的火当然会引起原始人类的注意，而使之惊愕骇惧。他们或者以火为一种饥饿的怪物，伸出红色的舌尖，舐它所要吞食的东西。他们或者还崇拜它而把“食料”供奉它。其后人类渐渐认识火的用处，他们由火而觉温暖，由火而免去夜间的恐怖。于是他们便很珍视火，时时供给他燃料使它长在，如因不小心而致火熄，则以为大不幸。现在世界上还有些民族，很少自己生火，只把火长燃着。如北澳洲的土人，有的自己火熄了，便跑到别部落去乞火。有的则在迁移的时候把燃着的火都带了走。在原始民族火也是一种赠品，可以表示欢迎之意。塔斯马尼亚的土人初见欧人上陆时曾燃火把以迎接他们。

火对于人类的用处非常的多。我们只要试想无火的时候人类有怎样的苦处。他们只能生吃不能熟食，没有法子弄倒大树，没有法子把独木凿成小舟，冷天不能御寒，黑夜里无法抵抗咆哮的猛兽与作祟的精灵。有了火以后，种种的不便都解决了。有人说火的最大的用处是在驱除野兽与精灵，据说澳洲土人以为黑暗的夜间最为可怕，如不燃火，精灵们便要围拢来，因此他们住屋的前面和里边都要通宵燃着火。

发火的方法——原始人类晓得看管自发的火以后，便逐渐发明生火的方法。生火的方法在现在的文明人所用的化学方法以前，有二种方法：

（一）摩擦法（by friction）

（二）撞击法（by percussion）

现在的蛮人所用的还是这两法。这两法中有人说是摩擦法先发明。摩擦法便是把两块木材互相摩擦，使他发热而生火。美国华盛顿曾有一位沃尔特·霍夫（Walter Hough）实验摩擦生火，竟练成很娴熟的工夫。各民族所用的摩擦法也有精粗的差异。其间可以看出进步的次序。有一种极简单的方法行于波利尼西亚群岛中，别处不曾见。其方法是备一根小木棒，约18英寸长，一端削成略尖。又备另一块较大的木头，上开一凹沟放在地上。然后将木棒的尖端放在另一块木头沟内，两手拿木棒急速的来回摩擦，不久便生了充足的热，发出火星，而火便燃成了。和上述的方法差不多的还有一种锯擦生火的方法（sawing）行于昔时的暹罗人中。其法是将一根竹刻一个缺，又将另一根竹削成与那个缺相合的形状，然后将后一根摩擦前一根的缺上，来来往往的锯，锯到热了便生出火来。更进一步的是钻木的方法（drilling）流行更广，如澳洲、塔斯马尼亚、苏门答腊、堪察加、印度、非洲西部及南部、加那利群岛的关切人（Guanches）、爱斯基摩人、南北美印第安人、古墨西哥土人等都有这法。

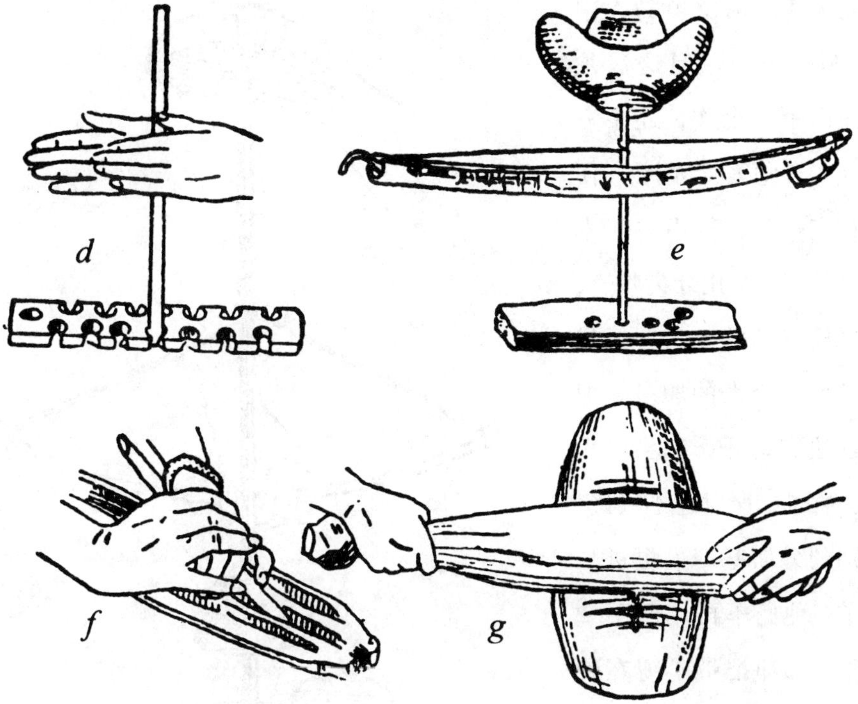

取火器四种

d 手钻（非洲）　*e* 弓钻（爱斯基摩）　*f* 摩擦器（海洋洲）　*g* 锯擦器（澳洲）

（出自 British Museum—*Hand-book to Ethnographical*）

我国传说中也说燧人氏教民钻木取火。其法例如澳洲上人取二块干燥的木材，其一做木钻，约八九英寸长；又其一做平板。两掌夹住木钻，将尖端抵住平板，自上而下很急速的旋转起来，两掌落到下面又再移到上面，重新旋下，以增加压力。这样反复做去，不上二分钟，便生出火来。有些地方的民族，把上述的方法加以改良，因为用上述的方法常致手生水泡，便改用一条带子缠在木钻上，两手各执带子的一端，把带子左拖一回，右拖一回，使木钻随之旋转，另一个人则拿一块木头压在木钻上，以免木钻歪斜。这种方法能够转得更快更匀正，曾行于博罗母人、爱斯基摩人、阿留申岛人中（Aleutians）。但这法须用两个人合作，还不方便。有些爱斯基摩人便再进一步，只用一块木做的东西，用牙齿噙着，抵住木钻的上头，便代了另一个人的职务。但这法震动牙床和头脑太厉害了，所以还不很好。别的爱斯基摩人更进步了。他们不再用两手拿带子，却把带子缚在硬弓的两端，一手拿住弓的一端，便可以很急速地旋动木钻，另一手则拿一块木头压住木钻的上端，用这法便不怕掌上生泡和牙根震动了。这便是所谓发火弓。摩擦的方法发展最高的是"唧筒钻"（pump-drill）行于北美易洛魁印第安人中。做法是将木钻通过一块有孔的狭长形木板，把带子的两端缚在木板的两端，中间则缚在木钻的上头。于是把木钻转动，则带子便缠绕其上，把木板压下则带子渐渐松脱，而木钻又再随之旋转，带子松脱完了，木钻旋转不即停，又把带子缠绕上去。像这样旋转不息，生火自然更快。为要使木钻的旋转更加均匀，也有附加一块厚木盘于木钻的下部以增加重量的。

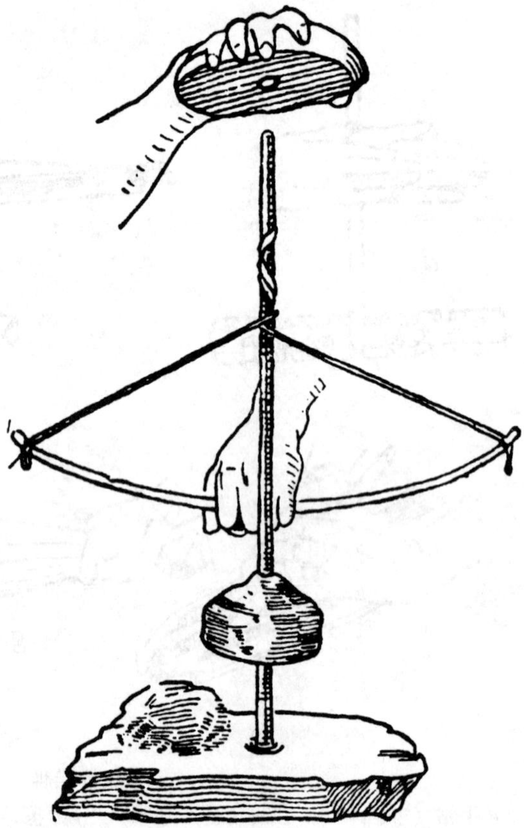

易洛魁人钻火器

（出自 Marshall，L. C. —*Story of Human Progress*）

生火的第二种方法是撞击法。斐济人用燧石和硫化矿石（pyrites）相击以生火。硫化矿石并曾用于许多北美印第安人及古希腊人中。“pyrites”一字便是源于希腊文的，其意为火石。后来有了钢方用钢与燧石相击。这法通行于很多民族中，文明民族前此不久也还用它。

第五章　饮　食

人类最初的需要便是食衣住，而三者之中，以食物为第一位。因为人类也像动物或植物一样，不进食便不能维持生命。不但如此，食物还能影响于个人的性情、品行、团体的幸福和种族的繁殖等。

食物的种类——地上的生物大至象鲸，小至人类头发里的寄生虫，都无不为原始民族拿来吞吃。除了正当的食物如鸟兽、鱼贝、谷物、果菜等以外，文明民族所厌恶的东西，在原始民族也常把它当作珍味。澳洲土人的美味是一种由胶树内捉出的蛴螬，长自 3 至 6 英寸，厚约半英寸。塔斯马尼亚人喜吃毛虫。安达曼岛人则喜嚼一种甲虫的幼虫。蝗虫在非洲及南美是很普通的食物。澳洲土人则连一种大蝇都拿来吃，据说“妇女们把这种东西捉在手里，摘去它的翅和脚，然后把它送在口里活吞下去”。安达曼岛人也喜吃甲虫，常捉集许多只用树叶包起来慢慢地吃。尧族人（Yaos）把白蚁烤炙来吃，说是像咖啡一样。马来半岛土人吃鼠、蛇、猴、鳄鱼等物。非洲布须曼人的食物单有蚁、蝗、毛虫、蟒蛇、蜥蜴等。英属中非洲的土人喜吃牛羊胃内半消化的草。爱斯基摩人也喜欢吃驯鹿胃内的东西，他们又把血液煮滚了，当作极珍美的菜汤，有时把胃内半消化的谷物和血拌煮。英属新几内亚土人嗜狗肉，无论死的活的都拿来吃。在原始民族观之，没有一种动物是太腌臜或有毒而不可食的。

植物也是这样，适于为食物的植物在原始民族不能常得，便连草根树皮等都拿来充饥，北美土人常吃松树枞树的内层皮。马来半岛的萨凯人（Sakai）和矮黑人（negrito）吃多种有毒的植物根和球块，能设法消灭其毒性。泥土也是原始民族的食物。自澳洲以至美洲，很多处人都有吃土的风俗。吃土大约是由于其中有盐质。

饮食的方法——其初人类的饮食的方法自然是生吃，有火以后有时也还是生吃。植物不必说，便是动物也可以生吃下去。他们捕获了动物，小的如昆虫等物便整个吞下，大的如野兽则剖腹分尸，一块一块血淋淋的塞在口里大嚼。如爱斯基摩人的名字原意便是“吃生肉者”。人类晓得熟食以后自然好得多了，不但食物较为可口，消化器官的精力也可以节省许多。

原始的熟食的方法有二种：一是烘烧（roasting），二是烹煮（boiling）。最先发生的方法自然是烘烧。把肉类放在火内烧，或埋在热灰内烘的方法，是很普通的。塔斯马尼亚人把整个袋鼠或老鼠等放在燃着的火炉上，毛烧去了，便拖出来用石刀把它剖割整理，再放到火内直烧到熟，那些灰便当作盐。澳洲土人更聪明，把鸭子全身敷了泥土，然后在火内烧，烧够了便把变成坚硬的泥壳敲破，连鸭毛一起剥起来弃掉，里面的肉却正好吃。塔希提人（Tahitians）还有更妙的法子，他们先在地上开一小穴，把石头铺穴底，然后在穴内烧火，石头烧热了，便把灰烬都取出来，铺些椰子叶在石头上；将树叶包裹要烧的肉安置在石头上，然后盖以热灰及热石头，最上面再盖以土；这样烘热的肉据说味道很可口。

用水烹煮食物的方法是较迟的发明，南美火地人和非洲布须曼人据说不久以前还不晓得这法。但这法的发明却还在陶器之前，最早的烹煮器大都是兽皮、树皮或木制的，北美印第安人有一阿西尼本族

(Assineboins)，其意为“石煮者”（stone boilers)，这名便是由他们烹煮食物的方法而得。他们宰了一头牛，便在地面上挖一个窟，把牛皮铺于上面，使它凹下可盛水，把水灌入其中，并置牛肉于内；另外在旁边生一个烈火将一块一块的石头烧得滚热，然后投入水内，到了水沸肉熟为止。这种石煮的方法也很通行于别族中。

食物保存法——人类初时的生活是盛宴与饥饿相递换的。他们猎获了动物以后，大家都围拢来，生吞活剥，尽量饱吃，装得满肚，吃够了觉得胀闷，便躺下任它消化，消化完了又再起来吃，直到食物完了方才离开。像这样享了一次的盛宴以后，须能够继续获得食物，否则便要挨饿。他们不晓得，并且也没有方法储藏一次吃不尽的食物，以供后来的需要。

保存食物的方法后来逐渐发明，现在原始民族也多有晓得的。在北极地方的爱斯基摩人把肉悬起来使它凝冻。在热带地方的土人则常把肉切成一条一条，放在烈日下晒，晒干了变得极坚硬不易嚼，但南美洲和南非洲的土人都很喜欢它。新西兰岛人常晒海扇和龙虾，他们先用石块把它榨扁，然后放日头下晒，或给风吹干，瓜扣特尔族印第安人（Kuakiutl Indians）的保存鱼蛤、乌贼也用这法。熏干的方法也是很普通的，在新南威尔士土人所捕食的蛾类常熏干以保藏它。易洛魁人把鱼和肉都熏干，用树皮包成一束一束，悬挂起来，或埋在近火炉的地下。原始民族保持食品的方法以制造干牛肉饼（pemmican）为最巧妙，这是北美产牛区域的印第安人所发明的；他们先用石槌把干牛肉捣碎，包起来，外面再淋以热油，可以保存很久。

食人俗（cannibalism）——如上所述，原始人类的求食真是凶得很，“上穹碧落，下及黄泉”，所有动植矿物甚至至微极秽的都无不拿来尝尝它的味道，他们食物的范围是这样无限制的，所以他们同类之中也难免相食起来。食人的风俗现在还存于这个世界的一小部分，至于过去则曾广布于许多地方，后来才逐渐消灭。这种风俗固然极为可怖，但若试探它的原因却也离奇有趣。略述如下：

（一）需要：人类在饿荒或战争时逼于需要而食人肉，这是势所必至的事情，号称文明的民族也还有这样的。如撒克逊人在三十年战争之末，曾变成食人者（cannibals）；又如在西西里的墨西拿（Messina）之围，俘虏曾被杀食并发卖，其价视种族而异。现在的原始民族如斐济（Fiji）岛人、新喀里多尼亚（New Caledonia）人、新西兰人、非洲的卡菲尔人（Kaffir）、澳洲人、南美火地人（Tierra Del Fuego）、北美易洛魁印第安人、爱斯基摩人等有需要时便食人肉。

（二）饕餮：人类逼于需要而食同类的肉，这是何等不幸的事，但也有其他食人的民族他们并不是逼于需要而出此。他们的食人却是专为贪尝人肉的滋味。如非洲的祖鲁人（Zulu）、范人（Fans）、尼安尼安人（Niamniams）、夏威夷人、新西兰人等都是这样。1200 年埃及大饥，发生食人的事。人们争出猎“人”，特别喜欢猎小孩，以为烘炙的小孩肉特别好呢。这种风俗闹到极为猖獗，于是政府便制定严酷的法律极力禁遏，犯者加以焚毙的惨刑，但还是不能使人们惧怕，而犯者焚毙了以后其尸身也随即被人抢去煮吃。古时墨西哥的阿兹特克人（Aztecs），每把所要吃的人先养肥了，然后宰吃，他们出战的目的常有单为擒俘虏来做食物的。这种嗜吃人肉的风俗不久以前尚行于波利尼西亚全部，南美洲的一部，北美洲的西北海岸诸地。

（三）杀敌：在野蛮人中杀吃敌人的事并不为奇。这事有两种观念，一是简单的复仇，一是希望获得敌人的精气。第二种的观念许多民族都有，例如北美洲的休伦人（Hurons）如见所杀的敌人很勇敢，便把他的心取来烘烤，割成小块给男的儿童及青年吃，以为可以获得死者的勇气。

许多非洲的部落和南海群岛（South Sea Islands）的土人也是因为这种动机而食人。

（四）宗教的行为：新西兰的毛利人（Maoris）把杀死的人烹煮了，祭他们的神，然后自食。马克萨斯群岛的土人（Marquesus），先将所要杀的人绞死以免出血，然后挖心生吃，眼睛给战士吃，其余的尸体用叶包起来放在波利尼西亚式的锅中煮。脚手和肋骨呈给酋长吃，臀部和好块则保留给高等僧侣，以前塔希提（Tahiti）僧侣每次杀人祭神必先将死人眼睛呈献酋长，酋长辞却再呈献于神，他们以为神最喜欢吃人肉。人对所奉的神常以自己为标准而想象出来。培希提人以为神嗜吃人肉或者以前的塔希提人曾有过吃人肉的风俗。古时墨西哥的阿兹特克人的吃人肉或者和宗教也有关系。

（五）孝道：在苏门答腊的巴塔人（Batta）是很为高等的民族，已经有文字及书籍了，不意却也有食人的风俗，并且可为两种特别的好例。其一是为孝道的食人。他们以隆重的仪式，恳挚的孝心，吃他们的老年父母的肉。这种盛宴的举行每择于香橼繁多而盐价便宜的时候。在择定的一天，例应被吃的老人便爬上一株树，其亲人和朋友则麇集其下。大家齐敲树干击节唱挽歌，大意说："看呀！时候到了，果实熟了，要由树上掉下来了。"于是老人便由树上落下来，他的最近的亲人便把他宰了，大众同吃。

（六）法律手续：巴塔人吃人的第二例是为执行法律的。有数种犯人如奸淫者、强盗、谋叛者都由人们吃去。犯人缚在柱上，手足展开，像个十字架。行刑号令一下，观客一拥而前，乱刀齐下把尸体一块一块的碎割了去，血肉淋漓的放在可可香橼和盐做成的酱内蘸一下，拿起来大嚼。

上述的这六种动机可用以解释普通的食人的风俗。这种风俗还有两种奇怪的特点不可不说一说。其一是食人的民族的文化常比其邻近民族为高。如上举的非洲的尼安尼安人的文化居非洲上等的地位，而他们的食人风俗也最为可怖。在苏门答腊食人的不是下等部落，而却是有文字有书籍以及其他高等文化的巴塔族。在美洲有食人风俗的阿兹特克及墨西哥、中美的数部落也是文化较高等的民族。新西兰人的文化在波利尼西亚算是优等的，而斐济人也翘出于美拉尼西亚之中。这种怪现象有许多民族学家提出说明，但大都不很切，只有一说赞同的人较多，是以为这些民族从前或者是直接由狩猎时代进入农耕时代，中间不曾经过畜牧时代，所以发生食人肉的要求。第二种特点是食人肉的民族也必食狗肉。在以狩猎为生的民族，狗是很重要的帮手，自然不愿宰吃，若既进入农耕时代则狗的用处也减少了，所以不惜宰来充做食物。由于上述的理由我们或者可以说凡嗜吃狗肉的民族，现在虽无食人的风俗，前此或者有过也未可知。

食人肉的风俗发生了后很不容易消灭，这种凶暴的欲焰有时还会重燃起来，所以现在的野蛮人或文明人中有时还会再演这种惨剧。要想铲除这种劣根性，不可不注意于人类精神的提高。报纸近载我国某处发现食人肉的风俗。我国近来饥荒洊至，民间思想又极荒唐，正是这种可怖的风俗发生的原因；若非以提高生产、铲除蛮性为根本解决的办法，恐怕全国处处都有发生这事的可能，这是何等可怕的事呀！

第六章　衣　服

衣服发生的学说——人类何故穿着衣服？对于这个问题的答案或者可以说：由于羞耻之念故把肉体遮蔽起来，这便是“礼貌说”

(modesty)。我们如要求更进一层的答案，也可说是为保护身体，抵御气候的侵袭及外敌的攻击，这便是“护身说”(protection)。但我们如再推下去也可答是为要装饰外观以炫耀于众，这便是“装饰说”(adornment)。这三说都有人主张过。据常识言之，原始民族衣服虽少，然大都有遮蔽生殖器的东西。拉策尔（Ratzel）也赞成礼貌说，他说各民族中女人穿衣服常多于男子，可以为这说的证据。罗维（Lowie）则反对这说以为人类并没有一种喜欢遮盖生殖器的本能，这说根本不能成立。米勒－利尔（Müller-Lyer）也说礼貌的观念不是穿衣服的原因，而是穿衣服的结果。护身说的理由很明显，埃尔伍德（C. A. Ellwood）说：“便是热带土人也把兽皮挂在肩上以抵御日光和大雨，而考古学上最初发见衣服的时候是在旧石器时代，阿舍利（Acheulian Period）之末，彼时正当第四冰期要到，天气刚在变冷的时候。”衣服的起源有些地方确是为护身的缘故，所以这说可作为一部分的说明。装饰说的赞成者最多。米勒－利尔说：“穿衣服的最初原因是好装饰的虚荣心。”罗维说：“装饰的愿望比较其他二种动机的合并还更有力。”由事实观之，确可证明此说，如霍屯督的女子在乳房系着羊皮条带多至数百条，笨重几不能行，赫雷罗(Herero）的女子头上戴着皮冠，重约20磅，夏威夷土人的鸟羽外套也是全为美观而穿的。由此观之，以上三说中礼貌说最为肤浅，护身说与装饰说可合并以解释衣服的起源。

衣服的材料——人类一面穷索食物于自然界以充他们的口腹，一面又竭力搜括可以供他们穿戴于身体上的东西。人类的衣料真是形形色色，种类繁多。从动物界取来的有鸟皮、兽皮、鱼皮、爬虫皮、鸟羽、兽毛等，从植物界取来的则如树叶、果实、花朵、树皮、纤维等，都拿来设法利用。兽类的皮或者是人类衣服最初的原料，因为原始人类，大都以狩猎为生，故易得兽皮，不论是由于装饰或由于护身，都会引他们利用兽皮为衣服。在热带地方则多有用树叶或树皮以为衣服的，如现在非洲土人还有只晓得把树皮捣软做衣服穿，而此外没有别种衣料的。波利尼西亚土人有一种叫作“塔帕”（Tapa）的衣服，是由一种树皮制成，制法也是把他捣薄，然后加以彩色的印纹。欧洲新石器时代人也曾用树皮做衣服。以树叶为衣服的也常见于原始民族中，如印度有一种人叫作“穿树叶者”（Leaf Wearer）。人类能够编筐篮以后，各种植物纤维也被利用以编织为衣料。在欧洲新石器时代早期便晓得利用麻了。此外还有几种奇怪的衣料，如爱斯基摩人将枭鸟的带羽的皮做成美丽的衣服，而虾夷人则有鱼皮所做的衣服，阿留申人（Aleuts）则用海狗的肠做成不透水的短衣。观此可以晓得原始民族衣服的奇怪，并可推想他们寻求衣服的苦心。

鸟羽常为人类所珍爱。南美洲的野人喜欢插一枝艳色的鸟羽于鼻上或颊上，而文明民族的妇女也喜欢戴一簇或一枝鸟羽于帽上。可见人类心理的相同。鸟羽也有做成全件衣服的。如旧时夏威夷岛人善能用红黄二色的鸟羽制成头盔及外套。南美洲的印第安人也有鸟羽做成的围裙、头巾等物。古秘鲁人也有这种技能。

衣服的派别——有人把衣服分为二类，一是北方式，一是南方式。北方式多半是由于保护身体的目的而发生，例如北欧民族所穿的便是。这一种衣服便是束身的短衣和紧贴的裤子或裙子。这种衣服的发生或者是由于古时缠皮于身上的风俗所变成。南方式的衣服是宽博的，包含两部分而成，一是广袖宽身的短衣，一是阔的裤子或裙子。这种衣服曾见于古埃及人、希腊人、罗马人、中国人、日本人、波斯人中。这种衣服或者是由于装饰用的颈带和腰带所变成。推想其故，或者当人类有了布以后便渐渐改用布的衣服，其式样则直接受前此皮服的影响。在欧洲中古时代两式的衣服曾竞争了一次。当北方蛮人攻进南方的罗马帝国后，那时的南方人民本来完全穿着南方式的衣服，但其中的平民们因为便于操作的缘故便采取了北方式，只有妇女和僧侣们仍旧保存旧时南方式的衣服直至于今日。

第七章　原始的住所

住所的种类——在很多地方，自然界已经为人类预备了住所，例如南非洲的布须曼人便住在天然的石洞内。洞穴自来便是人类适宜的住所。在法国史前时代有无数洞穴为人类所居住，现在只将洞口的堆积物打开便可以窥见史前人类的生活状况，像这样的洞穴已经发现不少了。

现在爱斯基摩人的坑屋（gallery huts）很像史前人类的洞穴。这种坑屋原料是土石或冰雪的坚块。其中必有一条很低很难通行的隧道，直通一个较大的房间，这种屋子虽不算好，却很与环境相合。

自然界并不永远供给住所于人类，所以人类大多数有自造的住所。不过有些极为简单，兹分述于下。

人为的屋子似乎发生于欧洲旧石器时代的后期，这是由于遗留的绘画而推知的。

茅屋有圆形的与方形的二种。方形的茅屋是由遮风的屏障发展而成，圆形的则系模仿洞穴的形状。

圆形茅屋（circular huts）以非洲土人的为最好的模范。这种茅屋是用干草、树枝、树叶及席造成，房子或多或少，或大或小，或甚粗陋，或则很精致，可以为长久的住所，也可以为一晚的临时寄宿处。其构造是用细柱为间架，然后覆以席及其他材料。不用时可以拿起来捆载搬移到别地去。霍屯督人的村落便是由这种茅屋合成，其状如环，把牛圈在

非洲人的茅屋

（采自*National Geographic Magazine* vol.47）

新几内亚人的树居
（来自 Buschan—*Illustrierte Völkerkundé*）

里面。

圆顶屋（dome-shaped huts）也可算圆形茅屋的一种，以细柱为间架构成，如北美洲的萨克人（Sac）和福克斯人（Fox）的冬屋便是这样。其法将细柱子用绳或皮条缚住，外覆以席。

方形茅屋则以北美易洛魁印第安人的为最有名。这种屋也是先以柱为间架，然后盖以树皮，形长方，有垂直的墙壁，两头都有门，屋内分成小房屋。内住很多人，但都是同血统的。

天幕（tents）也是原始民族的巧妙的屋子。是游猎或游牧民族所发

印第安人夜间的天幕

（采自 *National Geographic Magazine* Vol. 47）

明的。在美国的平原印第安人（Plains Indians）很多用天幕，其构造法是用柱子支成圆锥形的骨架，其上覆以缝好的皮。上面开一个孔以通烟，又附以烟囱盖，可以随风向移转。全个天幕可以在几分钟内拆散捆缚给狗及驴搬运到别地方去。用皮及毡做成的天幕也通用于亚洲北部的游牧民族，不过形式与印第安人的不同就是了。

最简单的茅屋有极低的，使人不能直立，于是便有两种方法来改良它，一是提高屋盖，一是深掘地面。在色丹（Shikotan）的土人便用后一法。他们把地面掘成一坑，然后在其周围造墙，并在其上面加一个屋盖。

这似乎是古代“坑居人”（pit-dwellers）的遗俗。如日本的土蜘蛛族也很像这样。日本的倭奴民族还有增加屋高的一种方法，便是先造屋盖然后将它举起放在柱上，其下用墙把它抵住。

湖居屋（lake-dwelling）也是一种奇异的住所。在史前时代瑞士的居民建造村落于湖上，其下用木桩插水中为基础。这种人便叫作“湖居人”（lake-dwellers）。他们自新石器时代经过铜器时代直至铁器时代的初期还存在。其村落常很大一个，遗址常有千万根木桩。其木桩或深插湖底，或用土石架住。木桩之上先铺以地板，然后建筑屋子。将木柱直立，用树的枝条横编柱上，并涂以很厚的泥土，屋盖用草葺成。关于其外形颇多争说，或说是圆的，或说是方的，然大抵以长方的为近似。湖居不是全属于过去的事情，现在有些地方还有。在委内瑞拉及新几内亚都有造于水上的乡镇，菲律宾摩洛人（Moro）的屋子也建于水上。

原始人的屋有造在树上的便是所谓“树屋”（tree huts）。在马来半岛便有这种树屋。其屋离地约自35至50英尺，筑于大树的低枝上。树干上砍成许多缺，人由此攀爬上下。但也有用梯的，人不在时便收藏起来。其屋形状像蜂窝一样。做法系将树的小枝条缚连末端然后拗曲，中间空虚能容人。屋的高约4至6英尺。入口是一个小孔，很不容易进出。这种树屋的发生是因为它较平地的屋为平安。有树屋的地方大都是猛兽猖獗的危地，所以土人们不得不避居树上。

现在离开茅屋，转论正式的屋宇，便是有石或砖造成的墙的。石墙的起源也很古远，很多低等民族也有这种建筑，石墙的原料或选用天然的石块，大抵是平的，或用人工击成适用的形状。其积料时或为干叠，不加粘湿之物；或则用泥土或水泥铺塞，以增加牢固的程度。石少的地方水泥便多用，所以有的墙是用水泥土混和砂石造成的。墨西哥古代的建筑便是这样。在埃及和美国西南部则有很好的细砂泥，是建筑的最好

瑞士史前人的湖居屋

此系模型，在美国自然史博物馆内（采自Eichler—*Customs of Mankind*）

新几内亚人的湖居

（采自 Verneau—*Les Origines de L'humanite*）

原料。如科罗拉多（Colorado）、新墨西哥、亚利桑那（Arizona）、南加利福尼亚平民的屋子都是用日晒砖造成的，在这样干燥的地方日晒砖所造的墙很能经得数年之久。

关于住所的惯习——关于原始民族的住所问题有一事很为有趣，那便是一家的人都各有一定的地位而不混占。印第安人的风俗凡进入人家的屋，不得随便坐立；每个男女甚至小孩都有其行立坐卧的特殊地位，客人也不得随便乱坐。这种风俗的发生大约是由于房屋太小的缘故。

现在大都市的文明人渐有依季候而移居的趋势，凡财力充裕的都备了二种房屋，一供冬天御寒，一供夏季避暑。但这种风俗却不是高等文明的特征。堪察加的印第安人也有冬夏二种屋子，互相毗连，但结构却绝不相同，一种是半在地下，一种则几于在天空。萨克人（Sac）与福克斯人（Fox）夏天住在长方形的大屋，上覆以树皮，两端开窗。有高高的屋盖，有地板可倒卧，离地很远。在冬天则住在盖席的、圆顶的、只有一个窗的小屋，大家拥挤在一块。

人类住所受自然环境的影响是最为明显。古迦勒底人的房屋是用木块与树枝构成，然后涂以泥土的，亚述人则用石头造成。这是因为迦勒底人住在低湿的泽地，而亚述人则住在多石的地方。美国西南部很少木材，但却有很好的泥土和干燥的天气，所以晒干的砖便为主要的材料。在格陵兰的坑屋是土石造成的，因为木少，在其西方的爱斯基摩人则更以雪块为造屋的材料。简言之，住所的材料形式与性质都受自然环境的影响。

由于人类的造屋也可看出模仿的势力。爱斯基摩人的坑屋或者是受古代穴居的影响，古埃及人的石柱原是模仿在湿地建屋时用芦苇等物支屋的样子。

第八章　狩　猎

狩猎的发生——狩猎是人类最古的职业，旧石器时代马格德林期穴居人的箭镞和杈头可以证明那时候的人便是狩猎民族。原始人类的食物很多出自动物界，但人类的搏斗能力却比不上许多别的动物，腿力的迅速，臂力的强大，爪牙的锐利都不及它们。以这样弱小的身体却很早便须和比他们为优的毒虫猛兽争胜，岂不危险。他们又不像我们现在的人类自觉在别方面较别种动物为优，反之，他们对于别种动物的观念只有畏惧和崇仰。他们只觉得动物较自己为强大，或狡猾。他们是迫不得已而与动物争斗的，不意后来竟渐渐制胜了它们。到现在便是非洲的矮民族都能用强弓毒箭射击巨象，而爱斯基摩人也能很勇敢的攻袭海马与巨熊。其初人类自然是以空拳赤足和动物肉搏，或者在斗时随手拾起树枝石头打去，这便是最初的武器了。后来他们一面思索，一面实验，逐渐改良他们的兵器，最后则极低等的民族都有了很充足的武备来和猛兽抗衡。他们实在把狩猎的技术发展得太完备了，只剩了很少的缺点给后来的人类改进。所以狩猎实可以称为原始民族的技术。

研究野蛮人的狩猎生活可以帮助我们晓得人类是怎样的适应其环境。野蛮人在现在文明的世界中怎么还能保留其土地维持其生存，这似乎是一个疑问，但如一探他们的环境便可解答这个问题。因为世界上有些地方，在文明人不适于居住的，在野蛮人却当作乐土而不觉得可厌。例如爱斯基摩人的居住于格陵兰。他们的住所、衣服、舟楫、兵器、行为、思想等等，概括言之，便是全个生活，完全与这个冰天雪地的环境相合。野蛮人事事物物都适合于他们的环境，所以便不以为苦而反以为乐，要叫他们迁居文明的地方，他们也未必能适意呢。

狩猎的方法——原始的狩猎方法有四种。（1）锻炼自己的感官与身手；（2）使用兵器和猎具；（3）利用助猎的家畜；（4）了解动物的性质与习惯。

旅行家们常说原始民族的狩猎技能极为高超。他们能认识其地每种动物的足迹、叫声和习惯。他们能够以迅雷不及掩耳的手段袭击动物使他们逃遁不及。他们能够寂无声息，偷偷走近动物身边，很容易的把它捉住。他们能够由树上的爪迹而追寻到动物的所在。他们能够潜行水中，头上顶了些草，泅近鸭群，从水中一只一只的拖下去，绝不惊觉其余的鸭。这种方法有很多处蛮族都晓的，古墨西哥人常把大葫芦放在水上，任它飘来飘去，使野鸭见惯而不怕，以后要捉野鸭时便把葫芦剖开，顶在头上泅近野鸭。阿兹特克人（Aztecs）也晓得这法。

利用动物为伥以诱其同类的方法也很常用。如暹罗土人的捕鸟机上常并置一只被获的鸟以诱引其类。毛利人藏身于密叶之中手执一只鹦鹉利用它的鸣声以诱集群鸟。萨莫耶德人（Samoyed）则用牝的长角鹿以诱引雄的，有人说长角鹿的驯养，最初是由于为伥的效用。为伥的动物尚有鸭、天鹅、鹿、野牛、象等。类此的方法还有利用动物的引导而获得其巢穴的。如澳洲人将毛羽粘于蜜蜂身上，纵使飞去，然后跟它到蜂窝以取它的蜜；布须曼人拔去“蜜鸟”的尾羽然后跟寻它的巢窝。由驱赶（drive）的方法常可以获得大群动物；其法是诱引野兽到一个特设的围坞内使它能进不能出，如拉普人之猎鹿，北美土人之猎水牛，都用这法。诱引还有穿了野兽的皮装做它们的同类的，有用火吓它们的，还有埋伏于最后地点以杀伤它们的。

原始人的狩猎器具很是不少。末端弯曲的树枝（curved stick）是下等民族最通行的兵器，古代人类也有这种物，或者这便是最早的兵器，古埃及人曾用此以打鸟，现在美国西南部的印第安人也用此以打野兔，澳洲土人也用此以打鸟兽，并钩出岩石隙内的蜥蜴。野蛮人能够使用各种树枝，不论是锐的，钝的，轻的，重的，手握的，或投掷的。野蛮人

西非洲土人射鸟

（采自 Klaatsch—*Werdegang der Menschheit*）

安达曼岛人（Andamanese）射鱼
（采自 Elliot—*Romance of Savage Life*）

又会使用石头：圆的，尖的，独用的，接柄的，都能运用如意。他们又再进一步而发明陷井、陷机等物。网不但广用以捞鱼，并且用以捕鸟。古代地中海边民族常使用它。在非洲的乌干达（Uganda）和葡属西非洲两处土人能以饵诱飞鸟使落地啄食，然后撒网捕它。澳洲土人则能由一道溪涧的两边树上张网以捕获鸽子、鸭子及其他水禽。西伯利亚土人并且用网以捕小兽。陷井（pit-falls）少见于新大陆，但却通用于旧大陆。其法大都是开挖一坑，上盖草木横于野兽所必经的路上。还有置饵于陷井内以诱野兽的，常见之于亚洲东南部和非洲。猎机（traps）有很多种，例如暗弩（cross-bow）由木块、弓箭和十字形的滑机构成，常见于虾夷人和西伯利亚土人中。陷机（dead-fall）是最广用的猎机，其构造是用活门木头或其他重物将动物打入机内，使它受伤或致死。还有圈套（snare）也是传布很广的，大部用来捕小动物。飞绳（lasso）是猎人当场明用的武器，能够套捉野兽，拉普人、印第安人都能使用它。

助猎的动物最常用者为鹰及狗，此外尚有雪貂、鸬鹚、豹及狮。豹及狮曾为古希伯来人及巴比伦人所用，豹又曾被用于古波斯人。

狩猎民族的例——虾夷民族（Ainu）极爱行猎，他们有很多巧妙的猎机。例如暗箭是猎鹿和熊的利器。其法用绳一条，一头缚于柱上或树上，横于野兽所必经的路，另一头则缚连一个发机物，扣住了硬弓利箭，野兽们一牵动了绳子，便松脱了发机物，放出暗箭正中在野兽身上。他们还有像捕鼠机的一种猎具，是一个长箱，上有活盖，用紧张的弓撑开，箱内放饵，野兽要吃饵时必须将半身探入箱内，而后半身反在上面，饵一被触，便松脱了弓弦，箱盖立刻压下，将野兽关起来了。虾夷人的猎熊很有趣味。参加猎熊的人数很多，带有半宗教的性质。在出发以前例须由老辈举一个聚会以祈神帮助。他们请求山神指引正确的兽踪。水神保佑他们平安渡过水流，泉神供给他们饮料，火神帮助他们烹煮食物，烘干衣服，保护身体等等。他们在途中每停一处也必求该地方的神灵保佑。在初春的时候大雪凝固可以行走，猎人们便带了猎狗出发。熊的穴口，因为雪稍变色，并有呼吸的气，可以辨认得出。熊穴发现了后，便先行祈祷，清去积雪，拿长杆刺进穴内。猎狗们也晓得撩拨熊要激它出来。还有火和烟也一齐用来进攻。最后如熊还不肯出来，猎人便自己进洞去，因为他们信熊在洞内必不吃人。熊见人来发怒，抓来放在背后，猎人乘机从它背后戳上一刀，熊负痛冲出洞外，外面的猎人急将毒箭一齐向它射去，熊受伤狂怒，咆哮向人，在这个时候最为危险。后来熊死了，猎人们便坐下。对熊表示敬仰之意。并行额手礼。然后剥去了皮，割去受毒的地方，剖分余肉，把熊头装饰起来，说句多谢。猎队回家后便举行一次大宴会。

爱斯基摩人也精于狩猎。这里只举他们的两种精巧的猎法。他们将利刀搽了鹿血，竖立在雪上，狼来舐血，便受伤而死。他们又将一条鲸骨约2英尺长，卷成一圈，用筋肉扎起来，在骨的两端都缚了一块金属片。将这一团物放在一块肉内，狼见了，吞食下去，筋肉消了，鲸骨便挺直刺破狼的胃。

第九章 畜 牧

人类食物的供给由不定规的状况而至于固定有序的情形，是文化进步的一大征候。狩猎时代食物是不定规的。到了晓得畜牧与农耕生活便稳固得多了。人类一面由看护植物而获得食料，一面又由照顾动物而增加口福，畜牧与农耕都是起于原始时代。有很多地方畜牧生活较农耕为早，但由人类全体观之却不是一定要经过畜牧时代然后进入农耕时代。欧洲在新石器时代已经能驯畜狗、牛、猪、山羊、绵羊等物，其遗骨曾发现了很多。

畜牧发生的原因——畜牧发生的原因很多。各民族未必皆一律。约述如下：

（1）拉策尔（Ratzel）说畜牧是起于豢养稚兽的风俗。梅森（Mason）也说最初的畜牧不过是豢养幼稚动物，如小狼、小羊或小牛等物常被猎人带回家里饲养。这种功劳多半是妇女的，因为男人常须担任狩猎及其他外务，而看护小兽的慈心也以妇女们较为丰富。如在夏威夷男人们在外面捞鱼，女人们则在家筑鱼塘畜鱼；又如在亚洲南部、波利尼西亚、澳洲、虾夷人中都可以看出此事。

（2）有时猎人将受伤而未死的野兽带回家里，因不急于需食，便暂且留养不即宰杀。这种事情在野蛮人中是很常见的。这或者也是畜牧的一种起因。

(3) 猎人看见某种野兽有时不即动手猎捉，却跟它的踪迹留为别日之用。如北美西部平原的土人，有时全村的人都跟野牛移动。跟随野兽并不就是畜牧，不过由此再进一步便是围绕牲畜的游牧生活了。古埃及人似乎也有跟随野兽的事情。有人说澳洲种犬“丁戈”（Dingo）的进入澳洲，与其说是澳洲人带它进去，毋宁说是澳洲人跟它。

(4) 杰文斯（Jevons）以为图腾制是畜牧的起源，因为被人所崇拜和保护的动物渐渐和人类狎熟，便成为驯养的动物了。

(5) 高尔通（Francis Galton）以为畜牧是源于玩戏或宗教意义，因为现在还有许多原始民族如此。古时的帝王也常搜求多数动物以为观览游戏之资。高尔通以为各种动物都曾经过豢养或且不止一回了，但是还有许多动物终不肯驯，这是由于其性质不合畜养的缘故。

易于驯畜的动物的性质——据高尔通所列举的是：(1) 生存力坚强不易致死。(2) 喜欢亲近人类。(3) 希望安适，这是很重大的动机，因为能使它们离开不稳的山野走近人类的住所。(4) 有利于人类，这在人类一方面是很重要的，因为动物长大后失去小时可玩爱的性质，若非有实用，便要被弃而不再畜养了。(5) 能随便繁殖，不因受拘束而有差异。(6) 易于看护。

畜牧的效果——（1）畜牧的第一种目的便是充做食物，因为肉卵及乳都是人类所喜吃的东西。(2) 供给衣服、器物的材料，如毛羽及皮可做主要衣料，而骨角也有用处。(3) 负重载运也是很重要的效果。如狗、马、牛、驴、骆驼等。(4) 供给动力以旋动磨盘等重物。(5) 帮助狩猎是最奇异的一种功用，不但狗、马，甚至驯象都能尽心替主人捉获同类，而猛鸷的狮豹和鹰都可供人类的驱策。(6) 家养动物又能够影响于人类的心理，如使鹿的民族较使狗的民族为温和，而畜马的民族也较富于勇敢的精神。

驯畜动物的限度——动物之中有很早便受驯养的，有至今还未驯服，如马在古代便成家畜，而斑马则至今还不肯受人类的羁勒。所以人类此后是否还能增加新的家畜像过去一样，也是一个疑问。有人说这似乎是不能了，因为本性易驯的野兽都已经驯养完了。德·莫尔蒂耶（De Mortillet）述圣希莱尔（Geoffrey Saint-Hilaire）的话说“我们栏中所有的畜类，在300年来不曾增加一种新的。只要把现在所有的家畜列成一单，便晓得格斯纳（Gesner），贝伦（Belon）（1550—1599年）在16世纪便能够列成同样的单，不少一个名字”。

各种动物驯养的起源——最早被驯养的野兽是狗。现在世界上的狗种类很多，究竟最初被驯养的狗是一种或多种，关于这点颇多争论。或者最初被驯的狗不止一种，驯狗的也不止一民族，其地也不止一处。据达尔文说狗的祖先有狼族的，有豹族的，还有已灭种的。养狗的风俗最为普遍，全世界各民族都有，凡有人类的地方便有这种忠诚的畜类在人的身旁。在冰天雪地的地方它便为人拖橇，在狩猎的民族中它能帮助猎兽，在墨西哥的阿兹特克人（Aztecs）则养得肥胖充做食物。在美洲未发见时便有狗，爱斯基摩人、北美印第安人、墨西哥人、西印度人、南美洲人都用狗猎兽。航海家初发见波利尼西亚诸岛时便见有狗，在新西兰狗几乎是唯一的哺乳动物。在最原始的澳洲，其人民文化极低，但也已经有土产的狗。

别种动物的驯养似乎都是妇女的功劳，唯有狗是男子所驯养的。男人出猎时或者常有野狗跟在后面，因为它们也是猎食动物的肉食类。禽兽被猎人打伤时野狗追上要吃。猎人把它赶开，将所要的物拾起来，不要的则给狗吃，久之猎人与野狗便渐狎熟而发生感情，愿意互相帮助。野狗之中有特别勇敢灵敏喜欢近人的，便常于夜间跑近人的住所。最后则驯熟无猜，遂与人类同住一处而不再向四处乱跑，因而成为家畜了。考古学上也证明狗是最先驯养的畜类。丹麦的“食余遗址”（kitchen-middens）曾有狗骨及其他动物的骨，据专家的考察，别种动物都是野生捕获的，只有狗是驯养的，因为别种动物的骨小的都不见了，大的则有被狗嚼啮的痕迹。

关于马的驯养有很多人研究，在法国几千年前马曾充为人类的食物。法国梭鲁特遗址（Solutre）中马骨堆积甚多，表明马是主要的食物。但据莫尔蒂耶氏（Mortillet）的考究，那时的马还不是家畜而是野生捕获的。在古埃及则考究所及的时代便已有用马的事，在中国也很早就畜马，大约马的驯养始于亚洲西部，其后渐向东西传播。

黄牛和水牛在原始的生业上都很重要。南非洲土人畜牛甚多。印度托达人（Toda）的生活几于全靠他们的水牛，他们并不食牛的肉，但牛乳却为大宗食料。阿富汗的卡菲尔人（Koffirs）也以牧牛为业，牧牛的人能够用言语和叫号管束它们，要使它们前行、停立、榨乳等事都有其特殊叫号，牛都能应声从命。古埃及人极重视牛，且视之为神。

冰鹿的训畜不甚久，在新石器时代还没有，但最少在1500年前已经驯养了。自拉普兰（Lapland）至堪察加亘于亚洲北部有很多驯养的冰鹿。冰鹿除在冰天雪地上拖橇以外，还供给畜它的民族以皮肉筋等物。冰鹿也与宗教仪式有关系，有祭日便杀以为牺牲。有人说冰鹿的橇发生于狗橇之后，是用于代狗橇的。

猫被人类畜养后，到现在野性还未全驯，或者最初的畜养是始于古埃及。在埃及的纪念物及木乃伊上都有猫的图形。猪也很早便被驯养，其初的种类不一，欧洲种较大，亚洲种较小。猪、羊在原始生活中居较不重要的位置。

驴在埃及很早便被畜用，此外在巴勒斯坦、希腊、意大利等地古时便都有了。象和骆驼不是最原始民族所养的动物。猴在苏门答腊被养以服役，能上树代人摘果。

第十章　种　植

种植发生的时地——种植的发生是人类生活的一个大转机，因为这是人类制服自然的好方法。但种植不是容易懂得的。澳洲土人大多还不晓得种植，自然界给他们的一点儿贫薄的食物，他们尽有尽吃，不肯留待别日，吃了便跑到别处。布须曼人及霍屯督人也不知道种植，他们只能用附加石环的一种掘挖器掘起植物的根，并不晓得栽种种子令它发生新的根。

种植的发生远在史前时代。在法国的后期旧石器时代洞穴中所留图画中据说有表现谷穗的，但农业的存在，在新石器时代以前尚未有确证。到了铜器时代农业很发达了，特别以瑞士湖居人为盛，在此遗址中曾发现三种的麦。在黄河流域，底格里斯（Tigris）与幼发拉底（Euphrates）的两河流域和尼罗河流域，自有记载以来便已入农业时代。农业大约在纪元前 1 万年发生于埃及和美索不达米亚（Mesopotamia），由此西传至地中海沿岸，东行至印度、中国。印度农业起于纪元前 9000 年前，中国尚未能定。日本系由中国传去。在纪元前 1000 年前大洋洲或尚未有农业，其中波利尼西亚诸岛在纪元后 500 年还未有人类，农业自然更迟才有。东亚的米，地中海岸的麦，以及大洋洲的球根植物，或者都是独立发明的。

种植发明的揣测——种植的发明大抵是妇女的功劳。人类自有火以后便发生男女间的分工；男子出外从事狩猎与战争，女子则在家守火，并于近地寻觅植物的果实、根茎、皮叶等充做食物。妇女们寻觅果实根茎久了，或渐认识某种植物出产较丰，恐怕鲁莽的猎人把它毁损或鸟兽们将未熟的果实吃去，她们便略加以照顾，或在周围植立树枝以卫护它，或将旁边的植物砍去使不致遮蔽阳光。有些离家较远的嫩株或被移栽于家中，以省却别日的麻烦。后来或者渐晓得把种子种入土内使之发生新的植物，于是真的农业便发明了。

农业虽始自妇女，并且起于很早的时代，但却在很久以后男人们也参加了方能大大发展。渔猎与畜牧的民族有时也从事小规模的种植，但却不当作主要的职业。

原始的农具——最初的农具是挖土杖和锄，后来方有犁，是由锄再改成的。挖土杖是一直杖，末端尖削，原始人常用以掘挖草根等物。挖草根和挖土栽种植物是同类的工作，所以挖土杖便充为最初的农具。这种杖的末端若渐改良而成为扁平形便成为铲了。锄是由斧变成的。例如新喀里多尼亚土人的尖木锄也当武器也当农具，非洲土人的铁斧转过锋也便是锄了。我国古书也有“刀耕”的话便是指此。犁的发生的程序例如古埃及的，大略如下：起初将锄加重，一个人拖了走，把所经土壤挖成一沟，次之再加了一个手握的柄以便利拖犁的人，最后连拖犁的工作都叫牛来代替，将绳子缚连人握的柄上和牛的轭上。

种植法——原始人很少能整理土壤以便种植的，大都只择本来适用的地方而已。但也有些例外的，如英属圭亚那（Guyana）土人很能够整理土壤，晓得“火耨”即放火烧草木为肥料的方法。新西兰土人把硬土和软土相搀杂，使其便于种植。大西洋岸印第安人以鱼，特别是青鱼，为肥料，或者还用贝壳。英属中非洲土人也把灰尘、垃圾倒在田土内。灌溉只行于农业已发达的地方。灌溉最发达的地方是两河流域和尼罗河流域。

人类的改变植物——人类实在也可以说是一个造物主，有很多奇异的事物，通常归于造物主的能力的实是由于人力所做成。自然界总是吝啬的，他固然肯赐予人类，但却只给勤劳的工作者。原始人类所受于自然界的果实、根茎、皮叶、种子等，假如给我们现代的人恐怕以为不值得接受。根及其球块小而硬，味苦，有时且有毒，茎太韧，果实则纤小而味涩。这些本来不适于口腹的东西经过人类培养种植以后都随人的意变成很为完美的食物。例如甘蓝菜初时或只有叶稍可充食，经过培养以后，其头也渐渐扩大成为一种美食。薯在野生的时候球根很小，又苦又韧，古秘鲁人把它拿来用心栽培，弗吉尼亚（Virginia）土人也拿去栽种，后来又传入英国，果然终如人愿渐渐变苦为甘，并扩大其形体，如将现在的与原来的相较恐怕不易信其为同一物，又如葡萄经过栽种后真是其实累累，与野生的大不相同。人工栽成的苹果又大又甜，较之野生的相去天壤。又如培养过的醋莓也增加了几倍的重量。最可异的是桃，很远以前大约在亚洲西部，还是一种野生的植物，其肉甚薄几乎无汁，味又很苦，熟的时候自己裂开，露出中心的种子，这便是自然的恩物了。人类把它拿来改良了，遂变成肉厚汁多，异常可口的美味，由此可见达尔文进化论中所谓“人为淘汰”与种植的发明是很有关系的了。

关于农业的风俗——原始民族其初多轻视农业。据希罗多德（Herodotus）所记载，上古的色雷斯人（Thraces）以耕耘为最低贱的勾当而劫掠为最高贵的事业，凡狩猎或游牧民族大都具这种观念。印度人中也有以从事农业为厉禁的，甚至托达人（Todas）也以耕种为不屑做的事。顿河哥萨克人（Don Cossacks）完全是游牧的民族，更以死刑禁遏耕作，因为耕作有碍于狩猎和畜牧。游牧民族便是迫不得已而从事农业还是不甚愿意。

农业的地位既被认为重大以后，则又备受尊崇，因而发生出几种宗教的仪式来。如欧洲乡人信有所谓“山野及谷物的精灵”（spirits of wild and of corn)，用种种仪式以祈求谷物的成长。中美的马雅人（Mayas）说农业的神名为巴南毋（Balam）是一个长头的老人，初次收获的东西应当先祭献他，否则必降祸。其他民族信有农耕的神的甚多，而供献初获物的风俗也很常见。我国为重农之国，这种风俗更为发达。

第十一章　石　器

绪论——我国古时有“轩辕、神农、赫胥之时以石为兵”的话，古希腊人也推测原始人类只用石为猎兽的武器。这种臆说到了近世“史前考古学”勃兴，史前遗迹发现，遂得完全证实。

18 世纪之初，德国境内发现了很多史前遗迹；到了 1750 年埃卡尔多斯（Eccardus）遂发表他的意见说：人类在原始时代只用石为兵器和工具，其后方有青铜器，最后方有铁器。法国、英国、瑞士、丹麦等国境内也陆续发现了很多处石器时代遗址，寻得无数的石器。这些石器时代的遗址都只有石的兵刃及器具，不见一片金属器，而且有些遗址中只见砍削而成的粗劣石器，有些则有再加琢磨的精致石器。因此丹麦的考古学家汤姆森氏（C. J. Thomsen）便确定了石、铜、铁三个时代，而其后丹麦的沃尔萨伊（J. J. A, Worsaae）与英国的拉伯克（J. Lubbock）再分为四个时代，即：

（1）旧石器时代（palaeolithic age）或粗制石器时代（rough stone age）：只有击剥而成的粗制石器，不知再加琢磨。

（2）新石器时代（neolithic age）或琢磨石器时代（polished stone age）：此时代方有美丽精致的石器用。为饰物的金以外还未有其他金属物。

（3）铜器时代（bronze age）：青铜始用为武器及其他利器。

（4）铁器时代（iron age）：铁代青铜而为刀斧等物，青铜则用为饰物及刀柄等。

拉伯克在他的大著《史前时代》（*Prehistoric Times*）中列举了各地博物馆所藏石器的浩大的数目，然后叹说在他同时的学者中还有不信“人类曾经过一个单用石器的时代”的，因此他便把怀疑派的语调倒转来，郑重的断定说：“以前确曾有一个时代，‘那时人类的蒙昧程度甚至于只有石头、树枝（应当加说骨和角）为他们的器具，以维持他们的生活’。

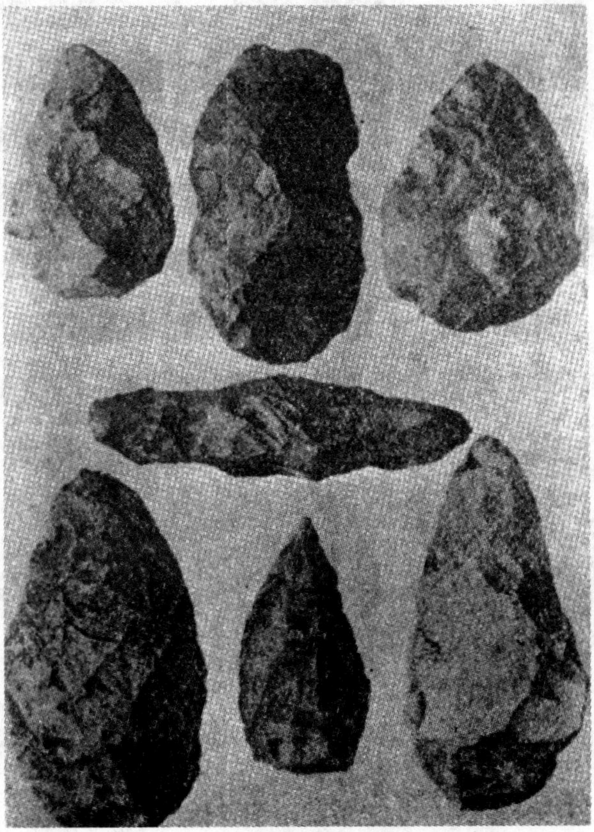

旧石器时代石器

（采自 Verneau—*Les Origines de L'humanité*）

而考古家也确已‘发见了这种证据’。”

人类既能砍削石头以便应用，自然也晓得利用其他易得的东西如树木、骨角、贝壳等物。不过这些东西较易毁灭，而石头较能经久，所以石器便成为主要的遗物。

新石器时代石器

（采自上书）

人类最初如见有天然石块有适合所用的，自然便选来应用，而不耐烦加以砍削。人类所以要制造石器便是因为需要一定形式的器具，以供一定的目的。如只为捶击、压碎之用，只需随便拿一大块石头便够了；但如要做劙剖、刮削、切割、穿洞等工作，他便不能常得到适合需要的石块，于是便须用人工制造石器了。第一步自然只拣有近似所要的形状的石块，略加修改。由这种手续而成的石器形状各异，没有一定的形式，但略能表现同样的功用。这种石器初发现时有疑为自然的石块的，争论很久，到后来才信为旧石器以前的产物，名之为“始石器”（eolith），而其时代则为“始石器时代”（eolithic age）。由此在拉伯克所分的四时代以前便增加了一个更古的时代了。

人类制造石器久了，便渐晓得对称与定型的好处，一面技术也逐渐进步，最后竟产生了极优美的石器，表现了人类在这一方面的最高等的工夫，为人类历史上所仅见。

石器的原料——各种石头只要硬度适宜的便可用为石器的原料，如燧石、石英、石板石、火山石、水晶、玉、黑曜石、青砥石、黑硅石、雪花岩石、闪绿岩石等。石器的原料虽多，但多数不能有规则的破裂，不适于制造细致的石器，所以欧洲的原始人多选用其中最佳的一种即燧石为主要的原料，而其余的则当作补充的原料。燧石的佳处在其坚度与破裂的惯式。一块好燧石如由熟手施工，必可以得到随意所欲的形状。击成薄片的时候其边锋的锐利为别种石所不能及。其平滑有光泽的面也是美观可喜的，使人乐意摸握。

燧石的自然状态是一块不规则形状的结壳岩球，自小沙砾状以至四五十磅的巨块。破裂之后其内的石色是黑的居多。但若受外界的影响则燧石的形状颜色便都生变化，所以燧石有种种不同的形状、体积与颜色。其色似乎无所不有，自原来的黑色、琥珀色、灰色，以至于黄色、红色、橙色、青色、蓝色甚至纯白色都有。便是一块燧石也常具不止一种的颜色。

一块燧石可以由敲击而得一片一片的薄片，这便叫作“裂片”（flake）。被敲去了很多裂片只剩中央一团多角形的石块，便名为“中心”（core）。燧石多的地方遗留的中心常很大，燧石少的地方则敲了又敲，只剩一块很小的中心；所以由中心的大小可以推测当时燧石产量的多少。燧石如被尖锐的器物敲击而成裂片时，其裂片上必发现一个凸起的贝壳状纹，名为“撞击泡纹”（bubble of percussion），而同时中心上也现一个凹陷的贝壳状纹名为“螺旋的裂面”（conchoidal fracture），以前曾以这种纹为人工的证据，现在则知道天然的破裂也有这种纹，所以便不能用为区别人为与天然的标准了。

石器的变色是由于一种化学作用，叫作“变色作用”（patination）的影响。变色作用发生的原因是暴露于空气中，或与别种矿物相接触。石器的外皮受了影响因而分解变质，所以变了颜色。变色的外皮的厚度不一律。或只一薄层，或则深入里面。小石片且有全体都变的。

变色作用不论是由于暴露或接触，其经过的时间，现在还无正确的知识，因此石器的变色不能当作断定年代的绝对标准。石器的变色最快的或者由于与白垩的接触，其所变的色是白的。燧石的变成赭色、黄色、锈色、橙色的，大抵是由于与别种矿质相混杂，慢慢的受了影响，经常是在沙砾堆积层里，且常是很久远的；至于蓝的，蓝白的，灰的，或有斑点的，大抵是由于暴露在地面上受气候的影响而成。十分确定的原理是没有的，所以我们如要推测一块石器的年代，观察其变色虽也有一点效用，但不如注意其形状较能准确。

石器的种类——各时代各地方的石器形状罕有完全相同的，但因其效用相同，或者更因传播的缘故，其形式大都很相类似。所以为研究的便利上便把相似的石器合为一类，其下再分为细目，兹把最普通的种类列述于下：

第一部　旧石器

（一）旧石器时代石斧（stone axes），石斧在石器中占极重要的位置。世界上各处的原始人类都曾有过石斧，而石器时代的遗物也以此为最普通。

在旧石器时代只有砍削而成的石斧（chipped stone axes），别名“拳斧”（caupe-de-poing），有些是将“裂片”的两边加以修削而制成，但多数是从“中心”制就。其形状通常是梨形的，一端渐狭，边缘由剥去裂片而倾斜。所以中部厚而边锋锐利。有些成椭圆形的，别名为“椭圆斧”（ovales），在莫斯特期（Mousterian）后段，还有一种心脏形的小石斧剥削很工整。

（二）刮刀（scrapers），欧洲如英、法、丹麦、瑞士等处都曾发现，现在的蛮族如爱斯基摩人也有这种石器，其形状与欧洲史前的相象。刮刀的用处便是刮去皮上的油以便为衣料或别种用处。刮刀可以分成四式。

（甲）边锋刮刀（Mousterian side scraper），将大块的裂片择其一边琢成凸出而锋利的形状，这一种很宜于刮皮之用。

（乙）末锋的刮刀（scraper on the ends of blades），这也是由细心砍削而成，其刮锋在刀末，自后期旧石器时代以后各时代都有。

（丙）裂片的刮刀（scraper on flakes），大约如上一种，但因是由裂片改造，所以形状较不规则。

（丁）中心刮刀（core scrapers），将一块中心击成两半，便成为两个刮刀。因为击破的一面是平的而另一面是凸状，故其边缘也很锐利，可以刮物。

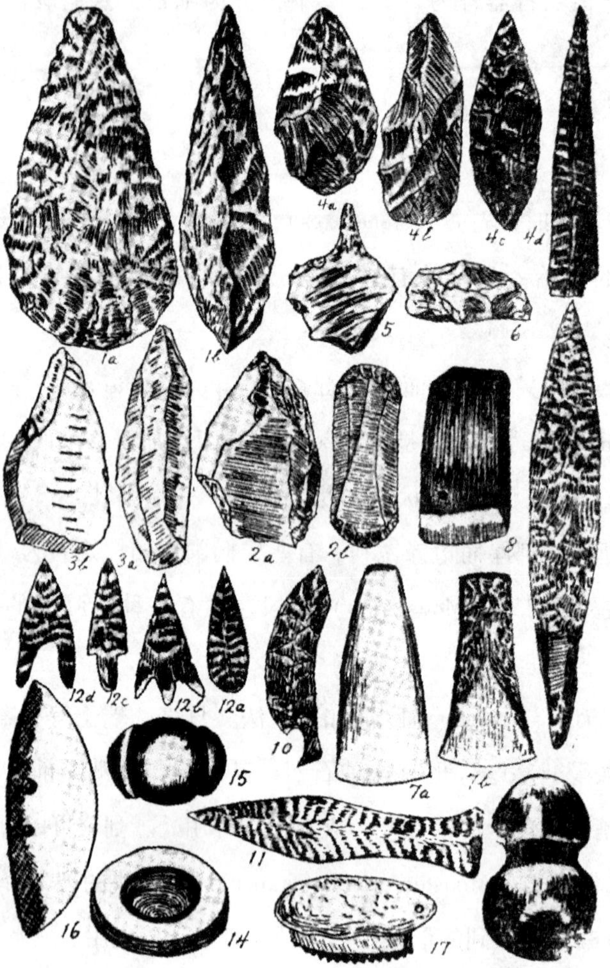

石器的种类

1. 旧石器时代石斧，a 正面，b 旁面。2a 边锋刮刀，2b 末锋刮刀，3a 旋钉器式刻刀，3b 弯凿式刻刀。4 尖形器，a 莫斯特式，b 奥利孽式，c 桂叶形，d 柳叶形。5 锥。6 鹰嘴形石器。7 新石器时代石斧。8 锛。9 锤。10 刀。11 匕首。12 箭镞。13 枪头。14 工具石。15 沉网石。16 镰。17 锯。（1，2b，4a，4b，5，7，10，11，13，17 由 J. de Morgan—*L'humanité Prehistorique.* 2a，3a 由 Burkitt—*Our Forerunners.* 3b 由 *Burkitt Prehistory.* 4c，4d 由 MacCurdy—*Human Origins.* 6 由 Well—*Outline of History.* 8，10 由编者的《台湾番族之原始文化》。12 由 Vulliamy—*Our Forerunners.* 14 由 Avebury—*Perhistoric Times.* 16 由滨田耕作——《通论考古学》。）

（三）刻刀（gravers），刻刀端际稍尖，其特征在有一个平面，名为“刻刀平面”（graver lacets），这个平面是由于制造时从尖端击了一下全部纵裂而成。刻刀可分二式，每式中各有许多种类。

（甲）旋钉器式刻刀（screw-driver graver），这种刻刀锋平直，像螺钉扭旋器样的。

（乙）弯凿形的刻刀（gouge graver），这种刻刀锋弯曲，像弯凿的。

（四）尖形器（points），旧石器时代的尖形器便是用为枪尖等物的，也有很多种，可以分为：

（甲）莫斯特式尖形器（Mousterian points），作杏仁形，一面平，一端尖锐，由裂片制成。

（乙）奥瑞纳式尖形器（Aurignacian points），像一把小刀，末端尖薄。

（丙）梭鲁特期桂叶形与柳叶形尖形器（Solutrean laurel-leaf and willow-leaf points），形像树叶一样很薄，两端常皆尖。桂叶式两面都修琢；柳叶式，一面只是裂面不加修琢。

（五）石锥或钻孔器（awls or borers），石锥常由裂片制成，其尖端大小不一。石锥虽不甚利，但却很坚硬。

（六）鹰嘴形器（rostra-carinates），这种石器的形状，很像倒覆的船首，龙骨翻在上面。前端尖锐而且弯曲像鹰嘴。下面是平的。上面有隆起的脊。这种石器的用处是很特殊的。时代也很古，所以还不大明了。

第二部　新石器

（七）新石器时代石斧，形状较近后来的金属斧，有很狭长的，但也有短的。一端是阔的薄嘴，一端则较狭小或且甚尖锐。中部不特别加厚，两端以外厚度都颇均匀。自 1 英寸长的雏形小斧以至于 1 英尺半的沉重大斧都有。最大最佳的作品出自丹麦的遗址，拉伯克说他藏有一块是白燧石制成的，长13英寸，厚1英寸半，阔3英寸半。这种斧可以手握，但有的则是曾经装在柄上，因为斧面有被木柄磨擦的痕，而且发见时还有木柄尚在原位的。斧锋缺折了常再加修削，以致斧的长度因之渐减。这种石斧的近锋一部因常再被削磨与原来的形状不同，很可以看得出。石斧还有一种穿孔装柄的，这种有孔的石斧大都属于燧石以外的石质，因为燧石的性质不易穿孔。其他多种硬石都可以用骨锥或角锥磨擦砂和水于其上而穿成一孔。

（八）石锛（adze），石锛形略如斧，但锋口只有一面斜削，另一面是垂直的，厚度不大，全体无甚差异。这种石器台湾及南洋群岛很多，中国也有。

（九）石锤（hummers），各种石头只要硬度充足可以琢磨的，都可用以制石锤。石锤上常穿洞以装柄。石锤的形状有如艇子形的，有一端尖锐而别端平阔的，有一端弯曲的，有斧与锤合成的。

（十）石刀（stone knives），石刀形式不一，通常为狭长形，一边有薄锋可割物。埃及发现的一种名“弥沙威叶”（Messawiyeh）的石刀，形狭长，且略弯，像豌豆的形状，有的且有一个刀根，这种是上等的产品。石块上敲下的裂片边缘犀利的常即用为石刀，或只略加改削。所以裂片常可归入石刀一类。

（十一）石匕首（stone dagger），石匕首或短剑常系高等技术的产品，形状很像后来的铜匕首。石匕首以丹麦出的为最佳，两边很对称，全体都很精致，在欧洲可谓无与伦比。此外只有埃及所出的能够和它抗衡。一个考古学家说：“我们只要注视这种石器的波纹的面，整齐的边锋，优美的轮廓，便不能不发生一种感想，觉得是在鉴赏一种高等技术的表现。这种技术是别个时代所没有的，而现代的文明人也不能单用石或骨的工具制成这种东西。史前时代的丹麦人与埃及人固明明是所谓野蛮民族；然则人类的一种高等技术不得不让史前的野蛮民族去专美了。”

（十二）石箭镞（arrow-heads），收藏家常特别欢迎石箭镞。最佳的产品确实很美观，形式精致又很对称。德舍勒特氏（Déchelette）分石箭镞为三种，瓦连米氏（Vulliamy）增加了一种，共四种：

（甲）箭根（tang）及倒钩（barb）都没有的。

（乙）箭根及倒钩都有的。

（丙）只有箭根，没有倒钩的。

（丁）只有倒钩，没有箭根的。

拉伯克氏则分箭镞为六类，不如四分法的清楚。其实详论起来，箭镞最少有20种以上，但过于详细的分类也无甚用处，反不如简括的好。箭根是要插在箭杆一端的孔内，而倒钩是要给绳子缠缚于杆上的。箭镞小的不过1英寸长，大的约三四英寸。大的并可做标枪头或长矛头。箭在冰鹿期即后期旧石器时代便有了。如梭鲁特期（Solutrean）的柳叶式及桂叶式尖形器便是做箭镞及标枪头的。不过效力最大的有倒钩的箭头却是在新石器时代方才发生。箭镞形式的差异自然由于造箭的民族不同，但箭的本身的功用一定也有关系。有倒钩的箭镞比较无倒钩的厉害，用时也有轻重的不同，例如战斗与狩猎所用的箭必定有不同。

（十三）石枪头（spear-head），石枪头形状大小都不一律。有的不过如大箭镞，有的却很大。有的很粗劣，有的则甚精致，拉伯克氏说他藏的一个有12英寸长，1英寸半阔；技术很可惊叹。

（十四）工具石（tool-stone），有一种椭圆形的别名 Tilhuggersteens。欧洲曾发现过其形如卵，有的在一面或两面有一个窟窿，有些考古学家说这是用食指和拇指夹住以砍凿石器的。工具石还有一种长圆形如人指的。

（十五）沉网石（net-sinking stone），是石器时代用以系于鱼网上使之下沉的。编者所拾的台湾的一种形椭圆而扁，两端各有一凹沟以便系线。上举的工具石其窟窿有穿透的，故有人说恐也是沉网石。又有一种小石环也是用以沉网的。

（十六）石锯，器的一边作锯齿状。

（十七）石镰，有一种形略如半月状，一边薄为锋口，一边厚为镰背，北欧及高丽、中国均曾发见。又有一种由数小块集合以嵌于别物上的。此外还有石凿，石盆，石盘，石铲，石环，石锄，石轮，石杵等。

石器制造法——我们初见精致的石器常惊于其技术的巧妙；而不晓得它们用什么方法制成，其后考古学家们一面由原始石器的本身加以考究。一面复参考现代蛮人的石器制造法，因而推想出一个大略，如伯基特氏（Burkitt）在其大著《史前学》（*Prehistory*）里曾举出三种方法，即撞击法（percussion）、压榨法（pressure of laking）、加热法（thermal fracture）。还有梅森氏（Mason）所发表的五法更为详细。其后复有纳尔逊氏（N. C. Nelson）在1912年就北美雅希族印第安人（Yahi Indians）的一个遗民名伊西（Ishi）的石器制作法加以研究，发表三种方法，与梅森氏所说很相同。现在根据梅森氏的五法并参考上述二家所说编述如下。

（一）击碎（knapping）或破裂（fracture），这两个名词实是同指一种工作，所以合在一处说。其法有二：

（甲）撞击法（percussion）：用石锤或圆形石器撞击作原料的石块，击时大都一手拿器具，一手拿原料。

（乙）加热法（thermal fracture）：原料中像燧石一类是不易传热的。只有温度的急激变化能使它破碎。所以如先把燧石加热，然后滴水于其上，则其处立即破裂。这法在现代蛮人中很通行，但在史前原人却很罕用。

（二）剥削（chipping），用小石锤，碎石片，或尖锐的角器骨器等，把经过第一种手续的石块再加砍削，把石块的边缘一片一片的剥去，直至达到所要的形状。这种工作多用压力。可以分为三种：

（甲）压力自上而下的。这是将工具靠在工作物上，用力压下以剥去裂片。

（乙）压力自下而上的。这是把在下的工作物向上挺。

（丙）压力平行向前的。工具平行将尖端抵住工作物的边际，用力向前挤去，所抵住的边际便被剥去一片。

（三）截断（cutting），用凿形的锥在工作物两面各开一沟，直至有相当的深度。然后拿起来投掷，或加以压力便成两段。最后石器发明更易于为力了。石锥与石锯自然都是用顶坚硬的石做成的。

（四）穿孔（boring），穿孔有二法：

（甲）砂水摩擦法。石锤上的洞大约是用砂与水摩擦而成。其法将砂和一点水放在石器上要穿孔的地方，然后用两手夹一根木棒，棒端抵住石上的砂，用力将棒急速旋转，则该处被砂磨蚀而渐凹陷，磨擦常由两面，每面各穿一半，这叫作“对穿”（counter sinking）。

（乙）石锥钻凿法。将石锥的尖端抵住要穿孔的地方来回旋转，久之也可穿成一孔。石锥穿的孔与金属锥穿的孔可以辨别得出，因为石锥的脚不很整齐，所穿的孔必有横纹，金属所穿的孔便很光滑。

（五）磋磨（polishing），这便是将工作物在砥石上磨擦或者并用珊瑚或赭土等物置于其间以增加磨擦力。这是最后的一步。自新石器时代发明了这一法后，遂产生了无数精致美观的石器。

制造小件石器自然可以一个人独造。但如大件石器大约是要两人合

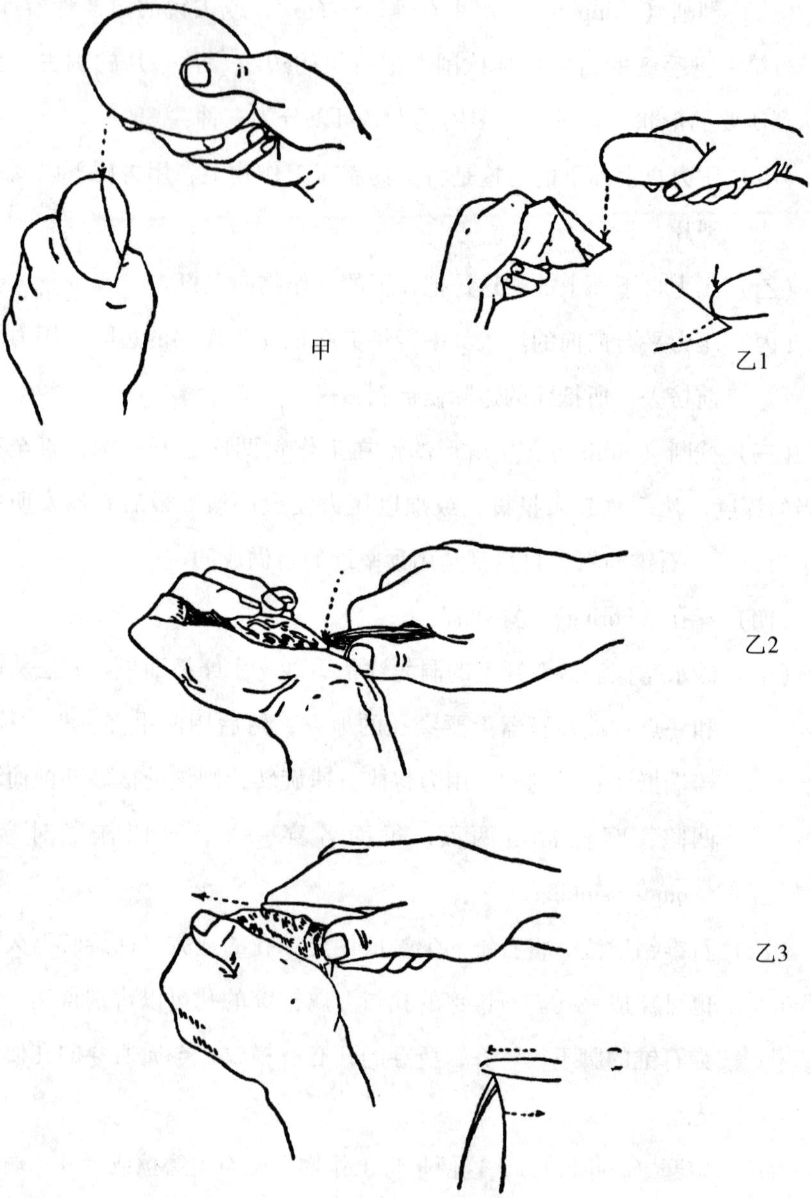

石器制造法

甲：撞击法　　　乙：削剥法三种

作，一个按定工作物于砧上，一个则拿工具砍击。

自然物与人工物的鉴别法——天然石块形状有的很像人工做成的，使人不易鉴别。因此较为粗制的石器使人不敢轻于断定是否人为的。但实际上原始人类当需要器具时如见有适合所需的天然石块自然也乐于随手取用，而不耐烦另制石器。天然石块曾被人采用的常略被修改，其边缘常再被磨削。这种曾被人类采用并略受改削的石块，其数必极多，但现在却不容易鉴别得出。

初学者或参观人常问人工物（artefact）（即由人类有意制成的石器）与仅由偶然的自然作用而成的石块，将如何加以鉴别？对此问只能答复如下：

由于高等人工制成的精致石器是无疑问的，即在外行的人都能够认识人工明显的石器，如新石器时代及旧石器后期的石箭镞、石斧、石匕首等物。对于早期的旧石器时代的石器须略具练习过的观察力方能无误。至于旧石器以前即原始石器的东西，或任何时代的较暧昧的石器，则须有很长久的接触与很娴熟的知识方能鉴别得来。仅只纸上的描写举出几种特征，还是不够的。总而言之，要认识石器的真特性没有别法，只能就实地研究而得，而眼看还不够，还应当用手搬弄触摸方能懂得充分。

石器型式与时代的鉴定法——粗略的鉴定法，可分石器为始石器（eolith）、旧石器（palaeolith）、新石器（neolith）三种。但即在这种宽泛的范围内还是有错误之虞。石器的较详的鉴定有两法：一是按照其时代，一是按照其功用。又有兼用两法的，如所谓“歇连期的拳斧”（Chellean hand axe）、奥瑞纳期的刮刀（scraper of Aurignacian age）等便是。

按照石器的功用而制定的名称比较按照时代的远为可靠而且较合实际。例如鉴定某个石器为属于“刮刀类”，大抵不致有什么错误。但如要指出它为旧石器时代的或新石器时代的刮刀，便常生疑点。石器的功用也是由推想的，所以由此而拟定的名称也不过用以指某种特殊形状的石器是用于某种特殊的工作就是了。

人类做成的石器自然也有很多在普通专名之外，无类可归的，其数量并且很多，为考古学家们所不及料。不完全及破损的石器也很常见，但与上述的不同，其中有些可以推测其原状而可归于其类。

石器每一类中常有几式经过很长时期，并且通行于很大地域；有些则形状远为特别，只在短促的时期中为一定地方所特有，且大抵是用于特殊目的，为我们现在所不知道。这种一定时地的产物可称为那种文化的“模范石器”（type fossils）或“地方型”（local type），例如一种属弯凿式的特殊刻刀，名为“钩状刻刀”（beaked graver）的只见于奥瑞纳期（Aurignacian period）的中叶，如有新发现的遗址多藏这种石器的，便可以假定它是奥瑞纳期的遗址了。

石器的时代，虽有不易于鉴定的，但也有可以确断其属于某时代的。其鉴定的标准如下：

（1）具有某时代特有的形式而别时代所没有的，大抵是属于那时代。

（2）发现于不曾翻乱的地质的堆积层里，而其堆积层的时代知与考古学上的某时期相等的，则可以推测其属于该时期。

（3）出自不曾扰动的葬地之内，而其葬地的时代是已知的，则其石器的时代也随以知晓。

（4）埋藏于某种堆积层里与某种已经明了的遗物相接近的，也可由此已知的遗物的时代而推论未知的石器的时代。

严格言之，要断定石器的时代很难有绝对的正确。石器不同时代而形式却绝相类似的很多。所以时代的鉴定总是比形式的鉴定为难。

石器由地面拾得的应当由其本身寻出鉴定的根据。因为土壤的变易，水流的移动，地质的剥蚀，人为的影响等，都能使古物混乱错杂，不易辨认其出处。而现代的巨大工程更常把一地方的砂砾土壤运到别地去，这更为考古学的障碍。有时旧石器时代与新石器时代的产物同在一块田地内翻出；而原来易于鉴定的遗址也因恐受外界人为的影响而不敢轻于判断了。

石器分布的地方——关于石器分布的地方，并没有十分准确的标准；不过有些相对的通例可以略述于下。旧石器时代的石器分布的地方比较新石器的为小，新石器几乎随处可以发现。换言之，凡现在气候地土适于人类居住的地方，都有发现石器的希望。在产白垩的地方及其附近，燧石做的石器常很多，而且在地面上都可以找到。旧石器的遗物有时也可发现于此种地方。但燧石常被带到别处去，而本来不能有石器的地方也可以拾得到。较古的旧石器常有大批发现于古代河流堆积中及高阶段的河谷的砂砾中，又常见于砂砾坑、白垩坑、采矿坑以及别种工程上的开掘地。自莫斯特期以后人类常把石器藏于所居住的洞穴内，在那种洞穴内的下层常可发现旧石器时代的大批遗物，上面的层次则有以后时代的堆积物。有时在同一个洞内各时代的文化遗物一层一层相继堆积，中间各隔以碎石或石灰沉淀物，这种洞穴表现时代极为明了。是考古学上极好的遗址。

石器只在一种所谓“工场”（workshops or factories）的遗址和洞穴堆积层里方能得到极多数。工场遗址自早期旧石器层便有。在英国贝德福德郡（Bedfordshire）的卡丁顿（Caddington）曾发现了早期旧石器工场一处，其中有已完成的石器，未用的原料，无数的裂片等，蕴埋于砖土之下。新石器的工场常近地面，常有小面且薄的碎石片散布于外。

石器的效用——在我们惯于使用金属器的现代人看来，似乎很难了解石器的效用。但若加以考究便晓得石器不是钝器。瑞士石器时代的遗址存有许多木桩。其上尚可见石斧砍劈的痕迹。丹麦的遗址有些树木也有石斧的劈痕，而且有一二处石斧尚存于其处。在古时石斧的用于战事也是确实的，因为古代酋长的坟墓中常见有石斧和匕首并置其中。1809年在苏格兰发见一个坟，其中尸骸的一臂被石斧砍得差不多与肩脱离，尚有石斧的碎片在内，其石不像该地所出，像是外来的。此外身边还有一个燧石的球，一个燧石箭镞。这都是史前的证据，再看现存原始民族的也是这样。北美土人的石斧即所谓“tomahawk”的，不止是战斗的利器，且可用以工作。特林吉特人（Tlingit）用石刀雕成的木响器，有些很为精致，无异用白人的工具所制成的。阿特人（Aht）制独木艇时喜欢用他们的石锛子，而不喜用白人的钢凿。美洲西北蛮族不必用火，单用石斧便能砍倒杉树，然后再用角凿与石槌开成独木艇。波里尼西亚人能够制木板，其法先将木块烘火使爆裂，用楔子塞进去敲去一片的木，然后用石锛削成平板，这些平板便可用于制造屋子和艇子。南海群岛人用石器制成的艇子，有至100英尺长的，艇底只用一块大木板，和两边密切接连，并用面包果树的胶涂塞罅隙。

原始石器中如斧、锤、箭镞、匕首、矛头等的用途尚易于明白，此外有很多种只能加以臆测。那些薄边的尖锐的或弯曲的石器大抵是各有几种用处，例如修削木棒，割剖兽肉，攻击野兽，有时用以对付同类，或于有御寒的必要时刮削兽皮以为衣服等等。

除生活上的效用以外，还有在仪式上的用处。石器之用于仪式上至少始自旧石器时代的中叶。葬埋是各种仪式中最早发生的，而冰鹿期的人类的葬埋便用了许多石器，如妆饰品和石器等以为殉葬物。死人的尸体则用大石围护。而供葬仪用的石器有时且特别制成很为怪异的形状。

石器对于人类文化之影响——人类制造石器，反之石器也能影响于人类。第一，石器使人类社群间有和平的公约。野蛮人的社群间常有敌意，个人不敢随便走到别群的地方，但因石器的原料的需要，便公认采

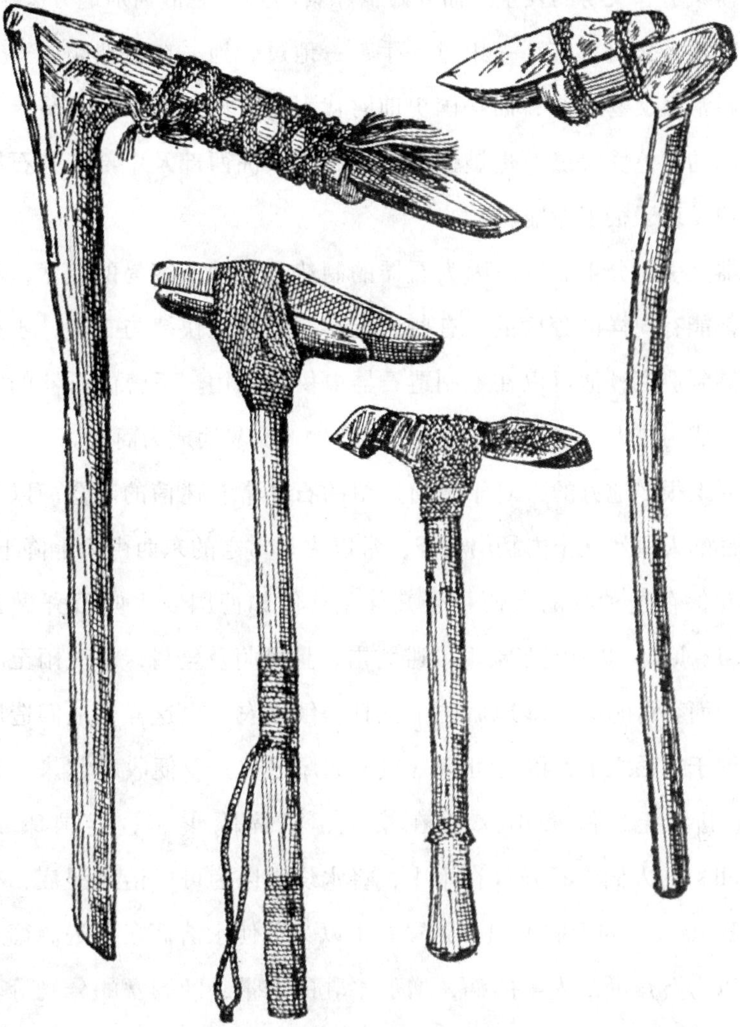

太平洋岛中土著所用之石器

（采自 Wallis—*Intro. to Anthropology*）

寻石器的人可以到别群的地方不受伤害。如利伯特氏（Lippert）所说澳洲有些地方出产良好的石器原料，这些矿产似乎不属于其地的部落而公开给别地的人民，凡来采取这种石块的沿途不受伤害。

石器又引起交易的发生。需要石器原料的人不能常到别地方去采取，而原料却常被交易移转，一手过一手，一地过一地。在美洲印第安人的石器原料常由交易而得；而法国史前时代大普雷西尼（Grand Pressigny）地方所出的黄色优等燧石也被搬移而遍布于欧洲西部及中部。其石所制的石器曾发现于很多遗址。

石器又引起分工制度。因为石器的制造是一种不容易的技术，不是个个人都能有同样的程度的，有些人能够制得特别快捷与工巧，于是便成为石器制造家，他可以在家制造石器以供别人用。不曾做石器的人从事打猎而成为猎人，或从事石器及原料等物的交易而成为商人。

世界上很多地方的人对于史前遗留的石器常有迷信的观念。以前在欧洲西部的人偶然从土内翻出石斧，常以为是雷霆的东西由天上降下的，而获得并保存这种物的人便可受其保佑。例如德国农人叫石斧做雷凿（donner-keele），以为藏在家里可避雷击，且可荫及全村，暴风雨至时它会流汗，而获得时必在落地后的第九日。俄国农人也这样，他们造屋时将石斧埋于门限之下，以为可避暴风，如屋已先造，便收藏起来，每遇暴风雷雨将至，便拿出来放在桌上，以辟除灾害。英国康沃尔（Cornwall）的人们将石斧放在水中，将水烧沸以为可以治风湿症，布列塔尼（Brittany）的人们则把石斧置井中以为可使水清而泉不竭。德意志的人们以为石斧可治人畜的病，增加牛乳的产量，助妇女的分娩等。石箭镞也常被视为有神秘的魔力。在苏格兰、爱尔兰等地的人叫石箭镞为“妖箭”（elf darts），以为是妖怪的兵器。他们以为这种东西要寻时是寻不到的，所以可异。他们常加以银饰佩在身上，以为可以抵抗妖怪的攻击，牛如生病，便以为是被妖箭所伤，须请一个神巫来吸出妖箭。

阿拉斯加的土人在白人初到时，还正在石器时代的全盛期，他们有石斧、石锤、石锛、石刀、石凿等物。现在他们渐渐学习使用白种人的利器，渐渐舍弃旧时的利器，于是这种石器便置而不用。但如要从事重大的事项他们还仍旧拿起旧时的石器来用。其原因便是以为这种古旧石器曾经过祖先的手做过无数事业，其上有神秘的力量和幸运可以使人成功。更奇的便是当男人们在外使用这种石器时，其妻在家不敢开口说话，恐怕破了法力。

石器的应用也有存留很久的。新的金属器发生后，石器自然退让了，但还有保守性较重的人坚守旧式的石器而不肯改换。例如宗教中的僧侣，当俗人已改用金属以后也还常保留石器以用于宗教上。古时犹太教徒用石刀于割礼，即在今日犹太人犹常用燧石或玻璃片而不用金属刀。古埃及人要保存的尸体是用石刀剖开的。古代犹太人加于罪人的刑罚，最酷的宗教刑即“投石”。古阿拉伯人的血誓也是用石器的，一个人立于众人之中，用石器割剖他们的手心，将血敷上 7 块石头。同时宣念神名，便成盟约。

关于原始石器的知识已经叙述一个概略，我们或者可以说自有人类以来，最早和人类有关系，而且是实用的，美观的，并且神秘的人工物，不得不首推石器了。

第十二章　金属物

铜器——人类在制造石器搜索原料的时候，一定很早便发现有某种“石块”特别沉重或坚硬，或且有美丽的光泽。这种“石块”因其美观便被采用为妆饰品。人类最初晓得的金属物便是这种自然状态的金、银、铜等。这种自然状态的金属物便叫作自然金属，至于和别种物质混合的名为矿物。自然金属可以拿起来便用，所以被人类采用较早，至于矿物须经熔炼，所以要等人智大进的时候方能够应用。自然金属大都柔软可捶薄，且有美丽的色泽。最普通的便是铜，世界上有几处产生多量自然铜的地方，例如美国的苏必利尔湖区域便是。自然铜可以用石器捶成各种样式。其被采用不是由实用而是由美观。在苏必利尔湖区域的铜器多为妆饰物，很少是兵器和器具。在古代瑞士湖居人的遗址所发现的铜器也是这样。

在北美洲的古印第安人中有最原始的用铜方法，库欣氏（Cushing）说明得很详细。其法是先加热于铜块；然后用石器捶击；再烧再击，渐渐成薄片，然后由薄片裁出所要的形状以制造妆饰物。还有捶得更薄的，则用以包装木、石、骨等物。立体的铜块则打成箭簇、矛头、小刀、手斧、珠子等。用角骨的工具可以雕成纹样，最后则用石器剥磨不平的面，使它光滑。由于苏必利尔湖区域的发现，还可以晓得最初采铜的方法。其法先将土掀起，然后用木铲扒开；看见岩石了便用火把它烧热，然后滴水于其上，石便爆裂了，再把石块敲碎，将自然铜扫集取出。

史前人类除捶击自然铜以外还发明熔铸的方法。最初大约是由于含有铜质的矿块偶然被火烧热，火熄后土灰飞散而铜遂出现。这样熔出的铜依其地而成形，有时或者很像某种器物；人类由于这种暗示乃渐晓熔铸的方法。其初尚不过用平面无盖的模，铸实体物，后来乃进至能以泥为模心而铸空心器。纯铜（copper）太软不适于做利器，后来人类发明了青铜（bronze）才算达到真正的铜器时代。青铜是将纯铜与锡熔化混合而成。青铜器是史前人类最满意的东西，因为它较纯铜为坚硬，适于做利器，而其钝块的锋口又可再捶薄远胜于石器。青铜的发明大约是因为人类烧矿采铜时其地适有锡，偶然与铜熔合——人类把它拿来应用，觉得硬度比纯铜为高，于是遂晓得制造这种合金的方法。

铜器时代以埃及和西亚为最早，纯铜在7000年前，青铜则在6000年前，中国约在5000余年前，欧洲东南部在5000年前，欧洲北部在4000余年前，美洲始于2000余年前。

铜器时代的产品在丹麦发展得最为完全，在斯堪的纳维亚最为美丽。其物也像别处一样多为妆饰品，如平安针样的饰针、纽、指环、腕环、臂环、膝环、腿环、颈圈、圆盘等都很复杂。又有器具如钳、凿、剃刀、小刀等物。兵器则有箭镞、枪头、匕首、剑等物，其形式大都模仿以前的石器。还有大喇叭旋曲得很美观，这种东西自初造至今已有数千年，因为样式很为精巧，所以现代的人重新仿制为军乐器。

铁器——铁矿像红土一样，不易看出是金属，并且熔化比铜难，所以铁器时代比铜器时代为后，铁器时代也是以埃及和西亚为最早，约在5000余年前。

石、铜、铁三个时代的连续在欧洲西部是很整齐的，但在别的地方便不一律。在非洲的尼格罗人种并没有铜器时代，他们自石器时代直接进入铁器时代，但这大约是由外面传入的。现在原始民族中，尼格罗人是真正的冶金学家，他们的土地也含有很大量易于熔铸的铁矿。冶铸的方法很简单，各部落的熔炉各不相同，邦戈族（Bongos）用泥造成，高约5英尺，分为三层，上下层都置柴炭，中层置矿块；底有四孔以漏下熔液，并用风箱通进空气，风箱是用两块陶碗或木碗，外包以皮而制成。除此以外还有一块圆石做的锤以及小凿、木钳。用这些原始的工具他们都能够造出很可与欧洲铁器相比较的产品。其物大多是剃刀、双尖的小刀、铲、箭镞、枪头、矛头、镖刀等。非洲所出的枪头很多有艺术价值，其形有狭长的，阔的，或几于圆的，其锋有平滑简单的，或作锯齿形的，又有附加可怕的倒钩的。尖端制得很为完美，制法有将植物叶做模范的，一一摹拟，至于极像。

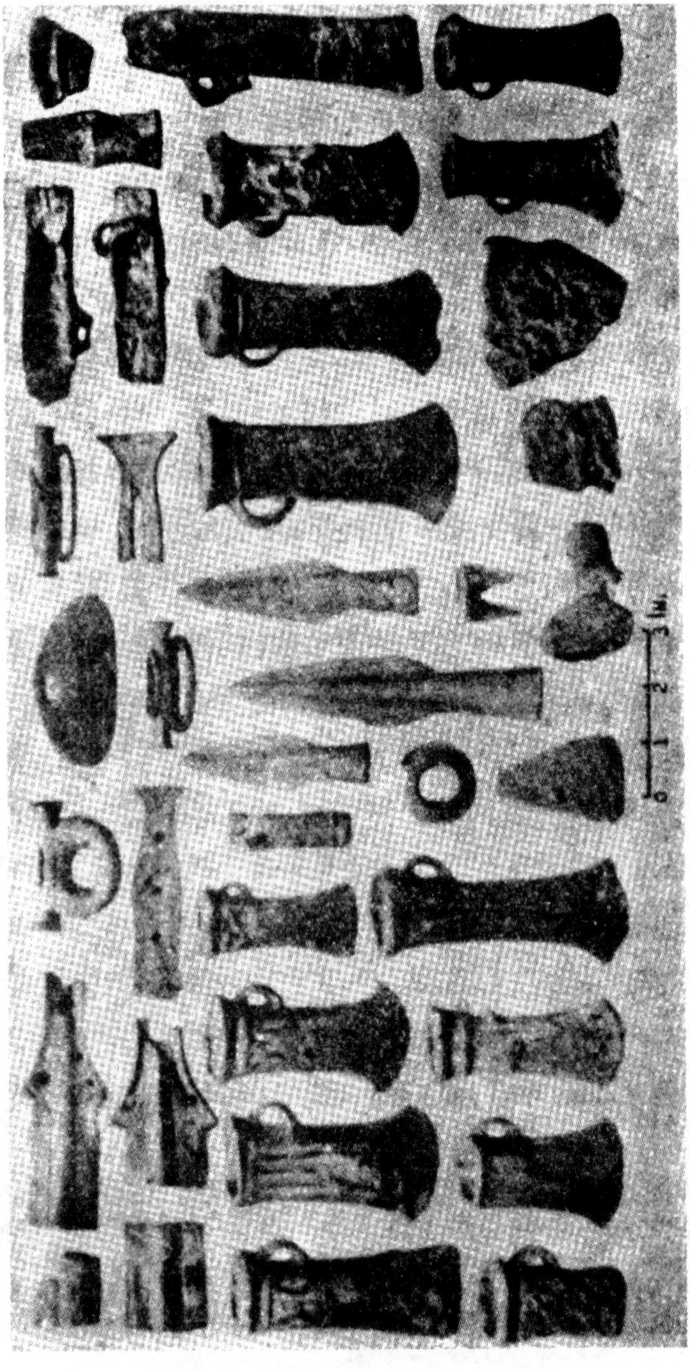

铜器时代遗物（英国）
（采自British Museum—*Guide to Bronze Age*）

第十三章　陶　器

无陶器的民族——器皿自始便是人类所需要的东西。人类最初所用以盛水的只有自己的手，这是何等不方便的事！现在还有几种民族没有陶器或泥器。安达曼岛人，一部分的澳洲土人，毛利人（Maoris），火地

埃及史前陶器

（采自 Obermaier— *Der Mensch Der Vorzeit*）

人（Fuegians），巴塔哥尼亚人（Patagonians），波里尼西亚人，都没有陶器。所用以代陶器的东西很多：安达曼岛人用贝壳或竹为器皿，澳洲土人以兽皮及树皮为器皿，毛利人用葫芦，塔希提人（Tahitian）有磨光的木碟，有可可实的壳刮薄做成的杯，火地岛人则用山毛榉皮。甚至不很合用的东西如卵壳或胃都被用为水瓶。布须曼妇女常用网装驼鸟卵壳盛水，她们又用各种动物皮作器皿，自蜥蜴的小皮以至于山羊的大皮都各有用处。

陶器发明的揣测——此外有陶器的原始民族很多，有不能自制的也常得使用陶器，因为有些民族能制造很多的陶器，除自用以外，还可输出供别族用。制造陶器的民族中或家家自制，或则只有几家或一阶级以制陶为专业。据梅森（O. T. Mason）的研究，原始社会中妇女在陶业上为主要分子，而陶器的发明便是妇女的功绩。

陶器的发明或者由于下述的原因。现在南美洲的土人常将泥土涂于炊器上约一指厚，以防其烧焦。葫芦如有泥的外衣，也很能耐火。亚里桑那（Arizona）的哈瓦苏派人（Havasupai）用敷泥的编物煎炒植物种子和蟋蟀等物。这种敷泥的东西用久了，其上的泥渐被火力烧硬，后来如偶与里面的器皿脱离，这外层的泥自然也成为一个器皿了。陶器的起源或者便由于这种手续。有很多古陶器显然是由泥土涂于筐篮等编物里面，然后将泥土烧硬并将编物烧毁而成的；有的则由钢制成，而秘鲁的坩埚则由布敷泥而成。

陶器制造法——主要的方法是：

（一）嵌型法（moulding）：以陶土敷贴于模型的里或外，型或为特做的，或为别种器物如筐篮或匏器等。陶土敷于这些易于烧毁的器物上面，等到将器物烧毁，陶器便成功了。嵌型法制成的陶器，其外面或里面必印有模型的纹样，泥土在里面则其纹样必在陶器的外面。反之则在

欧洲史前陶器（德法）
（采自 British Museum—*Guide to Iron Age*）

里面。史前时代的陶器常有这种纹样。

（二）手捏法（modelling）：将一块泥土捏成陶器，有时或用简单工具。如爱斯基摩人、普埃布洛印第安人（Pueblo）都用此法制造陶器。

（三）螺卷法（coiling）这是将陶土搓捏为长条，然后把他旋卷垒高，成为器皿形。这种方法或者是由旋绳编物的启示而得。

初时的陶器都是很不均匀的，后来有了陶轮（potters wheel）便能把陶器施擦匀整。陶轮有很多种，有的不过为一块圆盘，有的是装辐的轮，有的是双个同辐的轮；其用法有用手的，有用足的，有用一个帮手的。

陶器的装饰法很多，略举如下：（1）刮磨。（2）熏烟。（3）敷搽树脂或他种植物液。（4）以手指绳索或他物捺印，或刻画花纹，又有加色素于所做纹沟内的。（5）以陶土制附加块或动物形、人形粘置其上。（6）嵌入别物。（7）上釉。（8）绘画。（9）用嵌型法及螺卷法制成的陶器表面上的纹样常即留有饰纹。

陶器在入火以前先置日光中晒干，或置风头吹干。烧法或随便在地上烧，或在地面上特设的地方烧，或置土穴中，或置陶炉内。陶器最后的颜色视乎所含的铁质和表面所搽的流质物而定，其色大都为红及黑二种。

陶器的形式及饰样——陶器的形式有三（一）实用的（useful shapes）或兼带装饰。（二）美观的（aesthetic）或兼带实用。（三）怪异的（grotesque）或兼带实用与美观的。陶器的形式有三种起源（一）由偶发的原因，例如泥土偶受果实、石块等的压入，或者便启示陶杯的制造。（二）由发明。这是很不常见的。（三）由摹仿。陶器初发生时常摹仿以前非陶器的器皿。匏是最常被摹仿的，此外如贝壳、椰子壳、鸵鸟卵壳、动物皮胃所做的器皿、人工做成的筐篮等，都是陶器的模型。

陶器的饰样有表意的（ideographic）和非表意的（non-ideographic）两种。表意的易于明白不必讨论。非表意的大抵由两种起源：即由偶然的启示及由天然物或人工物。由天然物是因为非陶器的器皿上常有附带的天然饰样，例如软体动物的壳大都有旋纹，匏器有瓣纹等。陶器初发明时常摹仿非陶器的器皿的形状，遂连这种附带的天然饰样都摹制于陶器上。由于人工物的是因为人工做的器物上常有边耳、柄脚等附件，也被仿制于陶器上，但却已失去原状，几于不可认识了。又如嵌网或筐囊而成的陶器上常有网或筐囊的纹样，为陶器上极常见的饰样。非表意的饰样有从表意的饰样变成的，因为表意的饰样经时久了便渐失去原意而成为纯粹装饰的，而原来写实饰样久之亦变为几何形了，如台湾少数民族陶器上的螺旋纹起初是蛇形，有首尾的分别，后来便变成简单的螺旋纹，首尾都一样大了。

第十四章　武　器

武器沿革的推测——人类最初所用的武器便是随手拾起的树枝与石头。这两种粗陋的武器后来经过很多的变迁，渐渐合于一定的用处。树枝的用处有二：一是横击，一是直刺。由于横击的目的渐渐产生各种战斧及战棒；由于直刺的目的发生各种矛、箭及直刺的剑。一端有大结节因而较为沉重的棒杖特便于击破颅骨之用，这种武器在有些民族中特为发展。这种棒杖有较短的，不适于手提，则用于投掷。南非洲的土人便有这种武器。

棒杖有尖锐的末端的，特宜于直刺之用。这种棒杖如长度足可以手提而应用的，便是长矛；如较短小可以掷射的，便是标枪或箭了。野蛮民族还有用另一根棒杖投掷这种标枪的，如澳洲土人、爱斯基摩人、古墨西哥土人都会这样。还有别种掷标枪的方法便是用绳索的圈，以增加发射力。许多民族都晓得用绳与有弹性的棒杖发射小标枪，这便是所谓弓箭。以上都是棒杖发展的历史。

原始武器的第二种即石头也有很有趣的发展史。石头也有二种用处：一是握在手里，一是投掷远处。用绳装缚在柄上则所及的范围便较远，但还在用者的手中，由这种方法而成的最初是槌，砍成薄锋便成斧。投掷的石头也被砍成锐利而较有效力。其后不再用手掷而用棒或绳，或真的投掷器（sling）。现在的枪弹也不过是用较为复杂的投掷器发射金色的弹子而已。

各种武器有单由棒杖演进的，有单由石头演进的，也有由两者合演而成的。此外还有较为奇异的武器不能溯源于上述二种最原始的武器。

攻击的武器——武器可分为攻击的（offensive）与防卫的（defensive）二种。莫尔蒂耶氏（Adrien de Mortillet）依武器的效用分攻击的武器为三种，再依其用法而各分为三类。表列于下：

	撞击的 for dealing blous	直刺的 pointed	劚割的 cutting
手提的	棍棒	剑及匕首	短刀
装柄的	长槌	枪矛	斧及长刀
投掷的	飞石	标枪及箭	飞刀

这个表虽不是完全的，但却能把各种武器概括成少数种类，使读者可以将其余的类推。兹将其中几种较为特别的说明于下：

棒在上文已说了一点。棒在太平洋诸岛中发展最为完全。如波利尼西亚的马克萨斯岛人（Marquesas）、曼盖亚人（Mangaian）等的棒都做得很精美。材料是选用最坚硬最沉重的优等木质，头柄很光滑，也很长，末端特别精致，常加以很好的雕刻，其图样有些是象征的，含有意义。另有一种则很短，作长方形，也有雕刻，系南美洲的圭亚那土人的棒。还有一种有大头的短棒，则见于非洲，名为“克利”（kerry），可以手提也可以掷远。

长槌便是将石头或铜铁块装在柄上的一种武器。这种武器出现很早，在西欧新石器时代的人便曾用石头装在柄上。美洲的印第安人有很多用这种武器的，如苏人（Siouan）还用精致的石头装在长柄上。石子随便可以拿起来投掷，但人类的手不是良好的投掷器，所以在多种民族，并且很早，便发明了投掷器。最简单的投掷器是一根木棒，一端的近处有一孔，可以置石于内。用者手握别端，用力摔去，石子便脱出射向远处。古代犹太君主大卫（David）据说曾用飞石弹死一个巨人，大约便是用这种投掷器。现在巴勒斯坦的牧人还用一种较进步的投掷器，其法用二条绳索缚连一个可藏石子的东西，将石子安置其中，手握绳索的两端，急速旋转，然后弛放一端，使石子飞射出去。

关于枪矛有很多有趣的事可说。矛的尖头有很重的，有较轻的，依其效用不同而不同。尖端有和柄同一根的，有另用骨、角、石等嵌上的，有插在柄端的，绑在旁边的。尖端有简单的，有作锯齿形的，或具倒钩的，倒钩可以增加伤害力，并使伤者难于拔出。尖端有紧缚于柄上的，也有故意使刺进时易于破折，致难拔出的。尖端有单只一个的，也有数个向数方面张开的。爱斯基摩人制一种猎鸟的小枪，除一个尖端以外，还在其上附加了二三根尖叉；掷向鸟群时，前端的尖锋虽不中，矛边的边叉也会刺住一只。台湾少数民族有一种脱头猎枪，中在野兽身上时头会脱离，但还由一条绳与杆相连，因杆的拖累使野兽难以逃脱。

上文曾说标枪的投掷有加用一根短棒帮助发射力的，这种棒叫作投掷棒（throwing-stick）或掷枪器（spear-thrower）。这种短棒的长度自12英寸至20英寸不等，一端有钉或别物抵住枪柄的后端，手握棒的另一端，将标枪平靠在棒的上面，用力急速的一掷枪便飞出去了。这种掷枪器在爱斯基摩人、墨西哥的阿兹特克人（Aztecs）中都极盛行，阿兹特克人称为“押拉突”（Atlatl）。在法国史前时代的洞穴遗址内也发现这种武器。

弓箭在欧洲史前时代便发明了。西班牙阿尔珀拉（Alpera）的一个洞穴内，发现旧石器末期马格德林期（Magdalenian）遗留的壁画中，有猎人持弓箭状，可以证明彼时已经有弓箭了。弓有四种（一）常式弓单由一根杆制成。（二）复合弓由二块以上材料制成。如鞑靼的弓，用时须倒扳以增加劲势，很多是由几块木料及角以胶汁及腱连结而成。（三）弹弓（pellet bow）不用箭而用弹丸为射出物。有一种弓，弦是双的，其中点有网状物为置弹的地方。（四）弩（cross bow），附加横木于弓上，安箭于其上，使发射准确，这是很进步的利器了。我国西南的苗瑶等族便常用弩。箭杆的加羽也是后来方有。箭镞在史前时代便有石制的，其状有四种。（见石器章）

有一种很奇异的原始武器叫作“波拉斯”（bolas），可译为“流星索”，以美洲的为著。这是将二三个圆石球包一层外皮，缚连在绳索的末端，绳索的上端则连结在一起。这种东西常用以捉牛。猎者骑在马上，握住绳的上端，把其余的部分抛在空中旋转，绳索打在牛的身上，石球便转个不停，将牛腿缠了又缠，二三个石球把牛的腿都缠住，而牛便跑不动了。爱斯基摩人也有这种武器，但石子形较小，数较多，是用以捉鸟的。

飞刀（missile knives）在非洲最多。其地铁工很精，能够将一片铁打成几把小刀，柄相连在一起，刀锋分向各方。用时掷向敌人，稳有一刀中在身上。印度的锡克人（Sikh）用一种武器与此略同，是一个铁环，形宽而薄，外缘锋利，用时向敌人抛去，在空中急速的旋转，中在身上其伤非小。

鱼叉（harpoon）见于爱斯基摩人中，是一种巧妙的猎具。因为是用于水上，所以另有其他作用，为陆上器具所不必有的。叉头另附尖镞，形颇长，尖镞与叉头的接连很巧妙，一中了动物的身上尖镞便与叉头脱离，叉浮水面可以再捡起。尖镞又结连一条绳，绳末缚一个气泡或装空气的皮球。动物中了叉便泅没，但因有气球浮在水上，可以很容易的拖

非洲刚果土人的飞刀

（采自 British Museum—*Handbook to Ethnographical Collections*）

获，掷叉时也用投掷棒。

野蛮人还有一种精巧的武器，便是吹箭铳（blow-gun）。这是一个长而且直的空管，大都是竹或别种植物管所制成，由其中射出的物是小箭。箭的后端缚连一个软塞，软塞为绵或其他所制成，大小适宜，不松不紧，略能发生一点压力于管内。在亚洲东南部和南美洲所用的箭尖常蘸毒液。用时小箭放在管中，将管举在唇前，前端向所要射的鸟兽，快捷而不十分用力的一吹，轻轻把箭送出无声无息的飞向前去。这种吹箭铳能够在百米的距离打野兔，且能穿入其体内。

澳洲土人有一种极奇怪的兵器，可称为"飞去来棒"（boomerang）。其形不直而弯，棒面扁平。使用时，向空掷去，在空中描一曲线，如打不着目的物会再飞回掷者近处。打中时其力极大，而且进行是曲线的，更使被击者不易闪避。有人说，在古时别的地方也多有这种物，如丹麦的石器时代遗物中有类此的木棒，埃及的壁画有兵士拿此物的，埃及古墓中也发现木制的这种棒。

原始的武器中，还有利用自然物的，其种类也很多，如兽类的锐牙、利爪与长角、鱼类、介壳类的刺等，都拿来使用。如中非的土人用山羊角做长矛头。寒带人，将海马獠牙接柄做鹤嘴锄状的兵器。“锯嘴鱼”（saw-fish）的长嘴骨因两边有锯齿，常被新几内亚土人利用为武器，其用略如槊及锯。

防御的武器（defensive weapons）——著名的原始兵器研究者皮特-里弗斯（A. L. F. Pitt - Rivers）分防卫的兵器为四种如下：

（一）皮革。厚皮动物的皮革犹如人类的甲胄，如犀牛、河马都是全身披挂的壮士，所以人类在发明皮衣以后不久便晓得用更厚的皮革做甲胄。原始民族，如爱斯基摩人便用厚鹿皮为甲，中非洲土人则用水牛皮，埃及的一部分土人用鳄鱼的皮做胸甲。皮革做盾也很普通。北美印第安人多用最厚水牛皮，新赫布里底（New Hebrides）土人用鳄鱼皮，非洲一部分土人，则用象皮。

（二）固体片（solid plates）。鼋类的甲似乎是原始民族的盾，因为这种物现成合用又最易得。人工制的盾在最低等民族中常不曾见，而在多产鼋类的地方尤少，此或可为这说的反证。人工制的盾必待人工进步有了较轻较佳的材料，方能出现而代替鼋甲。

（三）有节片（jointed plates）。甲壳类动物都有有节片的护生物，这或者便是这种甲胄的胚胎。罗马人和古时法兰西人都有这种甲胄，法国人名之为“虾”（ecrevisse）便是因为他很像虾壳一样。

（四）鳞片甲（scale armour）。鳞片甲源于动物的鳞，这是无疑的。其制法便是将坚硬的东西缀附于甲上。如塔希提人的树皮甲上缀了一片一片的椰子壳，萨尔马特人（Sarmatians）把角片缝缀于衣服上为甲。以

苗那卡族的武装（采自Buschan-*Illustrierte Völkerkunde*）

外如马蹄、贝壳、海狗牙等都被采用。有铜铁以后便有铜片、铁片的甲，如古埃及人、亚述人、波斯人等都有。

第十五章　交通方法

陆上交通——原始民族所居的地方多无径路，而须穿林莽斩荆棘方能前进，但人烟较盛的地方大都有小径可遵行，其径常不直，曲曲折折，蜿蜒于草树之中。宽广的大道是那种地方所罕见的。

桥的最初形状便是仅为一株树干的独木桥，其后逐渐改良而有竹桥、木板桥、石桥等。桥有很奇异的，如绳桥，悬桥。还有以他物代桥的，如筏桥，舟桥。

最简单的运输方法，便是用人的手、头、肩、背负载物件行路。这四部分的使用各民族各有所专精，并不全用。但使用人力最发达者只有中国人，能以两肩挑负很重的物件。在非洲、亚洲东南部及地中海边的人则常用头载重。美洲人负重以背。有些原始民族的妇人背负一筐，但却将其带置额上使额承其重。如瑶族和台湾少数民族便如此。

车是很进步的交通工具，最初只在旧大陆方有之。其起源地或只有两处：一是中国，一是巴比伦。车的发明的程序，据学者揣测有二种：其一谓其初人类搬运重物时把圆木柱垫于重物下面，借其旋转的势以推动重物；后来把木柱的中部截去一段，只余两个厚圆轮，圆轮厚度渐减，最后再加以轴便成为车了；又一说以为轮的产生不是由截去木柱中部，而是由渐渐拣用粗大的大柱刳削其中段使两头大中间小，后来两头便成为轮，而中段则成为轴。初时轴与轮是同一块木的。后来乃分开而将轮凿孔以穿轴。

水上交通——最简单的船是浮木，这或为去掉枝叶的木块，或则为连枝带叶的树干。有些民族利用膨胀的皮，或可可实等的浮扬力借以渡水。北美加利福尼亚土人将芦苇捆为一束以载人过水。用这些东西时大都是以手足拍水使其前进。像这样，一个人骑在浮木上，用手足拍水而行，便是船的胚胎了。

独木艇（dug-outs）是最简单的正式的船，现在还有些原始民族使用这种船。发明很早，石器时代的人也曾造过这种船。其造法是将一大块树杆在横面刳成一个大空洞，刳法常先用火力烧焦所要刳去的部分，然后用石锛石凿刮去焦炭。

与独木艇差不多同其简陋的是树皮艇（bark canoe），北美土人、通古斯人及火地人都有。其法用一大块树皮，结连两头，中部成一个空地便可载人。阿尔衮瑟印第安人（Algonquin）有一种著名的桦树皮艇，其制法先做一个骨架，然后将皮覆罩于外，用线缝合，并涂以沥青使不漏水，这一种便较上述的远为进步了。

与树皮艇很相似的是皮艇（skin-canoe），如爱斯基摩人的“卡押”

新几内亚的独木舟

（采自 *National Geographic Magazine* Vol. 56）

（kayak）或“拜大卡”（baidarka）。树皮艇和皮艇都很轻便，可以任意搬动。

皮艇有一种叫作“哥拉苦”（coracle）或圆形舟的很为奇特。古时不列颠人曾用过，北美密西西比流域的曼丹人（Mandans）中也有。这是一种圆形平底的艇子，像桶一样，中有柳条所做的骨架，外罩以水牛皮。

按照树皮艇或皮艇的方法，不用这些材料，而改用平薄的木板砌合而成的便是真正的船了，虽较重些，但却较为稳固耐久。

用数个木头平排合成的便是筏，将筏的前头修成尖形便更进一步。筏有用竿撑的，有用桡或桨荡动的，有挂帆的（如古秘鲁人），有用皮及陶器增加浮扬力的（如埃及人）。造筏的目的有二，一是为运木材的，木材可多用；一是为正式的转运具的，木头以少见水为佳，如单留在外缘的两根木头，抽去中间的木头，将平板横铺其上，而板不吃水便是更进步的筏了。

爱斯基摩人的皮艇

（采自 *National Ceographic Magazine* Vol. 51）

南海岛人有一种“边架艇”（outrigger canoe），又有一种“复艇”

新内亚人的带架艇

（采自 *National Geographic Magazine* Vol. 56）

(double canoe）都是由筏演成的。边架艇是有帆的小艇，很狭窄，旁边另有一个木架与艇平行接连。“复艇”是两只小艇平行接连，但中间隔一空隙。

原始民族的艇子也有很大的效用而不可轻视。北美西北海岸土人的独木艇有很好的，能够载五六十个战士。波利尼西亚人的用木板砌就用绳扎牢，并涂抹沥青的大艇，能够运载大队的人，并作远道的航驶。有人说，这些民族由一岛航到一岛，其所经区域之广比较亚洲全部还大。

参考书目录（以采用多少为序，括号中即为本篇内采用之章数）

（1）Starr，F. —*First Steps in Human Progress*，chap. Ⅰ—ⅩⅥ（第 4 至 15 章）

（2）Goldenweiser，A. A. —*Early Civilization*，chap. Ⅶ，Ⅷ（第 1、2、

3 章）

（3）Wallis, W. D. —*An Introduction to Anthropology*, Pt. Ⅲ（第 5、8、9、10、15 章）

（4）Elliot, G. E. S. —*Romance of Savage Life*, chap. Ⅲ, Ⅳ, Ⅵ, Ⅶ, Ⅷ, Ⅸ, Ⅹ, Ⅻ, ⅩⅥ, ⅩⅦ

（5）British Association for the Advancement of Science—*Notes and Querries on Anthropology*（第 4 至 15 章）

（6）Ellwood, C. A. —*Cultural Evolution*, chap. Ⅶ, Ⅷ, Ⅹ, Ⅺ（第 5、6、7、10 章）

（7）Tylor, E. B. —*Anthropology*, chap. Ⅹ, ⅩⅣ（第 4 以下各章）

（8）Wissler, C. —*An Introduction to Social Anthropology*, chap Ⅳ, ⅩⅥ（第 8、9、10 章）

（9）Kloatsch, H. —*Evolution and Progress of Mankind*（第 4 章）

（10）Mason, O. T. —*Woman's Share in Primitive Culture*（第 5、6、9、10、13 章）

（11）Weule, K. —*Cultural Element in Mankind*（第 6、14 章）

（12）Weule, K. —*Culture of the Barbarians*（第 4 章）

（13）Kroeber and Waterman—*Source Book in Anthropology*, chap. 22—30（第 5、6、7、9、10、11 章）

（14）Thoamas, W. I. —*Source Book for Social Origins*, Pt. Ⅰ, Ⅲ（第 10、14、15 章）

（15）Lowie, R. H. —*Are We Civilized?*（第 4 以下各章）

（16）Lane-fox Pitt-Rivers—*The Evolution of Culture*（第 14 章）

（17）Lubbock, J. —*Prehistoric Times*（第 11、12 章）

（18）Vulliamy, C. E. —*Our Prehistoric Forerunners*（第 11 章）

（19）De Morgan，J. —*Prehistoric Man*（第 11 章）

（20）Burkitt，M. C. —*Prehistory*（第 11 章）

（21）西村真次——《文化人类学》第 3 篇（第 3、4、6、11 章）

第四篇
原始社会组织

第一章　绪　论

人类无论在何种程度都已有某种形式的社会组织。社会在比人类为下的动物界中已经存在，例如蜂、蚁、海狸等的社会组织都很有秩序，很为完整，虽与人类社会的性质不同，但也不能不说是社会。社会组织的根柢这样深远。故到了人类手里更为发皇光大起来，为人类文化中极重大的原素。社会组织对于别种文化原素的关系很大，语言的发达最有赖于社会，宗教信仰也须有社会的条件，经济生活须赖社会上的协作方能成功，知识技术的发明须赖社会上的传播方能改进，艺术创作的动机也不是只由于个人的自赏而有赖于社会的共鸣。

要了解全人类的社会组织单以己族的或者其他文明民族的社会为限是不够的，以为这只是“全人类”的一部分，此外还有许多所谓“野蛮人”即原始民族也各有其社会组织，不能不知道它，以完成这一门的知识。而且文明民族的祖先也有些古怪的社会组织为现在所没有的，也许可以和这些未开化的社会比较而得到了解。

原始的社会组织的性质——原始民族的社会组织很有些特异之处，略举于下：

(1) 性质：原始的社会组织中有些很像不合理的甚或是野蛮的情形，例如兄弟死后必须娶其寡妇，儿童对父亲的关系不如对母舅的密切，嫁出的女儿逃走后须退回聘金或将媳妇赔女婿。这在“文明人”观之，是很为“野蛮”的。但若设身处地，就其社会组织的全体观之，便觉无甚不近情理之处。

(2) 秩序：原始社会的情形，在文明人观之，常以为是混乱无秩序的，其实在原始社会中不但有秩序，而且秩序很为严整，一切事件都循规矩，很少越轨的。

(3) 根据：原始的社会组织不是由《三礼》《会典》或《六法全书》规定的，而是完全存于无形的风俗惯例之中，要知道原始的社会组织因此比较文明民族的为难。

(4) 范围：幸而原始社会的范围较小，文化最低的据说只有数十人，最高的也不过约达百万人，不过等于现代的一个大城市，范围既小自然较易下手。

(5) 作用：原始社会组织的作用究竟比文明人的简单，而且社会的分工不发达。社会团体不多，在文明社会有许多团体名目，在原始社会却只有很少的几个。

(6) 分子：文明社会的分子大都是异质的，其结合的根据是心理或地域。原始社会则其分子大都是同质的，即根于血缘的，不过其血缘有些是真实的（如家族、亲族），有些则为虚拟的（民族，半部族）。即如部落虽不是根于血缘的，但其分子的来源也常推溯于极久远的祖先。

(7) 社会与个人：文明社会有时也容许个人的自由，无视社会惯例发挥个人意见的人颇为不少。若在原始社会则重社会而轻个人，个人罕有自由行动的机会。例如结婚为团体与团体的契约，法律上全团体有“集体的责任”（collective responsibility）个人不得解脱，都是这样。

（8）性别：在文明民族中虽也受性别的影响，但原始社会的性别影响颇有不同。原始的婚姻及血缘团体常行母系，职业上男女的分工也很明显，宗教上对于妇女有许多禁忌，秘密结社禁妇女参加都是。

（9）年龄：在原始社会年龄的差别很为重要，成丁者与未成丁者的权利义务差得很多，政治上有行长老政治的，只有年纪大的人方得操政权，有些地方甚至依年龄的差等而分成年龄阶级。

（10）经济影响：经济影响在原始社会和在文明社会一样重要。一妻多夫常由于经济原因，买卖、服务及交换的结婚都基于财产观念，富人在较高的原始社会上也很占优势，有成为酋长的。

（11）宗教影响：宗教信仰常表现于社会组织上，如氏族常与图腾崇拜相联，法律以宗教信仰为后盾，巫觋僧侣为社会上重要阶级，常有兼握政权的，社会习惯都常与宗教禁忌及魔术有关。

社会组织的内容——社会组织若专从原始社会着眼较为简单，但依研究者的眼光而也有不同。最初摩尔根氏只注意根于血缘的团体，例如家族、氏族。其后舒尔茨氏（H. Schurtz）及韦伯斯特（H. Webster）乃专门注意于根于血缘以外的团体即各种集会结社的研究。罗维氏（R. H. Lowie）始合并两种组织于其《初民社会》（*Primitive Society*）一书中。但他们都未详言社会组织的内容究竟如何。里弗斯（W. H. R. Rivers）在其《社会组织》（*Social Organization*）书中说了一点，他以为这种研究应包含社会构造的形式及其要素，并及其相互关系及作用。社会构造的形式便是家族的、政治的、职业的、宗教的、教育的、结社的各种。诸种可分属二类，一为随意的（voluntary），一为不随意的（involuntary）。例如家族的，政治的，宗教的，便属不随意的，而各种结社集会则属随意的。职业在原始社会也是不随意的。

哥登卫塞（A. A. Goldenweiser）在《初期文化》（*Early Civilization*）中分析较详，他说：社会组织由各种根据成立。第一种根据是地域，由此而成的集团是家庭（home）、乡村、市镇、部落及国家。第二种根据为血缘，由此而成的集团有二种，一为真实的血缘关系的集团即家族及亲族，二为虚拟的血缘关系的集团即氏族、半部族（moiety）、结婚组（marriage classes）。第三种根据为性别，由此成立男女的群。第四种根据为年龄。第五种根据为世代。地域是空间的关系，血缘及性别是有机的关系，年龄及世代为时间的关系。这些集团都有其作用，但其作用是交错的，即一种作用不止由一种集团单有，而一种集团也不止具一种作用，例如经济的作用由家族、氏族、地方集团、性别的群行之，而家族一种集团也兼行经济、宗教、教育、法律等作用。除上述的集团以外还有一种只根据作用而成的。例如生业的集团，宗教、军事、医术的结社（秘密结社属此），特权承继的阶级，职业世袭的阶级，财富的阶级等。社会区分（social divisions）永远是倾于发挥文化的作用及拟出新的作用，而作用也永远是倾于附属以已存的社会单位及创造新的单位。一个人不只属于一个社会集团，他可以兼属于家族、氏族、地方团体、结社、年龄集团、性别集团、世代集团、生业集团或世袭阶级。

里弗斯与哥登卫塞的系统名目虽不同，其实大同小异。哥登卫塞的空间的、有机的、时间的三种集团大都可以符合于里弗斯的不随意的团体，作用的集团则属于随意的团体。此外分别社会组织极为详细的有吉丁斯（Giddings）在《归纳社会学》（*Inductive Sociology*）所列的，因他是包括文明社会与原始社会而论的，此处无需引用。

社会组织演进说的争论——社会演进论派在社会组织方面与别的有

关学派分歧最大。属社会演进论派的有斯宾塞、泰勒（E. B. Tylor）、巴霍芬（Bachofen）、麦克伦南（McLennan）、摩尔根（Morgan）等人；反对派则有斯旺顿（Swanton）、博厄斯（F. Boas）、罗维（Lowie）、哥登卫塞等人。罗维的《初民社会》（*Primitive Society*）正与摩尔根的《古代社会》（*Ancient Society*）针锋相对，很可代表两派的论点。他们的学说例如旧派（演进论派）主张原始时代乱婚普遍说，新派（反对派）说没有证据；旧派区分结婚形式以及结婚手续的演进阶段，新派说事实上不一样；旧派说氏族先于家族，新派说家族先于氏族；旧派说母系先于父系，新派说两者先后不一定；旧派主张母权政治在以前极普通，新派说事实太少，且母权也不完全，酋长都是男子充任。这些还是不久以前的争论，到了最近又有更新的一派拥护演进论，痛驳反演进论派，如卡尔弗顿（Calverton）、布里福特（Briffault）等人便是。因有这些争论，所以研究原始社会组织的人很应小心判断。

本篇计划——第二、三、四章分论结婚的三方面，因为结婚是原始社会成立的最重要的条件。第二章内先论乱婚制，第三章内附论特定结婚，因这种结婚也是关于范围的。第五章论母系与父系，因这是行于家族、氏族、半部族等的重要制度，故独立为一章。第六章论家族、氏族、半部族、部落等根于血缘及地域的群。第七章论集会，第八章论阶级，都是根于作用的群。第九章妇女的地位专论根于性别的群。第十章政治，十一章财产，十二章法律，十三章伦理，都是原始社会组织的重要作用。

第二章　结婚的形式

引论——在低等的人类中，性的事件的重大已经有人说得很多了。

有些人甚至说野蛮人不大想别的事情，而他们的大部分时间和智力都是费于性的事件上。其实最低等的野蛮人可说不犯此咎。在较高等的原始社会方有过度的性的事件，在低等的野蛮人中越轨的性生活几乎完全没有。“男子宿舍”（men's house）的隔离两性，奇异的结婚关系的盛行，许多节日民谈的性质，某种崇拜的存在（生殖器崇拜），以及此外许多事情常被引以证明原始人民中性的事情的重大。对于性的事件及某种身体作用的自然的态度，是未开化社会的一种特性。性的事情，诚然不是被避忌的。对于我们所以为无耻的事他们常有过犯，但是我们的贞节的标准却不行于原始的社会中。野蛮人虽是犯了我们的是非的准则，其实还可以说他们的心理是很洁净的。

性欲的事件与结婚实为两事。性欲为生理上的事情，结婚则为社会上的事情。讨论结婚时应当以合法的嫁娶为限，由社会学言之，性的结合若不为风俗与法律所承认的便不算为结婚。

结婚的定义据人类结婚史专家魏斯特马克（Edward Westemarck）最后所拟是：“一个或一个以上的男人与一个或一个以上的女人的关系，这种关系是风俗或法律所承认并含有某种权利与义务于两方以及由此而生的小孩之间”，所含的权利与义务自然有很大的差异。又这个定义里也不指定是一个女人绝对的占有一个或一个以上的男人，或一个男人绝对的占有一个或一个以上的女人。

结婚的社会作用有二种。（1）结婚可当作人类社会用以规定两性关系的手段。这一种意义很明显。（2）结婚又可当作个人生于社会中获得某种一定地位的手段，由此而他或她的对于社会中余人的关系方被决定。每个小孩即因其为由结婚而生的一个小孩而取得在社会结构中的地位。社群中有些人成为他的亲人，有些人则虽非亲人而却是同氏族或“半部族”（moiety）的人，有些异性的人是可结婚的，有些则不可。所有这些以及此外的关系都是由于出生而定。以上两种作用尤以第二种的更为紧严。

乱婚制（promiscuity）——古典派社会演进论学者以为结婚的形式也是有几个相连续的阶段。照摩尔根氏（L. H. Morgan）所说；最早的结婚阶段是“乱婚”，即性交不受任何规则的限制。与乱婚正相反是义务性的一夫一妻制，故被当作最后的阶段，而其间则有几种中间性的制度。他们以为世界上各民族一定都曾经过乱婚的时代，其后慢慢一段一段地演进，其进到一夫一妻制的已经是文明民族了。这种学说曾盛过一时，但自从反演进论派兴起以后除极少数人外几乎凡研究这问题的人都不赞成乱婚曾为普遍实行的一种制度了。反对派以为这种学说的错误在于缺乏证据，而却有许多相反的事实。有些文化很低的民族例如非洲布须曼人（Bushmen）、安达曼人（Andamanese）、印度的维达人（Veddahs）都实在是行紧严的一夫一妻的。

乱婚普遍说也有其来源。其一是古书、旅行记和传教士的记载。

第二种的来源是文化的“遗存物”（survivals）。有些风俗或制度现在已经没有何种作用，但它们的存在可以证明它们在以前也是有作用的，这便是所谓遗存物。主张乱婚说的人举出几种风俗说它们是以前乱婚时代的遗留物，由此可以证明乱婚制的存在。但反对派以为这些风俗却另有别种意义，不能即说是乱婚制的遗留物。这些风俗之中，其（1）是“兄弟妇婚”（levirate），依这俗，兄弟死后应娶其寡妻。据乱婚说的学者说，这便是乱婚的遗俗。反对者则以为这种风俗可以不必解释为遗存物，因为他是有现存的作用的。据魏斯特马克、泰勒（E. B. Tylor）、罗维（R. H. Lowie）等人说这风俗实是由于以结婚为家族与家族间的契约而死者的家庭应当负担其寡妻的生活。还有一种“妻姊妹婚”（sororate）也是因为是家族与家族的契约，故一个死了再续一个。（2）乱婚的又一种证据是“生殖器崇拜”（phallic worship）。反对派则说这种风俗其实并不行于最原始的民族中，而是行于文化较高的人民如希腊、罗马、印度等。在印度其发生且更迟。崇拜这种生殖的能力即生命的象征，并没有什么难解的意义。这种风俗实和农业有关，因为希望农产物的丰收常有行使魔术的仪式的，而这种风俗也确曾见于许多民族的春节。（3）还有古时巴比伦、希腊、迦太基、意大利等处所行的“神圣卖淫”（sacred prostitution），反对派也解释为宗教上的淫乱仪式，不过是特别发展的崇拜生殖的风俗。（4）还有所谓“秽恶的结婚仪式”，如“初夜权”（Jus Primae Noctis）等。据巴霍芬（Bachofen）和拉伯克（Lubbock）都说这是“个人结婚的赎罪”（expiation for individual marriage）。他们说妇女由公有而转入个人之手时便是犯了团体的权利，故须先向大众赎罪，赎罪的手续便是使新妇先侍寝于酋长、僧侣等领袖以及新郎的朋友，这便谓之初夜权。还有欧洲中古时“封君的权利”（Droit du Seigneur）也是相同的。反对派如魏斯特马克则说这种风俗或者是由于“处女血恐怖”，故希望由宗教人物或显要人物之交合而祛除不吉，即使是一种权利，也不过是个人的威权的结果，未必便是古代乱婚制的证据。（5）“群婚制”（见下文）在乱婚说派以为是乱婚变成，但反对派又以为此制反是一夫一妻制的变体，即起于一对夫妇而扩大其性的关系；不像是缩小范围的乱婚制。（6）还有亲族等级制度（classificatory system of relationship）也是乱婚证据。最著名的是夏威夷的风俗，凡属同辈行的亲族便当作一个等级，除年龄及性别外只用一个名称：例如“父亲”一个名称除用于本父以外，凡父的兄弟以及母亲的兄弟都呼以此名。又如“母亲”除用于母亲以外又用于母的姊妹以及父的姊妹。“兄弟”“姊妹”用于兄弟姊妹以及父之兄弟姊妹的子女及母的兄弟姊妹的子女。这种风俗据摩尔根说可以证明以前在同辈行中都有性的关系。一个人的伯叔父、舅父也称为“父亲”

是因为他们可以和他们的母亲及姊妹有性的关系，而一个人的所有甥侄也便是他的子女，因为他和他的姊妹从姊妹表姊妹都可以有性的关系，他们都是他以及其他“兄弟”的妻。反对派以为这样以亲族名词为源于性的关系的说法，很有难处；因为照此说“父亲”的意义为“生殖者”或“或然的生殖者”，但母亲便不能依此说法了，因为她们只生自己的子女，至于其他的子女却显然不是她所产生的。由此可见，以此为乱婚的证据实是不对的，因为这种制度不过是根于血缘的亲族关系，并不是根于性的关系。

主张乱婚说的前有摩尔根，后有里弗斯（W. H. R. Rivers）等，他们所提出的证据以及批评者的话已述于上，我们再看反对派如魏斯特马克、罗维等人的学说。这些学说可分为动物学的、生理学的及心理学的三种。（1）动物学的说法以为在类人猿中其幼稚期已经延长，幼儿的养育有需于父母的协作；和人类最相近的动物其性的关系已经不是乱交。在动物界中夫的忠心已存在，父与母协力从事生活资料的营求也已有过，故许多最低等的民族所行的一夫一妻制定是直接由动物界传下来的。（2）生理学的又称生物学的说法较难证实。这说以为乱交必发生极近的近亲生殖，这或者为乱婚制流行的阻碍。（3）心理学的说法为魏斯特马克所主张，这说是根于人类以及动物界中性的妒忌的存在，特别是男性的妒忌尤为乱婚的障碍。有些民族，如行一妻多夫制或群婚制的民族，妒忌心很薄弱，是由于社会的惯习或为别的利益而渐泯其妒忌，且对于妻若生厌嫌时妒忌便也较少。

罗维说：“性的共有制若说曾完全代替了个别家族，现在无论何处都不存在，至于说它以前曾有过，其证据也不充分。”魏斯特马克也说：“无数维持乱婚说之事实皆不足使吾人相信乱婚为某民族两性关系之主要形态。在人类社会发达的过程中乱婚不曾形成一般的阶段，更无从设想为人类史之出发点。”托泽（A. M. Tozzer）也说：“性的滥肆与结婚实为两事。性的混乱确曾见于有些原始社会中，像现代的社会中一样，但不能说它曾代替了个别家庭的地位。”

最近布里福特氏（Briffault）著《母论》（*The Mothers*）一书，针对魏斯特马克的《人类婚姻史》加以痛驳，重整演进论派的旗鼓，以为在人类的蒙昧时代乱婚制确曾存在过，反对派所提的证据实是错误。

群婚制（group marriage）——乱婚说的反对者只不赞成无限制的乱交状态为任何民族所必经的主要阶段而已，至于有限制的性的共有状态的存在于某个特殊民族是并不否认的。这种有限制的性的共有状态便称为群婚制或即称为“性的共有制”（sexual communism）。这种制度便是一群的男与一群的女为夫妇。但男之于女并不是有同等的夫权，一男常有一个正妻，但容许别人和她有关系，反言之一女也有一个正夫，但她得以另找伴侣；而且一群的男通常都是有关连的，对于女人有一定关系，同样女人们也常是有关连的；或者属于同一血统；他们并不是随便凑在一起的许多男女而已。反演进论派以为此制并不曾排斥其他婚制而为唯一的主要制度，它是和别种结婚同时并行的。

这种风俗行于澳洲、西伯利亚、美拉尼西亚、波利尼西亚等处。西伯利亚东部的楚克奇人（Chukchi）中很为盛行。再从兄弟再表兄弟或再再从表兄弟，或者无关系的人如要促成巩固的友谊便结合为一个共妻的团体。亲兄弟不加入，无妻的也不得加入，因为这是根于交互的原则的。一团体有时扩至于10对夫妇。这些会员却不住在一处。他们各住一方，不过于会员来访时使妻侍寝，故其机会不常有。同住一处的人不喜加入这种团体，其理由是因大家近在一处，恐陷于完全的乱交状态。反乱婚说派说由此可知，这种制度其实不是限制的乱婚，而是出于交互的敬客之意，不过是个人结婚有时扩大丈夫的性交权利于丈夫的同伴而已。还有澳洲的埃尔（Eyre）湖边的迪埃里（Dieri）和乌拉布那（Urabuna）两个部落的团体婚也很有名。迪埃里人的小孩例须和母亲的母亲的兄弟的女儿的女儿或者母亲的父亲的姊妹的女儿的女儿一个结婚，童年时便定了婚，故一个男孩必有一个妻，一个女孩也只有一个夫。但到了完婚以后，一个女人除为一个人的妻外却另为几个已婚或未婚的男人的妾，但这些男女须是有如上所述的亲属关系的。故兄弟可以共妻，鳏夫可以兄弟的妻为妾，客人如属于上述的亲属关系的也可以主人的妻为暂时的妾。通常妾的分配常由长老会议举行之。实际上特殊的人物妾数较多，普通的人常只以一个女子为足。在此制中有二个要点，一是妻与妾如同住一处时，妻较妾为优胜；二是正式定婚的夫权力最大。凡副夫不得引诱其妾使离开正夫，只可于正夫不在时或其允许方得享受其副夫的权利，妻若不得正夫的允许也不得擅自选择副夫。

一妻多夫制（polyandry）——行此制的民族屈指可数，只有一部分的爱斯基摩人、非洲班图族（Bantu）中的巴希马人（Bahima）、加那利岛（Canary Is.）的关切人（Guanches）、马克萨斯（Marquesas Is.）的土人、阿留申岛人（Aleuts）以及可为标准的南印度人和西藏人。

一妻多夫制有二式，其一是“兄弟共妻”（adelppogamy），即兄弟共娶一妻，行于西藏。又其一是“非兄弟共妻”又称为奈尔式（Nair type）行于印度东南部马拉巴尔（Malabar）地方的奈尔人中。在西藏的兄弟共妻制一个人结了婚，他的兄弟也同时有了妻。他们很和睦地住在一处，生小孩时诸兄弟都是父亲，但最大的哥哥行了一种仪式叫作“弓箭的给与”（giving the bow and arrow），于是他便成为法律上的父亲。在奈尔式诸夫常分住各村，妻轮流寻找他们。生了小孩则先结婚的男子也行了弓箭仪式而成为小孩的法律上的父亲。他继续做二三个小孩的父亲以后，别的丈夫方得为父亲。像这样，社会学上的父亲与生理学上的父亲是不相符的，印度的托达人（Todas）中兄弟共妻与非兄弟共妻两式都有，其行前式的像西藏一样，其行后式的妻大约与每一个丈夫住一个月，有时法律上的父亲死已久了，但因还无人行弓箭仪式故别人所生的小孩还算是死人的孩子。托达人的一妻多夫大约由于溺女，近来此风渐衰，女性渐增，但他们却不改为一夫一妻，而反变为多夫多妻，即团体婚，例如前者为三男共一妻今则改为三男共二妻了。一妻多夫俗据说古时还曾行于希腊人、英国的克尔特人（Celte）以及闪米特族人等。

一妻多夫俗的起因或说是由于生活环境不佳，故须由多数的丈夫赡养一个家族。又有人说溺毙女孩也是一个原因，爱斯基摩人中确有如此的，而托达人大约也一样，但行农业的西藏人与马克萨斯岛（Marquesas Is.）人却不曾溺死女孩。又有说是由于男子时常外出故需别人继续为夫以照应其妻。还有说是由于不能生育故让别个男子参加以达生子的目的。

一夫多妻制（polygamy）——此制与前一种不同，行于世界上大部分地方。常和一夫一妻同时并行，因为两性的比例不能容许全部男人实行多妻。此制的形式视乎诸妻的同居与分居而异。盛行此制的民族首推非洲土人，一个人拥有5个、10个、20个甚至60个妻的都很常见。大酋长的妃嫔数自百人以至于数千人，如阿散蒂族（Ashanti）的法律限制王妃之数为3333人，洛安戈（Loango）及乌干达（Uganda）的国王传闻都拥有妃嫔7000人，比之中国皇帝的“三千佳丽”更多一倍。此外在现代民族中以狩猎或采集食物为生的低级民族以及初期农业民族少有行一夫多妻的，盛行此制的多属畜牧民族。在古代的民族也多有行一夫多妻的；如巴比伦人、希伯来人、阿拉伯人、斯拉夫人、斯堪的纳维亚人、爱尔兰人等都是。我国人自古以来便行此制，还有日本也曾行过。

一夫多妻制发生的原因，据魏斯特马克所举分为间接的与直接的两种。间接的原因便是女性的数比男性多。直接的原因则为男子欲得多妻

刚果土人的一夫多妻

（采自 *National Geographic Magazine*）

的愿望，约述于下：(1) 由于“周期制欲”，在低等民族月经期、妊娠中男子必须禁欲，而小儿乳育期使丈夫更须制欲甚久，故须别觅妇女。(2) 由于女性较易衰老而男子常喜新厌故，如摩洛哥的摩尔人以“人不能常常吃鱼”譬喻男子不能以一妻为满足。(3) 由于获得子嗣的愿望。无子时希望由多娶而生子，东方各国人常以此理由而实行多妻。虽已有子也希望繁殖更多以扩大家族，增加声势。(4) 多妻在物质方面能使男子安适，或由妻的劳动而增加财富。非洲的东部及中部土人妻愈多者愈富，男子为妻所维持，受妻奉养。(5) 多妻又能增大男子的声誉权威，提高其社会地位，故刚果土人称述酋长伟大时必历数其妻，而旅行家也常说男子的伟大与妻的数目为正比例。

有多妻制的民族中，其实行多妻者通常只限于有财力有权势的人，余人仍是只有一妻。例如东非洲的基库尤族（Kikuyu）中一夫一妻制很常见，二三妻的也普通，只有富人方有六七妻。多妻制的限制：(1) 是妇女的数目不足，如上述基库尤族的多妻数并不大，但已有许多男子不易获得一妻。(2) 多妻的购置力不易，例如中亚吉尔吉斯人（Kirgiz）虽改奉回教也常因无力购买第二个妻而不能行多妻制。(3) 行“女家居住”（matrilocal residence），即丈夫住居妻家的因须得岳家的允许方得多娶，故也不易行多妻制。(4) 妇女的妒忌也能阻碍多妻制。(5) 夫妻有爱情也能使男子以一妻为满足，无论文明人、野蛮人甚至动物中如鸟类据说也有这种纯洁专一的爱情的存在。

一夫多妻虽是女性低弱的表征，但丈夫的多娶有时反是妻所主张，因为多加同伴可以分担义务，例如基库尤族、楚克奇族的妇女便有如此的。行一夫多妻制的民族又有倾向于一夫一妻制的，以最初一妻为大妇（principal wife），后娶的则呼为小妻或妾，其地位与大妇悬殊。例如西伯利亚土人中妾之于大妇不过如婢女一样。又如新几内亚卡伊族（Kai），为大妇的可使妾汲水烧饭等。非洲马赛人（Masai）也是这样。在诸妻间的相处情形，固有颇为和睦的，如西伯利亚的科里亚克人（Koryak）、楚克奇人据说便如此，还有行妻姊妹婚的轧轹也较少；但由于妇女的妒心容易发生家庭的不安，如回教国人、印度人、希伯来人、波斯人、马达加斯加人都有这种记载，如希伯来语“次妻”（Hassorah）意即为“女人之敌”，斐济人（Fijian）中据说曾有诸妻相争咬去鼻头的话，比之我国的“人彘”可谓无独有偶。

总之，一夫多妻制虽在大多数原始民族中均被承认，但实行此制的人究属一团体中的少数，其大多数人都还守一夫一妻制。

一夫一妻制（monogamy）——反乱婚说派以为在现存未开化民族中，低等阶段的狩猎者与初步的农业民族反发现严格的一夫一妻制，如南美印第安人、马来半岛土人、锡兰（斯里兰卡）的维达族（Veddas）、菲律宾的尼格利陀人（Negritos）以及非洲的矮民（pygmies）等都是。严格的一夫一妻在畜牧民族间较少，古代文明民族如巴比伦法典曾规定婚姻为一夫一妻，但妻若患病或无子夫得多娶。埃及除王族外实行多妻者亦少。希腊认一夫一妻为唯一结婚形式，但得纳妾。罗马的婚姻制为严格的一夫一妻，法家且以纳妾为非法。基督教赞成一夫一妻，但对于多妻不曾激烈非难。据魏斯特马克研究的结果以为人类结婚的基本形式是一夫一妻制，“在实行一夫多妻，一妻多夫或团体婚的地方亦必有一夫一妻制与之相并存。而且一夫一妻制在许多民族中都由习俗及法律公认为唯一的婚姻形态。此种趋势或单由于习惯力的伸张作用，或基于以一人拥有数妻致令他人鳏居为不当的观念，或因一夫多妻有伤女子的人格，或因耽于淫欲遭受非难等等”。又说：“文明进步到某一阶段，一夫多妻曾为适者而存在；迨文明达到了最高的一段斯为一夫一妻的天下。……转向一夫一妻的趋势基于种种理由：文明人没有在妻的妊娠中及出产后长期分离的迷信，希求子嗣的意念渐形淡薄；多妻不复为生存竞争的帮助而反成为重荷；多子多妻不再为富与势力的原因；恋爱的感情更为细腻，因之更能持续。以前凌辱女性的情感今则改为敬意……”至于将来的社会中那一种的结婚形式能够存在？或说是一夫一妻，或主张一夫多妻，据魏斯特马克的推想则以为：“假如人类向着从来的同一方向而前进，因而在最进步的社会中促成一夫一妻的原因不断增加力量，特别是能够尊重妇人的感情，及妇人在立法上的地位，则我们可以毫不踟躇地断言在将来的社会中不会废除一夫一妻的法律。”（魏斯特马克的话依王亚南译文。）

第三章　结婚的手续

掠夺结婚（marriage by capture）——以前的学者曾主张掠夺结婚曾经普遍实行过，这种风俗确曾存在于有些民族中。依此俗，一个男子不待女子自身与其亲族的同意竟用武力夺取为妻。所掠夺的女子或属己族的，或属异族的，但在己族中施行兽性的暴力为很多民族所不许。实行此俗的现存民族有南美火地岛人、巴西土人、北美平原印第安人、亚洲北部的楚克奇人、萨莫耶德人（Samoyed）、奥斯加克人（Ostyaks）、卡尔梅克人（Kalmuck）、印度的布伊亚人（Bhuiya）以及马来群岛、美拉尼西亚、澳洲等处土人。在古时闪米特族人如希伯来人、阿拉伯人中广行此俗。印度的《摩奴法典》以掠夺为 8 种正当的结婚方法之一。希腊人及条顿族人古时也曾行过此制。

主张掠夺结婚普遍说的学者并在不行此俗的民族中举出某种风俗以为是古代掠夺结婚的遗迹，如假战，假被盗，藏匿女子，女家途中留难，

澳洲土人的掠夺婚

（采自 Elliot—*Romance of Savage Life*）

新妇哭泣表示悲哀等都是。假战（sham-fighting）便是丈夫邀亲友假做往女家抢妻，女家也假装抵抗，以此为结婚的一种仪节。这些风俗很多民族都有，即我国民间也尚存留着。但反对派以为这些风俗除解释为掠夺结婚的遗俗外也还有别种解释：或以为是由于要试验男子的勇敢与灵敏；或以为是因为羡慕真的掠夺故模仿其状；或以为由于女家惋惜失女，故发生踌躇及留难；或以为是由于女性羞涩的表现及贞洁的表示，因为不肯无抵抗而失身正为良好女子的好态度；或又以为是占有的象征，表示妻子的从属及屈伏于丈夫；又有一说以为模拟斗争有净化的意义，可以使新妇祛避凶邪；更有以为模拟争斗是起于两性间的冲突，帮助女方的常为女性友人，因为她们将结婚当作妇女的受辱；还有一说以为此俗有时是由于中表结婚的改变，如南印度土人有行中表结婚的如娶以外的女子则须赔偿其表姊妹，或并举行假斗的仪式；又有一种解释，以假战为表明妻的私有的，如美拉尼西亚土人便举行这种仪式以避免“老人”的垄断妇女。

魏斯特马克说：“没有一种民族以此类婚姻为一种普通的或常态的方式。我们似乎可以窥见掠夺婚姻大抵是由于战争的结果，或者因为依普通方法获妻的困难与不便而采取的一种非常手段。”（采王亚南译文。）托泽氏（Tozzer）也说：“没有人敢说妻的掠夺不是事实，但这并不是普通的方法，而且也不曾在古代人民中普遍行过。掠夺来的妇女也像是常为妾与婢而不是妻。”

买卖婚（marriage by purchase）——演进派的人类学家又以为掠夺婚后来退让于买卖婚。斯宾塞以为文明进步则买卖常代替暴力。反对派则以为有几式的买卖永远是常态的结婚法，而行买卖婚的民族有不曾行过掠夺婚的。故这两式的次序不一定。依此制，其代价等于女家在经济上之损失，其价格或为一定额的财货，或依所买妇女的容貌、能力、年龄、境况、生育力而定。如为自小定婚的，则买价分次自出生时起交纳。买价有时被视为投资，其利息则为妻的工作出产及所生小孩，如无甚出息则其投资为不合算，而妻可以送还其父母家。有时妻也得由父母家赎回，例如北美夸扣特尔印第安人（Kwakiutl）买妻生了小孩则妻父可以交还原价再加利息赎回其女；如生一个小孩，则利息约为原价的二倍，小孩多则利率也高。赎后如妻不愿与夫分离可以自由居住，但如出自夫意，须再送代价于岳父。中亚的吉尔吉斯人为父的替一个约 10 岁的儿子定一个女孩为妇，其价有达 81 头牛的；分期付与，到了已经付大部分后未婚夫方得去看未婚妻，全部付清时便完婚。其妻全被当作夫的所有物，和外家断绝关系。非洲西部的霍族（Ho）甚至在女孩出生以前定婚，先送临时礼物，以后按月送子安贝（货币）于女孩，并帮助其父耕种及他事，到了成熟期便结婚。巴布亚新几内亚的卡伊族（Kai）男子要送一个野猪牙、一头猪及别种珍物为买妻的代价于妻的舅父及兄弟，对于妻父则做某种工作。买得妻后全为夫的所有物，夫死后由夫的兄弟或其他亲族承受，犯奸淫罪由夫处罚，如与人私奔则夫得要求退还买价以赔偿损失。南非洲的聪加人（Thonga）以“罗卜拉”（Lobola）即聘金买妻，其罗卜拉大都为牛或锄；女家卖女后有时即以该罗卜拉买媳。女儿如私奔则女婿得向岳家索回罗卜拉，但罗卜拉已为买媳用去，于是不得不将新买的媳送给女婿为妻。罗卜拉不但买得妇女并买得妇女的出产，故妻如无子而死去，则夫可要求退回罗卜拉，反之如罗卜拉不曾交完，则妻虽生子其子也属母家。

买卖婚在许多文明民族中自古通行，有继续至于近时或现在的，如巴比伦人、阿拉伯人、以色列人、希腊人、条顿人、斯拉夫人、克尔特人、印度人、中国人、日本人等都是。

买卖婚族中有时附有回赠，其额有多至与原价相等的，甚且有超过

印第安人的买卖婚

（采自Elliot—*Romance of Savage Life*）

的，这种回赠常成为新娘的嫁奁。嫁奁愈多的，买卖的意义愈少。

魏斯特马克以为买卖婚的名词不很正确，据说："亲族并未以女子当作产物变卖。在新郎方面的赠物可以表示好意或尊敬；所以证实自己具有维持妻的能力；能对付旁人所加以妻的侮辱，并得防备妻的不贞行为。在许多场合，新娘的价格系当作女子嫁出后蒙损失的赔偿，或者在结婚以前为扶养彼女所费的经费的弥补。"（用王亚南译文。）魏氏这话在一部分的买卖婚的事实是很合的，但对于上举的严格意义的买卖婚却不甚合。再看罗维（Lowie）所说的便可明白。他说："买卖婚姻有很多种，无论在心理上或法律上都不相等。有些地方，妇女在所有企谋及目的上都是可转移的、可承继的一种动产；在别的地方则空存买卖的形式而已，因为新娘的代价已经为回赠或嫁奁所抵销或超过。"

服务婚（mariage by service）——掠夺婚是无赔偿的结婚方法，买卖婚和服务婚都是有赔偿的，即以财货或劳力赔偿女家的损失便是。依服务婚制男子须在一定时间内住居妻家来服劳役。其时间自不满一年，以至于十余年不等。期满携妻而去。有些民族以此为正当结婚法，有些则以此补助买卖婚，又有于服务外加付代价的。行此种结婚法的民族如印第安人、西伯利亚人、印度支那人、印度原住民、马来群岛土人、一部分非洲土人等，又古代希伯来人的传说中也常说及此俗。

服务婚除以劳力赔偿女家损失外，还有试验新郎的一种意义。女家使新郎从事种种劳苦的工作，忍受痛苦的生活，其意是要试看新郎的能力与性情能否负担一个家庭。例如西伯利亚的科里亚克人（Koryak）中便显有这种意义的服务婚，又如柬埔寨、北美大湖地方的 Naudawessies 族、南美印第安人也是这样。

斯宾塞以为服务婚是继买卖婚而兴的较进步的结婚法。魏斯特马克却说服务婚在狩猎民族即较低等的民族中间也颇为盛行，故两者未必定有先后之分。

交换婚（marriage by exchange）——这也是有偿的结婚方法。依这法，甲乙两家互相交换一个女子为妻，因为互以女相赔偿故此外无需别种赔偿。行此制的民族父母常为其子女互相交换，或男子自己以其姊妹或亲族中的女子与人交换。交换婚常有与“特定结婚”（preferential mating）相交错的，其制一个男子必须与表姊妹结婚，故两个表兄弟如各有姊妹便可交换为妻。这种婚姻行于澳洲及托雷斯海峡群岛（Torres Straits Is.）。澳洲土人的行此俗或以为是由于贫乏无买妻的代价，但也有说是由于亲族关系过于紧密结婚范围太受限制，故两方的兄弟姊妹如有可以结婚的关系的便行交换了。

私奔婚（marriage by elopement）——男女由自由意志私奔结合在原始民族中也不是少见的事，如因新娘代价太贵，幼年许婚，妇女交换，女子为长辈所专有，父母及其他亲属的阻碍，或男女有浪漫的倾向便出于此。结婚在原始社会中常只是团体间的契约，其间无爱情之可言。当事人虽已成年但主持婚事的权掌属于父母，尤其是父亲，此外还有姑母、舅父、兄弟等有时也有力量，近亲以外甚至有须取决于部落的（澳洲）。女子的结婚自由较男子尤少，而且过去在经济状况较进步的民族中较之下级的为减少。分析言之，即在狩猎、农业、畜牧三种经济状况中妇女的结婚自由都是在高级的反少于在低级的，而畜牧的较之其余二种为尤少。在最低级的文化中青年男女并不是没有恋爱的事情，他们能自行主持定婚，但其后由于财富集积，买卖婚发达，家族与氏族的重要增进，于是血缘的群便成为缔婚的必要参加者了。

私奔在许多民族都视为结婚的一种方法，或为结婚预备的手段，但在结婚手续上总不能称为完备，故其地位常比不上买卖婚、交换婚等。如在美国蒙大那（Montana）的克劳族印第安人（Crow Indians）很有机会给男女私行恋爱，且很有些成为不止一时的结合。但在部落中的意见，对于这种结婚总认为比不上买卖婚，以为后者较为尊贵，且也较会持久。这种意见是因为事实上一个男子的买妻必求最有贞洁名声的女子。因此一个克劳族的男子一生当有几个情侣和一个正式购买的妻。他们中的妇女也可以私和男子结合，只不过不能算作有理想上的完满而已。她若不常换其配偶也不会引起非难。

第四章　结婚的范围

各民族结婚的范围未有无限制的，有的限于团体内，有的限于团体外。麦克伦南氏（McLennan）于是创出二个名词（1）凡规定个人的配偶限于自己的团体内的，称为“内婚制”（endogamy）；（2）凡个人的配偶须于自己的团体外寻觅的称为“外婚制”（exogamy）。所谓团体或指家族、氏族等血缘团体，或指乡村、阶级等非血缘团体，并无一定。

内婚制——印度的阶级是行阶级内婚制的好例，其四阶级间绝不通婚；而同一阶级内通常再分为若干小阶级，其间也有不得通婚的。马达加斯加的霍瓦人（Hovas）因原是由马来群岛移去的，故也自居为贵族，行严格的内婚。波利尼西亚的贵族与平民也各行内婚。古时罗马的贵族与平民、条顿族的自由人与奴隶也曾行此制。我国六朝时门第的区别很严，高门不肯与寒门通婚。还有古埃及的皇室与秘鲁的古王朝还不屑与其他贵族结婚，而只就近亲内寻求配偶，甚至兄弟姊妹自相为婚。

种族的内婚制也很常见。如现在的美洲印第安人与白种人间还有些不肯通婚的。孟加拉的奥昂人（Oraaon）和阿萨姆（Assam）的帕丹族（Padam）都严禁与外族通婚。非洲的柏柏尔人（Berbers）也行族内结婚。古时则罗马人也不与外族通婚，阿拉伯人也行同族婚。

宗教团体也行内婚制，如犹太人不与基督教徒结婚，至今还以纯粹内婚者为多。基督教徒也不赞成与异教徒结婚。回教也只许在教徒内自相结婚。

近代文明民族已渐渐漠视阶级、种族、宗教的区别，而扩大结婚的范围，故内婚制也渐渐衰替。

外婚制——外婚制行于血缘团体、地方团体或只有共同名称而无血缘关系的团体。

行于血缘团体的外婚制最为普通。凡犯这种禁例的称为“乱伦”(incest)，其罚常为死刑。在最狭的家族范围内性的关系普遍地被禁。两亲与子女的婚配绝不曾被容许。同父母的兄弟姊妹的结婚也多被禁止，故其事很为罕见，只有夏威夷、秘鲁（印卡王朝）和埃及等数处而已。西伯利亚的楚克奇人（Chukchee）有一段故事很能表出对于乱伦的畏惧。据说以前的居民曾因饥荒而死亡。只有二人存留，一个是成年的女子，一个是她的小弟弟。她养大了小兄弟后，请求和他结婚。她说若不如此便要灭种，而且这事别无他人晓得，但他却不赞成，说这是被禁止的事。于是女子另去别处造一所屋子，自己另制新衣，然后引诱兄弟到那边去，自己化装为另一个女人和兄弟结婚。其后便生传下来，成为一个民族。兄弟姊妹以外，舅父与甥女，伯叔父与侄女，姑母与侄子的结婚也有实行的，如印度、犹太、德国、秘鲁，但也常有禁止的，如法兰西、意大利、比利时、荷兰、瑞典等处。我国清初的皇帝也有娶姑母的，但汉人则视为乱伦。

以上所说的是范围最狭的血缘团体，至于较大的血缘团体则常只选择其中的一部分，即所谓“选择的亲属”（selected kin)，加以外婚的约束。除了最低等的原始社会，大多数民族都分为二个或二个以上比家族更大的团体。这些团体便叫作氏族（sibs，clans，septs）及“半部族”（moieties），常是“一面的”，即其继承是只计父母二人中的一方。外婚制便为这种团体的特征。氏族的行外婚制是很普通的，也可说是普遍的情形。半部族是大于氏族而小于部落的团体，一个部落有分为二个半部族的，每一个半部族又包含几个氏族。半部族也是行外婚的。例如甲半部族的男应娶乙半部族的女为妻，乙半部族的男也娶甲半部族的女。在同一半部族中的氏族不通婚。所生的小孩如该半部族是行母系的便归母方，父系的归父方。中国古代的朱、陈二姓累世通婚也有些像半部族的关系。

澳洲土人有一种“结婚组”（marriage classes）的风俗，即“组别制度”（classificatory system）专为规定外婚的，最为复杂。其制有的是一个半部族再分为两个结婚组，所生的小孩属于父母中的一方，但与父不同组而自属一组。表解如下：

甲半部族	第一组	乙半部族	第三组
	第二组		第四组

例如依父系计算的，则其结婚及继承的规则如下：

甲一娶乙三，小孩属于甲二

甲一娶乙四，小孩属于甲一

乙三娶甲一，小孩属于乙四

乙四娶甲二，小孩属于乙三

还有一式更为复杂。每组又再分为“小组”（sub-classes），其式如下：

甲半部族	第一组	第1小组（单）	乙半部族	第三组	第5小组（单）
		第2小组（双）			第6小组（双）
	第二组	第3小组（单）		第四组	第7小组（单）
		第4小组（双）			第8小组（双）

每组中的二小组假定称为单与双。亲与子不但不得在同一组并不得属同性质的小组，例如父在单小组，子须属双小组，今假使依父系计算，则一个甲半部族第一组第一小组（单）的男人，应娶乙半部族第三组第五小组的女人，其子女属于甲半部族第二组第四小组（双）。上表的解释如下：

甲一1娶乙三5，小孩属甲二4

甲一2娶乙三6，小孩属甲二3

甲二3娶乙四7，小孩属甲一2

甲二4娶乙四8，小孩属甲一1

乙半部族的男娶甲半部族的女也照此计算，但实际上小孩所属的小组却反与父亲同性质，例如乙三5（单）娶甲一1，小孩应属乙四8（双），实际上却属乙四7（单）。这种矛盾之处尚无解释。结婚组还有更为繁杂的，甚至除一个有特殊关系的女子以外不能再娶别个。

组或小组都不是氏族，也不是与氏族互相统属，通常是与氏族互相交错的，即一个氏族分属于几个组或小组，而一个组或小组也包括几个一部分的氏族，兹引哥登卫塞（Goldenweiser）的图解于下：

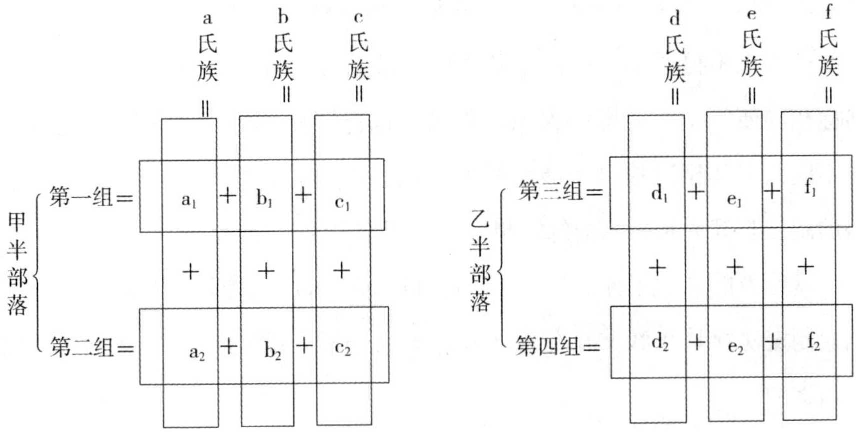

这便是说:

第一组 = a_1（a 氏族） + b_1（b 氏族） + c_1（c 氏族）

第二组 = a_2（a 氏族） + b_2（b 氏族） + c_2（c 氏族）

第三组 = d_1（d 氏族） + e_1（e 氏族） + f_1（f 氏族）

第四组 = d_2（d 氏族） + e_2（e 氏族） + f_2（f 氏族）

a 氏族 = a_1（第一组） + a_2（第二组）

b 氏族 = b_1（第一组） + b_2（第二组）

c 氏族 = c_1（第一组） + c_2（第二组）

d 氏族 = d_1（第三组） + d_2（第四组）

部落（tribe）是不行外婚制的。始创外婚制及内婚制的名词的麦克伦南氏误以部落为行外婚的，他以为普遍的掠夺结婚使部落内部禁止通婚而寻求配偶于外。其实部落常行内婚制，其内再分的团体间方行严格的外婚。

如上所述的行外婚的“选择的亲属”的团体，其所根据的连结带大都为共同祖先的信仰，或者同属一个公名，实际的血缘关系已很渺远，或者完全没有。只有这公共名称的神秘性还很被注意。例如易洛魁族印第安人（Iroquois）中属狼族的人不得自相结婚，即使男女二人各属于很远的部落也不得通融。这两个狼族的血缘关系已很难追溯得出，但因其名称相同便须受不通婚的限制。我国人也行同姓不婚的外婚制，还有姓虽不同而因其相通故也不能结婚的，例如田与陈，庄与严。这种同姓不婚的制度与其说是根据血缘，毋宁说是根据共名。

基督教的“灵的亲族”（cognate spiritualism）也行外婚制。罗马皇帝据此制定法律禁止教父母与教子女，教父与教母等的结婚，这也是根据于名称的。

外婚制还有行于地方团体的，凡同地方的人不论血缘的有无，都不得通婚，这叫作“地方外婚制”（local exogamy），但较罕见。

外婚制发生的解释提出了很多。或以为是由于溺毙女孩的风俗，或以为由于掠夺结婚，买卖结婚，交换结婚；或以为乱婚时代一切妇女都是公有的，只有取自外面的女子方得为取得的男子所私有，因此遂发生外婚制；或又以为这是源于动物界的，因为动物群中的雄领袖独占了全群的雌，故其余的雄须求其偶于外。所有这些学说都不能使人满意。还有一说以为亲属结婚发生不良结果为原始人所察知，因而禁止内婚。但这种结果现代的科学也还未能十分清晰，原始人何能确晓而加以严禁。如果他们晓得，他们为什么只将一个团体分为二半个外婚团体，只禁亲属中一方的内婚，而别一方仍行近亲的结婚，如从或表兄弟姊妹的结婚便行于很多地方。故这说的理由也不十分充足。又一种解释可称为政治的，以为结婚的向外寻求是由于两族希望由“和亲”而结好。这说所能应用的范围恐怕太狭。还有一种“魔术宗教的解释”，以为一团体的人有很神秘的统一性，这种统一性不但根于实际的血缘，且根于虚构的血缘观念。如同属一个氏族名的便有这种神秘的统一性，在这种团体内便不得结婚。如同属一图腾的不得结婚便由于此。杜尔克姆（Durkheim）更以为原始人对血液有迷信，以血为有魔术性，尤注意于妇女的月经血，不敢与同属一种血液的人有性的关系，因之发生外婚。心理分析学家也有一种学说，如弗洛伊德（Freud）主张禁忌（tabu）与外婚说，以为人类原有乱伦的冲动，故社会制定外婚制以禁止它，尤其是对付父与女，母与子的通奸。

魏斯特马克也主张外婚根于本能说，说明外婚是由于“亲近发生冷淡”（familiarity breeds contempt），据说人和幼时一同亲密居住的人因过于相熟反没有恋爱的感情，不但没有恋爱之情且反有嫌恶恋爱之感。幼时一同居住者大都为近亲，故近亲间不会有恋爱。魏斯特马克探寻根据于动物界，以为动物常有不喜与相熟的同类交合的，又寻找些人类中的事实以证明其说。这说根本上和主张人类乱伦冲动的弗洛伊德氏对立，还有著《图腾制与外婚制》（*Totemism and Exogamy*）的弗雷泽氏（J. C. Frazer）也反对他。弗雷泽以为如果人类根本上没有乱伦的倾向，何必制定外婚制来阻止它。但实际上外婚制确与乱伦的阻止无甚关系，两分的外婚团体其效用只能禁止一方的通婚，如属母系的不能禁止父与女的结婚，如属父系的则不能禁止母与子。但事实上父女及母子的结婚从不曾见。由此可见亲子间确无乱伦的冲动，而反有厌恶乱伦的倾向。这种倾向也存于兄弟姊妹间。但近亲结婚厌恶说所能应用的范围也不大，因为在从及表兄弟姊妹间这种倾向便不明显，因为世界上有许多地方的人对于表兄弟姊妹的结婚不但不厌恶而且很赞成。人类常对于一部分亲属的结婚不愿意，但对于另一部分关系未必较疏的亲属却又愿意。由此观之，可见对于结婚的厌嫌若离开最密切的亲属即亲子及兄弟姊妹以外便不是根于本能（无论是乱伦冲动或结婚厌嫌），而是由于社会规则了。

关于乱伦的规则如在所有原始社会中都是一律的，而乱伦的意义也是一样，则外婚起源的问题也无难解决。但除开普遍缺乏的亲子结婚以外没有关于结婚禁止范围的通例。甚至于在文明民族中什么叫作乱伦也无一定的意见，例如娶亡妻的姊妹在英国很迟方承认，在我国自来便不成问题；舅父与甥女，舅母与甥男的结婚在基督教国都不禁，在我国却被排斥；基督教东教会禁止两兄弟娶两姊妹，这在我国也觉得可笑；娶兄弟的寡妇的“兄弟妇婚”在我国满洲皇室入关后行了一次，其后因恐汉人讪笑，连史迹都遮掩起来。由此可见关于结婚范围的禁制在各地方各时代是常有不符合的。

特定婚配（preferential mating）——这是一种很奇异的结婚风俗，是内婚制和外婚制以外的特别限制，又是一种特别的结婚方法。依此制一种配偶选择法优先于其他方法，当事者必须与此特定的配偶相结合。此制有三主要式，即“兄弟妇婚”、“妻姊妹婚”和“姑舅表婚”。三者在原始民族中都常实行。分述于下：

（甲）姑舅表婚（cross-cousin marriage）兄弟姊妹的子女相互的称呼在各民族很见错杂。我国以父的兄弟的子女为从兄弟姊妹，父的姊妹及母的兄弟姊妹的子女合称为中表；中表分内外，父的姊妹的子女为外，母的兄弟姊妹的子女为内，中表又简称为表。父的姊妹的子女又称为姑表，母的兄弟的子女又称为舅表，母的姊妹的子女又称为姨表。英文“cousin”一字为兄弟姊妹的子女相互的通称，“cousin”也分为二类，但不是从与表，而是“横贯的”（cross cousin）与“并行的”（parallel cousin）。两兄弟的子女互称为并行的 cousin（即从兄弟姊妹），而姊妹的子女也称为并行的 cousin（即姨表），于至兄弟的子女与姊妹的子女则互称的横贯的 cousin（即姑表及舅表）。若借用生物学上“同胞”（siblings）一语以包括同父母所生的兄弟姊妹，则可以概括说：同性的“同胞”的子女互为并行的 cousin，异性的同胞的子女则互为横贯的 cousin。在原始民族中，并行的 cousin 常不得结婚，至于横贯的 cousin 即姑表舅表不但可以结婚，并且在有些地方还是特定的，不得不结婚。姑舅表婚在理论上有两式，一为舅表婚，一为姑表婚。实际上两式有合并为一的，因为舅与姑也常由习惯而结婚。除此例外，两式之中以舅表的结婚为较普通。

姑舅表婚有很有趣的分布。虽不是普遍的，却在各大地方都存在。在澳洲西部埃尔湖（Eyre）旁近的部落行舅表婚，美拉尼西亚群岛中有盛行此制的，例如斐济岛（Fiji）。亚洲南部似乎是此制的中心点，在这里发达最高，如托达人（Toda）、维达人（Vedda）及印度、缅甸等处部落如阿萨姆（Assam）的米基尔人（Mikiris），还有苏门答腊土人，都行此俗。西伯利亚也有，如吉利亚克人（Gilyak）、堪察达尔人

(Kamchadals)、通古斯人等都是。美洲较少，但也不是没有，如英属哥伦比亚、中部加利福尼亚、尼加拉瓜、南美奇布查人（Chibcha）。非洲的苏丹尼格罗人未明，但在南部及东部如霍屯督人、赫雷罗人（Herero）、巴苏陀人（Basuto）和马孔德人（Makonde）中却是正式的婚俗。

在行此俗的民族中，假使一个人没有姑舅表，则以较疏而同属一辈的亲戚代之。例如在西澳洲的卡列拉人（Kariera）中原是以舅表为正当的配偶，但如无亲的舅表则以母的从兄弟的子女代之，甚或求之于更远的亲戚，只要称为舅表的便是了。但行此俗的民族大都竭力求其紧严，只要是亲的舅表便好，年龄不论，因此有二十岁的女子嫁两岁的男孩的。

罗维说：这种风俗可以证明乱伦的畏惧不是本能的而是风俗的，若是本能的何以并行的 cousin 不得结婚，而横贯的 cousin 却得结婚？又何以有些部落奖励此俗而其邻近的部落却不赞成？又何以有些部落只行舅表的结婚而不行姑表的结婚？

这种风俗的宽严大有差异，卡列拉人是行强逼的，斐济人容许个人的例外，托达人和加利福尼亚的米沃克人（Miwok）尚认其他结婚同为正式的。

这种风俗的起源有几种解释。（1）泰勒（Tylor）以为这是起于两半外婚团体的发生和固定的世系规则；在这种情形之下并行的 cousin（从兄弟姊妹、姨表）必在同一方，且不得结婚，至于横贯的 cousin（姑表、舅表）则分属两方，而可以结婚。今假定世系从父，则发生下述情形：一个人及其兄弟姊妹都属父的一方即甲方，这个人的子女及其兄弟的子女也都属甲方，故不得结婚。但他的姊妹因嫁出于乙方，其子女都属乙方，故与甲方可以通婚。这条解释似乎很对，但也有几个难点。其一是亲戚程度之差，这种风俗只承认亲的姑舅表为正当的配偶，至于较疏的姑舅表只不过有时代替而已，两半外婚团体间无论是谁都可结婚，何以生这样的区别？其次是行姑舅表婚的人们未必有两半外婚团体的组织，这又是一个难点。（2）里弗斯（Rivers）提出一条假说，明言只应用于海洋洲。据说初时是有权的老人霸占妇女，其后让其结婚权于姊妹的子，最后却将自己的女儿给他们。还有吉福德氏（Gifford）也提出相似的学说，以为米沃克人的姑舅表婚之前是男人对于妻的兄弟的女儿（内侄女）有结婚权，这种权利由儿子继承，故发生舅表的结婚。这两种解释都须在有这种继承制的民族中方可用。（3）还有斯旺顿氏（Swanton）说财产观念发达的民族或者由保存财产于家族范围内的愿望便发生姑舅表婚，例如英属哥伦比亚人便如此。又有阶级的感情也促成这种结婚，姑舅表既不犯外婚制而可以结婚，且又可以保存财产于家族范围中，故很被奖励。罗维氏说这些学说都是根据特殊状态的，姑舅表婚不是起于一种原因，而是由几种不同的原因，发生于几个地点。

姑舅表婚对于亲属称呼发生了影响，一个人若娶其母舅的女或姑母的女，则其母舅也就是岳父，姑母也就是岳母。因此在很多行姑舅表婚的民族中母舅与岳父，姑母与岳母，常为同一个字。例如在斐济人及维达人都这样。还有一点因为一个人的姑舅表便是他的配偶，故常有合表兄弟与夫或表姊妹与妻为一个名称的。更有妻的兄弟称呼和表兄弟一样，而夫的姊妹也与表姊妹同称的。但这种情形如在混有别种结婚制度的便不明显。

编者以为我国以前，至少在一部分地方，或者曾盛行姑舅表婚，因为由亲属称呼上很可以看出。我国人妻称夫的父也为舅，夫的母为姑，夫称妻的父母也为外舅及外姑（《尔雅》），舅姑二字与上述行姑舅表婚的风俗很相符合。还有甥字现在只用以称姊妹的子女，在古时则“姑之子为甥，舅之子为甥，妻之晜（兄）弟为甥，姊妹之夫为甥”（《尔雅》），可见姑表舅表与妻兄弟及姊妹夫都称为甥，姑表舅表原是母方及父方的亲属，妻兄弟及姊妹夫则为已身及同胞由结婚而有的亲属，其名称相同可见两方即是一方；这与上述的风俗也同。还有甥字也用以指婿，如所谓“馆甥”便是馆婿（《孟子》）。婿何以谓之甥？这只可照上述古训以甥称姑表及舅表的例推论其由于姑舅表的结婚而致。以上三种名称都是两方相同的，即妻父与母的兄弟，妻母与父的姊妹（舅姑），姑舅表与妻兄弟及姊妹夫（甥），姑舅表与婿（甥）。这种混淆必不是偶然的而有其原因，但据《尔雅》的注以及其他的说明都不能使人满意：例如《尔雅》释甥不注“四人体敌故更相为甥”。又《释名》“妻之昆弟曰外甥。其姊妹女也，来归己内为妻，故其男为外姓之甥。甥者生也，不得如其女来在己内也”。汪尧峰说：“男子谓妻父曰外舅，母曰外姑。盖彼以我父为舅，我亦从而舅之。惧其同于母党也，故别曰外舅。彼以我母为姑，我亦从而姑之，惧其同于父党也，故别曰外姑”。像这样的解释并不曾解释出什么。若由姑舅表婚的风俗来说明便可以完全明了，反之由此也可以证明我国古代有这种风俗。

（乙）兄弟妇婚（levirate）及姊妹夫婚（sororate）：兄弟妇婚或袭嫂制是在兄弟死后娶其寡妇，姊妹夫婚或续姊制是姊妹续嫁一个丈夫。这两种风俗常相合，但也有分离独立的。

兄弟妇婚的分布地方很大。泰勒在其时所知晓的蛮族部落中竟发现有2/3行此俗，现在所知一定更多，故其民族枚举不尽，反不如指出缺乏此俗的民族。例如在北美洲不行此俗的只有西南部的普埃布洛人（Pueblo）而已。此俗之中有限制只有弟方有娶寡嫂的权利的，最为常见，如西伯利亚的科里亚克（Koryak）、安达曼岛人（Andaman）。虽是在亚洲最多，但别洲也不是没有，如美拉尼西亚的圣克鲁斯群岛（Santa Cruz）及澳洲西部都有。此制的宽严也不等，有些部落中男子对于兄弟的寡妇有很大的权利，有些则寡妇可以任意选一个夫家的族人，还有并不视此为义务性的。

兄弟妇婚发生的理由据（1）泰勒所说是由于以结婚为团体间的契约而不是个人间的事件，由于这种意见，故一个配偶死了其团体须再供给一个。除这条通则以外须再探究特殊情形。（2）是由于以妻为一种财产，如妻是由严格的买卖来的则其妻自然成为可继承的动产，如在吉尔吉斯人（Kirgiz）、卡伊族（Kai）都这样。妻何以常限于为夫的弟所得，这或者由于兄常较弟先娶，兄死时弟尚未娶，故将妻给弟，后来遂成为定例。妻姊妹婚也可由泰勒氏的话而得解释。男家的兄弟同负对于妻的义务，兄死则由弟代，故女家的姊妹也同负对于一个夫的义务；一个姊妹义务未尽，则女家再送一个来，妻若不生育则其姊妹须再嫁来，妻死也须送一个来补。这种情形在夫家也不止是权利，而还是义务，因为夫若不得妻家的允许不能别娶。妻姊妹婚有二式，一是可于妻的生时娶妻的姊妹，又其一则须于妻死后方得续娶。这与须待兄弟死后方得娶其妇的兄弟妇婚不同。妻姊妹婚有一种差不多普遍的情形，便是只能娶妻的妹，这与兄弟妇婚限于弟娶寡嫂一样。

依泰勒的学说兄弟妇婚和妻姊妹婚应当并存，事实上也确常如此，反之没有兄弟妇婚的也没有妻姊妹婚。兄弟妇婚和妻姊妹婚也发生对于亲属名称的影响。由于这种结婚于是伯叔便是后父，姨母便是后母，故其名称在行这种风俗的民族中是一样的，又如侄儿成为妻的前夫的子，甥儿也成为夫的前妻的子。还有伯叔也便是父，姨母也便是母，男人将兄弟的子当作自己的子，女人也将姊妹的子当作自己的子。还有男人因妻的姊妹也便是自己的妻，故呼以同一的名称，女人因夫的兄弟也便是她的未来的丈夫，故也呼以同名。

特定婚配除上述三种外还有别种。例如米沃克人（Miwok）有娶妻兄弟的女儿即内侄女为妻的风俗。又如聪加人（Thonga）如一人有五妻，则其人死后三个妻嫁给兄弟，其第四个嫁给姊妹的子（甥），第五个嫁别妻所出的儿子。儿子承父的妻的风俗也行于古代的匈奴，如昭君所遇便如此。还有一种是和母亲的母亲的兄弟的女儿（即外祖母的内侄女）结婚的，这只行于澳洲的中部和西部，和姑舅表婚同在一处。

第五章　母系　母权　父系　父权

父权说及母权说的争论——希腊哲人柏拉图和亚里士多德都说古时有一种家族即荷马的Cyclopes，每个男人统治其妻子，此外没有公共的会议，这便是父权说的起源。其后在1680年菲尔默氏（Filmer）在伦敦出版一本《父权论》（*Patriarcha*）。但父权制（patriachate）的观念通常和梅因氏（Henry Maine）连在一起，在他的1861年出版的《古代法》（*Ancient Law*）一书中提出"父权家族"为社会发展的原始胚胎之说。他以为人类的社会其初都是根据于父权的家族，他发现父权家族于罗马人、希腊人、印度人、克尔特人、条顿人、斯拉夫人中。梅因实在很熟悉罗马的家族，罗马家族中的家长（pater familias）是一家的首领，对于妻子及奴隶操有生杀之权。梅因却太漠视了关于野蛮民族的许多材料，父权家族其实不是一个简单的团体，而且也不是家族所从出的原始的细胞。

巴霍芬（Bachofen）在梅因的书出版时也出了一本《母权论》（*Das Mutterrecht*），对于父权家族为家族最初形式之说加以攻击。梅因的学说也被斯宾塞所驳。此外的演进论派（evolutionary school）的学者如波斯特（Post）、麦克伦南（McLennan）、摩尔根（Morgan）、拉伯克（Lubbock）等人都反对梅因的话。这些学者间虽细则各有不同，但他们都一致承认家族演进有一定的阶段，以为最原始的性关系是乱婚的，乱婚的结果必为母权制（matriarchate），因为父不可辨认，家族中自然以母为领袖，而社会也由她们统治。（我国古书也主张乱婚及母权说，如《白虎通》说“古之时未有三纲六纪，民人但知其母不知其父……伏羲因夫妇正五行，始定人道”。）但真的母权即女性统治却从不曾在任何社会中发现过。“母系”（matrilineal family metronymy）即女性世系非不普通，但这应当和母权分别。麦克伦南以为溺女是普通的甚或即为普遍的风俗，其结果使女性太少，因而发生一妻多夫的家族。其后一夫多妻的家族代一妻多夫而兴起，“产翁”或“男人坐蓐”（couvade）的风俗（妇女生产后男人代为坐蓐，假装生产之状）便是这两者交递间的遗俗，一夫多妻自然成父权的制度。最后一夫一妻的家族方发生。其后社会演进论派的家族进化说又被别人驳难，这些反对派的学者便是魏斯特马克、罗维等人，他们不信乱婚普遍说，和乱婚相连的母系先于父系说也被反对，家族进化的阶段也被推翻，氏族先于家族也被否认。但到了最近演进派的学说却又再抬头起来了。乱婚说和家族进化的阶段已述于上文，本章当详述其余的问题。

首领地位——讨论父权制与母权制、父系制（patronymy）与母系制（matronymy）时，可分为首领地位（leadership）、世系及继承（descent and succession）、遗产（inheritance）、居住（residence）等问题而详论之。

非演进派人类学家说首领地位的承袭与首领地位的本身应加分别。首领地位的承袭常由女系计算，但实际的首领地位却不在女性的手中。换言之，一个男人可以由母方而承袭首领地位。女性握有统治权的真母权制度从来不曾见过。有几个少数的例，其妇女在其人民的生活上颇有影响，且享有特别的财产权，例如易洛魁族的印第安人（Iroquois）妇女可处理结婚，拥有财产，选举官吏，黜退不职酋长，但从不曾有一个妇女曾任过酋长或列席部落会议。又如印度的卡西族（Khasi），其世系、遗产及继位都是从母系。酋长是由兄弟相继，或者由最长的姊的儿子承袭。这后一种叫作“舅父统治制”（avun-culate），家族中的首领是舅父。在卡西人中夫妻同居30年或40年便举行第二次结婚式，其后便不得离婚及续配，而且丈夫也成为妻族的一员，用妻族的姓，死后和妻的骨葬于妻族的墓。

世系及继承——上文已说及一点，但还须详说。演进派以为凡行父系制的民族其前必行过母系制。反对派则以为世系的计算并没有一定的次序。通常在北美洲的发展较高的部落中是行母系制的，至于父系制反行于最低等的部落中。故母权未必是最原始的民族的特征，而父权也未必只行于文明民族。古希腊人虽行父系，但其中的爱奥尼族（Ionian Gnuks）却行母系。罗马的王没有一个是直接传于儿子的，有三个传于女婿，这些女婿都是外地人。童话中常说某王子到外地游行，经过许多磨难，终于获得与一个公主结婚，而继承了王位，这很可以反映这种古俗。照弗雷泽（Frazer）所说古代的王位不过是和一个王族的女人结婚的附属物而已。除了这种女婿继袭的风俗外，还有一种外甥继袭的例，王位不传于自己的儿子却传于姊妹的儿子。这两种都是循女系计算的。贝奥伍尔夫的史诗（Beowulf Epic）说贝奥伍尔夫的母舅国王虽有儿子，但却要使贝奥伍尔夫嗣位。罗兰（Roland）也是查理曼（Charlemagne）的外甥。还有和王后结婚便也可以继承王位，故有许多弑君以图篡位的，如莎士比亚的《哈姆雷特》（*Hamlet*）一剧中所说的便是这样。罗马的凯撒且选其姊妹的女儿的儿子为嗣。

遗产——母系制关于财产的遗继有一种弱点，拥有地位及财产的常是男人，但因行母系的缘故不得传于自己的儿子。在这种情形之中便发生改为父系的趋势。在父系社会中遗产继承便容易解释。长子继承（primogeniture）是普通的情形，尤其是在旧世界为然。其反对式少子继承（junior right）在文明民族中少见，但在原始民族中却不是罕有。这种风俗行于印度的许多部落。在非洲的巴干达（Baganda）也有此俗，据说是因为大的儿子长大成婚后都离开父母，造屋别处。至于最少的子有和父母同居及奉养的义务，故得了父母的遗物。这种风俗直至近时还行于英国。

居住（residence）——这便是一对夫妇的居住何方的问题，在原始社会中是很重要的事。妻或者一时的或永久的居住于夫家，夫或者随妻住于妻家，否则夫妻都离开己家同居别处。居住的地方视乎几种要素，但最重要的是世系的计算。行母系制的常行“女方居住”（matrilocal residence）即男子住于妻家，只有少数行“男方居住”（patrilocal residence）即妻居夫家。行父系制的必行男方居住，没有行女方居住的。女方居住的最好的例可看北美西南部的霍皮族（Hopi）与祖尼族（Zuni）。其世系是依母方的，其家屋是家中女人的财产，即属于外祖母、母亲及已嫁的女儿等。丈夫不过被认为有特权的寄宿者。家中的首领不是丈夫而是妻的兄弟。丈夫的首领地位不在妻的家而是在姊妹的家，在此方有他个人的所有物。有一个要点应当注意，便是在这种世系及居住都依女方的家族中，家族的首领还不是女子而是妻的兄弟。儿童们都在舅父手下而不是在父亲手下生长。

岳婿、翁媳禁忌——居住与世系发生一种散布于很多地方的风俗，即“岳婿翁媳禁忌”（parent-in-law taboo）。男人常与岳父母相避，或完全互相隔绝，或只能在制限以内相接触。妻对于夫家的人也是一样，但比较为少。例如西伯利亚的尤卡吉尔族（Yukagir）女婿不敢见岳母及岳父的面，媳妇也不敢见翁及大伯的面。亚洲中部吉尔吉斯人（Kirgiz）的妇女不敢看丈夫的父亲及其他长辈男人，又不敢叫他们的名；据说曾有一个女人因丈夫家的人有名为狼羊草水的，她有一回要告诉丈夫有一头狼捉去一头羊，经过水流到对岸的草丛去，她却说："看罢，那咆哮的东西捉了那咩咩的小东西，经过那闪闪的东西到另一边的沙沙的东西去了。"锡兰的维达人也有这种风俗，一个男人如在林中遇见到他的岳母，他须跑向边去，他不敢进入岳母独自一个所在的岩荫，不敢直接由她取食物，陈非另有一个居间人，若无别人在时他也不敢和她说话。翁对于媳妇也这样。新几内亚的布卡瓦人（Bukaua）为岳父的在女婿前食时须遮面，如给女婿看见他的张开的嘴，他便觉得羞耻而跑向森林内去。澳洲土人几乎全部有此俗，岳母与女婿互相避忌，岳母甚至不敢闻女婿的名，两方间若偶然发生接触，或者会致女儿和女婿离婚，或者女婿被逐，甚或被处死刑。非洲人也这样，祖鲁族（Zulu）人看见岳母时须以盾遮面，如逢岳母过时便将口中食物唾出，又不敢称她的名。美洲土人也有此俗，岳母与女婿不敢对谈，不敢称名，说名时常用隐语，如名为"刀"的便说是"利的东西"，名"马"的便称为"我们骑的东西"。岳婿、翁媳禁忌分布的地方这样广，似乎可以说是普遍于全世界，但却有些地方确不曾有此俗。这种风俗的分布情形，在相近的地域必是由于传播，但远隔的异地也有此俗，可见有些是由于独立发生的。至于这种风俗发生的原因也有几条解释。如弗雷泽说这是由于"不当结婚的人们间防止性交诱惑的一种慎虑"。但同性间何以也须避忌，据他说这是由于异性间避忌的扩张。弗洛伊德（Sigmund Freud）根据精神分析学以为这是由于"精神的冲突"（ambivaience）即爱与憎的冲突；岳母对于女婿爱的方面很有性交的诱惑，恨的方面是因他原是别人却夺了她的女儿去，两种精神冲突的结果遂发生了禁忌以阻止乱伦的冲动。还有泰勒（Tylor）以为这种风俗是由于同居的规则，他说在女方居住的风俗，丈夫在妻家是一个外来的侵入者，在男方居住的家族中，妻也是这样，因此发生禁忌。他用统计的方法发现女方居住与岳母禁忌的连合在一处，故知其有因果关系。三说之中以泰勒的学说为较近理，但这种风俗的原因恐不止一个，故别说也不能抹煞。

第六章　家族　氏族　半部族　部落

本章所述的是不随意的团体，除特殊情形以外，个人生来便属于其中，不是自由加入的。

家族——里弗斯（Rivers）说家族（family）有广狭二义，广义的家族包括所有亲属而言，狭义的家族只是“包含两亲与子女的简单的社会团体”。在他的《社会组织》（*Social Organization*）中只用后一种的意义。此外如罗维、哥登卫塞（Goldenweiser）、托泽以及许多人类学家也是如此。

家族是根据血缘关系的社会团体之一种，是最为普遍而且一致的。演进派人类学家以为家族是后来方发生的，在早期文化中没有家族。反对派则以为在人类以前的动物如类人猿中便已存在，故人类中无处无家族。无论是多妻，多夫，结合的期间即使不久，或包括更多的亲属，家族总是一个明显的单位。无论以外有无别种社会单位和它并存，它总是存在，而且较它们为先，别种社会单位未发生时家族已经出现了。在最原始的民族中的家族又常是一夫一妻制的。

在原始社会中家族有很大的作用。在个人的幼年是教育的机关，在较后又是学习产业的地方。对于结婚又常代替个人而订立家族与家族的契约。家族又是种种重要仪式如出生、成丁、死丧等的单位。家族的最重要的作用是担任传达文化，一代传过一代。总之家族的基础虽是有机的即生物学的，但却也有心理学上及社会学上的要素。

氏族——氏族在英语及法语都为“clan”，郎格氏（Long）与弗雷泽氏喜欢用“kin”字，里弗斯（Rivers）拟用“sept”字，罗维氏提议用盎格鲁—撒克逊的古字“sib”。许多人类学家将“clan”专用为母系的氏族，另用“gens”称父系氏族。

氏族是较大于家族的团体，有四种特性：（1）所包含的个人一部分由于真的血缘，一部分由于假定的血缘。（2）是遗传的，个人生而属于氏族。（3）是单面的（unilateral），即只计一方的世系，如在母系氏族便只计母方。（4）有氏族名称。

氏族与家族的先后据摩尔根所说是氏族先，但反对派又以为是家族在先。在澳洲土人中虽有氏族，但在许多其他最低等的蛮族中却不曾有，例如北部加利福尼亚部落、英属哥伦比亚内地土人、东北亚洲土人、南美火地人（Fuegians）、安达曼岛人（Andamanese）、非洲霍屯督人（Hottentats）、布须曼（Bushmen）等都如此。而家族却是无处没有的。至于氏族与部落（tribe）的先后也成问题。假定社会发展的次序有二种，一是先合并有关系的家族为氏族，然后再结合氏族为部落，一是先有一个包含多数家族的混杂团体成为一个多少有点固定的部落单位，后来方分裂成为几个氏族。这两种次序或说是以后者即部落先于氏族说为近真。因为部落很少是完全纯粹的，在部落中蕴有分裂的倾向，反之这些分部的独立发生却无证据。

许多文明民族似乎都曾经过一个氏族时代，如希腊人、罗马人、中国人等都有。氏族在原始民族中散布很广，但在各地方其大小、数量与作用却很有不同。如在北美的莫霍克部落（Mohawk）及奥内达部落（Oneida）各只有3个氏族。在非洲的如巴干达部落（Baganda）有30个氏族。其余或稍多或稍少。在澳洲中央及东部的部落常有100个以上的氏族。氏族人数与氏族个数相反，个数多的其中人数必少。非洲的有数千人成一个氏族的。氏族的作用也大有差异，如北美的特林吉特部落（Tlingit）及海达部落（Haida）中的氏族对于群中的文化多半都有关系，在易洛魁各部落（Iroquois）中氏族担负所有重大的、社会的与政治的作用；反之如祖尼人（Zuni）的氏族则除世系的计算以外无他事；非洲的氏族除产业上的专门以外关系也松；澳洲的氏族尤其是中央的，几乎成为纯粹仪式上的团体，此外没有别种作用。还有氏族与家族的关系也不同；家族有受氏族的影响很大的，其氏族的力量更大于家族；反之家族也有不甚受氏族影响的。由以上种种不一致的情形观之，可见氏族不过是空泛的东西，不过是一个名称，自古代传下来，为见闻不确的人民所保留的东西而已。

氏族在地理的分布上常和四种风俗相联结，这便是血属复仇（blood revenge）、继嗣（adoption）、外婚制、图腾制。其联结并不是一定的。但以血属复仇为氏族的作用，以及用仪式继嗣外人入族，这两种风俗却是除社会心理上的联结外还有历史上的联结。氏族和外婚制的联结差不多是普遍的，同氏族的男女不得结婚，须于氏族外寻求配偶。这在上文外婚制中已述及，此处从略。

图腾制（totemism）一面是一种信仰，一面又是一种社会制度。在信仰一方面的分述于原始宗教篇内，这里只述其社会制度一方面。所谓图腾制便是一个社群的多少有固定性的一套行为，这些行为是由于信有一种超自然的（supernatural）关系存于群中的各个人与一类动植物或无生物之间。图腾信仰的骨架便是社会制度，通常即是氏族组织。图腾制含有许多特征，这些特征便成为“图腾文化丛”（totemic-complex）。这些特征如下：行外婚制，图腾团体内不得结婚；以做图腾的动物或植物等的名为族名；信其族由动物或植物等传下，或与之有密切的关系；以杀或食该种动物为禁忌（taboo），将图腾的形状为徽志。由这些观念而生许多宗教仪式。对于这些特征有的注意这种，有的注意别种，并无一定。如中部澳洲的图腾特征是用魔术方法增加食物，在非洲着重禁忌，在北美洲氏族图腾特别和个人图腾即“保护神”（guardian spirit）有关系，在美洲西北海岸根于图腾观念的艺术很发达；在易洛魁人中氏族外婚及鸟兽名是唯一的特征。现代的文明人的姓也常有为动物植物等的，究竟是否即为以前的图腾，这却不易断定。

半部族（moieties）或分族（phratries）——这是较大于氏族而小于部落的团体，一个部落分成两半的便名为半部族，分为更多的名为分族，但以半部族为常见，故这种组织称为“两合组织”（dual organization）。一个半部族包含几个氏族。性质是遗传的和一面的，或为父系或为母系。常有一个名称，但不是一定的。半部族内部不得自相结婚。半部族内的氏族分子相视为亲属，但不如氏族内部的密切。

半部族的作用也不一致。在美洲有为执行仪式的，有为狩猎的，有为选举的，有为结婚的，有为竞争的。在美拉尼西亚两半族间常有实在的敌意。在澳洲中部则为规定外婚，结婚行于两半部族间。

半部族间除相互的作用以外似乎还有竞争的意义。一个半部族被当作土著的，另一个则为外来的，或者被拟为体质上有不同，或者名称有异，例如澳洲的半部族名有鹰（白）与鸦（黑）的相对。土人的这种意见颇有被民族学家采取的。

半部族并不是广布于各地的，在非洲差不多完全没有，在美洲及亚洲也有许多处不曾见。

兹将半部族与氏族及部落的关系表解于下：

- 部落
  - 甲半部族
    - 氏族 1
    - 氏族 2
    - 氏族 3
    - 氏族 4
  - 乙半部族
    - 氏族 1
    - 氏族 2
    - 氏族 3
    - 氏族 4

部落（tribe）、部落联邦（confederacy）——部落是比半部族更大的团体。部落的定义也很难确定，因为其性质很不一致。最常见的共同性质是有共同的语言，共同的风俗，占据多少有点固定的土地，并有一种政治形式。部落常行内婚制，但非强逼性质。游牧部落虽无十分固定的土地，但总有惯常屯驻的地方。部落的性质与半部族、氏族、家族显有不同，半部族以上都是根于真实的或虚构的血缘关系，部落则为政治的及文化的团体。部落的构成分子也不一致，有由村落团体构成，没有氏族及半部族的；有由氏族构成没有半部族的；有由半部族构成没有氏族的；也有包括氏族与半部族两种的。关于部落的构成没有一定的规则，也没有唯一的演进路线。部落的意识强弱不一。狩猎民族不大需要部落组织，但在农耕民族中部落团结的形式却很重要，故常存在。

部落的统一常附带一种对外的嫉视态度，而有“我族”（we group）与“异族”（others group）之分。故“己族中心主义”（ethnocentrism）为部落的共同精神。团结氏族或半部族的血缘联结带虽不见于部落，但这种心理的联结带也很坚强。这是原始社会的特别情形，在现代国家便较懈松。

部落与部落有时因对付特殊的事件——战争的或和平的——便产生

宽松而非正式的联结，这便是所谓“部落联邦”。这种联邦很少是固定紧密的。只有北美易洛魁联邦（Iroquois Confederacy）是很著名的例外。这个联邦自16世纪到现在还存一点形式，经过了300年之久。部落联邦再进一步便成为现代的“民族”（nation）了。

第七章　结　社

原始社会中的团体除上述的不随意的以外，还有自由结合的随意团体，通常谓之结社（association）。以前的学者如摩尔根等只注意前一种的团体，其后有库诺（Herr Cunaw）、舒尔茨（Schurz）、韦伯斯特（H. Webster）等人方注意到结社，罗维、里弗斯继之也都有贡献。略述于下。

秘密社会（secret society）——在各种结社中这一种最为重要。各地方秘密社会的性质不很一致。入会的分子很多只限于一性，尤以限于男性者为多，这可称为性的区分或性的结社（sex dichotomy or association），但此外也不是绝对无兼容两性的。男性的秘密结社多于女性，这在野蛮社会与文明社会都一样，女性的结社常是模仿男性的。一部落中的结社不限于一个，常包含几个互相对抗的结社。

秘密结社的作用也很有差等。有担负政治、宗教、教育上的大作用的，也有只不过为一个社交俱乐部的。甚且还有更堕落而成为无赖团体专以恐吓社外人为务的。现代文明人的秘密结社常只属于上述的末一种。革命团体自当别论。至于具大作用的结社多见于野蛮社会中。例如美拉尼西亚土人中结社盛行的地方政治上的酋长由结社的首领兼任，其任职不是由世袭而是由升级，因须升多级方得为首领故其人大都已老，而其政治也成为长老政治。美拉尼西亚的结社还有宗教的作用，会员于开会时戴假面具假拟为鬼，吹“牛吼器”（bull-roarer）作鬼声，新会员入会时假拟为死了再活。至于教育的作用在美拉尼西亚的结社也有，其入会式便是施行一次的教育，还有特殊技能的学习，例如制造家具、兵器等也可由结社学得。

秘密结社所以为秘密是因其拒绝会外的人，但结社的秘密性也不是绝对存在的，有些结社并不秘密。

入会式（initiation）是秘密结社的要点，新会员常须经过神断（ordeal），其仪式常觉可怖或滑稽，还有象征符号、神圣物品繁缛的徽章等都在入会式给新会员看见。结社中常分等级（hierarchy），会员渐次自下级升至上级。如美拉尼西亚的结社除初次入会式外每次升级都须再行仪式，等级愈高则其仪式愈繁，费时愈久，同级的方同在一处吃，会所也依等级而分区，下级者不得入上级的区。男性的结社常和男人公共宿舍（Men's House）的制度连合起来。男人公共宿舍便是一社会中的男人或会员食宿的地方。有些地方男人全体都宿在那里，有的则只有独身者在那里，有妻的回家去睡。友爱与社会连结的原则以及纯粹由于虚构的血缘关系的称呼都为结社的要素。还有图腾主义禁忌厌胜等也常含于结社之内。有些地方的结社且以动物的名为号，如水牛、鹰、鹿等；仪式的重要部分或者便以这动物为中心，动物的牙齿及别物或者象征物也被当作重要的东西。

秘密结社行于很多民族，如美拉尼西亚、新几内亚、印度尼西亚东部、非洲西部、北美洲、澳洲等处都有。文明民族如美国、欧洲、中国也都有。

秘密结社发生的原因其说不一。(1) 舒尔茨以为妇女们是非社交的，只专心于家庭的范围内而不喜与外人结合，男人则不大注意家庭而喜欢

巴布亚人的集会所

（采自 *National Geographic Magazine* Vol. 51）

巴布亚人的人头架

猎头所得尽列于此以表示其勇武

（采自 *National Geographic Magazine* Vol. 51）

与社会上志同道合的人结集起来。男女因志趣的不同，于是男人多喜结社而女人不愿参加，且自己结成的也少。（2）默里（M. O. Murray）以为秘密结社由于某种宗教仪式的举行被政府所禁，故另用这种组织以举行之，例如欧洲的巫觋结社以及中国的宗教结社便是如此。（3）里弗斯（Rivers）以为美拉尼西亚的结社是因为外来的移民因要秘密举行其原来的宗教，不许土人参加，故发生这种组织。他又以为非洲的或者也这样。（4）梅克林氏（J. M. Mecklin）在《三K党》（*Ku Klux Klan*）一书中说秘密结社是“自己扩大的方法”，因为结社可以使个人获得寻常所没有的奇怪事物，例如荣号、衣饰等，以炫耀于人，而在原始社会中是男人较女人更喜盛饰。（5）喜欢神秘和仪式的心理也可说是一种原因，秘密结社很有这种要素，故为人所喜，有人说结社的内容有许多出自宗教，故会所如满者教堂便空。以上各说对于结社的起因都能说明一方面，可以合起来看。

年龄级别（age-grade）——这一种和秘密结社有关。其构成的分子是由于出生的时候相同，或者行某种仪式，尤其是行割礼的时候相同。在新几内亚的巴特尔湾（Bartle Bay）地方有这种风俗可以为例。其地几在每2年内出生的男孩便合成一个团体，名为“钦塔”（Kinta）。加入“钦塔”不行仪式，自出生时便定了。全社会中有很多的这种年龄团体，若其中最老的达70岁，则“钦塔”的数有35个。妇女也有这种组织。“钦塔”的会员有互相扶助的义务，在打猎造屋及他事情上互相帮助，并在宴会上共食。一个“钦塔”便广布于很大地方，但在同一处的又再分为较小的团体名为“厄廉”（Eriam）。“厄廉”据说是共财的，而妻也可以相通。

非洲的马赛人（Masai）及其他闪米特族及半闪米特族也有年龄级别。但这里所用为级别的标准的是行割礼的时候。南迪（Nandi）的男孩同时行割礼的便属同一个“伊宾达”（Ipinda）。行割礼的时候相隔7年半。在每个“伊宾达”中有三个分级，也是依年龄而分。马赛人以4年为一期，2期为一辈（generation）。在北美也有这种风俗，如在希达察人（Hidatsa）中便有，且与上述的秘密结社很有关系，像是前者的特殊发展。

第八章　阶　级

无阶级的最原始社会——阶级又是另一种的社会区分法。是根据于财产、职业和地位的。阶级在最低级的原始社会中还不曾发生。只有在波利尼西亚和非洲以及此外一二处较为发达而已，阶级和权力的继承很少连合在一起，只有波利尼西亚是显著的例外。在低等文化的社会中，个人的差异只是名望而已，而名望又是视乎个人的能力与品性的。野蛮人的受同伴批评也像文明人一样。对于猎人、战士、会议的议员、技术工人、巫觋等都有社会的评价。社会对于个人的好评视乎社会的性质以及所需要能人的性质而定。而且一个好猎人未必便是好战士，一个勇敢的战士或者反是不称职的执政者。所以每个人都在其环境中被评为好的或坏的。

阶级发生的原因——阶级的发生由于战争、种族、财产、职业和宗教等。战争使免死的俘虏成为奴隶。但也有入嗣部落内的。战争的频繁也会发生战士阶级。财富的获得也使社会上发生贫富之差。但在原始民族中，土地、家屋及食物通常是全氏族或其他团体共有的，故富人阶级的发展颇受阻碍。由于职业上的分工也会发生阶级的区别。印度的“喀斯特”（Caste）（即阶级）在北方的便是根于职业的，在南部因土著与外来的雅利安人杂居故以种族的区别为根据。在波利尼西亚对于造船者特别崇敬，在非洲则铜铁匠人另成一个内婚制的团体，有美洲北海岸捕鲸为酋长专业，而捕鳕鱼与鲑鱼的也成为阶级。宗教也发生了巫觋或僧侣的阶级，这一阶级也很少是世袭的，个人的能力暗示性神经病质是更重要的条件。

武勇阶级——北美的平原印第安人追求战争上的名誉不殊于现代拜金者的追求黄金，社会上的武勇的标准各部落略有不同。如在克劳族（Crow）中以四事为条件，能达到的大家送以“酋长”称号，但这酋长是没有政治上的意义的。这四事便是：一，能由敌营内偷一匹马来；二，能于对敌时夺得敌人的弓箭；三，能用兵器或空手击中敌人；四，能主持一回胜仗。能完全达到的自然只有少数人，但不能完全达到的也各依其成绩而获得社会上的荣誉。他在部落集会时得自述其经过，有人代他绘画衣服或屋子，人家请他代小孩起名，青年人买他的战争用药，在有公事时请他为首；在仪式中也推他任荣誉的职务。反之怯弱的人极为众所轻侮，被当作行月经的女人。好战的民族有时也发生一种根于个人功绩的贵族制度。例如新西兰的毛利人（Maori）便是好战民族的好例，而其中的“喀斯特”也很为深固，非洲马赛人（Masai）的未婚男子宿舍中名义上虽是平等的，但其中以勇敢著名的被称为“雄牛”，以慷慨著名的称为“慷慨者”，都得佩戴特别的饰物。又如菲律宾棉兰老岛（Mindanao）的巴戈博人（Bagobo）一生的希望在于获得一种特殊的装饰，那是用以奖励曾杀过 2 个人以上的勇士的。第二次杀人以后可用一条朱古力色的颈带，第四次则可穿血红的裤，达到了第六次则可穿全套血红色的衣服，并带一个红色袋。勇士的地位和衣饰是不能世袭的。

巫觋阶级——巫觋用为广义，包括一切根于宗教、魔术作用的人。在原始社会中巫觋的势力很大，北美的北部迈杜人（Maidu）的“萨满”（Shaman）即神巫为一个好例。在这族中其酋长是选富有而慷慨的人充任的，但实际上是神巫，尤其是秘密社会的首领，完全压倒酋长。酋长的被选其实也是由于神巫宣布了神意，其废黜也是如此。神巫的地位并不是承继来的，而是由于神灵的莅临，并通过老神巫的考试。简言之，即以宗教经验的特别才能为获得社会上高等地位的基础。无论在那一方面，为秘密结社首领的神巫总是社会中最重要的人物。他能规定人民的仪式生活，判决争讼，保证收获，防止疫病，施魔术以加害敌人，而且也常带战士临阵。除此以外，他是部落的神话和古俗的权威，将这些高等学问教给人民的也是他。

财富阶级——北美胡帕族（Hupa）的酋长便以最富裕的人充任，人民在穷困的时候希望倚他为生，在有争端时也望他以财力帮助。他的地位由于财产的遗传而传于其子，但若遇到更富而且能干的人便被夺去。北美夸扣特尔土族人（Kwakiutl）以拥有财产为尊荣，每个人都想发财。但使他们欲得财产的原因与其说是财产的拥有，毋宁说是财产的挥霍。他们有一种“送礼俗”称为“Patlatch”，凡送礼给人愈多、宴会所费愈大的其社会地位愈高。送礼大都在小孩起名、青年成丁、结婚、造屋子、承父在会议中的地位、出军前等举行。所送的物常是毡毯，主人于宴会之际将毡毯分送给来客，来客不得不受，而且将来又必须加上一倍利息送还。一个人如要打败他的敌人，只须送他过多的礼物，使他将来不能送还，便可得胜。酋长间或氏族间的争胜有用毁物的方法的。一个酋长或者烧毁许多毡毯和一双小舟以向对方挑战，如对方不能毁坏同样多的财产，他的名便“破”，势力便减少了。故一个人于竞争之前必尽掷其财产以求胜。这些事情都是获得社会地位的奇法。

喀斯特（Caste）即世袭阶级或门第——以上三种阶级都是根据个人差异而无关于家世。但还有一种是根据于家世即承袭的。这便是所谓“喀斯特”或门第。“喀斯特”原是指印度的阶级制度，其制分人为四级：首为“婆罗门”（Brahmins），即僧侣；次为“刹帝利”（Kshattriyas），为统治者及战士；三为“吠舍”（Vaisyas）即商人及农人；末为“首陀”（Sudras），即奴隶及劳动者。印度的“喀斯特”比较非洲的更为紧严和有组织。有四种特别性质，即行阶级内婚制，循世袭的职业，具教会阶级性，行阶级间的避忌。其避忌有关于食物的，如不敢食别阶级所预备的食物，这不但在高等阶级，便在低等阶级也这样。又一种的避忌是个人的接触，例如在马拉巴尔（Malabar）地方的风俗，下级人都不能与“婆罗门”接触，须站在一定距离的远处，一个纳亚尔人（Nayar）须在6步外，理发匠须在12步外，木匠或金属匠须在24步外，一个蒂扬人（Tiyyan）在36步外，马亚扬人（Mayayan）在64步外，波拉扬人（Polayan）在96步外。“婆罗门”阶级其实还再分为许多异地方异职业的小阶级，而还是行内婚制。“婆罗门”阶级的人现在并不限于一种职业，很多种职业内均被加入。别阶级人也是这样，但舍弃本阶级的职业殊非容易。印度“喀斯特”发生的原因有几说：或以为是由于职业的区分；或以为是由于古时“婆罗门”的握权，他们利用其宗教上的知识而成为上等的阶级；又一说以为是由于民族接触的结果，侵入的民族带入本来的宗教，只许土著的人在下等地位参加；为保存血统的纯洁故与土著的妇女混婚所生的人也被派做较下的各阶级。

波利尼西亚人对于世系很讲究。毛利人中的大酋长们据说是神的后裔，地位最高。有一个毛利人自推其世系自始祖天和地至他共65代。小头目次之，再下为专业阶级即技术家和巫觋，再次为平民，最下为奴隶，大都为战争所获的俘虏。萨摩亚人（Samoan）的自由人阶级有五，即酋长，僧侣，有地贵族，大地主，平民，各级之中还有差别。

非洲人像波利尼西亚一样也具有社会区别，但是其性质却不同。在非洲并没有根于世系的贵族阶级，在这里的上等阶级不是由于世袭的，他们是国王的官吏。除王位以外无论何种地位谁都可以充当。

北美洲是平民主义的地方，在印第安人中无论在社会上或政治上都富有平民主义的精神，所以世袭阶级不发达，摩尔根（Morgan）因此说自由平等与博爱为印第安人民族组织的原则。但这里也不是全无例外，如密西西比河的那切斯族（Natchez）、英属哥伦比亚北海岸部落以及南部阿拉斯加人都有阶级制度。例如海达族（Haida）和特林吉特族（Tlingit）中分为贵族、平民及奴隶三级，其奴隶大都为俘虏或买来的人。上述的送礼风俗也行于这些民族中。

第九章　妇女的地位

关于原始的妇女地位的误解——通常关于妇女在原始社会中的地位有两种不同的意见。其一以为妇女的地位不能胜过奴隶或负重的家畜，她须从事极苦的劳动，被人买卖如货物，无力抵抗她的主人的横暴。例如1世纪前麦考莱（Macaulay）在文中说："在地球上的大部分，妇女自来便是，而现在也还是卑贱的伴侣、玩物、囚虏、奴隶和负重的家畜。除了少数在快乐的高等文化的社会以外，其余的都是在奴隶的境遇中。"另一派的意见则因见有些社会行女系制，于是便说妇女在原始社会中地位都是很高的。据事实看，这两说都错了，因为一则说得太可怜，一则又说得太高兴。

还有妇女地位与文化程度相关，而由妇女地位的高低可以测度文化程度的高低之说也是错误的。实际上在最简陋的狩猎民族如安达曼人（Andaman Islanders）及锡兰的维达人（Vedda）中无论在何方面妇女都可与男人匹敌。在更高等的原始社会例如普通的非洲班图人（Bantu）乡村中妇人虽不只是奴隶，但也不能和男人平等。在更高等的社会例如中亚细亚及以前的中国社会妇女确实是较下等的人，即在西洋女权较大的国家妇女的地位也还比不上易洛魁人（Iroquois）的女家长（matron）。

经济方面的妇女——在初步的经济事业男女的分工实为普遍的情形。

例如易洛魁人中，清理林中地方以为耕地的工作大半由男人担任，至于耕种的事则全为女人的任务。造树皮屋是由男女合作。平原印第安人中妇女鞣牛皮，制天幕，并做张幕的工作。制衣服的工作在全北美洲都是妇女担任，伐木及雕木的工作则在西北海岸以及有木的地方都属于男子。木工为男人的工作可说是世界上原始民族的通例。妇女在北美加利福尼亚及高原区编筐篮，在西南区则制陶器。在非洲及印度凡用手工制陶器的地方通常都是妇女为陶器匠，只有用陶轮的地方是男人。原始的农业通常也是在妇女手中，这种重要的工作转入男人的手是在利用家畜于耕种以后。

由此观之，原始社会中男女间经济的分工是很公平的了。但这是工作的方面，至于妇女所得的报酬却比不上男人。只要看财产所有的情形便晓得妇女权利的少。有些地方妇女的财产权和男人一样，例如北美的易洛魁族及祖尼（Zuni）、阿萨姆（Assam）的卡西（Khasi）便是，但这是例外。虽有许多民族，世系是照母方计算，但财产的承继却不全照母系，例如澳洲便这样。还有在北美西北海岸，世系以及财产和特权的继承都照母系，但许多物质的及精神的财产却不是真的由妇女享用及管理，而是归于妇女的兄弟（即母舅）或其他女方男亲属。这种财产的男性中心倾向（androcentric trend）在史前时代及有史时代都很有重要影响。

艺术方面的妇女——艺术方面男女的分工也是普遍的。雕塑艺术和工业有密切的关系，故工作的艺术的加工，似乎即是制造者兼任。实际上也确是这样。故如爱斯基摩人及东北西伯利亚人中的妇女担任绣品上的装饰以及皮服上的加花纹，至于男子则从事骨的雕刻。在北美洲英属哥伦比亚和南阿拉斯加所出著名的毡毯是妇女所织成，但其上的纹样却是模仿男人的雕木艺术。加利福尼亚的筐篮和普埃布洛（Pueblo）的陶器则全为妇女的想象与技巧的产物。在北美平原的用豪猪刺的刺绣，衣服上的珠饰、鹿皮鞋、袋子、鞘都是妇女所制。妇女所制物件的纹样是几何形的，男人的绘画则为写实形的，很有不同。在易洛魁人中男子从事木及骨的雕刻，编贝壳珠带；雕绘假面；妇女的艺术则完全不同，她们的贝壳珠饰于衬衣裙及鹿皮鞋上，其纹样全仿植物界的花与叶。上述北美洲的情形也可代表各处原始民族，例如美拉尼西亚及波利尼西亚，凡木石贝壳的艺术都属男人，至于“塔帕”（tapa，一种植物制的布状物）的制造及装饰，树皮布的制造，都是妇女的专业。

由上述情形观之，可见在艺术中妇女的地位不低。

宗教上的妇女——在宗教界妇女便罕能与男子平等。有些宗教的风俗例如北美的“保护神”的崇拜，在男女是一样的；但是有点差异，超自然的经验在男子中较多于妇女；妇女所行的崇拜不如男子的盛；而且妇女的经验常模仿男子。参加神秘性的秘密结社为男子的特权。虽也偶有专收妇女的宗教团体，但甚罕见。女巫虽不是完全没有，但为巫的大都是男子。以上的北美洲的情形也见于美拉尼西亚和澳洲。在美拉尼西亚秘密结社全为男子的团体，举行结社的会场也在“男人宿舍”内。僧侣在美拉尼西亚很为重要，也都是男人充的，没有一个女人。在澳洲行魔术的虽不限于男人，但女人在宗教上也还是无力，在中央地方每个妇女都有其“珠灵卡”（Churinga）即神碑，但她们有不曾亲见其物的，有些连藏匿的地方也不晓。图腾仪式为土人的宗教生活的要点，全部对于妇女都是禁忌。她们不但不得参加，连旁观也不可能。妇女所可参加的仪式只有成丁礼和一部分丧仪。成丁礼的意义便是指青年脱离了妇女的保护，故在行礼时由老人教以妇女们所不知的许多秘密的话。在马来群岛上人和非洲尼格罗人妇女的参加宗教较常见，尤其是为神人的媒介和为女僧侣，他们的权利也远不及男人。

若说妇女全被排斥于宗教生活以外自然也是错的。妇女们在宗教上的限制是在于权利、正式的代表、独创性以及新宗教的创设。妇女在宗教上的消极部分无论如何是至少都和男子相等，若可由有史时代以推测史前时代则她们必永远是宗教的接受者与工具，或者较男人尤甚。

政治上的妇女——妇女的最为见绌之处在于政治。除一二例外在北美洲妇女从不曾为酋长，在东北部西伯利亚也是这样。在澳洲能处理青年人的命运的只有老翁不是老妇。波利尼西亚的酋长也是男的，美拉尼西亚也这样。在非洲情形稍有不同。国王的母与妻有极大威力；但妇女本身却不能为最高的统治者，而且有些妇女做王后也不能代表全部妇女的地位。在政治的职位与作用上其余的妇女完全无权，做官的只有男人没有妇女。

妇女无力的原因——（一）经济说：（1）以为经济的变迁能使妇女的生活跟它改变，至少妇女担任的工作必因而改变。（2）和上说相关的又有一说以为在畜牧的民族中妇女的地位差不多一致的低微。例如霍布豪斯（Hobhouse）调查妇女的地位低下的实例在农业民族中有73%，在畜牧民族则升至87.5%。这种情形是因为畜牧为男子的职业，故妇女地位输于男子。还有除园艺而外的农业也是这样。有人说不但畜牧，便是犁耕在文明史上都和男性的努力相连。这说的证据似乎很多。

（二）战争说：这说以为妇女在政治及经济上的褫权主要的原因是在于男子垄断了武器及战争。所以妇女的悲剧便是和平的势力被制于战争的势力的象征。这说是哥登卫塞（Goldenweiser）所提出的。

（三）宗教说：原始人由于迷信的心理对于妇女的月经是很觉恐怖的，由此又再生出对于秽亵的恐惧，因之妇女对于凡有圣洁性质的举动不得参加，对于神圣的物件不得接触。这种心理对于妇女在社会上的地位自然不能无影响。她们的被排于某种活动之外以及由此而减少其自由，实在是由于妇女的生理上所引起的一种迷信的恐怖。

妇女地位低微的原因有很多种解释，有从生物学即生理方面解释的，有从心理学方面解释的，这里所举的是从文化方面即人事上解释，余两种因另有专书，此处从略。

据罗维所说，对于材料的无偏颇的观察便有下述的普遍的结论，即：在原始社会中妇女虽是在理论上被当作低下或不净，但她们却通常是被待遇得很不错，能左右男人的决意；而且在最粗朴的民族中她们实际上和男人是平等的。

第十章　政　治

原始政治的性质——原始政治的最普通形式是民主政治。其权力由元老或一个民选议会执掌。一人独裁的政治在最原始的社会中差不多完全没有。摩尔根（Morgan）因此断言君主政治不合于氏族团体，必须在有标音文字和记载的文明民族方能发生。

各地原始民族的政治有种种不同的形式。美洲土人除一二例外其余都行民主政治，酋长权力有限。非洲的像古代亚洲国家一样，都倾于君主政治。在波利尼西亚却行专制政体，且有封建制度；其主权者极是神圣，为平民所不得接触，故另有一军事酋长代为执行政事。美拉尼西亚则酋长制及政治的统一不发达，另有秘密社会代为执行属于政治的事件。澳洲行的是“老人政治”（gerontocracy），老人最有权力。

政府的立法、司法、行政三大部分权力常合而不分。一个部落议会可以创立法律，自己执行，并自加惩罚于犯法的人。罗维说原始社会的执政不过惩罚违犯习惯法的人而已，并不创立新律，这话在非洲及海洋洲便不尽然。

政治组织的活动，始自一部落与他部落间关系以至于联合部落为更高的政治团体。但政治的作用不论在地域团体或血缘团体中都存在，就是在血缘关系最重的团体内，除血缘联结带以外也已有另一种统治的形式。

原始社会的握权者最普通的是长老议会，这个议会的最重要职能是讨论与审虑。在美洲除少数例外这个议会也便是政府。在澳洲行“老人政治”的地方也是这样。这些地方没有中央政府。

原始政府的形式可以依其权力的大小而分为有一个人的专制政治，有一二个元首而权力为议会所限的政治，由一个议会统治，此外无中央政府的政治，总之为由长老或有财产地位的人所组成的非正式执政团体的政治。世袭的阶级即有，也常没有酋长的权力，这个阶级或为军事领袖，或为宗教领袖，或者只有纯粹社会上的作用如参加宴会等事。

普通人常以为蛮族必是酋长统治，这种错误的意见是由于误将文明人的情形推拟蛮族。在发现新大陆及其他新地时，欧洲人只晓得皇帝、国王、皇后、太子等是统治者，对于蛮族的平民主义的政治和选举的议会实在不能了解。

低级的蛮族何以盛行平民主义的政治？这是因为经济上大都相同，因之社会上也相同，而个人创作也不发达，才能也尽平等，因此自然发生平民主义的原则。

易洛魁联邦（Iroquois Confederacy）——严格的平民主义的政治可以北美易洛魁联邦为最好的例。这原是几个部落的联盟，其部落用同属一种语系的方言，有相同的风俗。其地域在美国的东部，四周被其敌人阿尔衮琴人（Algonkin）所围住。各部落原是独立的，成立联邦后渐失去部落的独立性。部落的议会由各氏族所举的领袖组成之。每一部落分为二个半族，每半族再分为四个或以上的氏族。氏族用母系制，行外婚俗，以鸟兽名为氏族名。每一氏族再分为二个以上的母系家族（maternal family）。每家有一女家长（matron），家内包含男女性亲属。

这个联邦的发生不能早于1570年。土人传说最初是由5部落的贤人和酋长会议而成立。其成立的原因是由于四围阿尔衮琴人所加的共同的危险。创议联合的人据说是一个传说中的人物名希亚瓦塔（Hiawatha）。创议之后，他便乘一只白色小艇而没去了。

最初是5个部落联合，这5部落名Mohawks，Oneidas，Onondagas，Cayugas，Senecas，境地毗连，语言可通，且在各部落内有几个氏族名称相同，因而相认为同一氏族。到了18世纪之初又有个Tuscaroras部落也加入联邦，于是成为6个部落的联邦。

各部落仍独立处理境内的事。由各氏族选出50个“沙监”（Sachem），即酋长，但毋宁译为代表。由诸“沙监”组织联邦议会。每个部落为一个单位，于会议时必须全场一致方得通过议案。各部落于投票前必自己举行会议一次。因须一致通过，故多数派常强逼少数派。

50个酋长的作用并不甚多。其中有决定和平与战争的权力以及关于部落间及对别部落的事件等权力。酋长死则其家的女家长提出候补人，大都为外甥或兄弟而不是儿子。再召集氏族会议以决定之。如通过，再请问半族的酋长。再通过，最后方提议于联邦的酋长会议。如再通过，方可实补酋长的缺。酋长的地位是家族世袭的，且为终身职。但也会被黜退，假如他有不称其职的行为，如不尽责任，坏脾气，不自节制，和敌人即苏族（Sioun）或阿尔衮琴族人交好。黜退可以由女家长提议。先警告二次，第三次伴以别一个酋长，最后由大会通过。女家长的权力便在于此，议会也可以自动黜退酋长。任何个人都有权提出意见请议会注意。

联邦政府缺乏一个执行的官吏，尤其是在战时更觉需要。这个职任其后便由两个官吏担任，名为二“大战士”。其选举法同于酋长，指定在Senecas部落中两个氏族选出，因这部落最有危险。

在这个效果很好的联邦有下述几种特点：（1）和平的希望制服部落间的妒嫉。（2）议会成为人民的公仆。（3）议会确实由普遍选举成立。（4）以功绩决定议会的议员资格。（5）黜退权确实存在。（6）创议权和复决权也有一部分。

印加帝国（Inca）——这便是古秘鲁人所建的国家，其性质适与易洛魁的相反，是行专制政体的。在发现美洲以前400年便成立这个国家，其后被西班牙人所灭。国内原有许多独立的部落，印加也是一个部落，其后联合起来成为一个国家，奉印加为主，后完成为帝国。印加皇帝的势力日张，压服诸部落。印加的政治主干涉，凡境内任何个人的任何行为都受政府干涉。人民都依其工作能力而被分类。初生的称为“Mosoc Caparic”，即“怀中婴儿”，其后称为“能站立的”，再后为“6岁以下的”，6岁至8岁为“受面包的”，8岁至16岁为“作轻工的”，16至20为“采椰子的”，20至50为“好身体的”，这时为一家之长，并为纳税者，50至60为“半老人”，60以后为“睡的老人”。这种父性的督察便发生所谓“卡马约”的制度（Camayoc system）。10家便有一个官吏管理它们，再上每50、100、1000都各有一个官，这些官吏的职责之一是察看有人缺乏什么，有无不工作的人，有无不纳赋——常为劳役——的人。这种官吏的职务很为繁多。他们须管理人民的所有公私生活的一切事件。例如司通路的，司桥梁的，司旅店的，司沟洫的，司畜牧的，司结绳记事的（quipus），都有专员。此外还有司宗教仪式的僧侣。

其后渐渐形成世袭的贵族阶级，近亲的结婚遂由阶级意识的增进而发生。像古埃及一样，统治阶级太高贵了（印加皇帝自称为太阳神的子）不能和下层的相混，于是便须行兄弟姊妹结婚。

这种国家可以说是行“君主的社会主义”（monarchical socialism），国家供给人民以食物、住居、娱乐及宗教，又每年一次分给田地于各家。

非洲乌干达国（Uganda）——地域在维多利亚湖北及西北。全国分为33个父系氏族，行外婚。每一氏族再分为几个地方团体称为Siga，每一Siga再分为几个Enda。氏族、Siga、Enda都有世袭的头目。各氏族对于王室都有其特别责任，如豹氏族须供给膳食并一个王妃，獭氏族供给树皮布和一个王妃，象氏族为王的牧人，并供给鱼。国王集中全国的权力。王位只许男系承袭，故以王子和王孙为嗣。王以下握权者为王的姊妹及母。公主都不准嫁，不得有儿子。王崩后拥护嗣君的酋长对众宣言“某人当为王，有不服者请出来决战”。于是别的王子及其拥护者便出来竞争，立刻刀枪交加起来。最后战胜的便成为王。王的姊妹之一也在此时被选为王后。

乌干达全国分为10区，由10个酋长统治之。区的分界常为自然界线如山河等。此外有两个最大的酋长，一个称为Katikiro，即首相兼最高司法官，又一个称为Kimbugwe管理王的脐带。首相兼最高法官判断别的酋长所不能解决的案，但还须待国王批准方为定谳。首相的居处也很尊严，平民不能接近他。酋长们常住在京师，无王的允许不得回所管的区。他们不在区时政务由临时的官代理。所有的土地都属国王，只有一小部分除外。国王有任意迁革酋长之权，每一区的酋长都须修治一条大路，约4米宽，自其区达京都；每区分部的小酋长也须修治一条路自其分部达区酋长的官衙。在京都的路有20米宽。京都建筑宫室、城垣、道路的工由全国供给。每户除出人工外还须纳25个子安贝（货币）。工作当进行时凡过路的都被逼暂时参加。凡人民都须纳税以供国用。收税有定期，国王派一收税吏于各区，二个大臣和王后王太后又各派一人，区酋长也加入一个，共6个人。他们到了一区便分派手下赴各小区。纳税的物是牛、羊、树皮、布、子安贝、锄等。所得的财物，小区酋长分得一小部分，其余为国王、王后、王太后及二大臣所得；此外他们又各有自己的采邑，采邑内全属自己。国内有很多数的人倚各酋长的采邑为生活，并为酋长们工作，有时或为他们战斗，各小区的小酋长统治境内也很为专制。

澳洲的长老政治（gerontocracy）——澳洲在政治上有势力的是年长的甚或是老年的男人，妇女不得参加公事，少年人也不见尊重。兹举迪埃里（Dieri）部落为例。在一个图腾氏族中最老的人称为 Pinnaru 或首领。至于地方区域或部落的首领则除老年的资格以外还须兼为勇士或医巫师或演说家。部落会议的分子为各地方区域的首领、医巫师、有势力的老人及战士。时时开会，所讨论的事件不得泄露于外，违者必处死刑，故属秘密社会的性质。所讨论的事例如以魔术杀人及其他杀人罪，违犯道德规范，尤其是奸淫，以及泄漏会议的秘密于外人。不行投票，如大众同意便散会，否则他日再开。议决后派一武装队去惩罚犯人。澳洲又有一种“使者”（messengers）的制度，使者是首领会议或其他所用以传达消息的，例如报告某时要举行某种仪式，某地要作墟场行物物交换等。

使者有临时选派的，有固定任职的。使者在路上无被侵犯的危险。使者常携带“通信棒”（message stick），上有刻缺以助记忆（见艺术篇）。

波利尼西亚的贵族政治——在波利尼西亚例如新西兰与萨摩亚，世系与门第极为重要，阶级的观念发达，有贵族、平民及奴隶之分。但最大的贵族未必就为君主。君主若不合贵族的意便有被废黜或杀死的危险。这种政治其实是一群贵族选择中意的人立以为君，但却对他没有忠心，而且仍保留最后的权力于自己手中。

第十一章　财产及交易

原始共产说——财产对于社会的各方面都有关系，故应加讨论。这里所讨论的不是财产的本身而是占有及享用财产的权。关于财产权也像结婚制一样有一个演进学说，即财产权是由共产制进到私产制，而各民族一律都是这样，这可称为原始共产普遍说。这说也是摩尔根（Morgan）一派人所主张的。其后反对派的学者如罗维（Lowie）等人则以为原始社会中共产制与私产制并行存在在同一民族中，以某种财产为公有，但同时又承认别种财产为私有。

兹将摩尔根氏的话撮述于下：

> 最早的财产观念密切地与生活资料的获得联结起来。所占有的物自然地随各时代生活技术的增加而增加。故财产之增加实与发明及发现的进步同一步骤。
>
> 野蛮人的财产实在难以拟想。他们对于财产的价值，财产的可欲，及其继承等观念很微弱。野蛮生活中的所谓财产不过是粗陋的兵器、织物、家具、衣服、石器、骨器、饰物而已。占有这些物件的欲望在他们心中殆还未形成，占有的事情还不曾有过。这还要等到很远以后的文明时代才发展为所谓“获得的欲望”。土地在那时几乎不能算作一种财产，是由全部落公有的。至于共同家屋（tenement houses）则由居住者共有之。纯粹的动产随发明的进步而增加，而占有的欲望则由于动产而逐渐养成其力量。最珍贵的物件常置于其所有者的墓内而殉葬，还

有其余的物件便引起了继承的问题了。在氏族制度以前这些遗产怎样的分配我们不很知道。自有了氏族制度以后便有了第一条的继承法，那便是将遗产分配于其所属的氏族。实际上常归于最近的亲属；但其原则是很普遍的，凡遗产必须留于死者的氏族中。

在半开化中期，动产大为增加，而人与土地的关系也发生变化，疆土的所有权还是属于全部落，但其中一部分却专划给政府之用，另一部分则拨充宗教用途，另一更重要的部分人民所借以获取生活资料的，则分给各氏族，或住居一处的团体。在这时个人占有土地、家屋及自由买卖，它的风俗不但未形成而且也不可能。他们的共有土地、居住及占有共同家屋，都阻碍了个人的私有。

在半开化的末期，多种的财产由个人私有的事情便渐成通常的了，其原因是由于定居的农耕、制造、地方贸易、外族通商等事。只有土地除一部分外还不曾变成私有。奴隶制度也是起于此时，这是全为生产财富的。

土地最初是部落公有的，到了耕种发生以后一部分的土地便分给各氏族，在氏族内也还是公有的；其后再分配给个人耕种，结果成为个人的私产。未占据的地或荒地还是属于氏族、部落和民族公有。

当田耕明示了全部土地都可以为个人的私产，而家族中的领袖成为积财的自然中心以后，于是人类的另一种财产行为便即开始，而这些事情是半开化末期结束时便已完成了。[①]

---

① 这几段引文有的地方与原文有出入，有的地方有漏句。——再版编辑

兹将现存野蛮民族财产制度分为土地、动产及无形财产叙述于下。但这些野蛮民族，到了现在，多少都有了一点历史了，不能即代表人类的原始状况，不过可以当作研究原始状况的参考而已。

土地——狩猎民族对于土地常是公有的，例如北美平原印第安人以及加利福尼亚的迈杜人（Maidu）、英属哥伦比亚的汤普逊河（Thompson River）印第安人都是。其土地为全部落的所有物，部落内人可以利用，但外人便不得染指。公共的土地如由部落中个人加工经营则其使用权为个人独占，例如一个汤普逊河土人或迈杜人如做成了一个鹿围或渔场他便享有其劳力的所获，并可遗继其权利于后嗣。澳洲土人则由地方团体占有一块土地而且和这块土地固结不可分开，这种地方团体不一定是全部落，或者为一个父系氏族的男性部分所集成，例如卡列拉人（Karicra）便是这样。此外有一种狩猎的民族即锡兰（斯里兰卡）的维达人（Vedda）却以土地为私人的所有物，界限很严。

在畜牧民族对于牲畜的私有权很发达，但对于土地却常是行完全的或几于完全的公有制。例如非洲的马赛人（Masai）同在一地的便公有其牧地，直到草已吃尽便一同向外移出。印度的托达人（Toda），其地方团体即氏族也共有牧地。非洲霍屯督人（Hottentot）也行土地的部落共有制，但有一种土地所出的动产是附于各个家族的，这便是生产 Mara 葫芦的一种草丛，闯过其草丛的若是本部落的人必被控于首领，若是外人则直被殴倒。

农耕民族对于土地情形不一。例如美洲土人之中有行团体公有的，特别是在南部，至少也可说是行氏族共有制；又有行母系近亲共有的，例如希达查人（Hidatsa）。此外还有行个人私有制的，如祖尼人（Zuni）。南美秘鲁的古印加国（Inca）是行国家社会主义的，个人自然不得私有土地，土地由父系氏族所有，其中的家族各分得一份的土地以耕种。在祖尼人则只有不用的荒地属公有，还有街道及井也公有，但是田园、畜栏、家屋和地产却属个人或亲属团体。在非洲则情形又不同，土人的观念常以土地为国王或酋长的财产；土地的买卖自然也不可能，但领得土地的人对于其土地却也是绝对的主人。例如聪加族（Thonga）的头目由国王领得一大片的土地后便分给村人耕种，新来的人也可领得未垦的地，但他后来如离开，其土地便再归还头目，不得卖出。若无变故，则领地者死后还可将权利传于后嗣。在美拉尼西亚凡荒地都是部落所有物，凡部落内人都可占有、清除并耕种一块地。土地的让与不常见。在密克罗尼西亚的马绍尔群岛（Marshall Is.）则贵族权力极大，占有土地，役使农奴为他们耕种。在新西兰的毛利人（Maori）情形又不同，大多数的人民都有土地，个人与团体的所有权并存着；部落公有的土地大约是未被个人占有的，个人如指定某树为其造小舟的材料也没有人争论。萨摩亚岛（Samoa）的情形也和新西兰相近。托雷斯海峡（Torres Strait）群岛人则私有财产观念最发达，每块岩石或水池都有其主人，公有的只有街道。

由以上的实际情况观之，可见在“现存”蛮族中土地的所有很不一律。其中行公有制的很多，但此外也有公有与私有并行的，还有专行私有制的，公有的团体大小不一，或为全社会或为社会中的小团体。

动产——关于动产的蛮族法律简单得多了。概括言之，纯粹个人的所有权比较土地为确定。土地的公有制同时和动产的私有制并行。非洲的埃维族（Ewe）妇女如系由丈夫买来的便不能承袭土地，但她却可以拥有动产如山羊、家禽等。佩带的饰物（除具有仪式性的以外）、器具和兵器通常是为个人所有。这种东西的所有权是由于两种原则，一是个人劳力的产物归个人所有，例如陶器因常为女人所制，故常为女人所有。又一条原则可说是“有效的应用”，个人所需用的物为个人所有，如西伯利亚的科里亚克人（Koryak）和尤卡吉尔人（Yukaghir）虽很有公产的风俗，但衣服和饰物也是私有的，又其猎人必有其枪，妇女必有其缝纫的器具。

另一种的动产是牲畜。在畜牧民族中牲畜为唯一的，至少也是最重要的财产，为结婚及声誉的工具。因此其私有权很为发达，观于西伯利亚的楚克奇人（Chukchi）、中亚的吉尔吉斯人（Kirgiz）、非洲的马赛人等民族盛行烙印为号的风俗，便可知晓。凡畜牧民族大都注重牲畜的私人所有权，甚至有和家族冲突的。马赛人有分派其于诸妻使享其用益权的，这些牛还算是她们丈夫的财产。

无形的财产——哥登卫塞说在蛮族生活中财产权的观念不限于物质的东西，而却是扩大以包括精神上的或机能上的无形的东西。像文明人的专利权或版权一样，他们也有这种无形的财产。例如神话、祷词、歌词、医术、魔术、仪式、纹样、呼声等与物质的东西一样都被“所有”。科里亚克人以为各种治病祛邪的符号都是创造主所制成的，懂得这些东西的老妇人可以之为珍物，凡请她念诵一篇咒语的须送她几片茶、饼、几包烟叶或一头冰鹿。妇女出卖一篇咒语时，她应声明完全卖断，而买者便是这神秘力的所有者了。安达曼岛人（Andaman Islanders）如有自编一首歌在大会中经大众称誉的，或者以后便常被人邀请在会中再唱，虽是这样著名，但别人也不敢学唱。又如卡伊族人（Kai）对于自己所作的诗歌有所有权，别人不得其准许不敢唱念；而得其准许，常须纳费。其雕刻也有所有权，别人不得任意模仿。甚或人名也成为所有物，少年人取用和别人相同的名须送礼给他。英属哥伦比亚的努特卡人（Nootka）有很多无形财产，其权可以世袭，例如人、家屋、小艇、鱼叉的名，雕刻于图腾柱、墓碑上的图形，唱某支歌的权利，跳某种舞的权利等。

遗产继承——财产观念发达以后，一个人拥有珍贵的物品或特权即使不能全部留给他的亲人，他总愿意留一部分给他们，而他的亲人也一定会垂涎那些珍贵的财产与特权，希望至少能得一部分。由于这种心理便发生了承继财产与特权的倾向。粗略的承继的方式各处都有，而较为复杂与固定的方式也行于很多原始民族中。财产与特权不但由个人承继，便是团体如家族、氏族、宗教团体等也可承继。个人的分拨遗产的自由，因财产的公有私有而有不同；例如托雷斯海峡岛人可以任意夺去自己儿子的承继权，至于卡伊族人则一个人的遗产须机械地按照习惯法分派，猪须宰杀以为丧宴之用，野猪牙与狗齿的袋应交于其兄弟或母舅，他本人手栽的果树则归于其子。梅因氏（Maine）说古代的法律常分财产为承继的及自置的，二者之中以自置的为较可自由处置。遗产也有被毁坏而免去承继的手续的，例如迈杜人便这样，又如阿西尼本人（Assineboin）将死人的兵器、衣服、器具都殉葬。因为结婚有时是群与群的契约，故夫或妇的财产死后有仍归己群的。

承袭遗产的人也不一律，有由长子承袭的，便是“嫡长继承”（primogeniture），这在原始社会中不常见。如吕宋伊富高人（Ifugao）给长子以大部分的遗产，西伯利亚海岸的楚克奇人中为长子的得他父亲的兵器器物的最多的一份。嫡长继承在多妻子的家庭有以嫡妻的长子承产的，儿子的年龄不论，如马赛人中便这样。和嫡长继承正反对的为“少子继承”（junior right），其制以最少的子承继最大份遗产或特权。印度为此俗的中心地方。如巴达加族（Badaga）儿子成婚后便离父母独立家庭，只留少子与父母同居奉养其老年，父母死后得其遗产。缅甸的那加人（Nagas）中也有行少子继承的。托达人的遗产也分较多于长子及少子。卡西人（Khasi）且合女子承继与少子承继为一，最少的女子遵行祭祖的仪式承继了家屋及物件。白令海峡的阿拉斯加土人将父亲的最好的枪及祖传珍物给少子。除上二种继承外也有将财产平均分派于诸子的，如维达人便这样，女儿的一份则名义上交给其夫。除传子以外还有传于兄弟的“旁支继承”（collateral inheritance）。依这种风俗，遗产只传于兄弟而不传于子，如聪加人（Thonga）便行此俗，酋长死后其兄弟相继嗣位，都死完了方归于最大的哥哥的嫡长子继承。墨西哥的阿兹特克（Aztec）族的酋长的承袭也是这样。毛利人的风俗，酋长的地位必由最长的儿子或最长的孙儿继嗣，但土地的继承却用旁支制。行母系制的团体地位与财产有由男人承袭执掌，而死后不传己子而照例传于姊妹的子的，这便是“舅父统治”（avunculate）的继承法。

遗产的各种类有分照各种方式继承的，如神圣的物件或者传于儿子，马则分给兄弟；或则酋长的职由男系继袭，而财产却传于姊妹的子；或地位传于长男，而遗产却传给少子。

原始的交易——交易的发生很早，在欧洲的旧石器时代便有了。旧石器时代的奥瑞纳期便有贝壳制饰物的交易。制石器的燧石残块常发现于本来不产燧石的地方，可以证明在石器时代燧石也为交易品。在新石器时代欧洲的亚得里亚海岸是交易的中心地点。交易在现在的原始民族中也很盛，如非洲的一部分土人至有“本能的商人”（trader by instinct）之称，海洋洲诸岛土人也从事交易，甚至澳洲土人都能交换各部落所制的不同样式的枪头等物。

原始的交易范围有两种：（一）是集团内的，例如一村内的，个人以自己的东西和同村的别个人交换。这种集团内的交易，与集团内的分工很有关系，分工愈盛则交易愈繁。（二）是集团外的，例如两村或两部落的人互相交换。

原始的交易有几种形式：

（一）无言的交易（silent trade），两方的人不相接近，一方先把货物拿出来放在一个中间地方便即退去原处等待，以后别一方方才出来收起那些货物，并将自己的放在其处以为偿品便即离开，前一方便再来收去换得的物。自始至终两方不交一句话。行这种风俗的必是不相熟识而互相猜忌的两民族。

（二）物物交换（barter），这是两方的人集合一处的交易。与上述无言的不同，其方法仍是直接以物换物。这是最通行的风俗。

（三）馈赠的交易（gift exchange），这是以馈赠的形式行交易的实际的。例如易洛魁印第安人如见内地土人到苏必利尔湖来便把东西赠送他们，名为修好，其实是希望他们回送以内地的毛皮。易洛魁人又常把东西送到别人的家，如回送的礼物不能满意便把原物讨回去。新西兰土人把物送人常微示他希望某物为回礼。

（四）贸易（trade），各集团间，例如乡村与乡村，或部落与部落，如有定规的交易便可算是贸易了。贸易常行于许多部落间，各部落所需的东西通常是由贸易得来的。贸易能扩大经济生活的范围，因为各部落的特殊货物都由以流转，使得交换享用。贸易又使各部落的文化互相接触，因而促进文化的发展，因为交换货物时常于不知不觉中交换了观念，这种无意中的观念的交换有时或且比货物的交换更有价值。

物与物的直接交换是很笨的。于是便生出“易中”的制度。易中便是各人都易于接受的东西，以此为交易品的媒介自然便利多了。易中同时也便是货物价值的量度。原始的易中通常如果实、谷物、种子、鱼贝、盐、药、石、木、畜类等自然物，或如糖、酒、干鱼、石器、皮革、家具、符咒、妆饰品等人工物。这种易中本身价格的高下视乎其物的大小、数量、制造的技术、劳力获得的难易以及在风俗上的地位等而定。

第十二章 法 律

原始法律的性质——原始的法律不过是由舆论所裁定的风俗而已，故可以释为“任何社会规则，犯之者由惯习加以刑罚”。但这种不成文的法律其标准化与拘束力并不比创法者所立的法为差。现代文明国的由统治者的意见制定的法令在蛮族中很不发达。梅因（Maine）以为原始法律中最发达的是刑法而非民法。或以为这是由于蛮族中比较文明人多有暴乱的事，但这种解释颇肤浅；据梅因说这是由于应用民法的事件太少，故民法不发达。在原始社会中，个人间的关系的规定由于个人的地位，家庭中财产的继承是依照惯习，个人间的事件又不用契约，以此民法的应用遂少。

司法的中心权力常觉缺乏，没有一定的机关以司理、裁判及执行刑罚。举行裁判常为忽然发生的举动。法律的后盾常为非人的神灵。蛮人自小便受教训而晓得违背风俗便会遇到灾祸，犯了神灵的意必被神灵施罚。原始法律有许多方面都是根于求神息怒的意。还有大众的舆论，社会的贬斥（social ostracism），个人的自顾地位的考虑，以及惧怕讥笑的心理都能帮助法律的实行。例如北美克劳族（Crows）的人很怕由小过而成为朋友的笑柄，或由大罪而受大众的贬斥，故很谨守法律。

原始人对于犯罪的观念——法律的起源可以由“血属复仇”（blood revenge）的观念而看出。一个人被害了，于是不但其氏族的人，便是祖先的鬼也要求一条命来赔偿，由此便发生血属复仇，故血属复仇是由于“集体的责任”（collective responsibility）一条原则。凶手本人不一定须寻到，只要加害于凶手所属的团体的任何一人便可以算是复仇了。在一方面因团体的受损害不殊于个人，故团体应为个人复仇。另一方面则个人的被害无殊于团体的主权为别团体所侵犯，故应被罚的是凶手所属的团体，而不一定须加于凶手的本人。由于集体的责任故被害者的团体必为被害者复仇，而凶手的团体也必袒护凶手；因此便常发生“血属仇斗”（blood feuds）。其顽强的态度常有不同，如西伯利亚的楚克奇人（Chukchi）当于得偿一次之后便讲和，但如吕宋岛的伊富高人（Ifugao）便纠缠不清，最后常须用和亲的方法方得了事。我国乡村间的械斗，也便是这种原始的仇斗。

决斗（duel）的风俗也行于许多未开化民族中，这是较进步的复仇方法。其初还是根于集体责任的观念，或由被害者的兄弟向凶手所属的团体的任何人挑战。其后凶手本人或便被逼而应战。

偿命金或罚金（wergild）的方法有时也被采用，因为复仇的结果得不到直接的赔偿。财产的发达也促成以罚金代替仇斗。在古代盎格鲁—撒克逊人中便有此俗，称为 wergild wer，意谓人命的价格。偿命金的额数按照犯罪的情形与被害者的重要与否，有一定的规则。这种规则在原始社会中很为普通。

在原始社会中对于团体内（例如部落内）的犯罪和对于团体外的犯罪大有分别。行为的构成犯罪与非犯罪视乎这种区别。盗窃如行于团体内，刑罚常甚严酷，但若行于团体外则反被称誉。乱伦和奸淫因是在团体内的事，故其刑罚常最重。

审判——原始的审判常具有魔术及宗教的性质。有罪或无罪的证据常求之于超人的权力。谳定的权委于神灵，而以占卜及神断（ordeal）的方法探神的意。问神的话是一句率直的问题，要求“是”或“非”的一句答案。非洲土人审判一个人有无毒死其妻的罪的方法是叫他也服毒，他若呕出来便是无罪，他若中毒便是有罪而被处死刑。步行于热炭之上是一种普通的神断方法，神会使无罪者无事，而有罪者受伤。相扑的方法行于楚克奇人中，以为无罪者必得胜。相似的方法也见于吕宋的伊富高人，他们使原被告两方人互相掷卵。还有探汤的神断法也见于伊富高人，当事者探手滚汤中摸取小石，如举动太快或烫伤甚重的便是有罪的证据。神断也行于欧洲的中古时代，不过以基督教的神代异教的神为审判者而已。

立誓（oath）实即神断的一种，用以审察嫌疑犯者的有罪或无罪。其后用以为证实见证人的诚实，以为话若不实神必降罪。在北美平原印第安人中常用誓于竞争勇敢的名号之时。例如克劳族人如有2人争论谁先动手杀死敌人时，便于众战士面前举行庄严的立誓；最通行的法有二，其一是由二人各执一把小刀先放进口内，然后指向太阳，口念誓言，请太阳为见证，并加罚于说谎的人。还有一法是将一支箭贯穿一块肉，放在一个水牛头壳上，于是两人都拿起箭，尝一尝肉，并念诵誓言。还有更奇的是萨莫耶德人（Samoyed）或奥斯加克人（Ostyak）的风俗，被告须以熊鼻为誓，用刀将熊鼻割起，并宣誓："我如诬誓便被罴吞食！"土人都信诬誓者必会被罚，故敢行这种誓的便是无罪的。他以后如果被熊咬噬或别样凶死，这便证明他是诬誓。立誓为旧世界的特点，在美洲较少。

戈伊坦（Goitein）以为自神断至真的审判，中间须经过立誓，伴以心理方面的由情绪至理智的发展，而人的法官也渐代替了超自然的权威而行判决。但这种由法官审判的方法在原始社会中也不是不晓的。

第十三章　伦理观念

关于原始的伦理观念之误解——有一个旅行家自一个野蛮民族中回来后写一本书，在“风俗与礼貌”一段，只有一句断语：“风俗，如野兽；礼貌，没有”（customs，beastly；manners，none）。这种话可以证明这位著作者是大错了。此外许多著作物也同有这种意见。哲学家霍布斯（Hobbes）论原始生活说那是“孤独，困苦，邪僻，凶暴，而且短促的”。斯宾塞曾详论原始人的心理也有这样的错误，据说：“他们的感情是爆发性和混沌性的，不谨慎，爱笑乐如小儿，不能节制，博爱心淡薄。”

普通的意见常以为野蛮人等于小孩，雪莱（Shelley）说：“野蛮人之于年代上，就像小孩之于年龄上一样。”原始人的儿童性常有人讲过。在原始人头脑内像文明人一样，有一部分儿童性，但这并不是说由观察文明人的儿童便可以解释野蛮人的行为。这样的类比法是不确的。有人将原始人的诗歌比拟婴孩的苦乐的呼叫，这便是不确的类比之一。一个大人种族的婴孩和一个婴孩种族的大人是根本上不同的。在情绪上，性格上，道德上，野蛮人都是一个“人”，而不是小孩或其他。

上述的错误据哲学家杜威（Dewey）说是：“以文明人的心理为标准以测量原始人的心理；其结果必然是负的（negative），故叙述原始心理的话常是‘缺乏’‘不见’，其特征是‘无能力’。”

讨论原始人的道德时我们可以置直觉说于不论，这说以为人有一种特别的神赐的良心，即内在的道德之感，能指示人什么是善，什么是恶。詹姆斯（James）说持伦理学上的直觉说的人就像障蔽了眼睛在暗室里瞎摸一只不在室中的黑猫。还有可谓合于良心的“道德义务”也可以不必管它。这些主观的道德的问题太觉错杂和混乱。这里可以不必论它，只须从客观方面讨论野蛮人的道德律以及他们生活于这种道德律上的功效就是了。

原始的道德律——道德无论在野蛮人或文明人都不过是对于风俗和传说的符合而已。道德的实施不是普通的，而是部分的。原始人也各有其行为的规律，由社会制定以约束其中的个人。这种规律是很详密的，无踌躇的可能，因为在原始社会中风俗与法律是合而为一的。在文明人，法律不过是将一部分最重要而不得不强逼服从的风俗规定起来，至于其余的风俗则略能容许个人的自由，这在原始社会是不同的。

在文明社会中如批评某人违背惯习，不顾礼法，便说他是“像一个野蛮人”。其实这话对于野蛮人很为冤屈。野蛮人对于其社会所定的极严厉的礼法很能遵从。他们在性的事件、饮食、行动等都受节制。

如上所述，外人对于一个原始民族的道德观念常不易正确。例如马里纳氏（Mariner）叙述汤加岛人（Tongans）一面说他们是“忠诚，敬虔，是服从的儿童，是慈爱的父母，是义夫贞妇，是真实的朋友”，一面又说：“他们似乎少有道德的感情。他们没有正义及非正义，人道及残忍的字。盗窃，复仇，强劫，杀害，在许多情状中都不算作罪恶。其人残暴无信义，喜复仇。”这种前后矛盾的话很可代表外人观察蛮族道德的错误。

野蛮人的风俗在外人观之常有很可厌恶之处，但他们却也有其伦理的准则在其背后。一个民族所以为罪恶的在别民族或者反是美德。如要了解这种道理只要看我们自己的社会道德标准在数代内甚或一代内便有重大的变迁，由此可知蛮族的道德与我们的何能完全符合呢？

蛮族的食人肉，杀婴孩，杀老人及病人，这些风俗都很激动文明人的感情，但这些事情都有其理由，或由于宗教，或由于经济需要，或由于社会标准，使这些风俗都有道德的背景。我们所听到的蛮族风俗，像这样使我们厌恶的较多，至于和我们的观念相合的风俗却因其平平无奇传得不多，因此很易于将这些不好的风俗代表蛮族风俗的全部。食人肉的风俗不常见。且其实行者常不是最低等的野蛮人，而是很有一点文化的民族。由此可见这种风俗必是合于他们的道德规律而不是非道德的了。例如有些民族的食人肉是为要祭神及散福，有的是为报仇，有的是由于一时的经济需要，有的甚至于杀食父母的肉却是为行孝道，这都不能说是非道德的，不过他们的道德标准与我们不同就是了。

原始人确有一种固定的是与非的标准，这是无可疑的。他们的这种行为的规则很有秩序地包括个人一切的行动。“风俗是国王”这句话还不够，风俗实是神圣的国王。他不容许个人有自己判断行为的地步或考虑的机会。对于这种道德律的遵从，为社会的惯例或宗教的规则所要求。违犯一条“答布”——即宗教上的禁忌——不殊于违犯了高等宗教的规律。所谓“正直是神的人”（god-fearing man）这个名称可以表示宗教上的畏惧的久存，以及视正直与畏神为一事的倾向。原始人在各方面都是畏神的人，这使他不敢不服从风俗。还有一种拥护道德律的东西便是舆论。个人要想在众人面前站得住，便须畏惧舆论。舆论是一致的势力，而社会对于个人的安排是无可避免的。社会的称奖为个人所希望，而社会对于不合习俗的个人加以讥嘲或斥逐等刑罚，这又为个人所惧。

道德不过是一些通行的规则，使人守自己的地位而不侵犯别人的地位，故如在结社的风俗不入会的与入会的分开，在外婚制则近亲与近亲相避，人民不接近酋长与僧侣，而死人也退让了活人。

据马雷特（Marett）所说，原始民族的一种缺点是缺乏私人意见（lack of privacy），“由道德上言之，私人判断机会的缺乏便等于没有道德上的自由。……故野蛮人的道德不是理智的，而是印象的

(impressionistic)”。行为的审核不过视其合于道德律与否而已。虽是如此，蛮人生活于他们的道德律的成功比较文明人的求合于现代道德律，即不是较大，至少也可以说没有逊色。

原始道德的种类——先就“家庭德行”(domestic virtue) 言之。关于结婚的手续、世系继承、居住及其他都有紧严的规则，构成为很为整饬的系统。父与母合作以养育儿女，使人类脱离了兽的世界而进入人的世界，少年人对于老人的服从与尊敬普遍地为一切原始社会的情形。长辈也教少年人以生活的技术，像师徒制度一样。少年人的伦理上与宗教上的训练则行于成丁礼时，其仪式虽是严酷，却很有社会的功效。亲属的关系比之文明人为广。在感情上和社会上，他们结合为一个兄弟团体，例如在氏族内便是。亲属复仇的风俗更巩固这种团体的连带。

又有一种“政治的德行”(political virtue)，是家庭德行的扩大以合于部落的连带及各群间的合作。战争很少是某民族的特有病。最常见的政体是民主的，而权威与领袖地位常为心力的报酬，而非体力。

杀人偷盗及无待客礼都是当作罪恶，奸淫的意义常不一律，但必被责罚。

原始道德的二重标准——据萨姆纳氏 (Sumner) 所说，原始民族对于“我群”(we-group) 与“他群”(Others-group) 的分别很明，在我群内的道德标准与对于他群道德标准不同。我群内的相互关系是和平、秩序、法律、政治等；对于他群除为媾和所改变以外，常是战争与劫掠。在群内的感情是忠诚、牺牲，对群外则为仇恨与欺侮；对内为友爱，对外则好战。同一种行为对群内人则视为罪恶而被处死刑，若对群外人则或者反被奖励为美德。在己群内不可偷盗，不可杀人，若对群外人则或者反被奖为勇敢。这种感情并为宗教所赞成，我群的祖先的鬼也和他群的祖先的鬼为仇敌而喜欢子孙们仇外，且加以冥佑。这两种标准并不相反对，因为对外的仇恨更能促成对内的和平，对内的友爱更能增加对外的横暴。

由于上述的心理遂发生“种族中心主义”（ethnocentrism）这便是以自己的群为中心，只爱我群而排斥他群。各群的人都养成自大与虚骄，夸张我群的长处，抬高我群的神灵，对于他群则加以轻蔑。各群都自以为我群的风俗是正当的，而他群的风俗则为谬误的。对他群所加的名称如所谓“吃猪肉的”、“吃牛肉的”、“不行割礼的”、“鴃舌之人”、“索虏”、“蛮子”等都是由于风俗不同而起的恶称。格陵兰的爱斯基摩人以为欧洲人的到那边是要去学习他们的德行与礼貌的；他们对一个欧人最好的评语是说“他现在或不久将像格陵兰人一样好了”。各民族常有自称己族为“人”的，其意以为只有己族方是人，至少也只有己族方是真正的人。南美加勒比人（Carib））明说“只有我们是人”。拉普人（Lapps）自称为“人”，通古斯人也自称为“人”，基奥瓦人（Kiowa）也称己族为“真正的或主要的人”，台湾少数民族的泰雅、布农、曹等部落的名也是“人”的意思。各族的神话常自述其为真正或唯一的人种。自述己族为神的后裔。

语言与神话所表现的道德观念——对于别民族的道德律要得到充分的知识很不容易。直接的问话常发生不良的结果。研究神话与传说有时可以帮助对于伦理观念的了解。神话中有时说及可怖的行为，这些行为在我们是认为罪恶的，但如神话中的善神赞成这种行为，或这种行为反受奖励，则这种行为在这民族中可知不是当作罪恶的。反之如有和我们的伦理观念符合的行为，在神话或故事中反被责罚，便可知在这民族中是当作不合伦理的了。

神话传说而外还有语言也是正确的材料。一个民族根于其道德观念必有批评个人行为的话，除这种简单的评语以外还有较为复杂的俗语

（proverbs）也能表现意见。兹引北美平原区的奥马哈人（Omaha）的批评行为的话于下以见一斑：

"无私的人。能自节制，不使言语和行为引起别人不喜欢的人。直率而其话可信的人。喜欢帮助别人的人。肯听人话的人。善待客人。谦逊退让。"以上是褒语。

"说谎的。贼。爱争闹的人。无耻莽撞的人。竭力营求想和女人乱来的人。馋嘴的人。喜欢干涉别人的人。搬弄是非的人。顽固的人。悭吝鬼。食客。乞丐。用眼睛求乞的人。睁着眼睛看的人。不晓得用正当称呼，不晓说多谢，无礼貌的人。淫妇。"以上是贬语。

兹再引些表示道德观念的俗语于下：

奥马哈人说："偷来的东西不能充饥。""穷人善骑。""借物的人大家嫌。""奢侈的人无人哀挽。""懒惰的路通到耻辱。""人应当自己造箭。""漂亮的面孔不会造成好丈夫。"

非洲人说："饱的小孩对饿的小孩说'宽宽心罢'。"（这是说人对于别人的痛苦是淡漠的。）"灰飞回到撒灰人的面上。"（害人必自害。）"地猪说我恨杀我的人不及践踏我的人。"（侮辱甚于伤害。）"没有人汲井里的水去添河。"（不应削少益多。）

菲律宾土人也说："树靠那一面便倒在那一面。""尔今天笑，我明天笑。"（报复）"尔可以不爱，但不可轻蔑。""寻人错处的人自己便有最大的错处。""善忘的人必快乐。""仁爱是大资本。""仁爱用仁爱偿还，不是用金钱。""破你的头不要破你的话。""屋子虽小，我的心却大。"（待客）"金的好坏在石上磨擦方知。""不走正路的必致迷路。""说谎的爱立誓。"

参考书目录（以采用多少为序，括号中即为本篇内采用章数）

（1）Tozzer，A. M. —*Social Origins and Social Continuities*，chap，Ⅳ—Ⅵ（第2、3、4、5、6、7、10、12、13章）

（2）Lowie，R. H. —*Primitive Society*（第2至13章）

（3）Goldenweiser，A. A. —*Early Civilization*，chap. Ⅻ，XⅢ（第1、6、9、10章）

（4）Rivers，W. H. R. —*Social Organization*（第1、5、6、7、8、10、11章）

（5）Rivers，W. H. R. —*Kinship and Social Organization*（第5、6章）

（6）Westermarck，E. —*A Short History of Marriage*（第2、3、4章）

（7）Westermarck，E. —*The History of Human Marriage*（第2、3、4章）

（8）Westermarck，E. —*The Origin and Development of Moral Ideas*（第13章）

（9）Wallis. W. D. —*An Introduction to Anthropology*，chap. 26—38（第6、7、9、10章）

（10）Wissler，C. —*An Introduction to Social Anthropology*，chap. Ⅶ—Ⅺ（第2、3、4、5、6章）

（11）Sumner，W. G. —*Folkways*，chap，Ⅸ—XIII（第2、3、4、5、6章）

（12）Sumner and Keller—*The Science of Society*，Pt. Ⅱ，Ⅲ，Ⅴ（第2、3、4、5、6、11章）

（13）Marett，R. R. —*Anthropology*，chap. Ⅵ（第1章）

（14）Ellwood，C. A. —*Cultural Evolution*，chap. XIII—XVI（第2、3、4、5、6、10、11、13章）

（15）Spencer，Ⅱ. —*Principles of Sociology*. Pt. Ⅲ，Ⅴ，Ⅷ（第2、3、

4、5、6、10、11 章)

(16) Morgan, L. H. —*Ancient Society*（第 2、3、4、5、6、10、11 章）

(17) Thomas, W. I. —*Source Book for Social Origins*, Pt. Ⅳ, Ⅶ（第 2、3、4、5、6、10 章）

(18) Frazer, J. G. —*Totemism and Exogamy*（第 4 章）

(19) Chapin, F. S. —*An Introduction to the Study of Social Evolution*（第 1 章）

(20) Lang and Atkinson—*Social Origins and Primal Law*（第 1、12 章）

(21) Mains, H. J. —*Ancient Law*（第 12 章）

(22) Roheim, G. —*Social Anthropology*（第 6 章）

(23) Hartland, E. S. —*Primitive Paternity*（第 5 章）

(24) Webster, H. —*Primitive Secert Societies*（第 7 章）

(25) Eichler, L. —*Customs of Mankind*, chap. Ⅵ—Ⅷ（第 2、3、4 章）

(26) Calverton, V. F. —*The Making of Man*: *An Outline of Anthropology*（第 1、2、3、4、5、6、11 章）

(27) Zenks 著严译——《社会通诠》（第 5、6、10 章）

(28) 蔡和森编——《社会进化史》（第 2、3、4、5、6、10、11 章）

第五篇
原始宗教

第一章　绪　论

宗教的新研究法——最初研究宗教的大都是宗教家。他们所成就的如基督教的神学，佛教的佛学等，对于各人自己所信仰的一种宗教的道理阐扬发挥都很详尽，但其缺点也就在此；因为，（一）他们所研究的只是一种宗教，研究的结果何能概括世界各种宗教。（二）他们的立足点既是一种宗教的信徒，则其意见自然是倾于左袒自己的宗教，自己所奉的方是神，别教所奉的则斥于神的范围以外；自己的宗教行为是真正的，别教的宗教行为则斥为魔术与迷信。所以严格言之，宗教家的研究宗教，不是真的研究“宗教”，而是阐扬其所信的“一种宗教”。因为这种研究的不合宜，于是哲学家便出来担任这种工作。他们以无偏无颇的眼光综览各种宗教的内容，统论各种教理的哲学意义；这是他们的大贡献。但这种工作却只能解决宗教研究的一部分，还有一部分未能解决，因为，（一）哲学上所研究的，只是含有哲学意义的教理；（二）其范围只限于发展已高的宗教。对于各种高等宗教如佛、回、基督等教的研究固已显著成效，但对于“宗教”全体的性质及起源还是不能全晓。这个原因便在于还有各种未有哲学意义的低等宗教即通常所指为迷信及魔术等还未经人注意的缘故。这种低等的或原始的宗教是存于文化比较落后的人民，即通常所谓野蛮民族以及文明民族中的无知识的阶级中；而这种材料是文化人类学家所熟悉的，于是便由人类学家来担负这种工作了。人类学的研究宗教是先拟定一种假说，他们以为宗教的要素及起源还可以在低等宗教中去寻，因为低等宗教离起源较近而其内容比较简单，易于发现其要素。所谓要素与起源自然不能说是极端的即绝对性的，因为物质科学尚不能根究具体的物质之极点的要素与起源，精神科学更不能怀这种奢望，只要在可能范围内找到有相对价值的解释便足，若离却事实只在玄想上推求，便脱离了科学的性质了。人类学的研究原始宗教恐怕永远不能找到“最原始的”起源与“最简单的”要素；但普通意义的起源与要素，总有希望可以知道一点。这便可说是研究宗教的一种新方法。

但人类学家的研究原始宗教与其说是为要完成宗教学，毋宁说是为要完成原始文化的研究。因为人类文化的根源在于人类的心灵；而心灵的表现在文明社会有很多方面，除宗教外尚有哲学及科学，在原始社会则只有宗教一方面最为显著，哲学与科学的思想尚在萌芽，且尚在宗教的范围内。所以如要了解原始的心理只有探索原始的宗教。我们如要晓得人类初时的宇宙观，只要探索他们的宗教；我们如要晓得他们对于自然界的解释，也只要查问他们的信仰；我们如要了解社会上各种事件如神权政治、宗法制度、生产、死亡、婚姻、战斗的仪式、耕猎、畜牧、衣食、住所等的习惯，都可以参考原始的宗教而得解释。

由于上述两种目的，原始宗教的研究遂成为文化人类学中极重要的一部门。人类学家中有不少专力于这一门的工作。人类学著作中也产生了许多这一类的巨著。原始宗教的事实搜集了很多，说明的学说也发生了不少。这种知识虽不能说是完全无误，但对于人类的求知欲也可说是有了一点安慰了。

宗教的定义——宗教的定义很多，各研究者都根据于自己意中的宗教的要素而定。其中最常被采用者为泰勒氏（E. B. Tylor）及弗雷泽氏（Frazer）之说。泰勒说：宗教的最小限度的定义是“精灵的存在物之信仰”（the belief in spiritual beings）。这说的优点在于把宗教的态度和宗教的对象都提出来。其缺点则是（1）只举信仰一方面而漏了宗教行为（practices）。因为在原始宗教中，宗教行为，即仪式（ritual）也极重要。（2）精灵的存在物范围还狭，不能完全概括信仰的对象。弗雷泽氏的定义说：宗教是“对于统驭自然及人类生活的超人的权威（powers）之和解的手续”。他所谓“权威”是指有意识的或有人格的物（conscious or personal agents）。这说的优点在乎改进上说而提出崇拜为宗教态度的要素。其缺点则在：（1）以宗教对象为具人格的物，因之凡非人格的而亦为原人所信为具有神秘的力者，都被摈于此定义之外。（2）以对于具有超人的力者之崇拜方为宗教现象，而实际上原人对于一部分精灵却有只用平等对待的缔约或甚且用高压的吓威手段的，这些事实都被排于宗教范围之外，而派入于魔术之中，未免过于含混。上述两种定义在下文中还要详述，不必赘论，兹举一种较为适当的定义于下。

马雷特氏（Marett，R. R.）以为宗教的对象最好莫如用“神圣的"（the sacred）一语，而宗教的态度便是信这种“神圣的事物”能影响于团体或个人的幸福，因而表现此种感情思想及行为于外。“神圣的”一语的范围很广，能够将所有超人的非超人的，精灵或非精灵，宗教或魔术等现象，都包括在内，所谓“神圣的”性质是：（1）神圣的便是禁忌的（forbidden），在原始社会常有所谓“答布”或“禁忌”（taboo）。附于宗教的事物，这字的意义与神圣略同。其意谓对于某种神秘事物须避忌，犯者将会遇到不幸。（2）神圣的便是神异的（mysterious）。在原始民族观之，凡奇异的意外的不可思议的现象常有神圣的意义。（3）神圣的便是秘密的（secret）。凡神圣的事物当守秘密，例如对于未成年者妇女等常加限制，不准闻见或参加。（4）神圣的便是有能力的（potent）。凡神圣的事物大都有奇异的能力，不但精灵，便是仅只一种神秘力即所谓“马那”（Mana）也能发生不可思议的现象。（5）神圣的便是灵活的（aninate）。神圣的物都是有意识或具人格的，犹如有生命一样。（6）神圣的便是古旧的（ancient）。古代传袭来的事物常有神圣的意义，如宗教仪式、神物等都有古旧性，又如古人的鬼也易于成为崇拜的对象。

宗教发生的外在条件——在宗教魔术的神秘世界之外还有自然的物质的世界，在后者中只须用物质的知识机械地对付事物，所以生活是很平常的，可意料到的。在我们文明人如此，在原始人类自然也不是全无这种境状；不过原始人的这种自然的平常的世界比较我们的为狭就是了。原始人在这种境状时是很从容的，无思虑的，就像一个小孩。可惜原始的生活太乏保障，危机（crisis）时时发生，使他们的生活真有寝不安席的苦。饥饿、疾病、战争都是危机，生与死也是危机，便是结婚和成丁因是生活的转变，所以也有危险的要素。由心理状态言之，危机便是一个人智穷力竭的时候，便是由平常习熟的境状，突然进入了不能了解的世界的情况；在那种不能了解的世界中，人类不能用平常的方法应付，很觉得骇惧与痛苦。人类并不找寻危机，他们还尽力的避开它。危机自己来找人，弱者见之便屈服，强者则设法对付它，而宗教就由于对付危机而发生，所以危机便是宗教的第一个条件。宗教又有社会性，非社会不能成立，它是由社会构成，同时满足社会中多数人的需要。它又是传承的，能够一代一代的传下去。在原始社会中宗教的思想与行为全包在风俗之内。而不是个人的事件。原始人的宗教思想，例如，“大家都听见雷鸣了，他必是活的”，“我梦中游行于别处，别人说我的身体却在此睡卧。所以我必是有一个灵魂”，“人说我的面貌和水中的影相象，然则影必是另一个复生”，这些思想必定不是一个人独创，而是多数人同构想同证明出来的，并且必定是经过很长的时代方能演成。所以宗教是社会的产物，而他的第二个条件便是社会。由别一种观点也可证明这说。社群的态度对于个人的影响极大，个人在群众中受社群态度的影响，感情极易兴奋，常于不知不觉之中接受了神秘的感想，因而合力做出宗教的行为。这说虽奇特，却不是没有理由，有一派学者且竭力主张这说，以为是宗教发生的唯一原因，无论如何至少也可证明社会是宗教发生的一种条件。

宗教发生的内在条件——内在条件便是指人类心灵的一方面。宗教行为由于信仰。信仰的发生必是由于某种特殊的心理状态。究竟这种特殊的心理状态是怎样的？这个问题便是宗教起源的问题。对于这个问题提出的答案很多，各说都自以为是唯一的正确的道理，其实都是片面的观察，各有一点贡献。综合各说的结论，对于宗教的起源虽还不能说是最后的解决，至少也可以说已经说明一个大概了。现在便把各说的内容略提于下：

宗教源于对自然势力的恐惧（fear）的学说，很早便发生，如罗马的卢克莱修（Lucretius）便说“恐惧造成最初的神”，他以为人类对于周围强大的势力觉得很为害怕，由于害怕而生出崇拜。又如近代的休谟（Hume）也赞成这说，以为人类由于畏惧自然界的势力，又以自然现象归于神的权力，因而发生对神的崇拜，希望求其援助。这说是很普通的意见，虽不甚精密，但恐惧自然界的势力确实是宗教发生的一部分理由。

以“神秘力”（mysterious power）的观念为宗教发生的原因是金格氏（King）所主张的学说。这说以为原始人心中最初只是仿佛觉得有“某种物”（something）即神秘力的存在，不能了解究竟是何物，只是觉得害怕。后来方逐渐将神秘力附合于自然界，因而把自然界拟人化起来而成为崇拜对象。

与上说相近的有吉丁斯（Giddings）的“大可怖物”（great dreadful）之说，他以为最初的宗教观念只是一团不清楚的观念，后来方逐渐分化明晰。原始人类起初只信有一种“大可怖物”，即非人的物或力，后来方把他具体化为精灵或别物。

上述的马雷特氏以为宗教的发生由于事物的神圣（sacredness）的观念，凡反常的不可思议的现象都有神圣的性质，易于引起崇拜。

鲍德温（Baldwin）以为宗教是依人格的生长（personal growth）的程序而发生的。小孩在其心理的发展中每觉得大人的人格为他所不能捉摸，因之生出依赖心及神秘性的观念。人类对于自然界也这样，他们觉得自然界的不可思议，因之也生出依赖心及神秘性的观念，把自然界视为奇异的人格，因而对它崇拜。

马克斯·米勒尔（Max Müller）说宗教的起源在于“无限”的观念（perception of the infinite）。这种观念是由于人类对付四围的世界而生的，他们觉得自然界的恒固远胜于人寿的短促，而自然的势力也远非人的能力所能比拟其万一，所以便生出自然界是“无限”的观念，因之对它崇拜。

杜尔克姆氏（Durkheim）从另一方面着想，他以为宗教是由于“社群的态度”（group attitude）而发生。社群对于某种事物有特殊的态度，用仪式以表现它，因之而生出神秘的性质，其事物遂成为崇拜的对象。

弗雷泽（Frazer）的意见也很奇特，以为宗教是由魔术转变而成，在宗教之前先有一个魔术的时代即无宗教的时代。在无宗教时代人类以为各种神秘的物或力都可以用魔术来抵抗、制服它们，后来觉得失败了方改用祈祷、崇拜来和解他们，这才算作宗教。拉伯克（Lubbock）的意见也与此相近。他以为宗教时代之前只有魔术和迷信，其时人类只晓得利用“灵物”（fetish），后来方进而崇拜偶像及生人、死人等。

斯宾塞（Spencer）主张“鬼魂说”（ghost theory），以为宗教的起点在对于鬼魂即死人的畏惧和崇拜。他很详细的推测鬼魂观念发生的程序，并推论各种崇拜都是由鬼魂崇拜演成。

泰勒（Tylor）提出“生气主义”（animism），以为人最初的信仰对象是“精灵”（spirits），精灵便是“生气”或灵魂。万物都有精灵，人类死后的鬼魂也是精灵的一种，自然界的各种奇异现象都是精灵所作成的。

马雷特（Marett）改进生气主义而提出“生气遍在主义（animatism）或“马那主义”（Manaism）或“先生气主义”（pre-animism）。这说以为在信仰精灵以前还有只信一种超人的神秘的力的时代。如美拉尼西亚人所谓“马那”（Mana）便是这种力。这种力遍在于宇宙间，凡物之所以有超人的神秘性都是因有马那，便是精灵、鬼魂都是如此。所以马那的观念可以说是早于精灵的观念。

以上诸说以后面的四家尤为重要，在本书的后段还要详述，此处不赘。

本书的计划——本章讨论原始宗教的通性既毕，以下自自然崇拜至一神教为一段，列举各种宗教形式。牺牲、祈祷、魔术、占卜、巫觋为一段，前四项为宗教行为，巫觋为专门执行宗教行为的人。魔术说，至超自然主义为一段，详论宗教的起源，末章便是全书的总结。

第二章　自然崇拜（Nature Worship）

人类感觉他的周围有种种势力（powers）为他所不能制驭，对之很为害怕，于是设法和他们修好，甚且希望获得其帮助。人类对于这种种势力的观念自然也依环境而异；平坦的原野自然无山神，乏水的地方自然无水神，离海很远的内地自然也无所谓海神。

地的崇拜——在野蛮人看起来地是一个生物，土壤是它的筋肉，岩石是它的骨骼。在很多种神话里头，它有一个美丽而妥切的名称便是“地母”（earth-mother），因为她能生养万物。有一种很古而又传播很远的神话说：以前有一个时候，地母与天父（heaven father）连接一块，万物都在黑暗中，直至后来有某个“英雄”出来才把他们劈开，世界方才明亮，地的为母的资格，不单是一种幻想而确曾见诸事实；美洲的土人以及别处的蛮人都以为地确实是一个生物；在300年前有一个著名的天文学家且以为地的呼吸器官肺脏和鳃有一天可以由海底发现出来。

“地母”的观念或者发生于人类脱离狩猎进入农耕的时代。有些很美丽的神话系起于植物的春生而冬凋，还有各种仪式与风俗，常举行于春季，其宗旨便是祈求收获的丰厚。其中的祭献有时是流血的，因为人类以为非有这样惨酷的牺牲不足以邀神的保佑。人类常以为当锄的掘入土内，牛的践踏土上，或建筑物的基础插入土内时，地神必因而动怒。所以在菲律宾群岛当播粟以前须杀一个奴隶为牺牲，在几年前印度孟加拉的某部落把一个做牺牲的人乱刀砍死，以为流了这个人的血便可以使他们所种的郁金根（染料用的植物）得成深红色。在世界上许多地方，直至今日，人类常把一个活的牺牲（常为动物）埋于新建筑的基础下，或墙的里面，其意以为这样方可以平地神的怒。在别的地方或别个时候这些可怕的牺牲改换为游行与祝典。僧侣们引导人民绕田而行，口唱歌词，祝植物的生长。春天渐渐变成快乐与希望的季节，由此发生了各种优美的地神崇拜的仪式，如欧洲的五朔节（Mayday）与收获感恩节（Harvest Thanksgiving）等。

水的崇拜——水这种奇异的物质是生物所不可少的东西，所以在原始的人类看来是极有生命和精灵的；因此它的崇拜也广布于各处。原始的人类看见河流的冲决奔驰以及旋涡的吞噬生物，便以为是水的精灵的作祟。后来更以为每条流水都有一个水神管理它，司理水流的平静与掀动，而溺水的人也不必救他，因为恐怕他的溺死是水神的意思。

圣泉，神井，各处都有，这很可以证明水的崇拜的根深蒂固。这种水大约是因含矿质的常能医病，所以自古至今病人和残疾人常麇聚于圣泉神井而求其医疗。还有洗礼仪式的举行也由于相似的信仰，以为凡小孩如不由僧侣撒过一点水，将来便不会得救。又以为这种“圣水”可以祛除鬼魔与妖巫。世界的河流如尼罗（Nile）、台伯（Tiber）、泰晤士（Thames）都有“父亲”的称呼，在艺术上则被雕刻为人形。又如更富神圣意味的恒河，则有美丽的故事记在印度古书中，说它是从天上流下来保佑这个世界并洗涤人类的罪恶的。在西非洲，常由巫术师致供献于海神以平它的怒潮。又如古希腊人和罗马人也曾投生物于海中，以祭海神，又如古秘鲁人呼海为“海母亲”（mother），当它做食物的供给者而崇拜之。

石与山的崇拜——石的崇拜遍布于全世界，其崇拜的理由有很多种。欧洲人以前信石箭镞是仙的枪头，而新石器时代的石斧为雷神所遗下。还有天上降下的陨石更增加神圣的意味，这种石便是通常所谓流星，例如麦加（Makkah）城的“黑石”（Black Stone）回教徒常不远千里来参拜它；又如墨西哥和印度也都有这种石。具怪状的石常被信为有魔力。野蛮人看见一块石头像面包树，他们把它埋在面包树的旁边，以为由此可以获得丰盛的果实。或者看见一块大石头，它的下面还有几块小的，他便崇拜它们，希望所养的猪因此而得繁殖。非洲尼日利亚（Nigeria）的土人生病的时候，便抽签并以饮食的物供献于神石，希望为他治疗。

石的崇拜自古至今都无间断。古代希腊、罗马、犹太、墨西哥及其他民族的历史都记载石的信仰，如以石为活的，或信石有魔力等。纪元前200年顷的罗马人曾很虔诚的欢迎由小亚细亚来的一块小而粗的黑石，以为是“圣母西比利”（Mother Goddess Cybele）的化身。秘鲁人有一个故事说有些石头是人变的，因为它们触犯了造物主的缘故。古犹太人信石为活的物，在《圣经》里《约书亚书》（*Book of Joshua*）中说有一块石头曾听见上帝所说的话。欧洲古书中也常记载基督教会直至17世纪犹常颁布教令禁止各种野蛮的崇拜，如崇拜石、树、泉水及天体等。人们常对石头而发誓。病人抚摩石头而希望治疗，帝王们，即如现在英国的王，都在石头上面加冕，至于以石头为携带运气的信仰更为普遍了。

史前时代所遗的石，如架成桌子形的，排成圆环形的，在世界上已经发现了几千个。这些东西常为葬处的记号，由于敬畏死者的缘故，渐致对这些石头也加以崇拜。有很多故事由于这些东西而发生，而石的圆环犹常为举行宗教仪式的地方，如印度等处尚如此。

高大插天的山也有神圣的意义。人类常以之为神灵所栖的地方，如罗马的朱庇特（Jupiter），犹太的耶和华，北欧人（Norsemen）的奥丁（Odin）都在山上。山的崇拜中国也有。又如美洲土人以为所有山岭和高地差不多全是神灵的住所。

火的崇拜——活跃飞舞嘶嘶作势的火焰，无论遇到什么东西它都会吞食下去，然后在烟雾中把烬余的东西喷出来——这岂不是活的吗？自从人类晓得生火以后，他们便用心守护它。无论到什么地方野蛮人总带了火去，如巴布亚人（Papuans）入森林时必定带了一根烟熏熏的树枝，又在他们的小艇中也必定长燃一个火。马来人不敢跨过炉火，印度的托达人（Toda）当燃灯的时候必定对之礼拜。在古希腊人每家必守一长明的火以崇祀火炉女神赫斯提（Hestia）。罗马人也这样做，以崇祀维斯妲（Vesta），又有6个童女在神庙中看护神火。在秘鲁也有这种风俗，这些女子还称为“太阳之妻”（wives of the sun）。在今日非洲巴干达人（Bagandas）中尚有派女孩子另居守护神火的事。耶路撒冷庙中的长明灯永不曾熄。在波斯神庙中火是神圣的象征，僧侣的面须用面幕遮起来；印度的“婆罗门”不敢用口气吹灭火。印度的最高的神阿耆尼（Agni）便是火的神又为太阳的神，印度信火是从它来的。

火又被推为祓除不祥和疗治疾病的神物。在古罗马小孩初生时房中须燃烛。在苏格兰小孩受洗礼以前须长燃一个火于其身旁。在赫布里底群岛（Hebrides）中有一成语说“自火来的无恶物”。不列颠的古风俗如逢着恶病流行便燃了所谓“需要的火”（need-fire）无论人畜都须对他冲过，以为可以祛除邪祟。

日月星的崇拜——原始时代最引人类惊愕的恐怕无过于昼夜的递嬗。有些时候他们能够看得见周围的物，黑暗一到忽变成一无所见使他们不得不瞎摸或睡歇。每早太阳将出便有万道光芒为它前驱，不久便渐升高放出光明照耀大地，日暮它渐沉落，而光亮也跟它渐减少以至于全灭。以此人类的感情自然而倾向于这光明的王，发生崇拜的方法，如供献以牺牲等。

天体的崇拜不但很为广布并且继续至于后来，由古时的各大国的神名和遗留的庙宇便可证明。在大不列颠曾有大石柱植立以祀太阳，又有祭坛以祀月神及地的女神。还有星期中的日名日曜日（Sun-day）、月曜日（Mon-or Moon-day）也都保存这种信仰。

日与月各有其崇拜的地方，但也有时同为一地方所拜。在旱燥的地方太阳成为可畏的物，居民只崇拜月神，因为在夜间月亮底下才有露水下降以滋润人畜并使人畜得以行动。而中非洲的土人怕见太阳的升起而只崇拜月神，又如南美洲古时的土人也崇拜月神并供祭献，以为唯有月亮能使动植物生长。初生的月亮在很多地方都受欢迎，如古以色列人每见新月便举烽火于山头以传播这种可喜的消息。

但太阳的崇拜在其余广大的地方自古至今都是很盛，人类对于这个温暖光明与生命的供给者自然更是五体投地，供献牺牲与祷告。在古秘鲁的人民信他们的王是太阳的儿子，在墨西哥则更有杀人祭日的故事；又如现在的黑足印第安人（Blackfoot Indian）每年都有太阳舞（Sun-Dance）的祝日。中国人也拜日神。印度《婆罗门经》中说日是“诸神中有光耀的神”。古波斯的故事中有日神密特拉（Mithra），其崇拜直传至罗马及英格兰。希腊与罗马人都有日神，前者名赫利俄斯（Helios），后者名索尔（Sol），都为之立庙及祭献。在埃及日神名拉赫（Rah），是最高的神，对它的祈祷和赞美歌比对别的神为多。日神的崇拜在现代多种民族中都有痕迹可寻。

星的崇拜也很常见。星在原始时代或被视为人类所变，其在生的时候或为猎人或为舞女等。农夫与舟人常极注意某种星的出没，以为他们是管理气候的。如金牛宫的七曜星“Pleiades”一字是由希腊字“Plein”来的，原意为“航驶”，因为希腊的舟人每等这星出现方敢开船。在南非洲的祖鲁人（Zulus）又呼这星为“掘星”，待它出现人们方才掘地。星又被信为能制定人类一生的命运。当一个人出生时天上有某星升起，他将来的命运便为这星所影响。英语“祸患”disaster一字，其下半aster是希腊语“星”的意思，所以这字的原意便是“不幸的星的打击”。还有评人的命运为“遭坏星的”（ill-starred）或“生于吉星之下的”（born under a lucky star）。中国人也有“命宫魔蝎”的话，便是以魔蝎宫的星为凶星能使人一生不幸。人类中有自称能由星的运行而预言吉凶的，中国谓之“星士”，英文称为astrologer，即星学家，字源出自希腊文astron，便是星的意思。希望前知的心使愚人都上了星士的当。在古迦勒底人与希伯来人中占星术与星的崇拜合为一起。星球被视为神灵所在的地方。陨星在各处的士人观之都是可怖的东西，并为灾祸的前兆。黑人以为陨星是已神故巫的灵魂回来作祟；威尔士农人以为这是其所经过的下面的人将死的先兆。法国普罗旺斯（Provencal）牧人们则以为它们是上帝所屏斥不要和他们同在一块的灵魂。

第三章　动物崇拜及植物崇拜

动物崇拜（animal worship）及植物崇拜（plant worship）——在野蛮人观之，凡能动的物都是活的；无生物还会活动，动植物岂不更是活跃的东西吗？水能洄卷与喷沫，火山能嘶嘶作声，风能怒吼，雷能轰击，但还不见它们有闪烁的眼睛和突出抓人的巨爪。至于动物有很多方面像人类，躯体又常有比人类为大的自然更逼得人类害怕，而对他们崇拜。动物一方面是人类的仇敌，一方面又是人类的同伴，在畜牧时代两者的关系尤为密切。动物崇拜在宗教史上占了很大部分。各民族所奉的神灵常因环境而异，所以所崇拜动物的种类也视地方而不同。在北方的大抵是熊与狼，南方的则为狮虎与鳄鱼。古埃及是动物崇拜的大本营，所拜的有牛、蛇，猫、鹰、鳄鱼以及其他动物。印度人对很多种动物无论鸟、兽、爬虫都加以崇拜，只有虔敬的态度略有差等而已，牛、猿、鹰、蛇受最高的敬礼。此外虎、象、马、鹿、羊、刺猬、狗、猫、鼠、孔雀、雄鸡、蜥蜴、龟、鱼甚至虫豸也都是崇拜的对象。公牛在印度和锡兰岛（斯里兰卡）被视为特别神圣的东西。美洲的印第安人敬奉熊、野牛、野兔、狼及几种飞鸟。在南美洲鸟类和美洲虎（jaguar）似乎特别受崇拜。墨西哥人视枭鸟为恶灵。马达加斯加岛人以为鳄鱼有超自然的能力，只可用祈祷请其宥恕，用符咒求其保佑，而不可攻袭它；只要把枪尖搅一搅水面便对于这司理洪水的大王犯了亵渎的罪，此后犯者如要过水便有生命的危险。

动物崇拜之中最为常见者莫如蛇的崇拜。不但野蛮人，便是已经开化的民族也有这种风俗，而且不止一二个地方，几乎世界的各处都曾有过。这种蜿蜒修长，无足能走，且有致人死命的毒牙与及闪烁可怖的凶睛，在心灵上又狡诈非常的东西，自然能引起人类畏惧的观念。古时所罗门曾说他所不能理解的四种事物，其一便是蛇的爬行于石上。《创世记》中以蛇为人类的仇敌，可以想见古时人类对蛇的观念。在达科他族（Dacotah）与肖尼族（Shawnee）印第安人那里蛇与精灵同为一名词。在海地的沃多人（Vodo）拜蛇更有可怕的形式。马拉巴尔（Marabar）人的屋中另拨一小房以居蛇。台湾少数民族的排湾人也有这种风俗，他们以蛇为祖先的化身，器物上常雕蛇形。摩陀罗（Madras）有一个蛇庙，崇拜的人很多。在印度的别处则以蛇为圣者或为半神（Demi-god）的化身。北美洲的奥日贝人（Ojibways）和切罗基人（Cherokees）视响尾蛇为神而贡以飨祭。秘鲁人则崇拜蝮蛇。墨西哥的特纳尤科（Tenayuco）地方因为拜蛇的缘故麇聚了很多的蛇，遂有蛇的市镇（town of serpents）之称。在古希腊与罗马，蛇被奉为医药的神。雅典的城寨闻系由一大蟒担任保护，当时雅典城内街上曾举行蛇的跳舞，犹如现在的莫基印第安人（Moqui Indian）和与都斯坦的那葛斯人（Nagas）一样。在古代蛇的崇拜又曾行于腓尼基、巴比伦等处。在现代则除上述以外又见之于波斯、克什米尔、柬埔寨、中国西藏、锡兰（斯里兰卡）及非洲数处。中国常有蟒的传说，又有以蛇为水神的，也都是蛇的崇拜。

野蛮人每杀动物常对之谢罪，这便是由于视动物为有精灵的缘故。西伯利亚的沃古尔人（Vogulitzi）如杀死了一头熊便正式的对它表明这罪是在于兵器而这些兵器是俄罗斯人所造的。同样风俗也见之于虾夷及苏门答腊土人等。北美土人对他们所杀的熊常以很大的敬意对它谢罪，诉说他们是迫于不幸的需要，请其原谅。奇佩瓦人（Chippeways）每要出猎便先举行药的跳舞（medicine dance），以见好于禽兽的精灵。英属哥伦比亚的印第安人当渔季捞鱼开始的时候，便先对鱼儿行了礼，然后对它们说："你们鱼儿，你们都是酋长。你们是，你们都是酋长。"柬埔寨的斯丁人（Steins）以为动物也有灵魂，死后能够游行别处，所以如杀了一个动物，怕它灵魂回来报仇，便对它谢罪，并供奉祭献，其牺牲的多少视乎所杀动物大小及力量而定。中国人宰杀动物也有念往生咒的，希望它从速投胎再生，这都是由于对动物的信仰。

植物崇拜（plant worship）——在隆冬时锢闭的生命一到春来便能茁叶开花结果，而且微风吹来枝叶间似乎都会发出叫声，"这岂不是也有精灵的征验吗"？在原始民族观之，植物和动物都有同人类相似的感情与意志；树木也能够说话，又能和人类结婚；有些植物具有醉人或毒人的液汁的特别为人所敬畏。庄严伟大的树木常被视为具有神圣的性质而在其下开重大的部落会议。森林中的居民以林木与他们的生活有密切的关系尤常以树木为崇拜的对象。奥日贝人（Ojibway Indian）不喜砍伐方在生长的树木，因为恐怕树木觉痛，婆罗洲的迪亚卡人（Dyaks）和菲律宾土人不敢砍伐几种树，因为他们信有死人的灵魂栖于树身。奥夸（Oko）的土人不敢用几种树木做独木艇，因恐树木的精灵会杀害他们。暹罗人在砍伐"答健"木（takhien）以前必先祭以饼和米。奥国的乡人当纵斧之前必先向树木求恕。古罗马的农夫在清理地面砍伐树木时，恐精灵动怒每先用祭祀和祈祷献媚于它们。现在希腊的樵夫当他砍了几斧使树木摇摇欲倒的时候，自己就赶急躺下，埋面地上，因为恐怕"突里押"（Dryads）从树中走出来发现他而加以惩罚，所谓"突里押"便是树木的神。人的幸运与其收获和植物极有关系，所以发生了许多媚求植物精灵的风俗，自杀人以祭植物并撒弃其尸于田内的蛮俗以至于较合人道的祀祭，世界各处常有。

野蛮人中常有自信为植物的后裔的，犹如别的民族自信为诞自动物祖先一样。在北欧人（Norse）的神话中博尔大神（Bor）的儿子曾由两株树木造出人类来。在墨西哥历史上有一朝君主传闻是两株树的后裔。有些大神如墨西哥的托他（Tota）、罗马的朱庇特·费利特利亚士（Jupiter Feretrius）（即橡树的神）、希腊的狄奥尼修斯（Dionysius）被供奉的像都作树木形。此外有所谓“世界生命树”（world life trees）的，例如北欧神话中的“伊格德拉西”（Yggdrasil）被崇奉为司理命运与智慧的神树。又如基督教《圣经·创世记》所说的“智慧树”（tree of knowledge）也属此类，《创世记》的智慧树的神话是源于巴比伦的。

在未有人造庙宇之时，人类有用森林当作庙宇来祀神的，英文庙宇（temple）一字原意便是树木。人类常在森林内寻访神灵，并携带牺牲来供奉它们。在波斯有些神树，上面并且挂了衣服、破布和法物等。德国和美国都有所谓“神林”（sacred groves）。在斯凯岛（Is. of Skye）有一株橡树，土人不敢动它的一枝，橡树似乎特别有神圣的性质，常被崇祀。

在现代树的崇拜盛于中非洲、南埃及和撒哈拉。刚果的黑人崇拜一种树名为“弥耳仑”（Mirrone），常把它栽种在家的旁边，似乎把它当作护家的神。沿几内亚海岸几乎每村都有他们的神林。在阿达（Adda）有一株大树被奉为神，上边插了几枝箭，挂上些家禽、野鸟和别物以供献于树神。在北美洲克里人（Crees）曾崇拜一株神树，在上面挂了些牛肉和布条，据他们说有一回被“斯托诺印第安”人（Stone Indians）把这神树的“子孙”偷砍了很多去。在墨西哥曾有一株很巨的古柏，在它的枝上挂满了印第安人所供献的祭物，如黑发、牙齿、有色的布、破布条等物。在尼加拉瓜（Nicaragua）不但大树，便是玉蜀黍和豆都被崇拜。玉蜀黍在秘鲁的万卡（Huanca）省也被崇拜。

第四章　图腾崇拜

弗雷泽（J. G. Frazer）说“图腾（totem）便是一种类的自然物，野蛮人以为其物的每一个都与他有密切而特殊的关系，因而加以迷信的崇敬”。赖纳茨（Reinach）更具体的说这个名称便是指一氏族人所奉为祖先、保护者及团结的标志的某种动物、植物或无生物。这种崇拜盛行于北美印第安人及澳洲土人中，在别处也常有遗留的痕迹。澳洲的图腾崇拜较之美洲的更为复杂。图腾一语原是美洲奥日贝印第安人的土语；澳洲则有“科旁”（Kobong）一名与图腾同义。图腾崇拜与普通的生物或无生物崇拜不同的地方在其性质较为特殊而复杂，出于上述诸种崇拜的范围以外。做图腾的物并无限制，但实际上以动植物为多。例如澳洲东南部土人的500个图腾之中非动植物的不过40个，此40个大都如云、雨、霜、霞、日、月、风、秋、夏、冬、星、雷、火、烟、水、海等，有时为物的一部分如尾、胃等。图腾不是个体而是指全种类，如以袋鼠为图腾，便指袋鼠全部，如以牛为图腾，便指牛全部，不是单指某只袋鼠，或某头牛。以某物为图腾的便不杀害其物，只有在特殊的情形，例如举行宗教仪式之际，或其图腾为危险的动物，或除图腾以外别无食料的时候，方宰食它。为自己的缘故杀它虽不对，但如为别氏族的人而杀他便无关碍，但这是特殊的事，通常总是不敢杀害自己的图腾。别族的图腾可以拿来当食物，但对于自己的图腾，也应当培养它使它繁殖，以供别族的需要。

澳洲土人的主要社会组织为氏族（clan），同属一个氏族的互认有血

图腾柱

（采自 Eichler—*Customs of Mankind*）

族关系，其实不一定真的同血统，不过同用一个图腾的名而已。同氏族者共认为同出于图腾一类的祖先，互认为亲属，有密切的关系，不得互相婚配。图腾与属其图腾的人有这种血缘上的关系，所以特别受优待。关于这种制度，他们有神话说明它。他们说在以前“亚尔哲灵卡”（Alcheringa）时代，即远古的梦幻的时代（dream period），他们的祖先曾存在于世间，他们的祖先是人、神、动物三者的混合体，其能力比现在的人类为优。它们能自由游行于地上、地下及空中以创造万物，他们的血管一开便成为大洪水，能使高原变为平野，山岳裂成深谷。它们各有棒片或石片等物，称为“珠灵卡”（Churinga），这种物和他们有极密切的关系。其后这些祖先在各地方各自降入地下去，其地方便生出岩、树等自然物并遗留其“珠灵卡”于其处。所以图腾便是祖先的化身，而“珠灵卡”是极重要的标记。各氏族都有其“珠灵卡”，其上画些图腾的象征。“珠灵卡”极为神圣，有宗教的意义。其物或为木制，穿孔而系以头发，常于举行仪式时执之作奇异的声音。藏“珠灵卡”的地方也是神圣不可侵犯的，妇女或未经入会式的男子都不得行近其处，逃入其地的动物不得捕捉，人类不得于其地争闹。“珠灵卡”有神秘的能力，人如触它可以疗病患，愈创伤，生须髯，获勇力。战斗时有“珠灵卡”的一方必胜。但“珠灵卡”对于属其图腾的人有利，对于以外的人仅有害。“珠灵卡”对于氏族的人有重要的关系，所以如失了它便恐有灾祸降临，全氏族的人都陷于愁叹，2周日中全族人皆体涂白色粘土表示悲恸。可以取动“珠灵卡”的只有长老或得其允许的人。对“珠灵卡”的态度极为严肃，移动时须行仪式。

以上所说的都是澳洲的图腾崇拜，至于美洲的则稍为简单。美洲的图腾与崇拜者的关系多数是保护者而非祖先。美洲的图腾标记为图腾柱（totem pole），长三四十尺，其上雕刻图腾的形，植立于各家族的入口。

此外别地方也时见这种风俗，或其痕迹，如南非洲的贝专纳人（Bechuanas）分为鳄族人、鱼族人、猴族人、水牛族人、象族人、豪猪族人、狮族人、藤族人等；凡属某物的族便不敢吃那种物或穿其皮，对于其物有特别畏敬的心。秘鲁的印第安人有许多家族自信系出自动物的祖先。印度的孔德人（Khond）也以动物为族名，而分为熊的部落、枭的部落、鹿的部落等。蔡孑民先生说我国上古有鸟官、龙官、虫种、犬种等，也是这种风俗的痕迹。又如瑶族的奉狗为祖，突厥的自认狼种也很近似。

第五章　灵物崇拜

灵物崇拜（fetish worship，fetishism）的原名“fetish”一字原系葡萄牙语，意为法物。这种崇拜的对象常系琐屑的无生物，信者以为其物有不可思议的灵力，可由以获得吉利或避去灾祸，因而加以虔敬。其物例如奇形的小石，掀起的树干，甚或一顶旧帽，一条红色的破布等物，只要看见的人直觉的以为是有灵的，便对之祭献和祈祷了。所求能如愿则神物便受酬谢，否则常被舍弃，惩罚或毁坏。各人都可以有他自己的灵物，全部落也可以有公共的灵物；但两者都须有神明的帮助。美洲祖尼人（Zuni）的灵物崇拜很可以做这种信仰的一个好例。祖尼人把宇宙分为6大部分，便是北，西，南，东，上，下。各部分都有其特殊颜色；北是黄色，西是蓝色，南是红色，东是白色，上是各色都有，下是黑色。各部分又都有其特殊的动物；北是山狮，西是熊，南是獾，东是狼，上是鹫，下是鼹鼠。用石当作这6种动物的代表，并将箭镞和羽附加于上面。这些灵物便是狩猎的神了。人们对这些灵物祈祷，供献以插鸟羽的棒，举行以它们为中心的仪式。这些灵物各有权力以管理属于它一色的地方。当出猎时，猎人带了兵器走到“鹿医”的家，在那里便可找到一个柳条编成的篮，内贮这些灵物。他须面向所要出发的方向，手撒“圣谷粉”于篮的内外。然后用左手握了一小撮的圣谷粉举手当心，一面口里祈祷。祷毕把“圣谷粉”向所要出发的方向撒去，然后拣选所需要的灵物。把灵物举到唇边，呼气于上，向他道谢。在行猎中的各段都要举行这种仪式。当杀死了禽兽时，便把它抱在胸前，一面取出灵物，对它呼一口气，告诉它要和它同享，然后把它略浸血里。其次他自己也用手掬一点血，啜饮下去。然后撕出肝脏，生嚼了一部分，并说“谢谢”。在剥皮及剖割的时候特地剥出了耳轮的内部并拾起心血的凝块和一簇毛发。此外再加以黑色颜料、麦粉、贝壳灰，作成一个圆球，和一袋谷粉同埋于该动物被杀的地方，并再作祈祷。回家时送还灵物于其原处，敬申谢意，并祈求它下次的帮助，又申说这次确曾供过它饮食了。

一个聪明的尼格罗人说：“我们中的无论那个如要从事什么事件，先必找寻一个神灵来帮佐。跑出门外最先看见的东西便可以当作我们的神。否则如见有适在我们路中的任何物件如石头、木块等物，也可把它拿来，供以祭献，然后对它宣誓，说它如肯帮助我们，我们便崇拜它为神灵。这种方法如成功，我们便造出了一个新的神灵来帮助我们了，以后便每日供献它新鲜的牺牲。如这神灵不肯允许相助，便把它送还原处。我们是这样的日日在创造及破坏神灵，所以我们反是神灵的主人和创造者呢。”

在才坡（Jeypore）麝鼠的死体被当作很有效的灵物，这种死体干了，便把它装入一个盒子内，盒子或为铜的，或为银的，或为金的，依人而异。这种盒子挂在颈上或缚在臂上都可以。据说这物能够辟邪祟，并且能使人不受兵器的伤害。北美洲的印第安人有一种灵物名为“药袋”（medicine bags），带在身上，可以受其保佑而得平安。这种“药袋”的获得很不容易。一个人当十四五岁的时候，须独自跑到大草原中，倒在那里，断绝食物，并用心冥想2日以至5日，竭力提神不睡，愈久愈好，后来睡去的时候，梦中最先看见的动物便是他的“药”了。他醒后立刻便去打一只梦中所见的动物，愈快愈好。打获了后把皮剥下来做一个袋，这便是所谓“药袋”。以后便供以祭献，求它保护。

马达加斯加岛土人每一家中都悬挂一个篮子于北房的屋梁上，篮子里边放一个灵物，或为一块石头，或为一枚树叶，或一朵花，或一块木。这种物是家庭的灵物，一家的人都信赖它，对它祈祷，希望得它保护而免受邪祟。

灵物虽受崇拜，但如不能应崇拜者的请求时必常被虐待。例如奥斯加克人（Ostyaks）对于不听命的灵物常加以侮辱，捶击，甚或残毁它。黑人们也常有这样风俗。

蛮人们所以信灵物为有超自然的能力的缘故有两种解释，一是以为有精灵附托在其上，一是以为有神秘的超自然的“力”（power）注入于物体，前一说是根据泰勒（Tylor）的生气主义的，后一说则根据马雷特等的生气遍在主义。依编者的意见，世界各处蛮族的灵物信仰并不是完全同样的，或信精灵，或信神秘的力；所以这所说都各有适用的地方。

灵物崇拜或说不能算作宗教，如拉伯克（Lubbock）便持此说，他以为宗教是人附服于神的，而灵物崇拜则是要使神附服于人，所以两者不但不同而且极端相反；偶像崇拜才可以算作宗教，因为那是人对神的崇拜。拉伯克的意见是不对的，因为他是根据于他的无宗教时代的假说，而这些假说把宗教的定义定得太高了，因而遗漏了所有和他的定义不合而实际上也是宗教的东西。

第六章 偶像崇拜及活人崇拜

偶像崇拜（idolatry）——偶像与灵物不同的地方便是必须经过雕刻或捏塑以成某种形状，其像精粗不同，或为一束的草，或为略加涂抹的石头，或者如东亚人民所祀的精细镂刻的神像。有极大威力的神灵常有巨大的像，多数有上下肢，或狮子的头，鹿的腿，或并且背生羽翅。偶像也有中空的，使僧侣们可以藏在里面，然后讲话出来假做神像能自己讲话的样子，使人民增加虔信的心。有把偶像本身当作神灵的，也有只把偶像当作神灵所寄托的。但野蛮人大都信偶像即为神灵，能直接听悉祈祷，接受祭献，并有权力造作祸福，所以性质很同于灵物。

偶像如不能应崇拜者的希望，常有被责罚的事。黑人如得不到幸运便鞭打他所奉的偶像；奥斯加克人（Ostyak）出猎不获时也击打他的偶像；我国人曾把偶像抬放泥中，直至所请如愿方才为它洗濯及镀金。

俄罗斯的农人要做坏事的时候，便把神圣的图像遮蔽起来，使它看不见。意大利的强盗祈祷于圣母马利亚的像前请保佑他们成功，许把赃物分些做祭献。

偶像崇拜不是普遍于全世界的，它的发生是较为后来的事。在回教、犹太教、基督新教中都被禁止。

有一种奇异的事可以证明偶像不只是神灵的代表而即是神灵的本身。印度的“婆罗门”僧侣当人民的供献不甚丰厚时，常用铁链把偶像的手足锁起来，然后纵人民观看；并对大众说这是神灵的债主所干的，因为神灵当穷乏时，曾借过债主的钱，现在无钱还它。他们又说债主很凶，如神灵不能把本利全清，决不能得自由。于是善男信女们听了以为这是行善的大好机会，便尽力布施交给“婆罗门”请代为神偿债，以赎回神的自由。古代蒂尔城（Tyre）曾崇祀有名的赫拉克勒斯（Hercules），把神的像当作神的本身；所以后来这城被围于亚历山大时，城中人便用链把神像锁起来，以预防它叛走入敌人方面去。

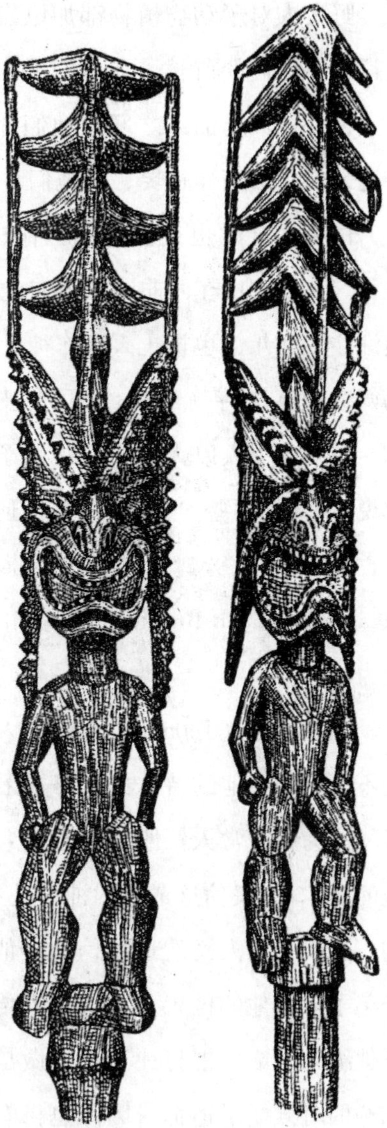

夏威岛木雕神像

（采自 Wallis— *Intro. to Anthropology*）

生人崇拜（man worship）——在新西兰曾有一个大酋长名 Hougi，自称为神，他的部民也这样称他。在社会岛（Society Island）一个名为 Tamatoa 的王也被人民奉为神灵。在马克萨斯岛（Marquesas）的土人中有数人号为 Atua 即神灵，人民崇拜他们，并信他们也有法力像别的神灵一样。塔希提（Tahiti）土人的王与后被人民曾奉为神，所有他们用过的东西，都不准常人拿去用，甚至和他们名字相同的声音都不许提及。朝廷上所用的语言都极希奇可笑；王的宫室称为“天上的云”，艇子称为“虹霓”，王的声音称为“雷声”，王的室中的灯火称为“电光”。百姓们夜里在王的屋子旁近经过的时候如看见灯火的光，他们便说是“电光在天上的云中发亮了”。

野蛮人对于动物植物都加以崇拜，自然对于生人的崇拜不觉得有什么误谬。他们的酋长，在他们看来即使不比神灵们更有能力，也可说没有逊色。神灵与活人之间在他们并不觉得有什么明确的界限。因此酋长和巫觋们常被当作神灵，而他们自己也竟以神灵自居，自以为有神权了。

白种人有时也被蛮人们当作神灵。如船长库克（Cook）在太平洋，兰德（Lander）在西非洲都曾如此。又如汤姆森（Thomson）夫人曾在北澳洲住了几年，也被土人当作神灵。在安达曼岛白种人也曾被当作神灵。汤姆森和莫法特（Moffat）两人被非洲贝专纳（Bechuana）的女人当作神。布须曼黑人以为白人是神的子孙。萨摩亚土人对本地神灵的祷词中常说，“请把这些‘航海的神’赶去罢，不然恐怕他们要降给我们疾病和死亡”。在印度旁遮普的土人，崇拜尼科尔森 Nicholson 将军为神，称为 Nikal Sen。Rajah Brooke 在婆罗洲的一部分曾被土人们疑为具有超自然的法力。

在托达人（Toda）中有一种人叫作“巴拉”（Balal），也不是酋长，也不是巫觋，他的特殊的职务是看顾神牛，在他的任中是一个神，离职后又成为一个常人。刚果的巫觋曾被奉为地神，巫觋的领袖则称为“全地的神”，人民信这最大的神巫是不会像常人有自然的死（natural death）的。为要符合人民的这种信仰，他到了自觉生命不久的时候，便选择一个弟子承继他的位置，并把法力传给他；最后便当众叫他的弟子用绳索把他缢死，或用棍打死。这样做是要使人民相信这继位者确曾在前任的临绝的时候受了遗命，因而也得有呼风唤雨等能力。如继承的时候不这样做，人们便说土地就要干燥不毛，人类要因而灭亡了。西藏的喇嘛首领被人民叫作活佛，这也是活人崇拜的一种。据说活佛是长生不死的，虽是他的灵魂时时由一个肉体移到别个肉体，但却不是死而是“轮回”。

第七章　鬼魂崇拜及祖先崇拜

人类常觉得暗中似乎有无数的鬼魂从坟墓内爬出来，在他们的门外呼喊，或且潜入屋内作祟，有时偶然现出可怖的形状，有时发出慑人的怪声。即在文明的都市中也常传说某处有鬼，有很多人不敢在凶宅内居住。我们祖先的这种畏惧鬼魂的感情至今尚存于我们现代人的心里，一遇机会便发露了。

鬼魂观念发生的原因——人类何以有鬼魂（ghost）的观念？据斯宾塞等人的研究，大抵由于下述的原因。原始民族对于生命的观念，第一，是以活动的能力为准，所以常把无生物当作有生命。其次，是物体变化的观念（metamorphosis），例如云的集散，日月星的出没，白昼与黑夜的递换等。其中尤以风的现象最觉得奇异，他们不知风为实体的物质却日日见它的变化。又如植物的生长与枯萎，卵变为雏，雏变为长大的鸟，蛹变为蛾，生贝变为死壳，某种昆虫变像树枝，蝴蝶变树木叶。凡此种种证据都可使原始民族信为物体能自己变化。以上是身外的即客观的现象，此外还有身内的即主观的现象。一方面晓得外界的物体都能变成数种形状，一方面觉得人类自身也是能变化的。例如做梦、昏厥、迷乱、癫痫及死亡，便都是人身的变化。人身既是会变化的，自然不是限于这个可见的简单的肉体，于是对于回响、阴影及映像的解释便加入，而促成了第三个观念，即“复身”（the double）或“双重人格”（double personality）的观念。原始人以阴影为另一个身体，而回响也是另一身体所发的声音，又如水中反映的像更的确是另一个身体。因为旁人告诉他水中的像绝类他的身体，而他自己也观察别人的像而得到同样的断语，于是遂以为凡人都有另一个身体，即“复身”，而阴影与映像都是复身的表现。他们更推论梦的现象，梦中所经历的事本来不疑为虚而信为实，一面又由各种证据而知梦时其身体实系倒卧，不曾离开所在地，于是便断定梦中的经历是复身在别地活动。又如昏厥的时候患者失去知觉，安静不动，但苏醒后，回忆未醒时似曾经历多少动作，这也使他们疑心是复身离开肉体，经过多少时候方回原处。迷乱癫痫也同样促成这种观念，至于死亡则可解释为复身不再回归原体了，这个复身便是所谓“灵魂”（soul），人类死后的灵魂别称为“鬼魂”（ghost）。各民族的灵魂一语几乎全是借用气息、阴影这一类字，例如塔斯马尼亚的阴影一语便兼指灵魂，印第安的阿尔衮琴人（Algonquins）称人的灵魂为“otahchup”，意思就是“他的影”。阿维波内人（Abipone）以“Loakal”一语兼指阴影、灵魂、回声、映像四者；加利福尼亚的涅特拉（Netela）语“piuts”一词也兼有“生命、灵魂、气息”三意。由此可知灵魂便是“无实质的他我”，换言之，便是无形无质而凭附于身体的一种东西。

野蛮人很怕照像，以为会摄取他们的灵魂。以前有一个法国的医生到马达加斯加岛照了几个土人的像，土人们便说他是要偷人的灵魂去卖，遂逼使这个医生将灵魂取出来放在一个篮子内，交给所照的人。人的得病有时是因为他的灵魂离开肉体太久，如我国人所谓“魂不守舍”便是，于是寻回灵魂便成为巫觋们的一种职业。婆罗洲的土人如见有人病重便派一个“捉魂的”（soul-catcher）去捉回他，捉回来时将盛魂的一个小物件在病人头顶摩擦，说这样做，灵魂便会重入身体。病人如果死了，他的亲人便伏在尸身的耳朵上叫道：“回来罢！这里有吃的东西预备给你哟！”

鬼魂的去处——灵魂在梦中大都在另一地方做事，死后究竟去何处呢？这问题的答案便是“来世”（future life），即死后的世界的信仰。死后灵魂的去处有两种，一是转附于世界的另一物体，二是独立存在，不附物体。

第一种便是轮回或转生（transmigration）。即一个人的灵魂转移到别个人体、动物、植物或无生物。这种信仰尚保存在较为高等的宗教中，如印度教（Hinduism）和佛教。这种信仰以为一个人的今生的行为能够确定来生的命运。印度人以为今生做贼的人来世转生为鼠，恶人会变为野兽。非洲人以为善人的魂会变为蛇，恶人的魂却变为胡狼。

在第二种的情形，鬼魂也有两个去处，一是杂居人世，一是到别个世界（the other world），即阴间去。各民族常有鬼魂旅行的神话。这别个世界的所在，各民族所见不同，或以为在地下，或以为在天上，或以为在日没的地方，或以为在远处的孤岛。鬼魂世界的情形各民族所说也不一律，但却同为人世界的反映，在那边的生活犹如人世。鬼魂不一定都到鬼世界去，有时也杂居人世，大都滞留于其生时所住地的近处，或尸体所在的地方。杂居人世的鬼魂常为人所惧怕而恐其作祟。返回人世作祟的恶鬼大都是因为死后生活未能快乐。蛮人常以为鬼魂能够在呼吸中进入人体，而呵欠和喷嚏便是鬼魂附身的朕兆。

鬼魂崇拜——人类既以为死人还能存在，而且因为他们已经脱离躯壳能自由来往各处，比较生时更有能力以作祸福，所以对于死人的崇拜是自然会发生的。一部落中的个人有特别势力或有神秘性的，在生时尚被崇拜，死后自然是有加无已。所以各民族中都有其英雄受后人崇拜，据后来的传说这种人在生时或曾建筑城堡，或传入农业，或始创金属器，又如普罗米修斯（Prometheus）从天上偷下火来给人类用，卡德默斯（Cadmus）创造字母以教人类。

当日俄战争时，日本的东乡大将曾祭告鬼魂们，申其谢意，似乎以为由于他们的暗中帮助方能打胜仗。即在高等的宗教中也还有崇拜死人的遗习。在罗马加特力教和回教中所崇奉的圣徒（saints）都受人民的祭献与祈祷，他们的坟墓成为教堂或寺庙，他们在生时据说都具有魔术的能力，如《圣经》中说圣保罗在生时曾以手巾给病人，病立刻便愈，邪鬼立刻便逃走。在罗马加特力教的教堂中，每个祭坛下都须埋有圣徒的遗骸、遗物，因此在几百年中他们不绝地搜求这种东西，特别是殉道者的更为重视。我国则有孔圣、关帝，也都是死人而被崇拜。这种文化的英雄都是善的鬼，此外恶的鬼也很多，由于畏惧的念头也不敢不崇拜他们，以消弭其恶意。印度人常建小社以祀有危险性的“Bhut”，我国民间也有许多“淫祀”即属此类。

祖先崇拜——祖先崇拜是鬼魂崇拜中特别发达的一种，凡人对于子孙的关系都极密切，所以死后其鬼魂还是想在冥冥中视察子孙的行为，或加以保佑，或予以惩罚。其人在生虽不是什么伟大的或凶恶的人物，他的子孙也不敢不崇奉他。祖先崇拜（ancestor worship）遂由此而发生。行祖先崇拜的民族很多，如维达人（Vedahs）、非洲尼格罗人、新喀里多尼亚人（New Caledonians）、古代的罗马人、闪族人、日本人、中国人都很著称。

新喀里多尼亚人以为每隔5个月鬼魂必自丛树中出来，届时须预备食物，众人于午后齐集坟旁，在日落时举行宴会，为首的人须对墓内老人的灵魂祝说：“鬼魂们，我们很喜欢恭听你们的甜美的声音，可以请你们唱一个歌给我们听吗！”祝毕，他们便自己唱起歌跳起舞来。在桑塔尔人（Satals）中每村的旁近必有一簇神林，据说这是村中的鬼魂所住的地方，他们在这暗中视察他们子孙的行动，他们不乐时也会降病于人，所以村人须于一定期间穿了顶好看的衣服去神林边祭献及饮宴。非洲达荷美（Dahomey）的酋长常差遣使者传报重要的事件于已故的祖宗。遣人时把报信的物递给在旁的任何一个人，然后砍他的头，如还有别的事忘记报去，便立刻遣第二个使者去。

祖先崇拜在中国最为繁细，而且也很特别。对于祖先的崇敬可谓达于极点。食物、冥钞及别物的祭献，木主的供奉，忌辰的举行，祠堂的设立，每年的扫墓，春秋的大祭，以及此外许多事件合成一个中国式的祖先崇拜的系统，其中有些与野蛮人相同的，但其繁细的程度终非别地方所能及。

丧仪及葬式——由于崇拜死人之故，对于其尸体的处置便生出许多仪式来。家有死人必定改变平时的形状，如断发、绘身，或穿着特别衣服等，其初大约不是为纪念，而实是由于惧怕的心理。将冥器纳入墓内的风俗很普遍。兵器是供他去阴间争斗，器物则给他生活。甚或奴仆从人都殉葬以侍他于幽冥。葬法有很多种，列表于下：

葬法
- （一）埋葬（burial）
  - （1）简单葬
  - （2）瓮　葬
  - （3）水　葬
- （二）火葬（cremation）
- （三）露天葬（exposure）
  - （1）置尸台（scaffold）或树上
  - （2）置洞穴中
  - （3）投与鸟兽
- （四）防腐葬（embamment）

第八章　多神教　二神教　一神教

多神教（polytheism）——在较为高等的民族中，混乱无序的信仰常变为有系统的各种较大的神灵的信仰，而这些较大的神灵是各有作用各自统治宇宙的一部的，例如风、雨、雷、电、气候的神，森林、江河、海洋的神，播种与收获的神，战争、疾病、死亡、冥界的神等，名号甚多。在古埃及各区域都有其特别的神。在希伯来人耶和华原是诸神之一，后来方成为唯一的神。在罗马也有一个万神庙（pantheon），他们的神也很多。这种宗教常称为多神教。

多神教中的神常由人类的袒护而互争雄长，本来诸神中谁真谁伪无可分别，但是人们却要苦苦争论，硬说那一个是真的而其余是伪的。甚至于把信奉别神的人焚毙，说他们是异端。

多神教中所奉的多为“非自然物”（non-natural beings）而是人形的神。人类想象出来的神自然会与自己具有相同的形状，这种“神人同形主义”（anthropomorphism）在各种高等宗教中都曾有过。希腊学者色诺芬尼（Xenophanes）曾说“人们以为神的出生犹如人的出生，而他们的形状容貌与智慧也和世人一样。黑人造出来的神是黑的，白人造出来的神则是白的。如果动物同人一样有手可以造像，那么他们造出来的神一定是动物形的，马的神成马形，牛的神则像牛形”。在《荷马史诗》及印度史诗《摩诃婆罗多》（*Mahabharata*）中的神都是神人同形的，他们不但具人形，还有重量，可加以枷锁，能感觉身体的痛苦，即不致会死也会感觉创伤。其差异是无血液而只有一种神液，虽会吃牺牲但却不需照定规的进餐。他们有同人类一样的感情与意志，他们也有恐惧、怨恨、忌妒、虚荣的心理，且较人类为强。他们也会忧愁失望，他们不是全知全能的，他们的社会也像人一样的不固定，常起战争，神与人类分别的要点只在其能力的强大，他们的体力远过于人类，至于魔术的力更不必说是超过无数倍的了。

二神教（dualism）——各民族中有信宇宙间只有二位最有力的大神的，这二位大神斗争不息，各要占做宇宙的统理者，这便是所谓二神教。

这二神一个是居于平静无云的地方，具有慈悲的心肠，专施恩惠于人类；别一个则极为残暴凶恶，能使海水怒腾，天地晦暗，作严寒苦人的身，纵猛兽吃人的肉，降暴风雨以扫荡人类的屋宇及产物。一个是光明的神，他在日光里微笑；一个是黑暗的神，惯在雷雨里吼叫。一个是专用善良及温和的精灵为助手，一个则专差残暴凶恶的精灵为帮凶。

有多种宗教都有二神教的痕迹：如古埃及有善神奥西里斯（Osiris），恶神萨特（Sat），对于恶神的供献较善神为多，因为人民很怕他。马达加斯加有善神赞和尔（Zamhor）和恶神尼扬（Nyang）。斯堪的纳维亚人有光明的神巴尔迪（Baldur），黑暗的神洛基（Loki）。古印度宗教中有昼间的神因陀罗（Indra）和夜间及邪恶的神弗里特拉（Vritra）竞争。古波斯的琐罗亚斯德教（Zoroastrianism）即祆教以为光明的神阿胡拉·玛兹达（Ahura-Mazda）或称为奥尔姆兹特（Ormuzd）永远和黑暗的神安格拉·曼纽（Angra Mainya）或阿里曼（Ahriman）斗争。这种宗教生出了高尚的道理能使人行善而拒恶。当犹太人在巴比伦做俘虏的时候，那里正盛行无数恶魔的信仰，他们便也采取了最高恶魔的观念，把这最高的恶

美拉尼西亚的海神

（采自 Elliot—*Prehistoric Man and His Story*）

魔名为撒旦（Satan）；以前他们以为他们的神耶和华兼有善恶二性，以后乃渐以撒旦负担恶的一方面，以为他有极大的威力，能够上下游行，“像一头吼叫的狮择人而噬”，并且差遣了许多小魔鬼诱人作恶，拖人入地狱。

一神教（monotheism）——野蛮民族中似乎也有一个最高的神的观念，但究竟是基督教或回教的传教师传入或是本来自己发生的，不易论断。

波利尼西亚人据说有很高等的一神教。土人自述其信仰如下：“塔罗亚（Taaroa）便是。塔罗亚是他的名，他住在空中，没有地，没有天，没有人。塔罗亚呼叫，没有应他的，他独自存在而成为宇宙。梁柱便是塔罗亚，岩石便是塔罗亚，沙土便是塔罗亚，他把各物都号他自己的名。他创造了这坚硬石头的世界，这世界便为他的妻，是万物的基础，产生了地与海。”

一神教说神是独一的（unity of god），其实并不十分纯粹。最高的神之下常有许多天使，天使岂不是小的神吗？神与天使都是善的，不做恶事，于是宇宙间所有的恶事不得不归于一个极有能力的恶魔及其下许多小恶魔。如上面所说的犹太教便是这样。回教也信有一个恶魔的领袖。

在回教、基督教、犹太教以前世界上曾有过一神教，可惜昙花一现，随即消灭无踪，后来的人很少知道就是了。约在耶稣纪元前 1400 年，埃及有一个极为“圣洁”的王名阿赫那顿（Akhnaton）很为人民所爱戴，号他为“清气的王”（lord of the breath of sweetness）。他因为舍弃了对于动物、太阳、气候的神的信仰，见恶于僧侣们，于是逃出了僧侣的范围，另建一个城，在那里创立了一个新教，只奉阿顿（Aton）为唯一的神。他教百姓们只向这一个神祈祷和唱歌，以这一个神为他们在天的“父亲”，并为“仁爱与和平的主宰”。他叫百姓不要做阿顿的像，而这神的象征物“太阳盘”（sun disc）也不是被崇拜的。但因为他痛恨战争和罪恶，不肯和人开战，后来遂致失了他的国，而这种较为高尚的精神也随之而消灭了。于是百姓们便再回复到以前的信仰去。

高等的宗教中除夹杂二神对立的观念外，还常有“三位一体”（trinity）即三神合一（threc gods in one）的意思。如基督教有圣父（Father）、圣子（Son）、圣灵（Holy Ghost）三位合一位。此外如巴比伦、埃及、印度等处的宗教都有“三位一体”的观念。兹举一个表于下：

三位一体

巴比伦：	阿努（Anu）	贝尔（Bel）	雅（Ea）
	（天的神）	（地的神）	（地下的神）
基督教：	圣父	圣子	圣灵
埃及：	奥西里斯（Osiris）	伊希斯（Isis）	奥鲁斯（Horus）
	（谷神或日神）	（其妻）	（妻的子）
希腊：	宙斯（Zeus）	波赛顿（Poseidon）	哈德斯（Hades）
	（天神）	（海神）	（地下神）
又：	薛乌斯	雅典娜（Athênê）	阿波罗（Apollo）
		（智慧女神）	（日神）
印度及吠陀的：	梵天（Brahma）	毗湿奴（Vishnu）	湿婆（Siva）
	（创造神）	（保守神）	（破坏神）
又：	因陀罗（Indra）	苏维耶（Sueya）	亚格尼（Agni）
	（天空神）	（日神）	（火神）
罗马：	朱庇特（Jupiter）	朱诺（Juno）	密涅瓦（Minerva）
	（天上之主）	（天上之后）	（智慧女神）
斯堪的纳维亚：	奥丁（Odin）	托尔（Thor）	洛基（Loki）
	（大众的父亲）	（雷神）	（恶神）

埃及的神很多为三个一组或九个一组的。奥鲁斯在伊希斯膝上的雕

像后来生出天主教的圣母马利亚同耶稣的图像，所以有人说：“伊希斯与和奥鲁斯换了名字仍然是欧洲人的崇拜对象。”

第九章　魔术、禁忌及占卜

魔术的定律——蒙昧的人民，常以为宇宙间各种现象，可以用神秘的方法影响它，这种方法便是所谓魔术或法术（magic）。神鬼精灵所以有能力，都是因有魔术，人类也可利用魔术而产生超自然的现象。魔术的根据是两条定律：

（一）类似律（law of similarity）或象征律（symbolism），由此律而生的魔术，叫作“模仿的魔术”（imitative magic）。这条定律说，凡相类似而可互为象征的事物，能够在冥冥中互相影响。有两条细则：

（1）同类相生（like causes like）类似的事物能引起真的事物，只须模仿真的事物，便能得到真的结果。例如针刺一个当作仇敌的偶人，则仇敌也真的受伤，倒转物件则命运也因而改变。

（2）同类相治（like cures like）相类似的假事物，能制止真的事物，故利用凶物可以辟除邪怪。

（二）接触律（law of contact）或传染律（law of contagion），由此而生的魔术名为“传染的魔术”（contagious magic），也有两条细则：

（1）凡由一全体分开的各部分，仍于暗中互相感应，例如发虽离身，仍能影响于身体。

（2）凡曾一度接触过的两物间仍有神秘的关系，例如衣服与人身。

模仿的魔术——这类魔术最普通的，是假造敌人的形象，然后残毁他以暗害敌人，其意以为形象既与真的人相类似，像如受毁损，真的人自然也于冥冥中受害。这种魔术通行于古今许多民族中。如北美印第安人，如要加害于敌人，便画了一个人形于沙灰或泥土上面，或假定一个物件为敌人的身体，然后用尖锐的物刺他，或用别法伤他，以为这样便会发生同样的创伤于仇人的身上。如其中的奥吉布瓦族如要害人，便做成一个小木偶当作那个人，然后将一根针刺贯他的头部或心部，或者用箭射他，以为这样会使那个真的人，同时也发生剧痛于头或心；假如还要致他于死地，只要把木像焚毁或埋葬，并念诵几句咒语就会使那人无病而死。马来人的魔术，也有这一种。他们将所要加害的人的指甲、头发、眉毛、唾沫等物备好，酌量可以代表那人身体的各部分，然后一一安上蜂蜡所做的偶像。每晚把蜡人放在灯上烘烤，并诵念以下的咒语：

我所烘烤的不是蜡啊！

我所烘烤的是某某人的心肝和脾脏啊！

照这样烘了7晚，然后把它烧掉，于是这可怜的被害者便被活活弄死了！马来人处置蜡人的方法也有像奥日贝人的，他们将尖锐的物刺他的眼睛，活人的眼睛便瞎，刺他的胃胃就病了，刺他的头头就痛了，刺他的胸胸就受伤了。如要立即杀害他，只须从蜡人的头一直刺贯下来，替他穿上寿衣，然后把他埋在仇人所必经的路中。还有更妙的是谢罪的方法，只须诵念以下的咒语：

这不是我埋葬他，

这是加伯利尔（Cabriel）埋葬他啊！

于是这杀人的罪便轻轻的诿到最高天使加伯利尔身上去了。这类魔术我国民间的传说及小说中也常说及，虽未必是真的，但总有这种观念。如《封神榜》里姜子牙拜死赵公明，《杨文广平南蛮十八洞》中金精娘娘射草人都是，而后一种更与上述的相似：金精娘娘将草人当作杨怀恩把草人拜了7昼夜，最后一夜用3枝箭射他。先射左目，同时在远处的杨怀恩左目便瞎了，再射右目，右目也瞎，第三射直贯草人的心部，而真的人也大叫一声痛死了！汉朝盛行的巫蛊常用偶像，现在我国民间的魔术还多用纸人做替身，写上仇人的姓名八字拿来施术。

模仿的魔术也可用于善意的事件，如催生，求胎，渔猎等事。巴巴尔群岛（Babar Is.）的妇人如要求胎，便请一个多子的男人为他向日神厄普利若（Upulero）祈祷。方法是用红色的棉做成一个偶人给她抱在怀里，装做吮乳的样子。那个多子的爸爸拿一只鸡高擎在这妇人的头上，口里念道：

啊！厄普利若，请享用这一只鸡罢。
给“他”降落，给一个小孩降生；
——我求你——
给一个小孩降落，并降生于我的手中和膝上。

说完便转问这妇人：

“小孩来了吗？”
“来了，他已经在吮乳了。”她这样答。

于是这男子再举这鸡于妇人的丈夫头上，又再念一遍，最后便把鸡宰了飨神。仪式既完，这个妇人便得胎了！

用于渔猎的如下面所举的两例。英属哥伦比亚的土人以渔为生，若渔季到而鱼不来，便请一个神巫做了一个鱼的模型投在平时鱼儿出没的地方，再念些催鱼的咒语，鱼儿便会来了。柬埔寨的猎人如张网落了空捉不到野兽时，便裸了全身跑了开去，再缓步回来，假做野兽误投网内的样子，口里并喊道："吓！这是什么？我恐怕是被擒了。"这样做了以后，那些野兽们便真要被擒了！

我国人的风水的迷信便是应用模仿的魔术的原理，因为风水便是观察地形所像的物状，如所像的是好的物，那块地便是好风水，反之则为恶地。一条长岭可以拟为一条龙。一个小冈可以拟为一颗珠，如开一个坑于岭中则龙便被斩断。

传染的魔术的例——最普通的例，便是从一个人身上取下来的东西，如指甲、头发等物拿来施术，以加害于其人的本身。如毛利人以为如取人的头发、指甲、唾液等埋在土内，则其人必死。又如上述的例，马来人以人的指甲、头发等加于偶人之上以代表其本人。沃多（Vodo）的神巫对白人说"我若得到你身上的一根睫毛或一片斑屑，你的生命便在我手里"。

我国人关于发、须、爪的魔术也很多。（江绍原先生曾著一书名《发须爪》，关于他们的迷信举了很多的例。）原始民族常将自己的指甲、头发、牙齿收藏不使人知，便是因为恐怕被别人拿去施术。脱落的牙齿又常投于老鼠出没的地方，以为若被老鼠所啮，则人口里存余的牙齿便会变成鼠牙一样的坚利。关于婴孩出生后处置脐带和胞衣的方法也很普遍。这种迷信以为脐带和胞衣如保存得法，婴孩一生便会快乐，否则一生都会受苦。以上是指本为一体后来分开的一部分物，至于原非同体而只经一次接触的两物也会互相影响，其例也不少。如衣服便可利用以施术。维多利亚的沃乔巴卢克部落（Wotjo-Baluk）的神巫，能够烘炙一个人的毡衣，而使其人生病，解救的法只须将那毡衣浸于水中，以为这样便可“洗出火气”，而病人便会觉得凉爽。普鲁士人的旧俗以为如拿不到窃贼，只须将贼所遗下的衣服或他物痛打一顿，那贼自然会生病。人行过后与土地接触而成的足印，也会影响于其人，如梅克伦堡（Mecklenburger）的人，以为如用指甲戳入一个人的足印，那人的腿便会跛。人与人同就一个器皿内饮食也会使食者间发生密切的关系。如班克斯群岛（Banks Is.）有一种秘密会社，集会时会员同就一个椰子壳饮酒，以为这样可以发生密切的结合。台湾少数民族也有同饮一杯的风俗，又有木雕的双连杯，备两个人同饮。结婚时的合卺或同牢的礼很多民族都有，这也是有同上的意义的。

“答布”即禁忌（taboo）——答布也可以说是广义的魔术之一种，但如以魔术为狭义的专指积极的方法，则答布即为与他相对的消极方法。魔术是教人应当怎样做，以达到所要的结果，答布则教人不应当怎样做，以避免所不要的结果。答布所根据的原理，也是象征律与接触律二种，和魔术一样。信答布的人以为若触犯了这种神秘的禁令，则由于象征或接触的缘故，不幸的结果自然会降临。答布原系波利尼西亚的土语，但世界各民族都有这种信仰，所以便被人类学家采用为通用的名词，我国本有“禁忌”一语，便是指此。

人类应用魔术的范围极广，而答布也有很多种类，在原始的生活中几乎事事都有答布。兹举几条实例于下：答布之中最多而且最重要的莫如“饮食的答布”（food-taboo），澳洲土人不敢吃做图腾的动物，因为同他们有血缘上的关系。塔斯马尼亚岛人不敢吃一种小袋鼠及有鳞的鱼。澳洲土人禁吃的食物甚多，依人的年龄、性别和时间而定。美拉尼西亚人也有同样多的食物答布。马达加斯加岛人不敢吃箭猪，恐怕传染了胆小的毛病，又如不敢吃牛的膝，恐怕膝象牛一样的不会跑路。“作业的答布”（industrial-taboo）也很多，例如新几内亚土人编网时不敢在未毕时出屋，不敢同妇女有关系，食物须由别的男人供给，食时手指不敢触及食物，不敢多食，不敢高声说话。他们狩猎时也有许多答布，而领袖更不得沐浴、睡眠及说话，发令须用拟势。狩猎用的小艇不得和别个相触。迪亚克人（Dyaka）出猎时，家中的人不敢使手触及油或水，恐怕猎者手滑而禽兽们便会漏走。台湾少数民族出外砍人头时，家中的火不得熄，家人不敢借物与人，不敢说鄙猥的话。此外关于社会组织也有很多答布，如血统的答布，阶级的答布等。又关于个人一生的事件也有答布，如妊娠的答布，生产的答布，成丁的答布，结婚的答布，死亡、疾病的答布等。答布有人人都须服从的，有限于阶级、职业、性别、年龄的，其中以加于妇女的禁忌为最多。在澳洲及波利尼西亚妇女不得和男人在一起吃。在新赫布里底岛（New Hebrides）不得看见初成丁而未洗浴的人。安哥拉（Angora）的风俗，女人在场必致铸铁不成。在法属西非洲女人不得看男人饮食，不得见祖宗的像，制油时不得被人看见。印度的阿萨姆人（Asam）在出战前后不敢和女人同宿或吃女人所煮的食物。

占卜（divination）——占卜是魔术的一分支，大都根据象征的原理，以期发现人类智力所不能晓得的神秘事件。占卜在原始民族中极盛，重要事件都要经过占卜方敢动手。我国商代的人凡国家大事都要先行龟卜。婆罗洲的沿海迪亚克人（Sea Dyaks）凡造屋、耕种都要请问7种“预言的鸟”，有猜详的方法，听鸟声时有前后左右的分别。台湾少数民族出门取人头时也听一种鸟名“丝主丝里”（sitsusiri）的鸣声以验吉凶，如鸣声悲惨便不敢向前。占卜也有用于审判罪人的，别名为“神断”（ordeal），如欧洲中古时的日耳曼蛮族便有此俗。

占卜的主要方法是（1）猜详偶发的事件；（2）猜详梦中所见；（3）观察星象；（4）用人为的方法占卜。

凡意外的偶发的现象无不可视为预兆，而应用象征的原理以猜详其结果。例如无生物的偶然的异状，如兵器的断折；大纛的倒地；动物的怪异的举动；人类自己的偶发的动作，如颠跌、眼跳、心跳；反常的自然程序，如不按时令的花果，陡发的怪风，日月蚀，地震等，在迷信者观之都是吉凶的预兆。梦中所见也是出于意外的，极富于预兆的性质，故梦的猜详遂成为重要的占卜法。各处民族都有这种风俗，而我国古代且特设详梦的官，可见其重要。观察星象的占卜即西洋古时的占星术（astrology）以及我国的星命。这一种较为复杂，蛮族中似乎不甚发达，人为的占卜法甚多，在蛮族中极盛，文明民族也不能免。例如新西兰的土人出战前插两行的树枝于地，一行当作己方，一行当作敌方。风来如把一方吹向后，那一方便败。如把一方吹向前便胜。如吹斜便是胜负不决。西非洲的土人满握一把坚果然后任其坠下，看看坠下的是奇数还是偶数，便由奇偶数而定吉凶。原始民族常有宰杀动物而观察其内脏以断吉凶的。野蛮人及古代人常以为肝脏最能示人征兆，因为肝脏是灵魂所宿的地方。在一本巴比伦的古书中说“如能懂得动物肝脏上面的纹样便可晓得神的意见，能晓得神的意见便晓得未来的事情”。《云南通志》说彝族人“取雏鸡雄者生刳两髀束之，细剖其皮，骨有细窍，刺以竹签，相多寡向背顺逆之形，以占吉凶”。有很多民族用兽类的肩胛骨占卜，把这种骨放在火上烘，然后看它上面的裂纹，以猜详未来的事。如拉普人、蒙古人、通古斯人、阿富汗人、贝都因人（Bedouins）、英国人都有此俗。我国商代也用龟甲烘出裂纹以为占卜，其法在《史记·龟策列传》中说得很详。

（参看拙编《民俗学》中魔术与占卜二节。）

第十章　牺牲与祈祷

牺牲（sacrifice）——人类对其所崇拜之物供献牺牲的缘故，可由人与人的交际而解释之。

凡人如得罪于他人或知人之怨己，则其初念常愿以赠遗潜消其嫌隙；又如关于曾受恩惠之人，亦愿以馈献表示其谢忱；又如有求于人，也常用馈赠以生其欢心。同理，对于死者及神灵贡献牺牲或别物，也是要用馈赠的方法引起其欢心。如人与人的馈赠一样，牺牲有属于感谢的，也有为和解神灵的愤恨的，也有为要求神灵的帮助的三种动机。但牺牲的供献却大都为要求神灵的帮助；所求的例如收获的丰穰；家畜的蕃殖等事。做牺牲的东西自然是拣最好的，如最可口的果实，最美丽的花卉或最肥美的家畜。有时则请神灵和人类同吃一顿，以为食物的原素能够在蒸气中为神灵吸去。

牺牲的供献有两种仪式，或者可说是先后相继发生的。初时以为神灵和人类一样，确实把牺牲吃去，故把牺牲完全弃掉，如祭河神则抛掷河内；后来看见牺牲仍不失去，于是自然解释为神灵只取去牺牲的精气，便将牺牲保留，祭毕由人类自吃。在非洲几内亚偶像只搽牺牲的血液，肉则归祭祀者所吃。西伯利亚奥斯加克人（Ostyaks）每杀动物，便把血搽擦偶像的嘴；后来且代以红色颜料。印度的神石常搽红点于其顶部。刚果的灵物也每在新月出现的时候被土人搽红。

还有些地方，吃牺牲竟变成崇拜者必行的仪式。例如印度，每至祭毕，僧侣便把牺牲分给人民；这种牺牲很被珍视，以为是神圣的东西，立刻便吃完了。在别的地方，则牺牲并不是人人都可以吃的，如斐济

塔希提岛的杀人祭神

（采自Avebury—*Origin of Civilization*）

（Fiji）人中只有老人和僧侣可以吃，女人和少年人都无份。有些地方僧侣竟渐渐垄断吃牺牲的权利。

有一种很奇特的事实便是神灵与牺牲的混合，先被崇拜为神灵，其后竟被当作牺牲而宰吃。这或者由于信所吃的物的神圣的性质能够影响于吃者。

被崇拜的动物，不论自死或被杀，常被崇拜的人所吃。新西兰的大酋长战死常被敌人屠吃，希望获得他的勇气与智慧。在墨西哥每年的某期间必由僧侣用谷粉混和小孩的血液做一个神像，行了多种崇拜的仪式，然后用箭射他，捞出心来献给国王吃，其余的部分则分散与人民，虽是很小的一块他们都很切望。为要使神灵欢喜，人类也有自残及挨饿或做各种发狂的举动的。亚洲人民的祀神，当热度极高的时候有用锥子刺贯舌头的，有用钩子钉入背上的，在昏狂之中与冬冬的鼓声应和而跳舞。还有以为牺牲了最亲爱的人更能平神的怒，或得其保佑，于是以其最亲爱的人的生命贡献于神，这便是“人体牺牲”的一种。

人体牺牲（human sacrifice）即杀人祭神的风俗，在很多地方很多时代都曾有过。这种可怖的风俗不是人类残忍的感情的偶现，而却是根于极深固极诚切的宗教心而发生，上古史中常载有人体牺牲的事迹。迦太基人在阿加索尼西翁（Agathonision）战败以后曾烧死一部分的俘虏以为牺牲。亚述人则杀人以祭他们的神内尔各勒（Nergal）。杀人祭神在希腊神话中似不曾有，大约和希腊人的气质很不合。这种风俗和恳挚的忧郁的神学较有关系。在罗马历史中便很为常见：在纪元前46年凯撒曾用两个兵士为牺牲以祭神；奥古斯都曾以一女子名Gregoria的为牺牲；其后在图拉真、君士坦丁诸帝时都曾有过，并且更盛于前，直至纪元95年方被禁遏。在北欧这种风俗也很常见：纪元后893年挪威王子曾被杀以祭奥丁大神（Odin）。瑞典王唐纳德（Danald）因为饥荒不息，也被他的人民焚死以祭奥丁。在俄罗斯同斯堪的纳维亚一样，杀人祭神的风俗直行至基督教传入的时候。在墨西哥和秘鲁古时特别盛行，穆勒（Muller）说这或者是因为在这地方家畜较少的缘故。穆勒曾统计每年在墨西哥庙宇内被杀祭神的人数约得2500人，其中有一年多至10万人。在印度也常有这种风俗，而以1865—1866年为尤盛，闻是因为要遏止饥荒而举行的；直至现在，真的人体牺牲被禁止，印度人却用面粉、糨糊或泥土捏成人形，然后砍去头颅以祭神，这就如罗马人以偶人代替真的人投入台伯河以祭神一样。中国史上如宋襄公用鄫子于次睢之社，华元杀楚使衅鼓，都是用人为牺牲。

古墨西哥印第安人的杀人祭神图

（系土人自己所绘）

（采自 Kroeber and Waterman— *Source Book in Anthropology*）

在南非洲的马林巴部落（Marimba），在一种仪式中曾以人为牺牲，这种仪式他们自称为 Meseletso-oa-mabele 意为“谷粒的滚沸”。牺牲是选一个壮健而躯体不大的青年充当。擒获他时或是用武力或是用一种麻醉药名 Yoala 的把他麻醉。大众们把他带到田的正中把他杀死，这在他们叫作“培种”。他的血待到被日光晒得凝结了，便弄来和前额骨连其上的肉，并头脑一并烧化，烧毕的灰，则撒布于田内以为肥料，其余的尸体则由大众分吃了。还有一条很奇怪的例可以说明杀人祭神和崇拜牺牲为神的事。在古墨西哥土人每年必举行大祭一次于所奉的神“Tezcatlipoca”之前。其前一年必选一个美秀的青年，通常为战时的俘虏，充当牺牲。在一年中这个将来的牺牲同时被崇拜为一个神，供奉甚盛。他出游时必随以多数的侍者，人民看见他必俯伏为礼。他所要求的各物都必遵命给他。在最后一个月的开始时，并且拨 4 个美丽的女子为他的夫人。最后一日把他排在庄严的行列之首，进入庙内，经过许多仪式和敬礼以后，乃把他当作牺牲而宰杀了，他的肉则由僧侣和尊长割去吃。

祈祷（prayer）——人当危险时呼号求救是自然的动作，对于力所能及的人望其帮助也是理所当然的。所以人类便祈祷了，而且至今还在祈祷，人类的最初对树木、石头或不可见的神灵的深而且长的叫声，还延长至于现在。神灵虽是可怕，但可怜的野蛮人也不得不对之陈诉其所需要及所苦恼；于此可以想见精神与肉体方面需要的迫切。

最低等的祈祷大都是为肉体的需要，例如北美印第安人求他们的神俄康达（Wohkonda）保佑他们能够掳得野马或杀死敌人，非洲黄金海岸（Gold Coast）的黑人则求神赐他们多量的米芋薯与黄金；又如各处僧侣的祈雨祈求战胜等都是。高等的祈祷则为满足其精神方面的需要。大抵如请神灵帮助自己消灭罪愆，增加善行等。

印度托达人（Toda）每晚回归家里，必环顾周围喃喃祈祷说：“愿男孩子，男人，母牛，牝犊儿，以及其他各物都平安！”在这祷词之中，妇女及女孩子都被包括在其他各物一语中不另提出，而母牛牝犊反郑重提出，可见这种祈祷完全是由于实际的生存的需要。

美洲曼丹人（Mandans）对神的祷词说：“我已做过了仪式，并且吃了很多的苦了。我希望尔帮助我以我所不能自做的事情。”又克劳族人（Crows）祝说：“呵！老人！我是穷的！你看，给我些好物，给我长寿，保佑我得一头马，或一管枪，或击中了敌人。”又克里族人（Cree）在架立了茅屋的柱后便对柱祝说：“今天是我造屋的日子。我将你交给四面的风。今天你开始来我的屋内，你可以随你的便，我们不能告诉你做什么，因为我们是人”，“只有‘你’‘我们的创造者’，能够指导我们做好做坏。请你帮助我们日日在这屋里时会念起你，在我们的梦中保护我们，使我们每天起来有清醒的心，使我们无灾无害”。

祈祷的发生有两种意见，一便是上面所说的，以为祈祷是自始即有的，因为祈祷是人类自然的动作，这是克洛特（Clodd，E.）在《世界幼稚时代》（*Childhood of the World*）里所说的。又其一是拉伯克（Lubbock，J.）在所著《文明的起源》（*Origin of Civilization*）所说的，他以为祈祷是后来发生的，在下等宗教中不曾有过，因为祈祷是由于信神是善的，而这种信仰在初时尚未确立。这两说之中似乎以前一说较有道理，后一说根于他所倡宗教进化阶段的成见，把祈祷解为高等的意思，似乎专指对于高等的神的吁请，而不包含对于下等精灵的简单要求。

第十一章　巫　觋

人类所行的各种宗教仪式和典礼，都是为要和解神灵的忿怒或引起其欢心。在一部落之中能够做酋长的人，大抵是因他具有英武勇健的身体，是无畏的猎人，勇敢的战士；至于具有最灵敏、最狡猾的头脑，自称能通神秘之奥者则成为神巫，即运用魔术的人。原始的民族信这种人有能力以对付冥冥中的可怖的东西。有时这种人也自信确能这样。这种人的名称有很多种，依地而异，或称巫（wizard）、觋（witch），或称禁厌师（sorcerer），或称医巫（medicine man），或称萨满（shaman），或称僧侣（priest），或称术士（magician），名称虽不一，实际的性质则全同，所以这里把他们概称为巫觋。巫觋们常自称能呼风唤雨，能使人生病并为人疗病，能预知吉凶，能变化自身为动植物等，能够与神灵接触或邀神灵附身，能够用符咒、法物等做各种人力所不及的事。其中最使人怕的是能魇魅别人，使人生病和致死。在野蛮人的生活中没有一事不在巫觋的支配中，因为他的工作正当他们的希望和恐惧之点。所谓“白的魔术”（white magic）便是巫觋所用于善意的，“黑的魔术”（black magic）则为用于恶意的。

史前人所绘巫的化装施术
在法国 Trois-Freres 洞穴绘于壁上
（采自 MacCurdy—*Human Origins*，Vol. 1）

巫觋各地都有，在野蛮社会中势力特别大，而在文明人中也不是没有，但也曾受排斥。欧洲人曾因畏怕“妖术”（witchcraft）即恶的魔术的缘故，有许多人被指为作祟的巫觋而被焚毙。100 年前在英国的最后一个被害者是一个穷人，被群众把他抛下水里，然后看他浮或是沉，若浮，便证明他是有罪的。“妖术”所以被排斥的缘故是因为大众信这是出于妖怪的，而那种妖怪专和人类做对，所有灾祸都是它们所致。它们或直接作祟，或由人类代理；人类也有自卖于妖怪的，而妖怪也许他们得受充足的供给，并有法力以施祸于人类和动物，这便是所谓妖巫。人类如有感觉异样的痛苦受了伤心的损失的，便都指为妖巫的作祟。暴风雨的发生，谷物的损失，家畜的骤毙，都是妖巫所致。甚至无论何人的生病都是因为一个妖巫眨了他一眼，或是用蜡做他的像放在火上烘烧。这种和妖怪联合作祟的罪名大都加在穷苦的老妇人身上。如有多皱的，生毛的唇，歪斜的眼睛，蹒跚的姿势，尖锐的声音，呶叫的语调，加之以独居寂处，便是充足的证据。如上所述对于这种可怜的被害者刑罚极为酷虐，且常置之死地。

西伯利亚和北亚洲其他部分及阿拉斯加等处的巫觋叫作萨满（shamans）。萨满的能力是能够呼请精灵，他的骏马便是升天的脚力。在阿拉斯加的特林吉特人（Tlingit）中萨满的服饰也很有用，他的假面具，上面刻了些动物，是具有神秘力的；他的木枕两端雕了地獭的头；能够在他睡觉时告诉他神秘的话；木雕的小偶像叫作“yeks”的，能够在他的睡时替他抵御坏的精灵，并增加他的知识；象牙的小饰物挂在裙上嘎嘎地响，能够辟除邪祟；雕刻的小棒上面雕了些图样，能够帮他和精灵打架。

在北美洲奥吉布瓦人（Ojibway）中有三种巫觋，第一种名为“密底”（Midi），人数最多，结成秘密社会，外人要入会须先从会员受戒；密底便是普通的巫觋具有普通法力。第二种名为“节沙歧”（Jessakkid）人数较少，无组织，他们的法力是从少时由阿尼米基（Animiki）受来的。他们有先见，能预言，能降祸祟，能解绳缚，能驱除鬼魅。他们还有一桩本领，便是用骨头除去病魔。他们有 4 根以上的空心骨，是由大鸟腿上取来的，粗如指头，长约四五英寸。医病时先行了些仪式，然后把四根骨头拿近患处，吸去作祟的精灵，于是病就好了。最高等的一种名为“瓦宾瑙”（Wabeno）有极奇幻的法力，传说有一回一个瓦宾瑙自关在一个草屋中，然后令人放火于屋的周围，少停，大众却看见他正从很远的一个草屋中爬出来，身体完全无伤。

兹举一书记载的斐济（Fiji）的巫觋降神的状况于下：“其时众声齐息，寂静如死，神巫正在深思默想中，众目都不瞬地齐向他注视。在几分钟后他的全身便渐颤动，面皮稍稍扭动，手足渐起痉挛，这种状态渐加剧烈，直至全身搐搦战栗，犹如病人发热一样。有时或兼发呻吟呜咽之声，血管涨大，血液的循环急激。此时这种巫已经被神附身，以后的言语和动作都不是他自己的而是神所发的了。神巫口里时时发出尖锐的叫声：‘咯咦嗷，咯唤嗷……’意思说‘那是我，那是我’！这是神灵自己报到的话。当应答大众问话的时候，神巫的眼珠前突，旋转不定，他的声音很不自然，脸色死白，唇色青黑，呼吸迫促，全身的状态像个疯癫的人。其后汗流满身，眼泪夺眶而出，兴奋的状态乃渐减。最后神巫叫声‘我去了’，同时突然倒地，或用棒捽击地面。神巫兴奋的状态过了些时，方才完全消失。”

在克伦人（Karens）中的“预言家”能自致于一种状态以发预言。方法便是自己扭转身子和四肢，倒在地上打滚，口里吐出白沫，这种兴奋的状态发足了，他便渐渐平静，然后说出预言的话。

巫觋们的神通，固然很多是假托骗人的，但也有连自己也信以为真的，这种“自骗”（self-deception）的举动实是心理的现象。在美洲西北部的阿特人（Ahts）中多数巫觋都完全自信他们的超自然的能力，在预备和实行的时候能够忍受过度疲劳，饮食的缺乏，以及强烈的延长的状

新几内亚神像

（采自 *National Geographic Magazine* Vol. 51）

况。阿维波内人（Abipone）中的巫觋想象自己确曾受有超越的智慧，人类学家穆勒（Muller）也说他们确有自信的心。养成这种自欺的观念有很多原因，但预备成巫觋者的实行断食也是一种很重要的条件。格陵兰人如有希望成为巫觋的，须离开俗人独自隐居于僻静的地方，用心于玄想，并默祷“Korngarsuk”派一个“Torngak”来帮助他。因为断绝谈话，断食憔悴，思想过度，想象错乱，于是混杂的人形、动物、怪物都现在眼前。因为他本来信仰精灵，故立刻便想这是真的精灵了，于是身体四肢便搐搦起来，变成反常的状态。以后他更因常常演习而成为习惯。

第十二章　神　话

神话与宗教——人类为要探究宇宙万物的奥秘，便由离奇的思想形成了所谓神话（myth），所以神话便是由于实在的事物而生之幻想的故事。例如野蛮人看见火焰的飞舞，便以为它是一个活物，他的头可以砍掉；饿时觉得腹内受啮刺，便以为是由于肚内有蛇或鸟作怪；见回响的由山发出，以为是由于有怪物住于山内；听见雷声发于空中，则以为是由于天神车轮的轰转。这都是很自然的心理作用。

神话的内容虽不全具宗教性质，但却有大部分和宗教混合；因为神话是原始心理的表现，而原始心理又极富于宗教观念。神话和仪式同是宗教的工具或辅助品。神话能替各种信仰寻出解释的理由来，并构成一个系统以满足人类的求知的愿望。

神话的性质——（1）神话是传袭的（traditional），它们发生于很古的时代或即所谓"神话时代"（mythopoeic age），其后在民众中一代一代的传下来，以至于忘记了它们的起源。（2）是叙述的（narrative）神话像历史或故事一样，叙述一件事情的始末。（3）是实在的（substantially true），在民众中神话是被信为确实的记事，不像寓言或小说的属于假托。以上是表面的通性。（4）说明性（aetiological），神话的发生都是要说明宇宙间各种事物的起因与性质。（5）人格化（personification），神话中的主人翁不论是神灵或动植等物，都是有人性的，其心理与行为都像人类一样，这是由于生气主义的观念，因信万物皆有精灵，故拟想其性格如人类一样。(6) 野蛮的要素 (savage element)，神话是原始心理的产物，其所含性质在文明人观之常觉不合理。其实，它们都是原始社会生活的反映，不是没有理由的。以上是内容的通性。

神话的分类——神话的分类有很多标准，兹举以内容为标准的一种于下（出自 Hastings：*Encyclopaedia of Religion and Ethics*）：

(1) 定期的自然变迁及季候：有些神话的发生是因要说明昼夜的递嬗与冬夏的变换。如日月星的神话便是如此。日与月的神话很为普遍。它们常被拟人化，日常是男性，月是女性，但有时也反转来。星的神话在占星术发达的地方尤多。年节的变迁也引起司年或季候的神的神话，如我国的太岁便是这种。

(2) 自然物的神话：动物植物无生物等的形状与性质常有神话说明它。在神话中常把自然物拟人化起来，把它们当作人类一样。例如关于河海、山岳、神树、图腾等都有奇异的神话。

(3) 反常的自然现象：这一种最能引起人类惊异之感而产生神话，如地震常被猜为地下某种动物的作祟，暴风雨则疑为空中神灵的降祸。大洪水的神话很多民族都有。日月蚀也是神话的好题目。

(4) 宇宙起源神话：这又可以叫作开辟的神话，这也是很普遍的神话，几乎各处民族都有。宇宙的起源常被拟为混沌的状态，后来方由一个或多个神或人开创，成为现在的状况。

(5) 神的起源的神话：在蛮人观之，神也是有起源的，他们也有诞生、家族、先世、一生事迹、成神原因等。古代荷马史诗，印度古经，我国《山海经》中都有神的起源的神话。

(6) 人类及动物起源的神话：人的起源有出自动物的，但也有无这种关系，而是同由超自然的第三者造成的。这种神话常与宇宙起源的神话相联。

（7）变化（metamorphosis）的神话：人类与动物或他物的互相变化也常有神话说明它。如云某处的石头原来是人，由于某项原因而化成的。

（8）死后存在及冥界的神话：这是由于鬼魂崇拜而发生的。其中常叙述死人赴冥界的旅行，冥界的状况，有些民族还有死后裁判，天堂地狱的神话。

（9）妖怪的神话：人类心中常充满可怖的怪物的信仰，所以这一类神话也很多。所谓妖怪大都是由动植等物的崇拜中发生，其物都是很凶恶而对人类不利的。神与妖怪的战争常成为神话中的好材料。

（10）英雄、家族与民族的神话：各家族或民族都常推溯其起源，这也是神话中的普通题目。各民族的初祖大都是有神秘性的英雄，他一生干了许多奇迹，创了许多事业，留给后来的子孙。

（11）社会制度及物质发明的神话：各民族的社会制度、风俗仪式常溯源于神灵，以为是由神意制定的，而各种初步的物质的发明也常归于有神秘性的“文化英雄”，如神农、伏羲等。关于这两类都各有其神话。

（12）历史事件的神话：历史的事件经过久远了也常掺杂些神话，这种神话在民众中是被信为真的事迹，有时且被历史家采为史料，文明民族的古史中常有这种神话。

神话举例——关于日与月的神话，常以它们为夫妻或兄妹。如爱斯基摩人说：最初日月同是人，月是兄日是妹，兄对妹求爱，妹误掌兄的颊因而逃走，兄便追去，两人走到了地的尽头，跳入空中，便成为日月，仍然飞跑不停；月的一边有时黑了。那便是它的被打黑了的嘴巴转向地面，被人类看见。马来人有一段神话说：日与月都是女人，星是月的小孩。其初日也有同样多的小孩，但因为恐怕人类当不起太多的光热，她们相约各人都把自己的小孩吃净。月背约把自己的小孩藏起来，日则照约把自己的吞食了。月等日这样做过了，然后叫自己的小孩现出来。日一看见，大怒，要杀死月。月向前飞逃，日便紧追赶。至今还是不息。有时月几乎被日追到而咬噬，这便是月蚀的缘故。每天当日要追到的时候，月把星们藏起来，到了夜间日离开远了，方叫他们出来。

我国人以为日月的蚀，是由于被龙或其他怪物所噬，所以打鼓敲锣，要把怪物逐走；美洲的印第安人也以为月蚀是由于月被天上大狗所啮，因为血流出来所以月也变成红色。印度人和其他亚洲人也都有这一种的神话。

在神话中海上的龙卷风常说是一个巨人，或是海蛇上天；我国人则以为是龙在吸水。虹是妖魔下来吸饮雨水，或以为是升天的阶或桥，为死人的灵魂升天之用；又或以为是神的弓。云则为天上的牛，为牧童赶到蓝色的牧场去。潮水的起落则是海洋心脏的跳动。地震则由于“地龟”在地下转动。电光是暴风雨的妖魔所露出的分叉舌尖，雷声则为它的吼声。火山则为地下妖魔的住所，它因怒而喷吐熔解的石出来。

人类对于怪异的信仰极为强烈，所以巨人、矮人、仙人、妖魔等的神话各处皆有，而且很被信仰。古代大动物的化石遗骸常被猜为巨人的骨头；零块的石头则说是巨人从大岩石上取下来相掷的。欧洲的矮人神话或者源于从前住在北欧的一种极短小的民族。新石器时代的石箭镞则以为是精怪们的武器，磨光的石斧则以为是雷的遗物。如我国古人时也以这种石斧为雷神的凿。

开辟的神话即天、地、人类及动植物等的起源的神话，起初大约是由蛮族中的“智者”想象出来，然后散播流传下去。这种神话除著名的犹太人的一种即记在《创世记》的以外，各民族也都常有。我国的盘古开天女娲造人，在以前且采入古史内。美洲的明内塔里印第安人（Minnetarrees）说最初只有茫茫大水没有陆地，其后有一个最初的人叫作“长生者”（never-dying one），又叫作“生命的主宰”（lord of life），差一只红眼睛的鸟入水内喙起陆地上来。波里尼西亚人说最初天和地是合在一起的，它们是父母，它们生了许多儿子，一个儿子便是一种自然物的始祖。儿子们因为天地闭塞，闷得不耐，便商议要把父母拆散。初时几个都不成功，最后一个儿子，即森林的神，便竖起蜻蜓，头抵住母亲的腹，脚撑住父亲的身，硬将他们分开，于是才见光明，而成为现在的世界。关于人类的发生，在古希腊人以为是由普罗米修斯（Prometheus）用泥捏成人身，并由天上偷下火来送入人身，为他们的生命。曼丹印第安人（Mandan）也说最初是由“大精灵”用泥造两个人身，吹一口气使他们有生命，一个叫作“第一个人”（first man），另一个则叫作“伴侣”（companion）。南美阿维波内人（Abipone）以为他们是由一个印第安人造成，这个人叫作“祖父”，他现在还在曜星上。北美印第安人常以为他们的祖宗最初是住在地下，有时是人形，但却常为动物，例如兔、龟、土拨鼠等，后来方钻上地面来。

第十三章　宗教的起源一：魔术说（Theory of Magic）

弗雷泽的主张——英国学者弗雷泽氏（Sir James George Frazer）以研究魔术及宗教著名，关于这一类的著作甚多，尤以《金枝》（*The Golden Bough*）一书最为宏博，多至12巨册，例证繁多，见解精奇，真是学问界中不可多得的名著。他即在此书中提出他所创的“宗教之魔术的起源说”即所谓“层次说”（stratification theory）。

弗雷泽以为宗教的发生是较为后来的事，在人类历史的初期必有无宗教的一时期，在那一个时期里并没有崇拜鬼魂或他种精灵的事情，只有魔术的盛行是那个时代的特征。后来原人心理进步，魔术衰了，方渐转入宗教。所以宗教时期之前还有一个魔术时期，而宗教的起源却须追溯到魔术去。现在根据《金枝》一书撮述此说于下：

魔术的最大疵点不在于其假定宇宙间现象的连续有自然律为之制定，而在于其完全误会这些自然律的性质。魔术便是两条重要的思想定律的错误的应用，这两条定律就是（一）以类同为准的观念之联合；（二）以时间或空间的接近为准的观念之联合。类同的观念的错误的联合生出模仿的魔术，接近的观念的错误的联合生出传染的魔术。观念的联合本来是重要的，正确的运用会生出科学，但不正确的运用却生出魔术来。所以魔术实在是科学的假姊妹。

魔术和宗教的异点便在它的假定自然界中一件事与别件事确定不变地相继发生，全无何种精灵或人为的干涉。它的重要概念是和现代科学一样的，它的基础就是对于自然界的秩序及统一性的信仰。术士们从不疑心同样的原因会发生同样的结果；他们以为履行适当的仪式，再加以相应的符咒，决不会达不到所望的目的，除非他们的魔术被别个术士所破。他们决不乞怜于更高权力，不求助于反复无常而复自有意见的物。他们在任何可怖的精灵之前也不稍自贬损。他们以为只要遵照自然的定律而行，决没有做不到的事，全无需乎崇拜与祈求超人的“物”而受其帮助。

至于宗教则不然，宗教实在是对于超人的权力的乞怜，这种权力是被信为指导及管理自然界与人生的。在原理上宗教实和魔术与科学相反对。申说一句，宗教是以宇宙为被有意识的“物”所指挥，而这些“物”是可以用劝诱的方法转移其意向的；这是根本上和魔术与科学正相反，因为后二者都以为自然现象不是由有人格的“物”的反复无常的意志所制定的，而是由于不变的定律机械式地运行所发生的，不过此意在魔术是含蓄的，而在科学是直白的罢了。固然魔也常涉及某种精灵，那便是宗教所拟为有人格的世界司理者了；但魔术的对待它们是全与对待无生物一样，便是用限制的或强逼的手段，而不用宗教上的和解及乞怜的方法。

虽然魔术确曾在许多地方和宗教混合，但却有理由可以推想这种混合不是原始的，而且有一个时期人类单用魔术以解决他们的物质的需要。只要根究魔术和宗教的根本思想，便会猜想在人类历史上魔术的发生是早于宗教。在一方面魔术不过是最简单最粗浅的心理程序的错误的应用，即根据类同性与接近性的观念联结；而他方面宗教却承认在现实的自然现象的幕后有优于人类的有意识的或有人格的司理者在那里主持。“有人格的司理者”（personal agents）的概念固显然较复杂于仅仅认识观念之类同与接近。而假定自然界为有意识的司理者所制定，比较以事物的相继发生仅仅由于其相接近或相类似的意见，也更为深奥，而需有较高度的智慧方能了解。野兽们也能够将相类似的或一齐发现的事物的观念联合起来。他们如不能够这样做，恐怕一日不能够生存。但有谁赋予动物们以一种信仰，使信自然现象是由无数不可见的动物，或一个异常强大的动物，隐于幕后而作怪？

由此观之，在人类演进中魔术的发生早于宗教，很有可能性；这就是说最初人类只试用符咒法术以鞭驱自然，使从己意，到后来方才转用祈祷、祭祀等柔和的手段以辑和及献媚于反复不测严重易怒的精灵。

上面用演绎法考究宗教和魔术的根本观念所得的结论，还可以用归纳法将我们所知的现在世界上最低等的民族的状况来证实它。澳洲的动植物至今尚存有极古的甚至世界上他处久已绝迹的种类，而其土人的心灵与社会的发展，也比之现在任何种族为低下。在这种蛮人之中魔术很为普遍，而以求和并乞怜于更高的权力为主旨的宗教差不多几于不曾有过。简言之，所有澳洲的土人都是术士，但没有一个是僧侣；人人都自以为能够用魔术影响于别人及自然界，但没有一个梦想到用祈祷及祭祝献媚于神。

由上面的证据我们可不可以假定文明的种族在他们历史上也曾经过这样的一个时期；这就是说他们在用祈祷祭祀以乞怜于自然界的强有力者之前，曾试用方法强逼他们就范？概括一句，在人类文化的物质方面，各地都有过石器时代，然则在精神的这一方面，有没有一个“魔术的时代”（age of magic）？

弗雷泽讲到这里，郑重的下一句判断说：“我以为很有理由的作一个肯定的答案。”

此说的批评——我们转述弗雷泽的话完了，现在试批评他一二句。

弗雷泽说宗教不是最原始的，宗教时代之前还有一个魔术时代，所以宗教的起源是有层次的。他所用为证据的是澳洲土人的风俗。但据别人的发现，澳洲土人也承认“最高物”（supreme being）的存在，并向之执行神圣的仪式；而且他们因为有这种观念，所以基督教的传教师告他们以神的概念时很易接受。由这种事实观之，弗雷泽的层次说便无证据了。

弗雷泽也承认在很多地方，很多时代，魔术与宗教互相混合不可分解，但他还坚持魔术有纯粹独存的一个时代，这便是他错误的所在。托马斯氏（W. I. Thomas）说："宗教和魔术同是对于抽象的力之表示，都是要指导人生，推究因果的，他们都是原始的哲学。理论上魔术与宗教虽可分别，其实凡有人心的存在，这两者也无不都存在。当一个心灵想要解释非人力所能统驭的、神秘的及意外的事物时，势必臆想有不可见的具人格的物或精灵之存在。即使没有睡梦与死亡，也会有这种观念。不但魔术与宗教，还有鬼魂的信仰，精灵的信仰等，虽是在理论上分得开，但在实际上都混合得不可分解。哪一种是优先的，也懒得去判断他。"

詹姆斯氏（E. O. James）、马雷特氏（R. R. Marett）、哥登卫塞氏（A. A. Goldenweiser）一派更以为魔术与宗教同是承认超自然主义（supernaturalism），同是自始即有的。初时互相混合，不可分解，后来乃渐渐分离。宗教一方变成较为社会化并合于法律，魔术一方则渐失其声势，不甚为法律及社会所承认。由此言之，魔术与宗教的起源并不是层次的，而是由同一水平线出发，即同时发生的；所以詹姆斯创了一个复合的形容词即"魔术宗教的"（magical religious）以形容一切宗教与魔术相混合的事物。这一派的学说，便叫作"等时说"（synchronization theory），以下所述的三说，关于魔术与宗教的起源，都是赞成等时的。

弗雷泽的层次说虽失败，但关于魔术的研究还是有很大的贡献，研究魔术的书还是以这部《金枝》为"巨擘"。

第十四章　宗教的起源二：鬼魂说（Ghost Theory）

斯宾塞的主张——斯宾塞（H. Spencer）所提出的“鬼魂说”又名“祖先崇拜说”最为离奇有趣，但受人非难也最烈。其说能够把复杂的宗教现象构成为一个有条理的系统，又搜集了极多的事实来证明他的话，这是以前的学者所不曾做到的。他自己很重视这说，在他的广博的大著《社会学原理》第一篇便述这说，篇名“社会学基础”（Data of Sociology），意思似乎以这说为他的社会学系统的基础，因为他也像其他学者一样，以为研究原人及蛮人心理的捷径莫如宗教一路为最有望。

斯宾塞的学说有三要素：第一，以恐惧（fear）为宗教的情绪的根本；第二，以鬼魂的观念为宗教发生的原因；第三，以祖先崇拜（Ancestor worship）为最原始的宗教，以为各种宗教都是从它变来的。

斯宾塞推测鬼魂观念发生的程序很为有趣，在前面鬼魂崇拜一章内已引过，此处不赘，只述鬼魂的观念的影响于下：

死后存在的观念影响于生人很大：第一他们以为这些鬼魂，即不灭的复身者，既然住近于其生时所住的地方，或且时常回其故处，那么，地上处处都有这些不可见的无量数的鬼魂了。这些鬼魂大抵都被视为顽恶的，于是活人每有不幸的事便都归咎于他们的作祟。这种道理并可为原人及蛮人解释自然现象之用。他们不懂得自然力运行的原理，自始便视无生物的运动为有别物在内，现在既经知道宇宙间满布这种死人的复身，那末他们便有材料来把万物都弄活起来了。斯宾塞以为这便是灵物崇拜的起源，因为树枝、石头所以能够活动，就是由于死人的精魂凭附其中而作怪。

还有更重大的便是酋长或伟大的统治者的死亡所生之影响。这种人的鬼魂自然也存在不灭。他们自然也徘徊于生时住所的附近，并且在冥冥中视察其臣下及子孙的行为。由于这种信仰所生的影响是很大的。其初盛大的葬仪便因而发生。酋长的兵器常置于尸旁以备他在死后的世界里征服不庭之用，多量的宝物并置其墓内以备死后的享用。奴仆从者甚或妻妾也都殉葬以侍他于幽冥。经时渐久则其在生的功绩愈益张大。只有最动人的事迹流传不绝，而每经复述便愈增加其奇伟的性质。最后的结果，这个死酋长自然而成为神灵，其初尚不过被尊为神的子孙，到后来他的本身也就是一位神灵了。成神（apotheosis）的程序是缓进的，死人的鬼魂和神灵之间原无显明的界线，所以崇拜之举早行于成神之前。这种最初的崇拜就是所谓祖先崇拜。最初的神就是祖先的英灵，而所有神灵都是死人变成的。祖先崇拜不但差不多普遍于蛮人和半开化的民族中，便在古时的闪族和雅利安族中也有的。

在祖先崇拜中可以发现所有后来发生的宗教的种子，而由于研究鬼魂的信仰便可洞悉所有宗教的迷信之基础。灵物崇拜是由于信物体为人的鬼魂所凭附，偶像崇拜则由人工制成一物像以便鬼魂栖居，轮回之说（metempsychosis）乃是信人的鬼魂转生为较下等的动物；这些信仰都是以鬼魂的观念为基础的。

还有动物崇拜生于对某种动物的尊敬，是因为相信人的祖先曾经做过那种动物。又有一种解释则更和祖先崇拜有直接关系。这说以为蛮人生小孩时如有过特异的事物发生，常即以其事物做小孩的名，尤普通的是采用最能影响于其父母的东西的名。这种东西大抵是兽类，因为这类物和蛮人最有关系。蛮人的儿童常名为狗、狼、牛、马、熊、狮、虎、鹰等。酋长们也常有这种名称，死后被尊为英雄并再变为神灵，也仍用这种动物名。这些有动物名的酋长或且被追认为部落的开祖，则其部落的人初时原晓得他们的开祖是人类不过带动物名就是了，但后来逐渐忘记了开祖的人的性质，而只记得他的动物名，甚且更和实际的动物相混淆，于是竟自信是该动物的后裔，尊这种动物为祖先，并以繁琐的仪式崇拜他。

植物崇拜也象动物崇拜一样，可以鬼魂观念解释它，而断其起于祖先崇拜。植物之有激刺性药料的作用的，如“苏马”（soma，印度祭神用的麻醉草）、葡萄藤等常成为崇拜的对象。野蛮人说这些东西所以能够有刺激人体的作用，实因有鬼魂凭附其中，这些鬼魂就是祖先的英灵，他们死后能力比生时更大，所以能够这样。

还有一说，蛮人的部落有曾由森林中移出的，常纪念此事而成为传说。因为语言不足、概念不切的缘故，常使后来的子孙把传说混乱了，以为从森林中移出便是由林木而开族。他们既自以为是某种树木的后裔，那么对于该种树木的崇拜是自然会发生的。

至如儿童以植物为名的，死后因而发生对于该种植物的崇拜，也像动物崇拜一样。

此外别种自然物的崇拜也都可以这种理由解释它，而事实也很够做证据，甚至星的崇拜太阳的崇拜都可以推断其出自祖先崇拜。斯宾塞说：“半由于种族的来源与其出生地的特殊事物相混淆，半由于乳名及绰号的拘于字面的解释，以讹传讹，致使蛮人自信其种族是出自山、海、曙光、星宿、日、月等物。”

神的起源是这样的解释了。成神的祖先，渐与人类失其关联，后来方成为神。由希腊与罗马的神话可以寻出这种渐进的步骤——即由常人以至英雄，由英雄以至神灵。其他开化国的神话也都是这样。多神教最先发生，因为有伟大的名称而成为神的很是不少。神界逐渐完成，结果遂有阶级职务的分别。最高的神遂渐获得优越地位，最后则其余的神都被他所合并。一神教的主要派还保留了无数地位较低的神灵，而称之为天使。有的一神教则常承认二元主义，其中恶神的势力不稍逊于善神，这便不称一神教的名了。希伯来的《圣经》中还有一段表现耶和华的祖先的起源很为明显。由此观之，可见所有宗教都出自鬼魂的崇拜无疑了。

批评——以上都是斯宾塞的话，现在试讨论他对不对。

斯宾塞的学说最受人非难的，就是推论过于牵强，判断过于大胆，所以哥登卫塞（A. A. Goldenweiser）说他是“片面的及人工的”，而托马斯（W. I. Thomas）也说：“斯宾塞只能使人佩服他的可惊羡的巧妙而已。”试举他的纰漏的例于下：

斯宾塞说祖先崇拜是最早的崇拜形式，证以实际情形殊属错误。因为最原始的部落中还不曾有祖先崇拜，而其较为发达的一式也必在较高等的文明中方才发见，如波利尼西亚所有的便是。至于最完备的祖先崇拜必需有某种社会的基础方会发生，如中国、日本的即如此。

斯宾塞又说各种宗教都起于鬼魂观念，其实人类对于无生物、植物、动物等发生宗教关系，并不等到相信死人的复身凭附于这些东西上面以后，他们老早就以为一块石头或一只鸟儿的自身便是不可思议的神物，而对它们崇拜了。

第十五章 宗教的起源三：生气主义（Animism）

泰勒的主张——这条学说是英国人类学家泰勒氏（Edward B. Tylor）所创，在论魔术与宗教的发生主张等时说，在讨论最初的崇拜对象主张较斯宾塞所说的鬼魂更为广义的“精灵”（spirits）。斯宾塞说万物的活动在原人都以为是由于死人的鬼魂凭附其上，所以崇拜的样式虽有多种，其实都只是鬼魂崇拜而已。泰勒则以为原人所崇拜的除鬼魂以外还有别物的精灵，而鬼魂也就是一种精灵。精灵是宇宙万物都有的，不过在人的特别名为鬼魂而已。人有这种精灵，所以能够活动，别物也因为各有他们的精灵所以也都会活动。精灵便是能够生活灵动的气，所以这种观念便称为“生气主义”。生气主义的原文 animism 是由拉丁文 anima 一词来的，这字有风、呼吸、心、灵魂等意义，很像指这种生活灵动的气，所以就由这字生出生气主义这个名词来。

现在根据泰勒的大著《原始文化》（*Primitive Culture*）一书将这说撮述于下。泰勒说：

> 现在或者以前有没有一种民族，其文化之低至于没有宗教观念？这便是宗教有没有普遍性的问题。经过很多世纪，议论纷纷还是没有决定。有一派学者以为从前或者有过无宗教的一时期，后来方进而有宗教。这种境状或者也有可能性，但事实上这样的民族却从未见过。所以若说这世界上曾有无宗教的民族，在理论上虽是可能，在事实上纵系实在，但现在却还未有充分的证据。
>
> 断定某民族没有宗教的学者即在他的同一著作中便常露出有宗教的证据。这种例很不少，如郎格博士（Dr. Lang）不但宣称澳洲土人没有最高神灵、造物主、死后审判、崇拜对象、偶像、寺庙、祭祀等观念，并且断定他们完全没有带宗教性质的事物。但在他的同一书中却说：“土人常患一种像天花的病，以为是由于一个喜欢作祟的精灵名布迪亚（Budyah）的为患”，又说：“土人如偷取野蜂窝的蜜，常留一点给布大伊（Buddai）”，又说：“昆士兰的部落于二年一次的集会中，曾杀少女以祭恶

神。”此外他又记载里德利（Rev. W. Ridley）的亲身经历说：他每次和土人谈话都发现他们有很深固的关于“超自然的物”（supernatural beings）的传说。如信巴亚迈（Baiame）创造万物，他的声便是雷声，又信图拉姆伦（Turramullum）为魔鬼的领袖，它会降生疾病、灾祸及智慧，又于土人盛会的时候变成毒蛇的形状而出现。一大群的调查人都说澳洲人自初被发现以至现在，都是浸淫于灵魂、鬼怪及神祇的信仰之民族。

至于非洲则莫法特（Moffat）君关于贝专纳人（Bechuanas）的论断也很奇特。他说死后存在的观念为这种人所不曾有，但在上文他却说：“他们叫死人的灵魂做‘利里蒂’（liriti）。”在南美洲则阿扎拉（Don Fex de Azara）批评教士说土人有宗教为不对，但在他的著作中却说帕亚瓜人（Payagua）将兵器、衣服和死人同埋，并有关于来世的观念，又说瓜纳人（Guana）信有一种神物能够赏善罚恶。

这些言论都自相矛盾。推其错误的缘故，便是因为将广义的字误解为狭义。朗格、莫法特、阿扎拉都是有贡献的著作家，关于所亲历的部落都得有很多可贵的知识以增益民族志。只可惜他们对于没有组织及神学而也是宗教的一种东西，似乎还不大晓得。他们把信条和自己不同的民族都算作无宗教，正如神学家把那些所奉的神和他们不同的人都派做无神主义者一样。这种情形是自古已然的，如古时雅利安人攻入印度，把印度人叫作“亚提发”（adeva）即“无神者”的意思。

由是言之，对于下等民族的宗教如要做有系统的研究，第一先须替宗教定一个最根本的定义。在这定义中如须包含最高神祇及死后裁判的信仰，崇拜偶像及祭祀的实行，以及其他仪式等，那么就有许多民族被摈于宗教之门外。但是这样狭窄的定义却把宗教的范围缩小，不与宗教的根本的动机相等，却反把它当作其特别发达的一支流。现在似乎应当立刻赶回来，注重这种根源，简单的宣称宗教的最小限度的定义是："精神的存在物"（spiritual beings）的信仰。我们不敢断定所有现在的蛮人都有这种信仰，但据现有一大堆的证据，不得不承认在所有为我们所熟知的现存下等民族都是有的。

现在拟用生气主义这个名词来称这种根深蒂固的"精神的存在物的"信仰。这种信仰完全是精神的，和物质的不同。生气主义并不是新的名词，不过现在很罕用就是了。因为这名词对于精魂的信仰有特别的关系，所以最适宜于我们所持的这种意见。还有"精神主义"（spiritualism）一名词，虽也可用，且曾被用于普通意义，但现在系用以指现代的一种特殊教派，不宜用来代表这种全人类的思想。所以现在就用生气主义来指广义的精神主义，即精神的存在物之普遍的信仰。

生气主义为极低等的人类之特性，后来渐渐升高，在流传时很受改变，但自始至终都保持不断的连续，直贯入现代文化的中心。生气主义实在是宗教哲学的基础，由野蛮人以至于文明人都是这样。初见虽觉得似乎只是最低限度的宗教的贫薄素朴的定义，其实在实际上已经很充足，因为无论何处，只要有这根基，自然会生出枝叶来。

生气主义通常分为两部，其一关于生物的灵魂，以为肉体死后仍能继续存在；其二关于他种灵魂以至于有大力的神祇。这种主义以为精灵能够影响或管理此物质世界的现象，及人类在生与死后的生活，他们又和人类有交通，由人类的行为而生喜怒的感情。由于这种信仰自然而生敬畏的念头与乞怜的举动，或者竟可说是不可免的结果。所以生气主义在其发达最完满的程度包含灵魂的信仰，来世的信仰，支配神祇抵制精灵的信仰，这些信条的结果便是某种崇拜的发生。

研究生气主义，首先便须考虑关于人类的和别物的灵魂之信仰。会思想的人类即在低等文化的时候也深有感于二种生物学的问题。第一就是甚么使活的身体异于死的身体？甚么能致醒、睡、昏迷、生病与死亡？第二是现于梦中及偶然闪现的人形又是甚么？观于此二种观象，古代野蛮的哲学家或将为第一步的推论，而以为每个人都有二物属他，其一是生命，其二是幻象（phantom）。这二物显然密接于其身体，生命使他能够感觉思想及动作，幻象则为其第二“自我”（second self）。二者都会离开身体，生命能够跑开而使其身体不再能作感觉等事，幻象则能够离开而出现于别地。第二步的推论也是野蛮人容易想得到的，便是文明人也极难祛除这种想法。这就是结合生命与幻象。因为二者既然都属于身体，为甚么不是相同的，不是同一物所表现的？二者如果统一，结果便生出一个著名的概念，那便是灵魂的概念。无论如何，这是很符合于下等民族之具人格的灵魂，即精灵的概念，他们所谓灵魂可以形容如下：稀薄的无实质的人形，像烟雾或阴影，又如一层薄膜，能使其所附着的有形的物体生活及思想。无论生前死后都具有独立的意识，能够离开其所附的有形物，一闪而至异地。通常是无形而不可见，然能发生物质的势力，尤能以幻象的状态出现于人的梦中或醒时。其所附的物体死后，他能继续存在，并偶一出现，能够凭附于别人、动物以及他物身上而活动。

这个定义虽不是可以普通应用的，然而已经有充分的通性可以当作一个标准，在各民族间因分歧而略有不同就是了。这些信条都是原始哲学由于感觉所得的证据不得不生的结论。原始的生气主义这样的便于解释自然，所以能保持其地位直至于文明时代。虽是曾经古代及中世的哲学大加改削，而被近代哲学更加以绝不容情的驳斥，但它还继续流传，保留其原来的性质，而为现代文明世界所受于原始时代的“传家宝”。

兹由得各民族的一大堆证据中选出较可为标准的事实，以证明此原始的精灵学说的成立。

要懂得蛮人对于人的灵魂之普通概念，最好注意他们所用以表明灵魂的字。梦中或幻觉中所见的灵魂或幻象是没有实体的，犹如阴影或反映的像，所以蛮人使用“影”（shade）字来表明灵魂。例如塔斯马尼亚人（Tasmanians）的影字又指灵魂。阿尔衮琴人（Algonquins）称一个人的灵魂为“奥他术”（otahchuk），意谓“他的影”。基切人（Quiche）的语言以“那突不”（natub）一字兼指影与灵魂，阿拉瓦克人（Arawak）的“卫喳”（ueja）一字可释为影、魂、像三者，阿维波内人（Abipones）更讲经济，只用“骆亚卡尔”（loakal）一字兼指影、魂、像、回响四者。非洲祖鲁人（Zulus）不但用“顿奇”（tunzi）一字表明影、精灵与鬼魂，并且以为人死后他的影便离身去而成为鬼魂。巴苏陀人（Basutos）不但叫死后存在的精灵做“塞里第”（seriti）即影，他们并以为人如行近河边给鳄鱼抓了他的影，便要被他拖落水去。在旧卡拉巴尔（Old Carabar）的地方，一个人如失了他的影便怕有极大的危险发生，因为影和灵魂是同一的。

其次还有关于灵魂或精灵为生命的原因的说法。加勒比人（Caribs）以脉搏和精灵为有关联，特别以心脏为人的第一灵魂所在处，与来世有关系，所以用“伊奥安尼”（eoaanni）一字兼指灵魂、生命与心脏。汤加人（Tongans）以为灵魂是满布全身的，但在心脏特别多。有一回一个土人对欧洲人说葬了几个月的人也还是不会死。又一个土人并且握住这欧洲人的手，使劲挟一挟，说：“这手是会死的，但汝身上的生命永远不会死”，说时并用他的另一手指这欧洲人的心部。所以巴苏陀人如说“他的心没有了”，便是说某人死了；如说“他的心回来了”，便是说他的病好了。旧世界人以心为生命思想和情感的源泉，与此正相类似。克伦人（Karen）及巴布亚人（Papua）的灵魂与血液相关联之说，也见于犹太及阿拉伯的哲学中。圭亚那（Guiana）的马库西印第安人（Macusi Indians）以为一个人的身体纵已经腐坏了，在眼睛中的小人儿也不会死，他不过是在漫游四处。这种观念给现代受过教育的人看起来，岂不奇特，但是欧洲的民话中也常把人的生命和眼睛中的瞳子联系起来，而以为病人的失去瞳子，是被勾去精魂或将近死亡的征兆。

批评——以上撮述泰勒的话完了，现在再把他的大意综括起来，约有三端，也就是他的贡献：

（一）以精魂的信仰为宗教之根本性质。

（二）打破狭窄的旧宗教定义，把它扩大，使能包含较为广漠的实际的宗教现象。

（三）根据其定义推论宗教系自始即有，非难无宗教时代的假说。

他的学说比较斯宾塞和弗雷泽更进一步，不像他们那样狭窄。但他还有一点不能令人完全满意，便是他所谓精灵还是侧重于生物，尤其是人类一方面，还是具人格的，程度还不十分低下，此外有没有“非人格的”更下等的超人的存在物（impersonal supernatural being），他并不说及了。这还待后来发生的新说为之补足。

第十六章　宗教的起源四：生气遍在主义（Animatism）

马那（Mana）——宗教起源的问题到了泰勒的生气主义发表后大为学者们所赞同，似乎至此已经是“叹为观止”了；不意近来再发生一条新说，比较生气主义更进一步，把宗教的起源推到更简单更原始的根柢去。这便是“生气遍在主义”，也可以叫作“马那说”（Manaism）。

“马那”这个名词原是美拉尼西亚（Melanesia）的土语，民族学家科德林顿（R. H. Codrington）在其1891年所出版之《美拉尼西亚人》（*The Melanesians*）一书内最先介绍过。后来复有琼斯（William Jones）、休伊特（J. N. B. Hewitt）等人都发现与马那相似的观念于其他民族中。到了1908年马雷特（R. R. Marett）乃正式定“生气遍在主义”一名词为其学说之名，并于是年在牛津举行的第三届国际宗教会议（Third International Congress of Religion）上提出。到现在新派人类学家如哥登卫塞（A. A. Goldenweiser）、罗维（R. H. Lowie）等人大都采用此说并再加以修改。

现在先将这说的大意略述于下：

科德林顿最先发现在美拉尼西亚各蛮族所通行的“马那”一名词显然与其他宗教概念迥不相同。马那是一种超自然的而且非人格的“力”（impersonal supernatural power），不是动物，不是人，也不是鬼魂与精灵，他不过是一种力，不可思议的魔力。它的本身虽不是具有人格的，它却能由自然物、人类精灵或鬼魂而表现自己。

由此观之，此说与生气主义不同之点便在“力”与精灵的分别，生气主义以精灵为原人最初崇拜的对象，以为万物的活动是因为万物都各有其精灵，而这种精灵又是像人一样的有独立的人格。至于这新说是以“力”为最初崇拜的对象，以为万物的活动都是由于这种魔力注入其中，即精灵的本身也是因为这种魔力附于其上方能灵动。这种魔力像一种浑浑沌沌的气，弥漫于宇宙之间，无论何物，得之便能灵动，不得便不能；他只能凭附于万物以自表现，自己本身是非人格的。由这样比较起来可见魔力的观念较之精灵的观念，尤为简单而低下，所以说生气遍在主义较之生气主义是更为原始的，这种理由显而易见。

兹将科德林顿所著《美拉尼西亚人》书中第七章撮译于下：

> 美拉尼西亚人的心完全为一种信仰所占据，这便是对于一种超自然的“力”或“势力”（influence）的信仰。这种“力”差不多普遍称为“马那”。“马那”便是发生人力以外及普通自然程序以外的事件之主动者，它存在于生命的空气中，凭附于人或物的身上，而由它所发生的结果以表现自己，那些结果是除它以外无可推委的。如有人获得一点马那，他便可以利用它，指挥它，但有时也会决裂。马那的凭附是可以由征候看出的。例如一个人偶然看见一块石头，便引起他的幻想，以为这石头的形状是希奇唯一的，很像某物，谅不是普通石头，一定有马那在里面。他独自思维，并且征诸实验。方法便是把这块石头埋在一株果树的根下，那株果树的果实便是石头的形状；或者当垦植花园的时候把它埋在土中；是后如那株果树多生果实，

或那座花园中花木茂盛，便是他猜得对了；这石头便是确有马那在里面的。一块有马那的石头又能够媒介马那于别块石头。

这种魔力虽是非人格的，却常依附于指挥他的具人格的物。凡精灵都有马那，鬼魂也有，有些活人也能够有它。一块石头如有超自然的力量，那便是因为有精灵和马那混在里面；死人的骨头也有马那，因为鬼魂附在骨头上，而鬼魂是带马那的。活人如和精灵或鬼魂接触得很近，也能获得马那以供利用，而得到随心所欲的效果。符咒的有效力是因为精灵或鬼魂的名被述于符咒内，致将它们所有的魔力——即马那——传到符咒上。所以凡一个人的成功，便可证明他有马那；他的势力很有赖于这种消息之感动人心，他便由此种声势而得为首领。一个人在政治上或社会上的势力便是他的马那。战斗的得胜不是由于膂力的强大、眼光的明快或他种根据的充分，而是由于获得马那于精灵或已故的战士，使他忽然变成勇武有力。获得马那的方法是用一块石头挂于颈上，或把一簇树叶佩于腰带，或把一个牙齿挂于拿弓的手的一指上，或用一套语句以引这种超自然的魔力拜助他。又如所养的猪能够繁殖或园圃所产能够获利，那也不是由于主人的勤劳，而是由于他所有的满贮马那的石头发生影响于猪及植物。自然芋薯栽后是自己会生长的，但若无马那的影响却不会长得很大。若无马那，艇子也不会驶得快，网也不会捕得多数的鱼，箭也不会中得重伤。

美拉尼西亚人又信有一种具人格的物：有智慧，满具马那，有可见的身体，但不像人类的肉体。他们以为这些怪物很与人类生活有关系，因之遂向他们献媚，与之接近。这些怪物可以称为精灵（spirits），但在这里应当辨别两种精灵：一种是人类以外的东西变成的；一种是人类死后变成，通常称为鬼魂的便是。所有美拉尼西亚人都信这两种怪物的存在。为求名目清楚起见，这种不是人类变成的超自然的怪物现在把它叫作精灵，而由人类死后变成的则名为鬼魂。

在班克斯岛（Banks Island）的土人称精灵做“委”（vui）。土人说“委”能够生活，思想，比人类更有智慧；能知秘密的事而不必亲见；有马那，故有超自然的权力；没有形状可见，没有灵魂，因为它自身就像灵魂一样。

科德林顿又曾在一封信中将马那的概念加以概括的说明，这一段话曾被马克斯·米勒（Max Müller）引用于1878年的讲义中。现在把这段话也撮译于下：

美拉尼西亚人的宗教，在信仰一方面，便是信有一种超自然的力在几于不可见的境界中；在实行的这一方面便是设法获取这种魔力以供己用。所谓“最高的存在”之概念，完全为他们所不懂；甚至一个稍为高等的任何物，也非他们意中所有。他们只信有一种力，全异于自然力，而能活动以生种种吉凶的事；如能占有或统驭它，便可获莫大利益；这便是“马那”。这个名词我信是通行于全太平洋之中。马那是一种力或势，不是物质的而是超自然的；但它却显露于物质力之中，或表现为一个人的权力或才干。马那并不固定于任何物体，它可以传布于无论何物；但精灵们无论是死人的灵魂或超自然的怪物都有马那，并且能够传布它。马那虽是须由水、石、骨头等物的媒介，根本上却属于具人格的物。美拉尼西亚的宗教，其实就是马那的获取与利用；所有宗教行为都不过是祈祷与祭祀。

马尼突，奥仑达，瓦干——科德林顿发现马那的概念于太平洋群岛中，此外更有发现与马那相同的概念于北美洲的，这便是上述的琼斯及休伊特二人。琼斯的论文为《阿尔衮琴的马尼突》（*The Algouquin Manitou*），休伊特的名《奥仑达或宗教的一个定义》（*Orenda or a Definition of Religion*）。琼斯说阿尔衮琴印第安人的土语中的马尼突一名词便是指一种非人格的超自然的力，可以由人物或自然现象而表现自己。休伊特则由语言学的方法推论古代易洛魁印第安人有一种基于奥仑达的观念的宗教，而奥仑达便是非人格的超自然的力。休伊特的研究，在理论上虽还不是全无瑕疵；但民族学家已经渐渐承队阿尔衮琴的马尼突，易洛魁的奥仑达以及苏族的“瓦干”（Siouan Wakan）都是同样的，而且这些观念都和美拉尼西亚的马那相同而无可怀疑。

现在便把琼斯的论文撮译于下：

马尼突一名词通行于阿尔衮琴印第安人中的素克（Sauk）、福克斯（Fox）、基卡普（Kickapoo）三族。这三族用同一的语言，有同一的社会形式及同样的宗教，所以把它们统括起来研究。

马尼突是宗教的名词，带有虔肃的性质，能使人发生严肃的态度，并引起神秘的情绪。

阿尔衮琴宗教的根本性质不过是一种纯粹坦率的自然崇拜。人的观念有时或集聚于一物，视为有某种潜在的价值在其中，因而对它起了崇拜的心。崇拜的程度视乎对于该物的信仰，以及人所拟想的该物的降祸作福的权力而定。在人的一方面，最要者为对于该物而发生的情绪的结果。这结果能使他的心里恍惚觉得某种希奇神秘不可捉摸的物之存在。他觉得这是实在的，而他自己的态度却是完全被动的。

他们以为经过这样的“震激”（thrill）便足证明该物的实质的存在了。它的真实是由于某事件的发生而知。如究问一个阿尔衮琴人以这种实质物（substance）的定义必定无效；因为第一，他对于该物或者非所亲历无甚关联，第二，他心里只要有一种恍恍惚惚的情绪，觉得该物的存在便很满足了。他觉得这种物是无所不在的。因为无所不在，所以凭注于宇宙间的无论何物，而为凡事的动因。人应当处处注意它的表现。所见的表现是不一律的，依人而异。

在这三族的土语中关于生物及无生物的分别是很明显的。说石头时便用无生物的字样，说狗时个便用生物的字样。所以说马尼突时，如仅视它为一种物质或元素，则用无生物类的语法；如马尼突与一个物体结合，则语类的用法便不一定了。由此可见马尼突原为非人格的，但有时也会变成人格的。

当马尼突凭附于一物时，自然与该物被混为一，但这物也不一定是具体的自然物。

据土人说：人可以自割其臂上或腿上的皮，划成一条一条的痕，以便为马尼突注入的通道。马尼突如栖在石头里，则石头被火灼并受水洒的时候，马尼突便从石头里出来。出到蒸气中，即就蒸气中寻觅门路进入人体。在人体内横冲直撞，把所有致病痛的物都赶出去。最后并分些马尼突留于体内，方才回到石头里。

马尼突可以由一物移过别物。在两物中的原来的马尼突是同样的，不过程度和价值相差而已。移过后两边的马尼突相合而更有力。兹举一例于下：

有一回，一队素克人到平原中找寻水牛。当遇到一大群水牛时，忽然发见一队科曼奇人（Comanche）也在偷偷的跑近水牛，但他们人数较少。素克人冲向前来，科曼奇人立即逃走。但在追逐时，素克人却被一个科曼奇人缠住了，原来这个人是要牺牲性命以救他的同伴出险。他果然如愿以偿，他的同伴逃脱了。同时他的义勇大大引起敌人的钦佩。为敬重这义士的缘故，素克人不愿割他的头皮，也不殴打他，他们却割取他的心分给众人，各吃一块。

阿尔衮琴人以为马尼突是非人格的超自然的一种元素，而心脏里却贮有马尼突，所以吃了心脏便可以获得马尼突。阿尔衮琴人以为这个科曼奇人所以这样义勇是由于他心脏里的马尼灾的缘故，所以吃他的心，分得他的马尼突便能够像他一样的勇敢，而且这些新马尼突和他们心里原有的马尼突混合起来，效力更大。

马尼突和含有它的物体常被混视为一，这是很自然的。这种混淆常见于表现马尼突的媒介物。阿尔衮琴人有一段故事可以说明这事。这段故事说：一个"宇宙英雄"（cosmic hero）变形为一个美女，走来下界，受一个老媪款留。这个老媪将两颗粟粒和一颗豆放在小碗内请这美女吃。这些谷粒很奇异，吃完一颗碗内又生一颗，但这美人却能够把它吃尽，把空碗交还老媪。老媪看见碗空了，大为惊异道："你必定是一个马尼突!"现在这段故事里有二要点：其一，谷粒的续出不绝是由于非人格的神秘物，即马尼突的作怪；其二，这种奇幻的变化竟为美女所阻止，故这美女必就是马尼突所凭附的无疑了。因为认马尼突所凭附的生物也就是马尼突，所以老媪便叫这美女做马尼突。阿尔衮琴人的辨别力这样薄弱，所以很易于把马尼突所凭附的物也混称为马尼突。晓得这种心理，便无怪于阿尔衮琴人把马尼突分为无数种类和程度，充塞于他们的世界中；又可以说明神话中的怪物种类之繁多，那些怪物也有人，也有兽，也有鱼鸟以及别种自然物，所有这些怪物都有马尼突，而它们的马尼突都是同样的。它们不同之点只在机能的差异以及所含马尼突数量的不齐，因为它们都禀赋这种共同的神秘的元素，所以便给它们一个共同的名，便是“马尼突”。

概括言之，阿尔衮琴人的马尼突的信仰是一种无系统的信仰：他们信有一种神秘的元素弥漫于宇宙之间；这种元素是非人格的，但如和物体相合时便不一定是非人格的；它会表现为各种形状，它的效果会引起神秘之感。人类对它的奇幻的能力很知注重，但关于它的解释是没有一定的，基于各人的感情，而不基于知识。

此外还有皮切尔-洛奇（Pechuel-Loeche）研究非洲西海岸的土人，也发现和马那相同的概念。这一带原是灵物崇拜的地方。自舒尔茨（Schurtz）研究后便把灵物崇拜解释为对于微小的大抵为人工作成的物件崇拜，因为人们信有精灵凭附在里面，所以会灵动。皮切尔-洛奇用功深索的结果，却反对舒尔茨之说，以为在这地方的灵物崇拜并不是有精灵在内。依他的意见，一个物灵乃是依照某种固定的方法由人工作成的物件，它拥有数种或者一种固定的“势力”。设使这物件的形状改变了，或者制作的方法被乱了，那末它的力就会失掉或改变。根本概念力是非人格的“力”，其性质及数量，在特殊条件之下是可以获取的。由这样看起来，这种观念又和马那是一类了。非洲的灵物崇拜固然普通是信有精灵凭附于灵物；但在西海岸一带的，却不能怀疑皮切尔-洛奇的判断。

马雷特的主张——像这样，马那一类的概念竟散布于很广大的地域。于是民族学家和宗教学家便多采取以为原始宗教的一种根本概念。但是能够利用这种新发现以创成新学说的不得不推马雷特氏。他发表一篇论文于1900年的《民俗学杂志》（*Folklore*）讨论“生气主义以前的宗教”（Pre-animistic Religion）。他说在生气主义发生之前，已经有一种以马那观念为根据的世界观，可名为“生气遍在主义”，他以为猜想宇宙间有非人格的超自然的魔力之存在，比较想象有一种掌握魔力的具人格的精灵之存在，这两个观念是前者较为简单，所以也是较为原始的。土垒人祭河的沿革便可证明这说：其初以为马那是在河中，祭时便把做牺牲的牛投入水中；后来有了精灵的观念，便在河岸立庙，把牺牲供在庙里，以为河里的精灵会出来到庙里歆享。马雷特的文章发表后竟成为讨论原始宗教的结晶点，在第三届世界宗教会议中为一个主要的论题。

现在有一派学者甚至把马那看作和魔术一样。杜尔克姆（Durkheim）的学生休伯持（Hubert）和莫斯（Mouss）二人竟应用马那的概念于其讨论魔术的论文中。普罗伊斯（Preuss）论宗教与艺术的起源时，也把马那的概念加进去。杜尔克姆在其大著《宗教生活的根本形式》（*Elementary Forms of Religious Life*）中也把马那当作图腾崇拜的中心点。

由此观之，相信世界为精灵所据的生气主义，竟退让于相信世界为非人格的魔力即马那所充塞的生气遍在主义了。

第十七章　结论：原始宗教的要素

宗教起源学说的总评——魔术说以魔术为早于宗教，而宗教时代之前还有一个魔术时代；把两者硬分两截，说得太不近事实，因为宗教和魔术是自始即相结合，理论上虽可以区别得出，实际上却混作一团，所以只有用“魔术宗教的”一语来形容这些兼含魔术与宗教两种性质的事物，最为适合原始宗教的情形。但是原始宗教既然是魔术与宗教混合的，那么，弗雷泽的魔术说也还能说明一部分，所以也还是有贡献的。

斯宾塞的鬼魂说以为各种宗教都是源于鬼魂的崇拜，这自然太说不过去。原人所崇拜的超自然的神秘物不止鬼魂一种，此外还有别物的精灵，斯宾塞把它们一概硬派做鬼魂，未免过于牵强了。但是鬼魂的观念为原始宗教的一要素也是真的，魂鬼说中讨论鬼魂本身的地方也很有精采。

泰勒的生气主义较之鬼魂说自然精辟多了，他所谓精灵是广义的，包含人的鬼魂以及他物的精灵，很可以说明原始宗教的种种事物了；但被后来发生的生气遍在主义一排挤，竟有被取而代之之势；似乎生气主义也归失败，而生气主义之前真的还有一个纯粹的生气遍在主义的时代；这种新的层次说也还不甚切于事实。

美国批评派人类学家哥登卫塞（A. A. Goldenweiser）说：“平心论之，马那观念应当被欢迎以说明原始宗教。但马那与精灵先后的问题并不就是两者冲突的意思，因为精灵的观念是原始宗教的根本观念的一部分，其余一部分则为马那，即‘力’的观念。马那是动的原素，精灵的本身却是一种型体。要说明宗教，便应当把这种非人格的无形的超自然的

'力'的观念和精灵的观念联合起来方可。"（见所著《初期文明》〔*Early civilization*〕）

哥登卫塞的意思是倾于把马那和精灵连合起来的，并不确断马那观念与精灵观念有先后独立存在的事。因为马那观念之中也常混有精灵在内，硬要把精灵拖在后面，说他一定发生在马那之后，恐怕也很牵强，不免和魔术说的硬把宗教和魔术隔做两个时代犯同一错误。

编者的结论以为：原人的心理本来是杂乱混沌，混作一团的，所以我们也不要以为他们是有很清楚很系统的思想，而替他们想出一个很整齐的宗教观念，如斯宾塞、弗雷泽便是犯了这种错误。原始宗教自始即包含种种观念，因为单用一种观念来解释种种复杂的现象非他们原始人类的脑力所能及；一种观念解释不来时，自然会生出别种观念。主张等时说的说魔术和宗教是自始相混合的，然则在这种混杂的心理之中恐怕各种观念都会有：鬼魂啊，精灵啊，马那啊，错杂并出。不过因环境的不同，各观念的分量因之有异：有的地方鬼魂的观念特盛，有的则精灵为主，有的则马那称强就是了。

超自然主义的要素——上述各说既然都有一方面的发明，然则能够综合众说熔成一个系统，便可以了解原始宗教的真相了。这种综合的学说以哥登卫塞提出的为最佳，略述于下以当结论。

原始的超自然主义（supernaturalism）的第一要素便是生气主义的信仰（animistic faith），这种信仰以为和这个物质世界相对的，还有一个精灵的世界。精灵的种类非常多，而它们的作用也因之互异。精灵的形状或得自自然物，不论生物或无生物；或由自然物转变混合而成。无动物形和植物形的精灵不很常见，动物形的精灵在无论何处都极盛。至于人形的精灵很早便有势力，在许多仅次于最低等的原始社会中人形的精灵为超自然界中的主要分子。此外各种奇怪的精灵则或由梦、幻觉或想象而成。人工物和艺术也常能影响于精灵的形状，如易洛魁印第安人的“假面精灵”（false face spirit）大抵是由奇形的木假面拟成。又如楚克奇（Chukchee）和科里亚克（Koryak）两种西伯利亚人的小形的精灵，一定是由他们的小形的粗陋的雕刻物转化来的。总之，精灵是包含死人的鬼魂和由别物成立的二种，所谓神鬼、妖怪、仙人等都不过是精灵的别名而已。精灵的性质与作用或为自然界生物的拟化及自然力的表现，或由人类的恐惧与希望的心理而构成。

原始的超自然主义的第二要素为魔术的信仰（magical faith）。有些魔术不能和实际的事项分开，例如原始的“医巫师”（medicine men）的治疗法兼含魔术与知识二要素，不能分别得清楚。但标准的魔术可以说是根据于一种信仰，以为用某种固定的手续、仪式与符咒便可以获得希望的结果，或免除所畏惧的事项。这些动作虽不过是人类所行的魔术的程序，但都被信为可以通于全自然界。魔术的最明显的作用便是“变化”（transformation），例如无生物与生物的互化，植物与动物的互化，又这些物类都会化为人，人也会化为别物，精灵也会化为物或人。

魔术的动作的目的便是人类所希望与恐惧的事物。不论为善意的或恶意的，术士所要达到的事都是用实际的自然的手续所不能成功的，或者在时间上与空间上暂时不可能的。魔术所做到的有些事项如食物、生育、杀敌，有时候可以用世俗的方法获到，但如护身的法力、起死回生、千里眼、顺风耳的感觉，便全属于魔术的范围了。

在生气主义与魔术之中都含有超自然的力之信仰（faith in supernatural power）这便是原始的超自然主义的第三种而却是最重大的要素。所谓精灵不过因其有作威作福的能力。魔术便是能力的系统，不论是积极的或消极的，实际的或拟想的。精灵的行为或人类利用魔术所做的事，有一部分也可用自然的世俗方法做到，但却有些是做不到的，这便是超自然力的特点。这种超自然力便是上文所说的马那。马那一名词应当扩大而为普通的名称，无论美拉尼西亚的马那，或“马尼突”“奥仑达”“瓦干”，或其他超自然的力，都可纳于这一类。

原始宗教的第四种要素便是“灵感”或“宗教的震激”（religious thrill），宗教在主观的即情绪方面的根据便是灵感，而马那观念便是灵感的客观的表现。人类的参加这个超自然的世界便是由于灵感，在各种宗教或魔术中都有这种要素。人类在生活的历程中突然遇到危机，于是心理上，特别是感情上起了一大骚动；一面是恐惧，一面是希望。因为危机的对付出于自己自然的能力以外，所以便想到超自然的势力去。

超自然主义永远受两种附属物的辅助，这便是神话与仪式。神话便是原始的神学；它能将由超自然主义而生的各种观念组成系统并促其发展。有时还于叙述中搬弄那些超自然的东西，并参插以人世的意外的事件与冒险的奇谈，于是使超自然主义加上了文学的色彩。神话在超自然主义之智慧的或观念的方面尽了它的职责，至于仪式则在其情绪方面显它的作用。由于仪式的影响使人类对于超自然物的应付成为固定的形式，接受社会的制驭，且由群众心理的影响而散布及扩张。仪式之不绝的节奏永远维持超自然主义的火焰。只有仪式方能永远不使魔术及精灵的幻象消灭，因为若在清醒平静的境状中超自然主义便要被理智与经验所克服。在此后的世界，超自然主义或将真的被理智与经验所克服，但必须等到人类能由索究与评判而脱出神话与仪式的陷阱，窥破僧侣与术士狡猾，并放弃对于不可能的事件之追求之后，方能成功。

参考书目录（以采用多少为序，括号中即为本篇内采用之章数）

（1）Clodd，E. —*Childhood of the World*，Pt. Ⅱ（第 2、3、5、6、7、8、10 章）

（2）Avebury—*Origin of Civilization*，chap. Ⅵ—Ⅹ（第 2、3、4、5、6、7、9、11 章）

（3）Goldenweiser，A. A. —*Early Civilization*，chap. Ⅹ，Ⅺ（第 16、17 章）

（4）Spencer，H. —*Principles of Sociology*，Pt. I，chap. Ⅸ—ⅩⅩⅤ（第 7、14 章）

（5）Tylor，E. B. —*Primitive Culture*，Vol. I. PP. 417—31（第 15 章）

（6）Thomas，W. I. —*Source Book for Social Origins*，Pt. Ⅳ（第 1、13、14、15、16 章）

（7）Kroeber and Watermen—*Source Book in Anthropology*，chap. 44—51（第 9、10、11、12、16 章）

（8）Marett，R. R. —*The Threshold of Religion*（第 16 章）

（9）Lowie，R. H. —*Primitive Religion*（第 1、17 章）

（10）Le Roy—*The Religion of the Primitives*（第 1、13 至 17 章）

（11）Durkheim—*Elementary Forms of Religious Life*（第 1、4、17 章）

（12）Lang，A. —*The Making of Religion*（第 1 章）

（13）Lang，A. —*Magic and Religion*（第 9 章）

（14）Hopkins，E. W. —*Origin and Evolution of Religion*（第 1 章）

（15）Read，C. —*Man and His Superstitions*（第 1 章）

（16）Frazer，J. G. —*The Belief in Immortality*（第 7 章）

（17）Frazer，J. G. —*Golden Bough*，Abr. ed. chap. Ⅲ、Ⅳ（第 9、13 章）

（18）Frazer，J. G. —*The Worship of Nature*（第 2、3、4 章）

（19）Frazer，J. G. —*Psyche's Task*（第 1 章）

（20）Maddox，J. L. —*The Medicine Man*（第 11 章）

（21）James，E. O. —*Primitive Ritual and Belief*（第1、10章）

（22）Sumners，M. —*History of Witchcraft and Demonology*（第9、11章）

（23）Sumner and Keller—*Science of Society*，Pt. Ⅳ（各章）

（24）Hastings—*Encyclopaedia of Religion and Ethics*（各章）

（25）西村真次—《文化人类学》第六篇（第1、13章至17章）

（26）宇野圆空—《宗教民族学》（第1章）

（27）河面仙四郎—《宗教学概论》（第1章）

（28）佐野胜也—《宗教学概论》（第1、4章）

（29）ヘートラント著，中井龙瑞译—《原始民族の宗教と咒術》（第9章）

（30）ハトン著，植木谦莫译—《咒法と咒物崇拜》（第5、9章）

（31）Jevons著，严既澄译—《比较宗教学》（第1、7章）

（32）Moore著，江绍原译—《宗教的出生与成长》（第1章）

第六篇
原始艺术

第一章 绪 论

艺术在原始生活中的地位——出于普通的意见之外，在实用的技术与科学还极幼稚的原始生活中，审美的艺术却大为发达，其重要与普遍非文明民族所可比。可以说没有一个蛮族无审美的感情，没有一个不晓得妆饰和音乐的。艺术的活动（artistic activities）在蛮族中实在比文明人较盛，它影响了较多的个人，并构成了较大部分的文化内容。在野蛮生活中，每个人其实便是一个艺术家。

史前的艺术——艺术是与人类同其范围的（co-extensive with man）。它的发生的古远，不但可由其普遍存在于现代的蛮族而知之，还可以由文明民族的史前时代遗物的发现而得证明。早期旧石器时代的石器除实用以外还有形式美的性质，后期旧石器时代的马格德林（Magdalerian period）更有很进步的艺术，那时的画家所绘的野牛、马、鹿、猛犸等的壁画，很为现代的文明人所叹服。西班牙发现的阿尔塔美拉（Altamira）洞穴遗址的野兽壁画，且以四种彩色（红、黄、黑、白）绘成，其状很像真的。除绘画外，骨与象牙的雕刻也很精。在这时期的作品多数是动物形象，而其中尤以狩猎动物为多，如马多于豺狼，冰鹿多于狮，这都

欧洲史前人所画牛

在欧洲阿尔塔美拉洞穴的壁上

（采自 Osborn—*Men of Old Stone Age*）

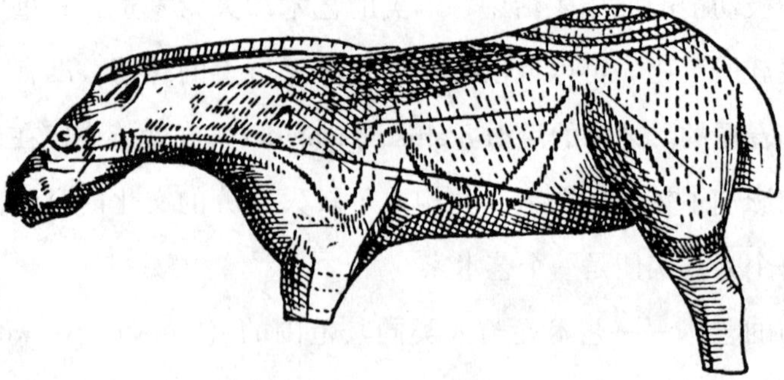

欧洲史前人所雕马

（采自 Osborn—*Men of Old Stone Age*）

可以证明是狩猎生活的影响。动物又常是牝的，这或者是有禁魔的意义。人类的像也有，且也常是女性的。人像的艺术较之动物的颇有逊色。新石器时代的绘画雕刻反不如前，但石器的琢磨修饰大为进步，其石器一面是实用品，一面又是美术品。此外陶器上的装饰也富有几何形的纹样，铜器时代几何形的纹样更发达，铁器时代沿用以前的纹样直至后来。

艺术发生的原因——艺术发生的原因学说很多，兹举根于原始艺术的研究的两说于下：

赫恩（Yrjo Hirn）在其《艺术的起源——心理学的及社会学的索究》（*The Origins of Arts*，*a Psychological and Sociological Inquiry*）一书中说艺术是由于艺术的冲动（art-impulse），而艺术的冲动是由于每种感情状态的向外表现的倾向，表现的结果能增加快乐，减少苦恼，由此可见艺术的起源是个人的冲动。但表现的第二结果还能够引起别人的同样感情，而他们的同情心又再影响了原来表现感情的本人，增加原来的感情。由此可知艺术的起源同时又是社会的。

哈登（A. C. Haddon）在其《艺术的演进》（*Evolution in Art*）书中说促使人类趋向艺术工作的，有四种需要。（一）艺术：这是纯粹由于审美性，专为欣赏形状色彩等快感的，即所谓“为艺术而艺术”。（二）传报（information）：人类的传达意见如用语言及拟势还不够时便用绘画来补助它。（三）财富：除审美性以外，人类为喜爱财物并要增加其价值的缘故，也会制造妆饰品。（四）宗教：人类为要和神灵发生同情的关系，常表现于外而为艺术。

以上两家所说虽是不同，但却不相冲突，因为两说各阐明一方面，前说阐明内部的冲动，即是内的原因；后说注重外界的需要，可谓为外的原因。

原始艺术的解释——有几条普通的原则可以帮助解释。（1）各民族对于各种美术都有“适切的观念”（appropriateness）。他们以为对某种事物是美的，对于别种事物未必是美，例如适于男性的未必适于女性，宜于小孩的未必合于大人；如衣服与器物也各有其特殊的饰纹而不能移用。（2）除审美观念外原始艺术又常带有象征主义（symbolism）。一个简单的几何形纹样在原始人或者当作闪电或鸟。一个万字纹样卍或者代表幸运或一个逃人或十字路。象征主义常依民族而不同，各民族的观念常有异。(3) 艺术的解释视乎民族文化而不同，同一种艺术在一个民族有宗教的意义，在别的则有历史的性质，在另一个却只有纯粹审美性。(4) 在一个民族中个人的解释也不是完全一律，个人有时也有特殊的见解。

艺术的两大形式及艺术进化论——形象艺术可分为两种形式：(1) 写实体（realistic type）以表现实在形象为目的。如麦达棱尼安期的动物画属此体，现在则美拉尼西亚及波利尼西亚各岛土人的作品也多如此，美洲则较少。(2) 几何体（geometrical）或简略体（conventional），其形象不求逼真，只稍类似或只可意会，象几何形的图案或写实体的简略，故称以此名。这一种常见于编物、陶器等上。

以前研究原始艺术的人推求艺术的进化，以为这两种体的发生必有先后，其次序在各民族都一律，如哈登（A. C. Haddon）说艺术的最初形式或是写实的，但后来由于技术及别种原因的影响逐渐倾于成为几何形，最后遂完全失去写实的性质而变成几何体。几何体的象征的意义，都可以说是以前写实体的原意的遗留。哈登引了许多实物为证据，例如鳄鱼的雕刻品，有些是写实的，有些是简略的，有些则是纯粹的几何形却还是被称为鳄鱼。又如鲍尔弗（H. Balfour）也倡此说，以为艺术的起源是美的认识，凡能类似实物的便是一种的美，所以表现实物时必力求其近似。其后才能较逊的人不能独创，只好摹仿已成的作品，摹仿的结果发生两种改变，一种是有意的，一种是无意的，无意的改变大大失去原形，于是遂由不正确的摹仿发生了新的形式。鲍尔弗更由史前时代的艺术证明其说，以为雕刻是最早发生的艺术，而其形式都是写实的，至于几何体的发生是很晚以后的事。

上述的进化说很为有趣，且曾被认为定论。但近来研究更精，此说已被批驳不能再维持。其失败的原因由于没有实在的有力的证据以证明写实体的必定先于几何体，反之在某些地方，几何体却有先发生的证据。如美洲平原印第安人的编珠术，其几何形的图样先发生，而其类似某物的意义，却是后来才由各部落各加以不同的解释。

现在的意见，据哥登卫塞（A. A. Goldenweiser）所说，写实体与几何体常是各由不同的原因和技术独立发生的。自然界的写实体与几何体的形式都能供给快感于人类，因而暗示人类创成这两种艺术。两种艺术发生后也会互相影响，互相改变，写实的形式如给人以几何形的暗示，或者便被改变为一半或完全的简略体即几何体；又几何体如近似实物的形象时，或者也便被加以实物的名，最后或且变为半写实半几何形的形式。

艺术的种类——艺术常分为两大类：（一）静的艺术（arts of rest），即由静止的状态表现美观的。（二）动的艺术（arts of motion），即由运动或变迁的状态表现美感的。有人说静的艺术之中，妆饰的发生先于独立的绘画及雕刻，妆饰最先应用于人体而形成人体妆饰（personal decoration），其次方应用于器物而成为器物装饰（ornamentation of implements）。最后独立的即脱离妆饰的绘画与雕刻方才发生。以上三种都属于静的艺术。跳舞可以说是活动的雕刻，是由静转向动的艺术。原始社会中跳舞常和唱歌相联，故动的艺术的第二种可说是歌谣。最后还有音乐一种，加入动的艺术之内，成而为三种。本书不是专论原始艺术的，关于这些种类都只讨论初民文化所表现的原始形式，如原始的绘画，原始的音乐等。

第二章　人体妆饰

达尔文曾送给一个南美火地人（Fuegians 亦译佛伊哥人）一块红布，

却见他不拿来做衣服而反把他撕成一片一片，和同伴们束在四肢上做妆饰品，达尔文对此很为惊讶。这种情形不止此族为然。除住在北极的民族不能不有全套的衣服以外，原始民族大都是妆饰多于衣服。库克（Cook）曾说火地人，“他们宁愿裸体，却渴望美观”，这种爱美的观念别民族都有。

原始的人体妆饰有两大类：（一）固定的：即各种的永久性的戕贼身体的妆饰，如瘢纹（scarification）、黥涅（tattooing）及安置耳鼻唇饰等。（二）不固定的：即以物暂时附系于身体上的妆饰，如悬挂縌带条环等。另有“绘身”（painting the body），一种似乎介于两者的中间，且像是最早的妆饰。

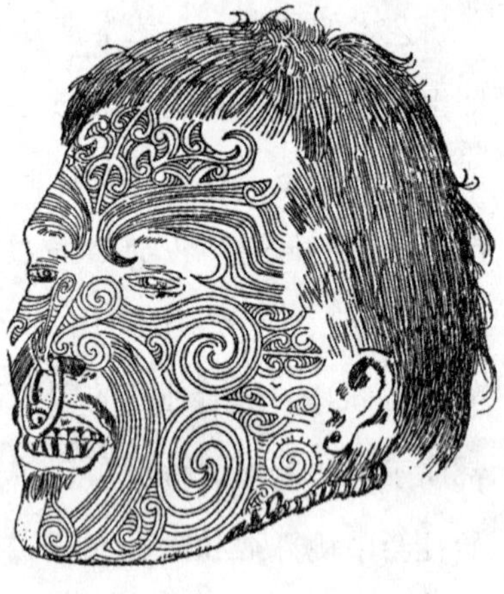

新西兰人的黥面

（采自 Wallis—*Intro. to Anthropology*）

绘身——绘画身体以为妆饰的风俗很为常见。澳洲土人旅行，袋中常备有白、红、黄等色的土块。平时只在颊、肩、胸等处点几点，但遇节日或要事便搽抹全身。他们在成丁时始行绘身，出战时常绘红色，服丧绘白，最注意的尤其是跳舞节的盛饰。此外如塔斯马尼亚人、安达曼岛人、非洲布须曼人、美洲火地人等都有著名的绘身俗。绘身所用的颜色不多，最多不过 4 种，常见者也只有红色一种。红色，特别是橙红，为原始民族所爱，或者可以说凡人类都如此，文明人的小孩喜欢红的东西可以为证。哲学家哥德说橙红色对于人的情绪有极大的威力，古罗马的风俗，凯旋的将军身上搽红，欧洲人的军服也常是红色的。红色似乎特别是男性的妆饰。红色的效力不但在于有急速的印象，并且与情绪有关系，因为他是血的色，更易激动

新西兰人的文身工作

（采自 Elliot—*Romance of Savage Life*）

人类的心理。最初的红色颜料大约便是血液，其后则多用赭土，这是各地都有的。黄色的性质近于红色，故也常被采用，安达曼岛人最常用之。白色的应用与肤色有关。在黑色的民族，如澳洲人、安达曼岛人中很常用。在肤色较浅的民族如火地人用之次于别色，此外或全不用。黑色的应用很奇，黑色的民族似乎还不满意于其肤色的程度，如白种的美女不满于其白肤一样，白人用白粉增加其白，黑人也用炭末和油增加其黑。

瘢纹——身体的绘画易于褪落，因此便生出两种方法使纹样能够留于身上耐久不灭，这便是瘢纹与黥涅。两者的采用视乎肤色的深浅，黄色的布须曼人与红铜色的爱斯基摩人行黥涅之法，黑色的澳洲人和安达曼岛人只作瘢纹。瘢纹是故意做成以妆饰身体的，其法是用石片，贝壳或小刀割破皮肉，使其创口愈后还留了一道较为浅色的瘢纹。有些澳洲人还故意用土将创口塞住，经过长时间以使瘢纹扩大。又有用植物液汁搽抹伤处的。澳洲人的瘢纹施于身体的各部，有在背的，有在臂的，有在胸腹或腿的。瘢纹男女皆有，但男人较多。其形有点，有直线，有曲线。其长有横亘全腹部的。瘢纹的创作是成丁典礼的一部分，但不是一时所能完成的。瘢纹在非洲刚果河边的黑人如巴卢巴（Baluba）等族的比较优美。澳洲人的还很粗陋，但也已经很为对称和齐整，合于美学的原理了。

黥涅——黥涅多行于肤色较浅的民族，其法是用尖锋刺皮作连续的点，然后将有色的物质大都是炭末一类渲染点内，待发炎过后便现出蓝色的纹样不再褪落。黥涅比较瘢纹为美观，文明人也还有行此俗的，如日本人便是。布须曼人的黥涅还简单，爱斯基摩人的方较精妙。在别族大都是男人黥涅，在爱斯基摩人却以妇女为多。他们自 8 岁便施黥涅，其地位大都是面、臂、手、股及胸。其纹样大都是在眉上加以二条斜形曲线，自鼻翼起作二条曲线亘于两颊，又自嘴的下端引出扇形的纹样到下颏，其形似乎摹仿男人的须髯。此外新西兰土人的黥涅也很精，能够将一个平常的人而做成雄伟的状态。台湾少数民族也有黥涅之俗，男子自额至颏作数点，妇女自两耳亘两颊作成两条斜阔的纹交会于嘴，使嘴的形似有突出之势，故称为“乌鸦嘴”。我国古代东夷有文身之俗，今已失传。海南岛黎族一部分还有黥涅之俗，但只行于妇女。瘢纹和黥涅有时兼有部落标志或宗教意义，但还是以妆饰之意为重。

耳鼻等穿塞物（plugs）（Botoque）——南美洲博托库多人（Botocudo）和火地人不晓瘢纹和文身，但却有这一类饰物，如博托库多人便因有此种饰物的土名（Botoque）而得名。小孩自七八岁便带此等物。其法在下唇及耳轮穿孔，塞以木块，木块逐渐换大的，直至有 4 英寸的大。爱斯基摩的男人也在下唇的两口角穿孔，塞以骨、牙、贝、石、木、玻璃等所做的钮形饰物。布须曼人悬挂铁及铜的环于耳上。澳洲人穿破鼻孔中隔，横贯一根竹木或骨，在节日则代以两枝羽毛。

不固定的妆饰——原始人身体的各部凡可以附带物件的无不加以妆饰品。略述于下：

发饰：澳洲土人的发饰最发达。但和我们的风俗相反，女人的发任其长成不规则的形状，男人的却费很多的功夫修整它，特别以节日为甚。他们用红色的泥土涂抹头发，有时多加赭土和脂肪，将头发弄成硬块，像饼一样，还有将鸟羽、蟹爪插在上面的。须也不被漠视，有将一个白贝壳或一条野狗尾系在须的末端的。

头饰：最普通的是头带。安达曼岛人有树叶做的，澳洲人则有皮条、袋鼠筋、植物纤维等做成的，上搽红白色泥土。头带有时用为首领的标志，但其主要的效用是安置饰物。澳洲人常将二个袋鼠牙插于其上，又将野狗尾置于头后，垂于背上。鸟羽常为头饰的材料。更奇的是布须曼人将全个的鸟头安在头上。台湾少数民族也将鹿的头皮连耳及角制为妆饰用的冠。

颈饰：颈是最可以安置饰物的地方，所以这里的饰物也最多。火地人的颈饰很多，有海狗皮的颈带，牙骨、贝壳的长串，骆马筋的织物，鸟羽的领等。布须曼人也将筋做绳，染以赭土，串上牙齿、贝壳、布、鳖壳、羚羊角及别物。安达曼岛人还有编树叶及植物纤维的带，又有将人指骨作颈串的。

腰饰：腰间系带是较普遍的妆饰。这种饰物并不多，它的重要在于与衣服起源说有关。主张衣服源于羞耻说的人，以为蛮人衣服虽缺乏也必于腰间系带，令其下垂的带端遮蔽生殖器。但事实却不是这样。如安达曼人用叶或植物纤维编成的带围腰，但却不能遮盖生殖器；又如布须曼人的妇女用皮做裙，并饰以珠及卵壳，但前面却裂为狭长的条，故也不能遮蔽生殖器。蛮人的腰带下垂部分大多不像是要遮盖生殖器而像要引人注意到这一部分。故腰带实是为妆饰的而不是做衣服的。

四肢饰：臂与腿的饰物大都和颈饰相类，所系的环带等物常很多。腕指及胫上特别丰富。

原始妆饰的美学价值——原始人的选择饰物也有美学的标准：（1）光泽：金属物、宝石、贝壳、牙齿、毛羽等所以被珍视，都因其有光泽。（2）色彩：蛮人选择饰物的颜色也和绘身一样，大都以红、黄、白色为多，蓝色和绿的极少。但肤色较浅的布须曼人也喜用暗色的珠子。（3）形状：鸟羽的采用不但由其光泽，也由其形状的美观，布须曼人甚且有将整个鸟头放在头上的。贝壳的形状也很受赏识，故常被取为饰物。

原始民族不但能取自然物以为饰，还能加以人工将它整理配置，其技术都很合美学的原则，如（1）对称律（symmetry）及（2）节奏律（rhythm）。对称律系受身体形状的影响，节奏律则由于饰物的性质。因为人的身体原是对称的，故加于其上的妆饰也跟他对称，不论是固定的

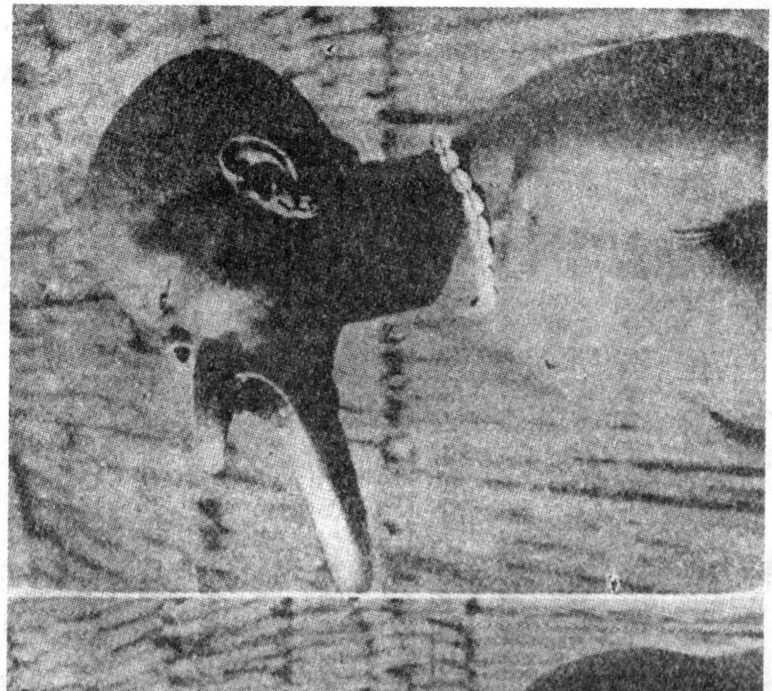

非洲土人的唇饰

土人自小用圆木板两片撑于上下唇，敲去前齿以容纳它，因有这种装置，故其人所发的声极为可怖。

（采自*National Geographic Magazine*）

或不固定的妆饰都安置得两边对称。有时虽偶然有不对称的，那是故意违反常状，使其发生滑稽或吓人的效用。又如瘢纹与黥涅有时单在一面，这是因为这两种妆饰都很痛苦，不能于一时做完，须分次加上，其半面的是还未做完的妆饰。节奏律便是将纹样或饰物排列齐整，如黑白相间，或大小相配，例如博托库多人的颈圈上，黑的果实与白的牙齿相间得很有规则。

原始妆饰的效用——文明人的妆饰远不如蛮人的丰盛，如将蛮人的饰物与其全部所有物相较，更觉其特别繁多。蛮族的生活是那样的简陋，为甚么妆饰却特别的发达，这似乎是很不称的事情。这种事实的原因是由于妆饰在满足审美的欲望以外，还有实际生活上的价值。这种价值第一在引人羡慕，第二在使人畏惧，这两点都是生活竞争上不可少的利器。故所有身体妆饰都可以分属引人的及拒人的两类。但一种妆饰常兼有二种效用，因为凡能使同性畏惧的，同时也能使异性欣慕。在文明社会里头，从事妆饰的以女人为多，但在原始社会却反是男人多事妆饰。原始人类的妆饰和高等动物一样，都是雄的多于雌的，这是因为雄的是求爱的，而雌的是被求的。在原始社会中女人不怕无夫，而男人却须费力方能得妻。在文明社会中情形便有异，表面上虽是男人求爱于女人，其实是女人求爱于男人，因此女人当为悦己者容，而男人却不必涂脂抹粉。妆饰的效用第一是为吸引异性，这是无可疑的。曾有人问一个澳洲土人为何要妆饰，他便答说“为要使我们的女人欢喜”。塔斯马尼亚土人因政府禁其用赭土和脂肪绘身，几乎发生革命，“因为男人们恐怕女人不再爱他们”。绘身的始于成丁时，也因为那时是性欲才发动的时候。

男人一面是女人的爱人，一面又是战士，这便是妆饰身体的第二个原因。如上所说，凡能引人欣慕的也能使人害怕。红色不但是喜事的色，而且也是战争的色；鸟羽的头饰似乎能增加人身的高度，故不但于跳舞

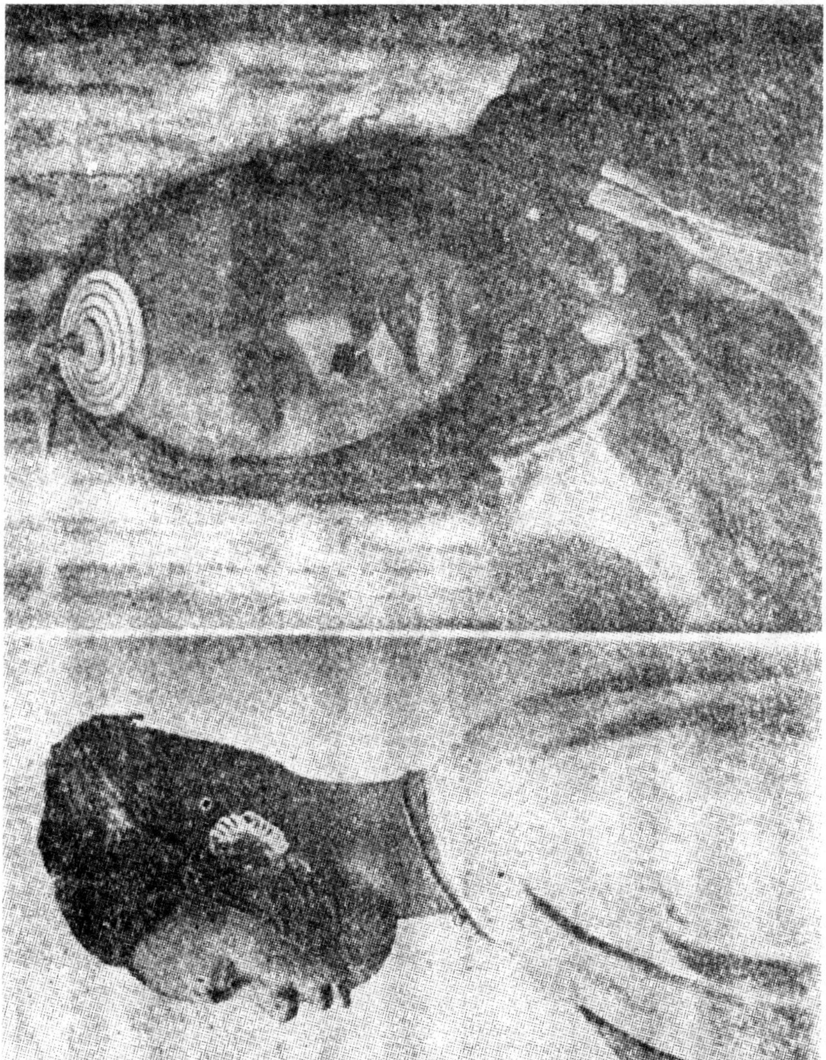

中非洲妇女的艳妆：发饰、耳饰、鼻饰、颈串等。（采自*National Geographic Magazine*）

时用之，即在战争时也用之；胸前的瘢纹能使妇女敬慕，又能使敌人畏惧。专供吓人的妆饰很少见，只有某种绘身的纹样很能使人害怕。

在文明社会身体的妆饰没有在原始社会的效用，但另有一种新效用，这便是表现身分与阶级。在原始社会较富平等的精神，阶级差别极少，故也少妆饰上的差别。文明社会中有规定各阶级的衣服与饰物的，没有规定的则上级的也自然会作超越于众的妆饰，如下级的要摹仿上级的妆饰，则上级的便改变其式样，风尚的变迁便由于此。妆饰的差别近来远比以前为少，其故因战争的利器日精，战士渐弃掉以前耀眼的服饰；又平民精神渐盛，阶级渐归消灭。但妆饰的存在又是另一事，以后无论社会变成何种状况，人类如还有两性的差别，恐怕还是有人体的妆饰。

第三章　器物装饰

在原始社会中器物的装饰远不及人体装饰。所谓器物装饰如照严格的狭义讲，专指另加装饰于器物上的，便有些民族不曾有过，如布须曼人的挖掘杖或弓上都没有装饰。在这里应当从广义讲，不但另加装饰是装饰，便是器物本身的刮磨平滑和修治整齐也可算是装饰。器物的平滑整齐一面有美学上的价值，一面又有实际上的效用，例如不匀称的兵器使用时不能如匀称的顺手，平滑整齐的石镞或石枪头较之粗糙的中的伤大。因此原始的器物都常加修整，如新石器时代的石器又匀称又平滑，实可视为一种美术品。

装饰的纹样（designs）——装饰的纹样大都是有来源的，纯粹自由构成的很少，在文明人的装饰尚如此，在原始人更是不易找到。纹样的来源大都由于受自然物、自然现象或人工物的启示。因而摹仿其形状。

文明人的纹样常是摹仿植物的，如花、叶、藤、蔓形的很多。反之，原始人的却常是摹仿动物的，这种情形或者是由于原始生活中的动物对人类的关系较植物为密切的缘故。这种摹仿自然物的纹样，有具备全体且属写实体的，很像真物；有只取物体的最特殊的部分以代表全体的，便较难认识；又有被器物的形状所拘束，故意曲变其物的纹样以适合器物的，更不易辨认。以上三种都还可解释其所摹仿者为何物，且可溯源于写实体或其变体。此外另有一种常见且简单的几何形纹样，殊难断定其出于何物，若能一一推测得出，固甚有趣，但若流于穿凿，反不如不加解释；不过它们总不是无中生有的东西，大约也由于自然界的启示或技术的影响而成。兹将这几种纹样举例解释于下：

图 A1 及 A2 是表现实物全体的。A1 是爱斯基摩人的骨制针囊，作整个鱼形。A2 是四川西南边境彝族铜手环上的刻纹，作全体鸟形。

图 B 是只取物体的一部分的。这一种是爱斯基摩人的骨刀，上刻鸟头，其长纹或系鸟羽。

图 C 是曲变实物的形状的。这一种是北美特林吉特印第安人（Tlingit Indian）的鱼棒，所雕的是“杀戮鲸”（killer-whale）的变体。

图 D 四种都是来源不明的几何形。D1 是美洲卡拉尼亚人（Karanya）的饰纹，据埃伦雷奇（Ehrenreich）的研究以为是响尾蛇的简体。但这种纹样很普通，在别民族的便不能说都是源于响尾蛇，或者源于别种蛇，或者由于蛇以外的物也不一定。因为自然物或自然现象中凡有这种形状的都可以启示这种纹样，不一定是单由一物。D2、3 是安达曼人的饰纹。D4、5 是霍姆斯（W. H. Holmes）所集的普通陶器饰纹，都如上述的一样，和数种实物都相近，但却不能确定究竟是由于那一种。

工作的技术和所用的材料都极有关于纹样。陶器表面不便作圆形纹，故常用直纹或之字纹。又陶器上也不便作写实的动物形，故常用几何纹。

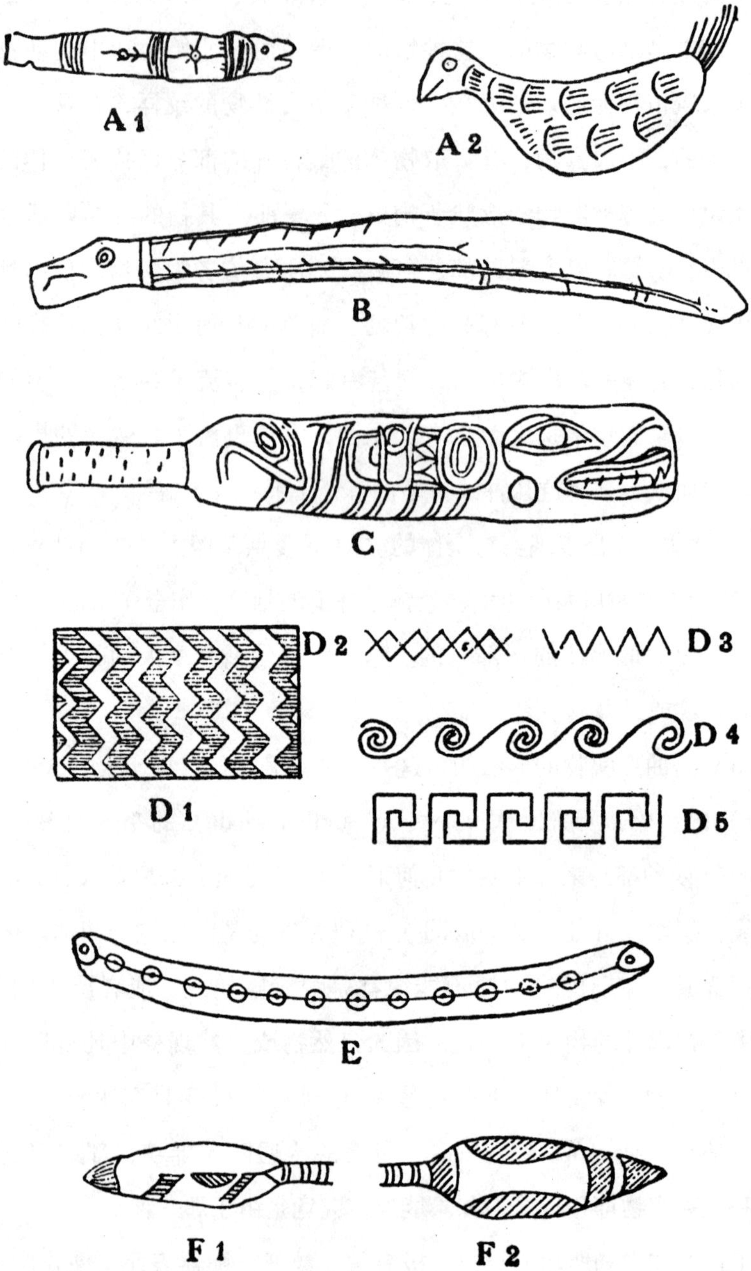

器物装饰的纹样

陶器的制法有贴土于筐篮上而烧成的，这种制法使陶器上留了筐篮的纹，因而也成为一种几何体的纹样。编织的技术也能决定纹样的体式，如要将写实体的纹样施于编织物上，必致将曲线形的改为直线形的，这便是写实体变为几何体的一种原因。凡筐篮织带及布上面的动物花草形常为简单的写实形，便是由此。

与装饰相似的各种记号——这便是铭志（inscription）财产记号、部落标志等，其状与装饰的纹样很相似，若不加解释便不易分别。

铭志：文明人做铭志的文字与装饰的纹样完全不同，但无文字的原始民族记事的符号和装饰的纹样几乎无别。如澳洲人的通信杖（message stick）上面雕刻的几何纹和普通的饰纹很相似，但土人们都借以传达消息，读得出各种符号的意义。澳洲人除通信杖外如投掷棒（throw stick）、飞去来棒（boomerang）上面都常刻号以记载要事。要区别铭志与饰纹很不容易，因为并无一定的标准。不但澳洲人如此，北极民族也是这样。例如一件兵器上雕6只鹿形，这大约便是记载这猎人所杀的鹿数。又如E图所示是爱斯基摩人的一件钻火弓，上雕多个圆圈，贯以一条直线，其意义不明，但考印第安人的绘画文字也有这样的，其圆圈是代表日或月，连以一线，便是表示时间的逝去。

财产记号：这一种便较容易和饰纹区别。狩猎民族中各个人的兵器常有记认的符号。其故由于箭或标枪所中的野兽常不即倒而带伤逃走，死于别处。在这种情形之下，死兽的所有权便有赖于死兽身上的兵器，但兵器上也需有记号方可为证。澳洲人如发现野蜂窝时也做一个符号于旁边树上，以为所有权的证明。澳洲土人的财产记号常是几个刻缺和饰文。爱斯基摩人的常是直线或曲线。安达曼人的兵器记号则为扎缚的特别形状。F图是阿留申人（Aleut）的桨上的财产记号。

团体标志：家族或部落的财产记号比较个人的为多，至少以澳洲土人为然。澳洲各部落的所有物都用记号为饰纹，一看便晓得属于何地何族。这种饰纹常即为其图腾，土语谓之“kobong”，其物大都为袋鼠、鹰、蜥蜴、鱼等，土人常将这些动物的形状加于器物上以为记号。

宗教的象征：宗教的象征物或魔术用品也常施纹样如装饰一样。澳洲的图腾不但是社会的标志，还兼有宗教的意义。此外澳洲人还有一种魔术牌，上面也满雕纹样，其纹有像人形的，有像兽形的，很为奇怪。

器物装饰与美学原则——原始的器物装饰也和人体装饰一样，合于二条美学的原则，即节奏及对称。人类无论文化的高低都晓得节奏的美。所谓节奏便是事物中间某种“单位”的有规则的重复，这种单位或为一个音调，或为一种动作，在装饰上则为一种纹样。如安达曼岛人的一种带，上有两种纹样，一是之字形，一是一排直线，两种相间很为整齐。澳洲土人绘于盾上的圆圈也是如此。爱斯基摩人的动物形饰纹也照这样排列。节奏有很复杂的，如之字形本身便是由两种直线相间连接而成的复合纹样。之字形在原始艺术中很为重要，如澳洲土人的棒与盾常以此为饰纹，又如爱斯基摩人、安达曼人都喜做此形。节奏的排列法似乎不是发明的而是由技术影响的，如编物工似乎很能启示节奏的排列。这种排列法的摹仿初时大都是由于习惯，其后方渐认识其美的性质。这种机械性的摹仿和审美的认识中间无明晰的界限。节奏律由于摹仿技术，对称律却大都是由于摹仿自然，原始的装饰常喜摹仿动物及人类的形状。动物和人类都是对称的，所以摹仿他们的纹样也是对称的。除动物以外也还有别种原因，器物的形状若是对称的，其实际的功用也较大；又如器物的本身原是对称的，加于其上的饰纹自然也倾于对称。

第四章　绘画雕刻

史前时代的绘画雕刻——在第一章里已曾叙及，兹再补述一二事。在后期旧石器时代（即冰鹿时代）的麦达棱尼安期艺术很为发达，雕刻绘画都很精。其雕刻物是在法国的多尔多涅（Dordogne）洞穴内发现的。所用材料有兽类的角和骨，所雕多属动物形，如野马、冰鹿、野山羊、野牛、熊、野猪等。最多者为冰鹿，其状很为正确明晰，可以一见便知其为何物。其杰作，例如鹿角做的匕首一件，柄雕一只冰鹿作跳跃之状，很见精采。洞穴里壁画的精美已述于上，不再赘述。这种有壁画的洞穴多在法国及西班牙境内，初发现时是1879年。发现者却是一个考古家的小女孩；考古家在阿尔塔美拉（Altamira）的洞穴内寻找土内的遗物时，他的女孩却昂头发现了洞顶的壁画。这种发现宣布后，初时还被怀疑，其后在别处洞穴也发现同样的壁画，而有些洞穴还堆积了较后的石器时代的遗物，或被土壤封掩不露的，因此第一次的发现乃得被证明为旧石器时代物。

现代原始民族的绘画雕刻——现代野蛮民族也有和史前人类相似的绘画雕刻，如澳洲土人文化虽低，其艺术的才能却颇显著。在1871年韦克氏（Wake）在伦敦人类学会还宣布说“澳洲土人不能辨别人形与动物形，除非将一部分（例如头部）特别扩大”，这话很为失实。在澳洲北部Glenelg地方的洞穴内也发现有壁画，所绘的有人像，并且其发饰、文身或衣服都表现出来，色采且有数种。在北方的一个小岛Depuch Is. 上还有绘在岩石上的图像。在图像范围内的石皮都先被剥下，然后雕于其青色的平面上。所作的多为动物形，如鲨鱼、狗、甲虫、蟹、袋鼠等都是

澳洲人之树皮画

（采自 Grosse—*Beginnings of Art*）

影像体（silhouettes），只画轮廓，但都很像真的。人像有战士持枪携盾的，但远不及动物画之精。所画甚多，似乎经过很长的时代，由许多人逐渐增加而成。澳洲土人还有一种“皮画”，便是在黑色的皮上用利石、牙齿或即用指甲刮成图像。壁画与岩刻都只作单个物形，皮画则常合多数人、动物及山水而成。有一张原为盖屋顶的皮，上面绘了很多事物，有一池，一屋，一群人跳舞，二人打蛇，一人在独木舟上追一水禽，二只鸟在一个水池内，一人持枪，一人吸烟，一群鸟兽在一块平原，池边都有树，平原也有树，各物都表现很好。澳洲人的绘画有一小部分是彩色的，其色和绘身一样有红、黄、白三种，都是矿物质做的。黑色是木炭的，又有蓝色原料不明。颜料混和脂肪，画上又盖一层胶，其画不易褪色。澳洲人绘画的取材都是日常经验的事物，没有虚幻的性质，他们竭力要把真的事物正确的表现出来，以他们工具的粗笨，其造就颇为可观。澳洲人的绘画的才能不限于个别人，而是广布于全社会，多数人都知晓这种艺术，其中自然也有高低的不同，但就全体言之，艺术空气似乎较文明人为盛。南非洲的布须曼人也以绘画著称，和他们的别种文化很不相配。他们的岩画的作品极多，自好望角散播至橘河（Orange R.）地方。其技术和澳洲人相同，在暗色的岩石上用坚石块刮刻，在浅色的石上则用彩色颜料绘画，其色有红、棕、黄、黑、青，都是泥土做的，混和脂肪或血，以鸟羽蘸绘。题材也是日常所见的事物，以动物及人类为多，如象、河马、长颈鹿、水牛、羚羊、鸵鸟、豺、猿等野兽，以及狗、牛、马等家畜，都绘得很像，人形则能分别短小的布须曼人，长大的卡菲尔人（Kaffirs），和用火器的博亚尔人（Boar）。其大幅作品有布须曼人和卡菲尔人战争图，很为生动。

住在亚、美二洲寒带地方的民族如西伯利亚的楚克奇人（Tchuktchi）、阿留申人（Aleuts）、爱斯基摩人等都喜作绘画，其技术与

布须曼人所绘偷牛图

（采自Grosse—*Beginnings of Art*）

澳洲人布须曼人一样，但作品较小，无岩画，他们只雕于海马牙上，或绘于海马皮上。其题材也是日常的事物，如爱斯基摩人的是雪屋、天幕与海马，或猎人投叉状，渔人鼓桨状，使狗拖橇状等。楚克奇人则喜作冰鹿拖橇图。雕刻在澳洲人及布须曼人都没有，只有这些北极民族精于此道，能将小片牙骨雕为人兽的形，其人形不甚佳，兽形都很好，其物有海马、海狗、熊、狗、鱼、鸟、鲸鱼等都很像，可以说这种艺术在现代原始民族中当推他们为首。

原始的绘画雕刻的特征——原始的绘画雕刻不论材料和形式都是自然的。除开少数的例外，其题材都常取自环境，尽其能力以表现正确的形状为目的。其材料很少，透视方法也缺乏。虽是如此，他们却很能以其粗陋的作品表现出实际的生活。有人将原始人类的绘画拟于文明人的儿童的，这说似乎不确，因为原始绘画所具的锐利观察力绝不能求之于儿童的涂鸦；而且儿童的绘画常是象征的而非自然的，与原始绘画不同。原始绘画与儿童绘画相同的地方只有一事，便是两者都不大晓得透视法。原始绘画又常被当作游戏画，因为画中人物身体的一部分常有畸形的扩大，近于滑稽，但这说是错的。一部分扩大的缘故有时是由于作者把这一部分当作特点，故特别加工使人认识，不是出于游戏的意思。至于真的游戏画自然也不是没有，但不应当把所有畸形的都解释为游戏画。

原始的绘画雕刻发达的原因——石器时代的惊人的壁画和雕刻久为现代人的哑谜，但由于现代蛮族的同样艺术的发现，我们得借以明了前者发生的原因。现在蛮族的文化那样的低，何以能发生这样高的艺术，这个问题若能解答，则史前艺术也同样得了答案了。这种艺术有二项条件，其一是对于实物的锐利的观察力和正确的印象；其二是工作时运动与感觉器官的完备。这些原始民族具有这两种条件是无疑问的，否则他们早已绝迹于这个世界了。澳洲人、布须曼人和北极民族若不是靠他们

表意的几何体纹样

此图系印第安人所作，表现一只熊

（采自 Kroebel and Waterman—*Source Book of Anthropology*）

的锐利的眼，伶俐的手和良好的兵器，何能存在于今日。自然界使他们以猎获的食物为生，但野兽是不多的，若非有优越观察力以追踪野兽并认识其性质和习惯，是不易拿获的。据说澳洲人能够追寻一只袋鼠的踪迹于深林密箐之中，能够辨别树皮上的负鼠爪迹，且能断定它是新痕或旧痕，是升树的或落树的。他们的感觉印象的保留长久，也很可异，据说白人和他们会面一次后，过十几年还有能认识的。布须曼人感觉的敏锐也超越于其他土人而为白人所叹服。北极民族也这样。除眼以外原始人民还须有伶俐的手，因为要捉动物必须制造精良的器具。原始的武器虽比较的似乎粗笨，其实愈加细察便愈觉其制造的精致。如澳洲投枪器，布须曼人的毒箭，北极民族的复合叉，都不能说是简陋的东西。他们既能造成这些精致的兵器，岂不能移其伶俐的手以从事雕刻及绘画，由此观之，原始的绘画雕刻发达的原因便是由于生存竞争上两种特殊能力的移用于艺术的方面。所以凡是精巧的猎夫与制造者便也可以成为雕刻及绘画的艺术家，因此狩猎民族便多有善于这一门艺术的。反之，农业的及畜牧的民族所以比较的拙于这种艺术，便也可由此得到解释，因为在他们生活上并不绝对依赖眼力的锐利与手腕的灵敏了。同在南非洲的班图人（Bantu）文化比布须曼人为高，但其勉强雕画出来的动物形象呆滞、怪特，远不及布须曼人作品的翔实如生。这种情形和上述的理论是很能符合的。我们由此以推论旧石器时代艺术发达的原因，也可说便是由此，因为其时的人类还在狩猎的时代。至于其后的时代，艺术退步却正与农业及畜牧的发生有关。

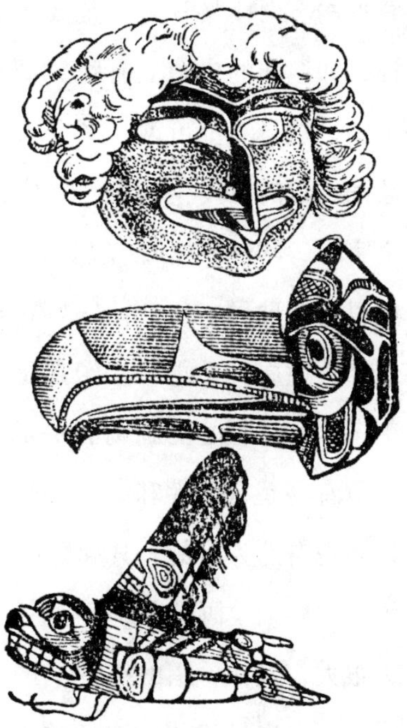

印第安人的面具

（采自 Chapin—*Social Evolution*）

原始的绘画雕刻与宗教及文字的关系——上述的作品是否都由于审美的动机而生，或是由于以外的原因，这是应当探究的。有一种很早而又很有力的学说，以为雕绘的艺术原是宗教的“奴隶”，是附属于宗教的，其后方慢慢的独立。这种学说其实和事实不合。澳洲的绘画中壁画与岩刻其中或者有些神秘意义，但不能断定。至于皮画上的人物、风景、跳舞、狩猎的图确知其与宗教无关。布须曼人的，据调查者说，“他们的从事艺术纯粹是由于喜欢表现事物”。北极民族的，则其雕刻至少有一部分有宗教意义，有些是做厌胜物的，有些和死人有关的，其绘画则不能断定。由此观之，可见绘画与雕刻大都是独立在下等文化中发生，不是附属于宗教的。

另一说则以为原始的绘画便是绘画文字（picture writing），是为传达意见的。由广义言之，凡属图画都能表现事物，自然也可说是和文字一样，如澳洲的皮画上有跳舞图，布须曼人的壁画有布须曼和卡菲耳人战争图，这自然都可说和文字同有记载的效用，但它们却不就是绘画文字。绘画的目的在发生印象，文字的目的在传达意见。真的绘画如变为绘画文字时，其性质便不在忠于自然，不复详细描摹，只求稍可辨认便足。所以这两种可以一看便区别得出。澳洲土人与布须曼人的绘画中不见有文字的性质。反之，它们都是在竭力表现真实的事物。至于北极民族的刻于木及骨上的图画则有一部分较近于文字。概括论之，原始绘画和雕刻虽有些是有宗教和文字的性质的，但大都是纯粹由于审美的感情，专以表现自然为目的，其起源可以说是独立的而非附属的。

原始的绘画雕刻对于原始社会的影响——绘画与雕刻在高等民族势力很大，例如希腊的与罗马的作品在当时社会上都很有影响，现在的文明国家中也是如此。这种效力在原始社会中却差得多。如布须曼人与外族的战争图，自然也能对于同族的人有引起团体意识的效用，但就大体言之，原始的绘画雕刻范围太小，工具太粗，不能发生宏大的社会结果。这种作品虽也有些可佩服的地方，但对于原始社会无甚大关系，原始社会虽没有这种艺术也不甚要紧。

第五章　跳　舞

跳舞的重要——跳舞可称为活动的图画，它在原始社会中地位的重要远非文明社会所可比，现代的跳舞不啻为艺术上及社会上的退步的遗留物。原始的跳舞实在是原始民族审美的感情的最完美最有效的表现。原始的跳舞可分为二种，即“模拟式的跳舞”与“操练式的跳舞”。模拟式的跳舞是按节奏模拟动物及人类的动作；操练式的跳舞则不模拟甚么自然事物，而只是像体操一样的舞动肢体。这两种都同时存在于原始民族的生活中。

操练式的跳舞（gymnastic dance）——最有名的是澳洲的称为“科罗薄利”（corroborry）的一种跳舞，它遍行于全大陆。科罗薄利常于夜间在月光下举行。跳舞的是男人，至于妇女则充乐队。在大会时常合数个部落的人一同参加，有时达400 人之众。最大的会是媾和时所开的，此外凡重大的事件如果实成熟时，捞获牡蛎时，少年成丁时，邻部修好时，战士出发时，狩猎大获时，都有跳舞会以庆祝它。各种事件及各异部落所行的科罗薄利都差不多一样。兹举托马斯氏（Thomas）在澳洲维多利亚所见的一种于下以概其余。“地点是林中一片清理过的地方。在中央生一个火，红色的火焰与青色的月光相辉映。舞人还未出现，他们还躲在林中暗处从事妆饰。在场中的一边有司音乐的一群妇女。忽然间一阵毕剥摔擦的声发生，同时舞人都出现在中央火的周围。30 个舞人都将白土绘身，眼的周围画圆圈，身与四肢则画长条。此外踝上饰以树叶，腰间又系皮裙。这时司乐的妇女则列成马蹄形的队，她们完全裸体，在两膝间绷一张负鼠皮。另有一个指导者立在她们和火的中间，两手各执一根树枝。指导者做一个暗号，舞人便开始跳舞，女人则一面唱歌，一面敲皮作声。跳时很合节奏，歌声与动作极相吻合。舞人忽进忽退，忽又旁跳，屈伸身体，摇手顿足，作种种姿势。指导者也很忙，一面击手中的树枝做拍子，一面发出一种鼻音；有时行近舞人，有时又步近妇女。舞人越跳越兴奋，动作愈变愈速，且愈剧烈，拍子也越击越急。有时舞人竟奋身跳跃得很高，最后齐发一声狂叫，随后便突然没入林中的暗处。场中静了一刻，指导者再发暗号，舞人便再出现，如前一样的跳舞，这样有重演四五次的。末一次全场的兴奋达到极点，舞人狂呼狂跳，妇女声嘶力竭的唱歌并按

史前人所绘舞女图
发现于西班牙的莱里达（Lerida）地方 Cogul 岩荫壁上
（采自 MacCurdy—*Human Origins* Vol. 1）

拍，几乎都像疯狂一样。”澳洲的女人有时也从事跳舞，但比男子为罕。跳舞的性质也有异。有时数人合跳，有时一人独跳。安达曼岛人的跳舞和澳洲土人很为近似，其跳舞的事件也相同，凡带有喜意的事如朋友的会晤，季节的开始，疾病的复元，丧期的终止，都行跳舞；大节日则举行大跳舞会，合各部落的人同舞。布须曼人的跳舞更为剧烈，舞人跳跃不已，至于大汗淋漓，呼声和动作都很吃力，故常有力竭倒地、鼻孔衄血的。这种跳舞叫作“摩科马”（mokoma），即“血舞”。

模拟式的跳舞（mimetic dance）——澳洲人的模拟式跳舞种类繁多，和操练式的纯一不同。其中最多的是模拟动物的“动物舞”，如鸵鸟舞、狗舞、蛙舞、蝴蝶舞等，最著名的还推袋鼠舞。旅行家见者都称赞其模拟的酷肖，有的还说这种表演如见于欧洲的戏院必能博得四座的掌声。又有模拟人事的人事舞，其题材常出于人生的二大要事，即恋爱与战争。澳

澳洲土人的科罗薄利舞（Corroborry）

（采自 Klaatsch—*Werdegang der Menschheit*）

澳洲土人的袋鼠舞

（采自 Klaatsch—*Werdegang der Menschheit*）

洲的战争舞是由二队的舞人各持兵器假作战斗之状，一面跳跃呼喊，一面击刺架格，鼓声渐敲渐急，动作也愈变愈剧，无殊于真的战争。恋爱的跳舞却很可笑，据霍奇金森（Hodgkinson）说，“这种跳舞的姿势极为猥亵，我虽是独自在暗中观看也很觉得惭愧”。兹举澳洲的叫作“卡亚罗”（Kaaro）的一种恋爱舞以为例。开这种跳舞会的时期是在芋薯成熟后新月初出之际。男人们宴会后便在月光下一个土穴的周围举行。土穴的四周有草丛，这是故意做成以为女性生殖器的象征的，至于跳舞者手中所执的枪则为男性生殖器的象征。跳舞者绕土穴而跳，将枪尖乱搠土穴，尽量做出极淫猥的姿势，发泄其性的冲动。战争与恋爱的跳舞而外还有其他较不重要的人事舞。如“小艇舞”（canoe dance），舞者手执木枝以为桨，排成两列，将木枝前后摇动作荡桨之状。又如死人复活的象征舞，舞者跳了一会便倒地假做死去，少停又突然起来，活泼地快乐地大跳，以为是死去再活了。

新几内亚人的化装跳舞

（采自 Hugo Obermaier—*Der Mensch der Vorzeit*）

原始跳舞发达的原因——原始艺术中最能使人兴奋快乐的莫如跳舞。活泼的动作能使人发生快感，便是文明民族的小孩对于奋力而急速的动作都觉得有乐趣，跳舞的快乐便在于此。还有一层，人类内心扰动若不给他向外发出是很苦的事，如得发泄自然感觉快乐。故原始民族如遇有激动感情的事件便举行跳舞，以活泼的动作发泄内心的蕴积。跳舞如只是活动而已，则活动到疲乏时恐反有不快之感。动作的有序，即节奏，较之兴奋性似更重要。故跳舞的特性在于动作的有节奏，凡跳舞未有无节奏的。原始民族也很晓得节奏对于跳舞的重要，舞时都能严守节奏。艾尔（Eyre）说澳洲人的跳舞很能按照拍子，而且动作与乐音都极为符合。此外的原始民族的跳舞也都这样。对于节奏的快感似乎是根于人类的心理。人类的动作似乎有大部分是自然合于节奏，这尤以移易地点的动作为然。而且人类的情绪的激动似乎也倾向于以有节奏的动作发泄出来。故跳舞的动作之合于节奏似乎是自然的趋势。而且节奏能发生快感，是更为重要的原因。上述的三种快感在模拟的与操练的两种跳舞都有；但还有一种模拟的快感却只存于模拟的跳舞。原始人类原有好模拟的癖，他们的模拟的技能也很好。如布须曼人喜欢模拟某个人或动物的动作，做得很为正确。澳洲人、火地人也有模拟的天才。模拟原是人类的普遍的能力，但其程度在原始社会为高而在文明社会反退步，而只存于儿童之中。模拟在跳舞中更为扩大。模拟的跳舞之中自当以模拟人类情欲的表现，如战争与恋爱，为最能发生快感，因为这是直接与人生有关的。模拟人事的跳舞已经近于戏剧，而戏剧便是由跳舞变成的。跳舞与戏剧的差异，其外表便在于节奏的有无，但两者的性质很有相同的地方。

总括言之，原始跳舞所以兴盛的原因便在于：（1）活动的快感；（2）发泄情绪的快感；（3）节奏的快感；（4）模拟的快感四项。因有这些快感，故原始民族大大嗜好它。

跳舞者本身固能直接感受快乐，但旁观者也能获得观舞的快感。旁观者不但由跳舞的快乐而感染快乐，他们还得享受跳舞者所不能得的一

安达曼岛人的跳舞

（采自 Elliot—*Romance of Savage Life*）

夏威夷人吹鼻箫及跳舞

（采自 *National Geographic Magazine* Vol. 51）

南非洲女人的草裙舞

（采自 *National Geographic Magazine* Vol. 47）

种快乐。跳舞者不能看见自己的状态，那种美观的舞态只有旁观者得饱眼福。跳舞者只能感觉，而不能观看，旁观者虽不能感觉却能观看。这便是旁观者喜欢观看跳舞的缘故。但跳舞者因晓得观众在赞美欣赏着他们，故也不以自己看不见为嫌而觉得极为高兴。以此两方面的感情都兴奋起来，都为动作与音调所陶醉，愈趋愈剧，终之达到极为狂热的状态。

跳舞与宗教——跳舞之中有带有宗教的意义的。其原因便是因为跳舞可以使旁观者获得快感，故欲以此献于神灵之前以媚悦他们。例如澳洲人有一种跳舞是献给恶神明蒂（Mindi）的，其跳舞的地场有严厉的禁忌，一边置有偶像，跳舞者渐渐跳近像前，很畏怯地以所执的棒轻轻触着像身。又如考古学家也发现史前的壁画有像祭神的跳舞的，因称之为“祭式跳舞”（danse rituelle）（据 J. de Morgan 所说）。原始民族大都有宗教的跳舞，可见跳舞与宗教的关系颇为密切，因此有一派学者竟主张跳舞的起源全是由于宗教，如 Gerland 说“一切跳舞，其起源都是宗教的”。这种意见还无充足的证据。就实际的状况言之，原始的跳舞有宗教意义的只有少数，如澳洲的便可为证。至于大多数的跳舞却都是艺术性的表现，与宗教无关。

跳舞的社会作用——跳舞虽常是出于艺术的目的，但它的作用却出于艺术的范围之外。在原始艺术之中没有一种能如跳舞有这样高的实际的及文化的作用。其作用之一便是两性的连结，这一种作用还传留到现代的跳舞。但原始跳舞与现代的跳舞不同。现代的跳舞的一种特性，即一对男女的密切接近，是现代跳舞所以为现代男女所喜欢的原因，这种情形却罕见于原始的跳舞，因为原始民族的跳舞常只由男子从事，妇女则为乐队。但原始的跳舞仍是富有性的作用。有时也有男女合跳的，这便是专为引诱性欲的。甚至纯粹男人的跳舞也是为要引起两性的连结，因为一个伶俐而健壮的跳舞者自然能够感动旁观的女人，而且在原始社会一个伶俐而健壮的跳舞者便是一个伶俐而健壮的猎人和战士，故跳舞对于性的淘汰很有关系，且对于种族的改进也有贡献。跳舞的这种作用，却还不是最大而唯一的，不能说别种原始艺术都无这种作用。

跳舞的又一种或者是更重大的作用便是社会的团结（social unification）。原始的跳舞常是群众舞。一个部落的人甚或几个部落的人合在一处同舞，全体的人员在一个时间内都同守一种规则。曾见过原始跳舞的人都惊于其动作的一致。凡参加跳舞的人都觉得在完满的社会团结的境状之中，似乎合而为一体，其感觉与动作像一个有机体一样。这一群跳舞者在平时是泛散地各营其相异的生活，而跳舞却能把他们团结在一起，在一种冲动之下为一样的动作，故跳舞实能发生秩序和联结于泛散的原始生活。除战争以外只有跳舞最能使原始社会得以团结，而且跳舞又是战争的最好的预备，因为操练式的跳舞很像军事训练。原始民族的协作能力至少有一部分是由跳舞训练而成，而协作的能力实为高

西藏族的骷髅舞

（采自 *National Geographic Magazine*）

等文化的基础，故原始跳舞在人类文化的发展上很有贡献。原始民族似乎也晓得跳舞的社会效用。如澳洲的“科罗薄利”常由两个盟好的部落一同举行，这便是用以促进友谊的。

跳舞的衰落——跳舞在原始社会兴盛在文明社会衰落的缘故，便在于其效用在原始社会大而在文明社会小。跳舞的人数不能过多，原始跳舞虽有合数社群的人同舞的，但其社群的人数原不为多。随文化进步原始社群逐渐扩大后，其人数太多不能合舞，于是跳舞也渐渐失去社会团结的作用。所以在原始社会跳舞是公共大事的仪式，在文明社会却不过是剧场或跳舞室里的一种娱乐而已。在文明社会所存留的不过促进两性的接近一种效用而已，但即在这方面其价值还是有疑问。在原始社会跳舞可供为性的淘汰的方法以改进种族，因为善舞的同时便是良好的猎人和战士。但在文明社会个人的心力较体力更为重要，而舞场的英雄却不一定就是世路上的英雄。而且文明社会的跳舞以其可厌的散漫状态和矫改自然的性质，决不能谓其于艺术方面有进步而足以抵补社会作用的消失。现代的跳舞实已由于生活境状的改变而退化，它以前的重大作用早已转移于别种艺术，可以说诗歌之于文明社会便如跳舞之于原始社会。

第六章　诗　歌

诗歌的性质及种类——诗歌是为审美的目的，以有效为美丽的形式，将外部的或内部的现象变为口语的表现（verbal representation）。这个定义包括两种的诗歌，其一是主观的诗歌，即抒情诗（lyric），表现内部的现象，即主观的感情与观念；其二是客观的诗歌，即叙事诗（epic）与戏剧（drama），表现外界的现象即客观的事件。在两者中都具审美的目的，其所刺激的不是动作而只是感情。这个定义在一方面分别抒情诗与感情的非诗歌的表现，在另一方面又分别叙事诗及戏剧与别种叙述的作品。凡诗歌都发自感情归于感情，它的起源和影响的神秘便在于此。

斯宾塞在他的《第一原理》中说，低级文化的民族的诗歌是未分化的（undifferentiated），意谓还没有抒情诗、叙事诗的分别。这话与事实不合，因为原始民族的诗歌实际上都是分别清楚的，像文明人的诗歌一样。

抒情诗——最切近于人类的诗材莫如感情，故抒情诗为最自然的诗歌。最切近于人类的表示法莫如语言，故抒情诗也是最自然的艺术。以口语发泄感情只须用有效的审美的形式，例如按节奏的重复便可。蔡孑民先生说："《尚书》说'歌永言'，《礼记》说'言之不足故长言之，长言之不足故咏叹之'就是这个意思。"原始民族咏叹他们的悲喜之情的诗歌常即是这种简单的形式，即将语句按节奏重复念唱起来。如南美博托库多人（Botocudos）常在晚间念唱"今天我们打猎打得好，我们杀了一只野兽，我们现在有得吃，肉是好的，喝是好的"。又赞美其首领说"首领是不怕甚么的"。

澳洲土人的诗歌和上述的差不多，大都只包含一句或二句的短语，反复诵念起来。他们很爱念诗，有事便念。怒也念，喜也念，饥饿也念，酒醉也念。如猎人夜间追思日间打猎的快感，便唱道：

这袋鼠跑得真快，
但我却比他更快。
这袋鼠真肥，
我吃了它。
袋鼠呵！袋鼠呵！

另一个土人却垂涎文明人的食物，他也唱道：

白人们吃的那些豆——
我也要些，
我也要些。

勇士们预备出战时唱一支歌以鼓起勇气，歌辞中预想对于可恨的敌人的攻击道：

刺他的额，Spear his forehead，
刺他的胸，Spear his breast，
刺他的肝，Spear his liver，
刺他的心，Spear his heart，
刺他的腰，Spear his loins，
刺他的肩，Spear his shoulder，
刺他的腹，Spear his belly，
刺他的肋。Spear his ribs.

另一首则枚举自己的武器以鼓励自己道：

蒲卢（burru）的盾、棒和枪，
贝拉儿（berar）的投枪器，
瓦罗耳（waroll）的阔的飞去来棒，
布丹（boodan）的带縰和蔽胸，
向前，跳上，描得准哟，

把这匀直的鸵鸟枪。

澳洲人又喜欢讽刺歌，如嘲笑跛足的道：

喂喂，甚么腿，Oh，what a leg，
喂喂，甚么腿，Oh，what a leg，
汝这袋鼠腿的贱东西。You kangaroo-fortel churll.

人死后其部落的女人唱挽歌如下：

青年的女人唱：我的兄弟，
老年的女人唱：我的儿子，
同唱：我不能再见他了，
　　　我不能再见他了！

爱斯基摩人几乎都有其自己的诗歌，其题材如夏天的美丽，等待一只海狗，和别人生气等琐事。诗歌的形式有一定，由长短不一的句相间合成。其程度较之上述二种民族的为进步。例如有赞美山巅的云的一首，在原始文化中很为难得（录蔡孑民先生的译文于下）：

这很大的库纳克山（koonak）在南方
　我看见它；
这很大的库纳克山在南方——
　我眺望它；
这很亮的闪光在南方

我很惊讶；
在库纳克山的那面——
它扩充开来——
仍是库纳克山，
但被海包围起来了。
看呵！它们（云）在南方什么样——
滚动而且变化——
看呵！它们在南方什么样——
交互的演成美观，
它（山顶）所受包围的海
是变化的云，包围的海，
交互的演成美观。

原始的抒情诗意旨不高，常只囿于下等的感觉，多述物质上的快乐，如饮食等事。文明民族的抒情诗大半抒写爱情，原始的抒情诗则罕说爱情，有之也很粗鄙。Rinks说爱斯基摩人的诗中没有余地可及此事，而澳洲人、安达曼人、博托库多人的诗中也很难找到这一类诗歌。这事似乎很怪，但若把爱情与性欲分开讨论便可明白。原始民族少有像文明人的精神上的爱情，他们大都只有体质上的性欲，性欲比较的容易满足与冷却，不像爱情的使人缠绵怀想。而且浪漫的恋爱在原始社会中比较为少，至于夫妇的恋爱已在满足之境更无需乎发泄于诗歌。魏斯特马克（Westermarck）说“在低等文化的社会中两性的爱较之亲子的爱为弱”。原始的挽歌中大都是哀挽同血统的亲人或部落人的，至于哀挽情人的却很罕见。

自然景色的欣赏为文明人的最好诗材，但在原始的诗歌中也极少见，这也有其原因。原始人类是自然的奴隶，他们只能在自然的压迫之下求生活，没有余裕或心情以欣赏自然的美丽与伟大。按之实例，除上举的爱斯基摩人的一首以外，在澳洲人、安达曼人、博托库多人等的诗歌中都没有这类的作品，这很可以证明此说。

原始的诗歌常表现自私的性情。诗人只咏叹他自己的苦乐，对于别人的命运很少涉及。澳洲人的唯一的表现同情的诗歌只有挽歌，但也只限于同血统或同部落的人。原始人类的同情心很少扩大至部落以外。其诗歌中如有涉及外人的大都有仇视之意。他们特别喜欢讥讽诗，其所讥讽的又常是身体上的残疾，可见其同情心的缺乏。

原始民族以其粗鄙的诗歌抒发其粗鄙的感情，其效用或价值却也不输于文明人以优雅的诗歌抒发其优雅的感情。诗歌无论是原始人的或文明人的，都能宣泄其郁积的感情而获得快感。

原始人类对于别人的同情心既是缺少，那么，诗人咏叹其一己的苦乐的诗歌，似乎很难引起别人的注意；但实际上却不然。原始民族的诗歌常有为众口所脍炙而传播甚广、保存甚久的。传播的范围不但及于语言相同的人民，有时且传至语言不同的异族。这种现象的原因是在于原始的民众不注意诗歌的意义，而只喜欢诗歌的形式。原始诗歌中的字句常因要适合音调而曲折改变，致其意义晦涩，不加解释便不能明了；至于音调则因加工调整的缘故，使别人听了都觉得好听而喜欢诵念。

叙事诗——西洋人常说最先发生的诗体是叙事诗。这是因为欧洲文明民族的诗歌起自荷马的叙事诗。其实荷马的叙事诗也与荷马时代的铜器同非原始的事物。

叙事诗的特质在于影响感情，至于节奏或韵律并非一定的条件。原始的叙事诗，如澳洲人、安达曼人、布须曼人的，除其中数段有节奏外，余皆是散文。唯有爱斯基摩人的多合节奏。有人说叙事诗的特征是“幻想性”，但这也不确，因为尽有许多具幻想性的作品却非叙事诗。原始民族的故事中常有叙事诗。如爱斯基摩人的作品中有很多是叙事诗。

原始的叙事诗范围很小。如印度、希腊、日耳曼人的长篇巨著，像金字塔一样，还不曾见于原始文化中，但其零片的材料却已经存在。狩猎民族的叙事诗常丛集于几个题目，如布须曼人常以蝗虫为题材，但这些故事却不曾结合而成为统一的巨篇。

原始的叙事诗常取材于其周围的事物，如人与动物的动作等，这种范围是原始艺术所不易逾越的。关于动物的叙事诗盛于澳洲与南非洲，至于人事的叙事诗则常见于北极民族。爱斯基摩人的叙事诗详细描写他们最费想象的，或能使他们喜欢的，或使他们憎恨畏惧的事物。诗中常表现生存竞争的困难。但对于恋爱也少涉及。以材料的贫乏和情欲的简单，致使他们的诗歌单调而无味。

文明民族的叙事诗若比做汪洋的大海，则原始的叙事诗可比为狭小的溪流。原始的叙事诗中只述动作而不及其他。在文明人的佳作中动作是用以表现人格的，而在原始的作品中，人格不过用以引起动作。故在原始的叙事诗中并不描写而只有直述，其叙述也是肤浅的。在爱斯基摩人的诗中绝少描写人的性格，除分别其为“好人”“坏人”以外，不再详描其个性；一个老鳏夫总是怪诞而可笑的，一个女人总是孳孳于家事和私蓄的。

自然景物的描写更为缺乏，有时述及也不过因其有关于动作而已。一棵树只说是一棵树，一座山只说是一座山，以外不说甚么了。

甚至诗中所述的动作，虽是原始的诗人和听者所最注意的，也叙得鲜有精采，不能引起文明人的兴趣。关于动物的叙事诗，特别是澳洲的与布须曼人的，只包括些混杂而泛散的怪异的事件，不甚联接。

戏剧——普通都说戏剧是诗歌中最后出的一种，其实不然，它的出现也是很早的。戏剧的特性便是同时并用语言与拟势表现一种事件。按照这种意义，几乎所有原始的故事都是戏剧，因为讲述故事的人必兼用拟势以帮助口语。原始人类的叙述一事也如文明人的小孩一样，若不借助于拟势便不能完全清楚。由此言之似乎反是纯粹的叙事诗发生最后。征之事实，如格陵兰土人、澳洲土人都有一种二人合唱的诗歌，其唱者各模拟所唱的意义。这种附属于诗歌的拟势便是戏剧的第一个来源。其第二个来源在于模拟式的跳舞。模拟式的跳舞如加以口语便也成为戏剧。原始的戏剧和模拟式跳舞的差异，外表上在于戏剧不按节奏，且兼用口语，其内部则在于不只是一种动作而是连续一串的动作。但实际上两者的界限不分明。原始的戏剧中口语也不十分重要，其中常有哑剧（pantomime）一种，只用拟势表出剧情。这种哑剧在澳洲土人、阿留申人（Aleuts）、爱斯基摩人、佛伊哥人中都有。兹述澳洲人的一种于下："有一个全剧指挥人，于每幕中助以很高的歌声。第一幕是群牛从林中出来，在草地上游戏。这些牛都是土人扮演的，画出相当的花纹。每一牛的姿态都很合自然。第二幕是一群人向这群牛冲来，用枪刺两牛，剥皮切肉都做得很详细。第三幕是听着林中有马蹄声起来了，不多时现出白人的马队，放了枪把黑人打退了，不多时黑人又集合来，冲向白人一面来，把白人打退了，逐出了。"（采用蔡孑民先生所译。）

诗歌在原始社会的作用——诗歌在文明社会中势力很大，在欧洲的希腊、罗马及文艺复兴以后的近代，特别著名的诗人的名为民众所崇仰。在中华则历史上竟有一个时代政府且以诗歌取士。诗歌的社会作用，第一在于团结个人。诗歌虽只表现诗人自己的感情，但也能引起别人的同样感情，使其发生共鸣，而在精神上结合为一。各个人的生活志趣把人们分开孤立，但诗歌却用同一的感情去激动他们，而将他们联合起来。诗歌的第二种作用是提高人类的精神。诗人自身如有高尚的精神，他便能将民众也提高起来。

诗歌在原始社会是否也有这二种效用，应当另加考察。原始社会中还无文字，诗歌的传播全凭口语，但其语言却常囿于少数的人口，这实在是诗歌传播的大障碍。因此在原始社会中诗歌虽也有团结力，但其范围不大。至于提高人类精神的作用也比不上文明人的诗歌，这是因为原始社会中的人们因同在一种生活的压逼之下，虽有一二优秀的分子也不能大有发展而远出于群众之上。如澳洲的土人中各个人都有其自制的诗歌，其程度无大差异。原始的诗歌中较能表现个人的天才的是叙事诗，这种叙事诗的作者也很被民众所注意，其名有传至很久的。故原始的诗歌虽一时的团结力不很大，但还能够影响于后代的人而使他们有团体的观念。

第七章　音　乐

音乐与诗歌、跳舞的关系——在低等文化中音乐与诗歌、跳舞有密切的关系。不带音乐的跳舞在原始民族中罕曾见过。如博托库多人唱时必舞，舞时也必唱。爱斯基摩人跳舞时必附以唱歌及打鼓，而其跳舞屋便叫作唱歌屋。安达曼人的跳舞节也便是音乐节。欧洲男人举行科罗薄利舞时女人们则为其乐队。原始的戏剧也必附带音乐。原始的抒情诗是可唱的，如欧洲人、安达曼人、北极民族等的诗歌都有谱调，其歌词常因要附合谱调而曲变至于失去原意。便是叙事诗也常是可唱的。故音乐与诗歌、跳舞常混合为一，其分开讨论是为便利起见。

音乐的实质与形式——音乐也像别种艺术有实质与形式之分。音乐的实质便是音（tone），音所附丽的形式则由两条定律即节奏律与和声律

(harmony) 规定它。音乐的最简单的节奏便是一个音或一小群的音有规则地相间发生。和声则由一定程度的音与别个一定的音相结合。节奏是量的调整，和声是质的调整，节奏与和声合而为谐音（melody)。

原始音乐的实况——人类的最初的音乐工具，自然是人类自己的声音，在低等文化中人声比较乐器为重要。博托库多人的唱歌据说很粗陋，男人的歌声像不清楚的吼叫，三四音便转一调，有时高，有时低，由胸中鼓出气来，口张得很大。女人的唱歌没有这样高声，也没有这样吃苦。安达曼人稍进步，但调子也短，很为单纯，对于节奏很注意。澳洲人也严守节奏。其歌声严肃沉郁，但也不坏；他们对欧洲音乐不感兴趣，但也学得来。爱斯基摩人的音乐也属同一程度，节奏较和声为重要，调子有限。程度最高的是布须曼人，他们可说有音乐的天才。欧人传教士唱给他们听的荷兰文歌词，他们很快的便学会了。他们自己的歌声还是单调，悲哀缓和，但也不一定使人不快。

原始音乐中口音的音乐，即唱歌，比较乐器的音乐为重要。两种都只有一部分的音，“多音”和“协音”都没有。节奏太偏重，而和声又太缺乏。音的范围既少，而高度也不清楚。

原始的乐器——原始民族的乐器大都是为按拍的，最常见的是鼓，只有博托库多人似乎没有这物，此外的狩猎民族都有，但粗细不等。最原始的鼓在于澳洲，这也便是最原始的乐器的一种。澳洲男人跳舞时女人们所打的鼓，不过是紧绷在两膝间的一张负鼠皮，这张皮是披于肩上以为外套的。美拉尼西亚人则有木架绷皮的鼓，也传于澳洲。澳洲人还有一种按拍的乐器也是很富原始性，是一根楔形的厚木棒，敲时发出一种特殊的高音，这叫作“声棒”（sounding-stick)。安达曼人则有一种“声板”（sounding-board)，是一片穹形的坚木板，一面凸，一面凹，长5英尺，阔2英尺；用时复在地上，凸面向上，跳舞的指挥者以足在上顿踏。爱斯基摩人有一种连柄的扁鼓，鼓沿与柄是木或鲸骨制的，皮是海狗皮或冰鹿皮。鼓面直径3英尺，敲鼓的木长10英寸，厚3英寸。布须曼人则绷皮于陶器或木皿的口部，用指头敲它。原始民族有一部分除鼓以外别无其他的乐器，如爱斯基摩人、安达曼人与一部分澳洲人都是这样。

澳洲 Port Essington 地方的土人另有一种竹箫，长二三英尺，是用鼻孔吹的。博托库多人虽没有鼓却有二种吹的乐器，一是 taquara 管制的箫，下部有二孔，是女人所用的；又其一是喇叭，用大兽的尾皮制成。箫的发明很古，在世界上的传布很广，有二种，一是用口吹的，一是用鼻吹的。鼻箫（nose-flute）在菲律宾和台湾的少数民族中便有。喇叭在欧洲铜器时代已经有铜制的了，其初想是利用兽角制成，此外还有木制的，如南非洲和我国西南的彝人都有。合几个长短不一的竹管或芦管而成的乐器便是笙了（panspipe）。有舌的高等乐器大约源于古人的芦笛，

台湾少数民族所用的音乐杵

（采自台湾明信片）

芦笛的声便是由于切口的颤动而发。

布须曼人有弦线乐器，但不是自己发明的。一种三面的琴是得自正尼格罗人的，匏琴大约是得自霍屯督人的。匏琴是一个木弓加一个匏以增加反响，只有一条弦，弦上附带一个滑动的环，以便任意增减颤动的部分。只有程度最劣的“哥拉”（gora）是他们自创的，这是由弓改变而

中非洲土人的骷髅琴

（采自 Eichler—*Customs of Mankind*）

成的，在弦的一端与弓木之间夹插一片扁平如叶状的羽茎，奏乐者将唇压榨这羽茎，用呼吸使它颤动发声。这种声音很弱，故奏乐者常将持弓的右手的食指插在耳孔内以传进声音。奏乐者有能奏至一小时的，而且音调都很正确。

音乐起源的学说——叔本华（Schopenhauer）以为音乐和别种艺术不同，别种艺术都由自然界获得其材料与模范，都是模仿的表现艺术，只有音乐不然，它完全不模仿自然现象。与此相反的一派则以为音乐也是模仿自然界的，和别种艺术一样。如迪博斯（Abbé Dubos）说“像画家的模仿自然的形状与色彩一样，音乐家也模仿自然的音调”。其后斯宾塞更提出语言说（The Speech Theory）以为音乐源于感情兴奋时所发语言的声调，音乐不过使这种声调更加繁复更有表现性。唱歌与平常语言的差异在于表现感情的声调，唱歌不过是表现感情的声调更为加重而已。故斯宾塞以为唱歌以及其他音乐都是模仿情绪激动时的语言。

达尔文以为人类的音乐天才是由其动物祖先而得，因为雌雄淘汰使动物须利用其声音以引诱异性。动物中有很多雄的在孳尾期间常用声音以发泄自己的感情，并促起雌者的注意。这种声音除引起注意而外，如还能使雌者获得快感，则这种声音自必为雌雄淘汰所保存及改进而成为音乐。音乐能引起仁慈、恋爱、优胜之感及好战的心，便是由此。我们人类为音乐所动宛如回复于久远以前的感情和思想状态一样。这些感情思想原系潜伏的，为我们自己所不觉且不明其意义。

格尼氏（Gurney）以为音乐确实能激发剧烈的感情，而这种感情是很特殊的，和别种不同，似乎是几种强烈的感情的混合。

音乐在原始社会的效用——（1）音乐对于两性的联合或以为全无关系，但原始民族中确有以音乐促进性的交际的，如苗人的跳月便是一个好例。（2）音乐在战争上的价值便被普遍认识，原始民族常利用音乐以辅助战争，如澳洲土人在出战的前夜唱歌以激起勇气。（3）音乐对于跳舞很有关系，原始民族常以鼓声和歌声做跳舞的拍子。（4）音乐与宗教也有关联，宗教仪式中常附有音乐。（5）音乐最重大的效用是在发生音乐本身的快感。布须曼人独奏弓琴时意不旁注，只以听那些连续的音为乐，有至数小时不倦的。澳洲人的唱歌通常只以自娱。像这样除为音乐本身的娱乐以外别无他事。

原始民族中有文化还低而音乐的程度却颇不劣的，如布须曼人在音乐方面高出于原始民族之中，但别种文化却还是很低。音乐对于文化全体，除直接供给音乐的快感以外，其间接的影响也似乎不很大。总之，音乐和别种艺术颇有不同，他的性质是较为特殊的。

第八章　结　论

原始艺术的目的——原始民族的艺术作品，很多不是单由于纯粹审美的动机，而是并由于实用的目的。实用的目的且常是最切的动机，至于审美的目的反是次要的。例如器物的装饰，其初常不为美观而是为记号或象征等实际的效用。此外也有专为审美的目标的例如音乐。

原始艺术与高等艺术的比较——原始艺术的种类也和文明时代的艺术约略相等，只有建筑的艺术未曾发生，这是由于生活的影响，原始的住所不过只供遮蔽风雨的目的而已，还未受艺术的洗礼，此外各种艺术在原始民族都已晓得了。便是诗歌也已经不是“未分化的”，而有分别清楚的三体了。

原始艺术与高等艺术的同点不但在宽度而且在深度。原始的艺术初看似乎很怪异而不像艺术；但细察之，便知其成立的原则都和高等艺术一样。不但澳洲人或爱斯基摩人也像雅典人、意大利人一样，能应用对称、对比、和谐等原则；便是细节上，例如在身体妆饰上，通常以为是随意乱搽的，其实也常有和高等艺术相同之处。

两者的异点也是量的问题而非质的问题。原始艺术所表现的情绪比较窄而粗，其材料窘乏，形式也朴陋，但其根本的动机、方法和目的与高等艺术无异。

原始艺术的一致——各原始民族的艺术在大端上都很一致。他们在种族上原是不同的，但在艺术上都相同，可见艺术不受种族的影响。澳洲人与爱斯基摩人在种族上差异很多，但其装饰却极相似。又如布须曼人与澳洲人的岩雕也是这样。

原始艺术的一致性是由于其原因的一致，而其原因的一致是由于其原始生活的相同。各种艺术除音乐以外，都受原始生活的直接或间接的影响。例如绘画与雕刻的人形或兽形的作品所以都能够那样神似，便是由于狩猎生活都会养成锐利观察力与伶俐的手腕的缘故。以上是就远隔而无接触的民族而言，若在相近的民族，则其相似的原因一部分是由于传播。

地理气候对于原始艺术的影响——原始艺术也与高等艺术一样，都受地理、气候的影响。赫德（Herder）与泰恩（Taine）说，气候影响于人类的精神及艺术的性质，但这是以文明民族的艺术为然，至于原始艺术所受的影响却是物质方面的。气候影响了产物，产物再影响艺术。原始民族的生活为地理及气候所拘束，供给艺术材料的产物也比较窘乏；至于文明民族在物质上多少已经能够脱离自然的束缚，其艺术材料比较的丰富，故其艺术上也渐减少自然的影响。

原始艺术的社会效用——世界上的民族未有无艺术的，甚至生活最苦、文化最低的民族都常以大部分的时间和精力用于艺术上。艺术对于

人类团体的维持和发展上，如没有关系而只是一种玩戏，则由于自然淘汰的缘故，这种浪费精力于艺术的民族也已经不能存在，而人类的艺术也不能发达至于现代的程度了。故艺术对于人类社会必有很大的效用。他除纯粹审美的效用以外还有实际的效用。例如器物装饰能增加工艺的技巧，人体装饰和跳舞影响于性的淘汰，或且间接影响于种族；人体装饰又可用以威吓敌人，诗歌、跳舞和音乐都会激起战士的勇气以保护社群。还有最大的效用是在于巩固并扩大社会的联结，各种艺术的这种效用是不等的，其中以诗歌和跳舞为最大。各种艺术的社会功效易时易地而递变，例如跳舞在原始的小社群极有势力，但在人口较多的文明社会便退让于诗歌了。

参考书目录（以采用多少为序，括号中即为本篇内采用之章数）

（1）Grosse，E. —*The Beginnings of Art*（第 2 章至 8 章大都据此）

（2）Wallis，W. D. —*An Introduction to Anthropology*，chap. XXXVII（第 1 章）

（3）Goldenweiser，A. A. —*Early Civilization*，chap. IX（第 1、3 章）

（4）Ellwood，C. A. —*Cultural Evolution*（第 1、2 章）

（5）Elliot Scott—*Romance of Savage Life*，chap. XIV，XV（第 2、5、7 章）

（6）Tylor，E. B. —*Anthropology*，chap. XV（第 1、2、4、5、6、7 章）

（7）Case，C. M. —*Outlines of Introductory Sociology*，chap. XIX（第 1 章）

（8）Thomas，W. I. —*Source Book for Social Origins*，Pt. V（第 1、2、3、5、7 章）

（9）Kroeber and Waterman—*Source Book in Anthropology*，chap. 42（第3章）

（10）蔡孑民——《美术的起源》（第6章）

第七篇
原始语言文字

第一章　绪　论

原始的传意法的种类——人类的可惊的成绩之一便是传达思想感情的方法。这种方法有很多形式，用于近距离的有拟势（gesture language）及口语（oral language），较远的则有信号（signals），超越时间与空间的则有记号（mnemonic objects）及文字。这种种形式的达意法也可称为广义的语言与文字，因为拟势与信号都是口语的补助，而记号是文字的先驱。语言与文字其实也是一物，可总括于最广义的“语言”（language）之下，因为文字也不过是写下的语言，其发生为语言发展的最后一段。

语言与文化全体的关系——据爱尔伍德（Ellwood）的意见，语言或者是人类文化中最先发生的一部分，因为它的功效能使各个人的经验得借以互相参证，而各个人的协作程度也借以提高。语言实是“心理模式”（mental pattern）（即存在心里的活动法式）传播之媒介，也便是其他各种文化的媒介。由语言的媒介，各个人的知识观念方得传播于别人，例如制造器物组织团体的“心理模式”都由此而广播于社会。特殊的个人所发明的行为模式，起初只存于一个人的心里，必须由语言传播于大众方能成为团体行动的模式，因而成为文化的一部分。人类所以会有文化，而其他动物不能有文化，其原因除脑力的差异以外，其次便是语言的能力，故语言对于文化全体的关系极为重大。

人类学与语言的研究——语言的纯粹的研究属于语言学的范围，人类学的讨论语言是另有目的，且另从别方面努力的，其注意的要点是：（1）从文化全体而讨论语言的效用。（2）特别注重语言文字中的未成熟状态。如拟势语，记号，文字，图画文字，数目语等，因为这也是原始文化的一部分。（3）利用语言以讨论民族关系。语言虽不能做判别体质上的种族的标准，却可以做文化上的民族的标准，因为凡使用同一语言的民族其文化也大都相同，语言有异的其文化也异。语言又可用以推论民族的接触及文化的传播。（4）借语言文字的证据以推论过去民族的状况。欧人曾由语言以推出古代雅利安民族的文化，因其语言中无农耕的字样，故知其未有农业；又由“女子”（daughter）一字也可证明其有畜牛饮乳的风俗，因为这字原意为“榨乳者”（milker）。我国学者从文字学以推测古代状况的也很有所得。

第二章　拟势语

天然的传意法——有人说有些民族在天黑以后便不能互相传达意见。这种话常被人非难，大约不是真的了；不过这句话所含的意义很可玩味。人类的拟势（gesture）及其脸上的表情（expression）有时极为真切明显，确可借以传达思想。不管世上有没有一种民族在天黑以后便不能交换意见，却实在有些民族常用拟势以补助口语，甚为著称。研究这种拟势语（gesture language）的人很多，泰勒（E. B. Tylor）在其《远古人类史》（*Early History of Mankind*）中有一部分考究这个问题，马勒里（Colonel

Mellery）研究更精，而尤详于印第安人的拟势语。

要研究简单纯粹的拟势语可以参观聋哑院，或入蛮族的地方，或到戏院去看名角的表演。真正的拟势语全世界都相同，曾有一个夏威夷土人被带到美国聋哑院里，他立刻便会与聋哑的小孩们用拟势语对谈，描述他来的地方及其旅行等事。又有一回，一个很奇怪的部落派使者到华盛顿，没有人能替他做翻译官，后来请几个聋哑学校的学生去担任，他们一到立刻便和他用拟势语大谈起来。

拟势语的实例——据马勒里所说印第安人盛行拟势语，其内容很为丰富，如普通名词、固有名词、动词、代名词、冠词等都可以表现出来，联合头臂身体的拟势，不但能做普通的会话还可以成为一篇故事或演说。例如达科他（dakota）印第安人如要说“我要回家”一句话，只要屈臂以食指指胸，便是说“我”，次伸臂向前，表示向前去；最后握拳急向下落，

印第安人作拟势语

（采自 Klaatsch—*Werdegang der Menschheit*）

这便是说到家。

最有趣的是“瘦狼的怨语”（Lean wolf's complaint）。瘦狼是美国西部印第安人派来华盛顿的一个使者，马勒里去请教他拟势语的例，他便用6个拟势说出一篇话。第一个拟势是用右手握拳举近额际，伸拇指横于额前；这是指白人，因为白人戴帽，帽遮额际，凡印第安人都以此指白人。第二个拟势是伸两手在腹前方约18英寸，手掌向腹，缓缓收向身来；这是说“和我们”。第三个拟势是将右手伸出向前，像要握手之状；这是说“要好”。第四个拟势将右手举近面前，手掌向面，屈拇指伸其余四指；这是说“四年前”，这数为四是明显的，在这事件中又应当解释为四年前。第五个拟势右手只伸食指及中指二指相贴举至唇际，然后向前伸出，二指也分离；这是说“他们有二个舌”，便是指说谎。第六个拟势两手握拳举近胸的两旁，然后同时用力放下；这是表示失望之意。六个拟势合起来是说“四年前白人和我们要好，他们说了谎，我们真大失所望了”！

还有叫作羊皮脚绊（Sheepskin Leggings）的一个印第安人曾用66个拟势说了下面的一篇话：“在很远的西方过一条河，有暖春族的阿帕切人（Warm Spring Apaches）。他们杀死很多墨西哥人和兵士，并偷了他们的马。他们（指阿帕切人）是又坏又愚的人。一个高级将军带马队来了，他却是愚人，要来捉梅斯卡莱罗人（Mescalero）。梅斯卡莱罗人希望这位使者长住这里，并受他们的口粮（意谓倾向和平）。我们（说者即此族人）的乡村便在那边。我看见这将军带军兵和山卡尔洛斯（San Carlos）的侦缉队，人数很多。我看见我的人民害怕了，一半逃走。第二天早晨梅斯卡莱罗人不再射击了（不抵抗）。别人杀了很多梅斯卡莱罗人。马兵和步兵带我们（梅斯卡莱罗人）到这个营里做俘虏。山卡尔洛斯侦缉队有很充足的枪和弹药，射死了很多阿帕切人和梅斯卡莱罗人。山卡尔洛斯侦缉队是勇敢的。”

印第安人的拟势语：瘦狼的怨语

（采自 Marshall—*Readings to the Story of Human Progress*）

拟势语的性质——拟势语有二种，一是指实在的事物，一是在空中描画。拟势语有习惯化（conventionizing）的倾向。自然的拟势其初是很明显的，但其后常被习惯化而至于失去原意。例如上述的印第安人指白人的拟势便是习惯化的。平原印第安人指狗的拟势是用二指沿地面上横画，这也是习惯化而失去原意了，其实以前狗是用以拖物的，在背后拖二根木，上载物件，故以二指表示它。拟势语又有一定的构造法（syntax）。其字的次序和口语不同。例如“黑马”在拟势语要改为“马黑”。“我饿了，给我面包”，要改为“饿，我，面包，给”。最重要的事物常置在先，不关紧要的字便删去。例如“我的父亲给我一个苹果”，变为“苹果，父亲，我”。主语在叙述语之后，客语在动词之前，形容语在被形容语之后。例如不说“我打结”而说“打结，我”。疑问句是先作肯定语，然后用疑问的态度表示它。问“谁人”及“甚么”时，常用很多事物衬出来。如问“你有何事”，便说“你哭，你被打？你被射中”？等语。连续句用递换或对比表出它，例如说“我如懒惰顽皮，必被责罚”。则改为“懒惰，顽皮，不，懒惰，顽皮，我被罚，是”。说明原因与结果的话，例如说一人因吃酒而死，则说“死，吃酒，吃酒，吃酒”。“做”的一字太抽象了，故拟势语如说裁缝做衣，木匠做棹，便须模仿缝线和锯木的状；如说“雨使土能生物”，则改为“雨落，草木生长”。

第三章　口　语

口语发生的古远——据德吕蒙（Drumond）说人类曾经过无言的时代，其时的人类，称为“无言人类”（homo alalus），以别于现在的“真人”（homo sapiens）。但这里所谓“无言”应当指为无狭义的语言，即完备的口语，若广义的不完备的语言则自有人类便有了，因为人类是由动物进化而来的，动物中的群栖动物已经有传达意见的方法了。人类在最远古的时代至少也应当有极原始的传意法，沃辛顿·斯密斯氏（Worthington Smith）曾推拟这种原始的传意法说："他们是用啁哳噪叫、呐喊呼号、杂嚷单音字，有时并用半音乐式的音调等交换意见。同时还有一法便是以脸相（grimace）拟势辅助表示意见。他们有很充足的声音与拟势以供需要。例如报告有险，则以手指或摹仿狮子的吼声或熊声等。"

据考古学的发现，爪哇猿人（Pithecanthropus Erectus）及其他的化石原人的颅骨，明示其脑中的语言中心（speech centre）已经发达，所以有些人类学家说，史前的原人都是会说话的。由化石颅骨的证明虽还不是十分靠得住的；但由别方面的证明，却晓得在旧石器时代至少在马格德林期（Magdalenian period）也已有口语。因为遗迹中的图画雕刻都表示他们已经有了审美心和知识，这便是口语的征候；而且他们的制作这些东西或者是要记载事实以示其同辈。人类的口语已经发生了很久，口语的普遍便可证明其发生的久远。有文化的地方无不有口语，极富原始性的蛮族虽曾经孤立甚久者，也已经有了发达的口语。至于代表古文化的中国、埃及、巴比伦、希伯来、波斯等都是在有史以前荒古的时代，便已发生口语了。

口语发生的学说——人类的口语既然发生很早，现在的最原始的民族别种文化虽很简单，也已经有了复杂的语言，而考古学上也不曾发现无言的人类，故研究语言的起源最难见功，只可以臆测其或然的大概而已，兹举这类学说数条于下：

唬唬说——（bow-wow theory）或牟牟说（moo-moo theory），即模拟说（imitation）：这说以为人类的语言有由于模拟各物的声而得的，就各物所发的声即用以为其物或其事的名。如哤哤（bow- wow）是狗的声，故即用以称狗，牟牟（moo-moo）是牛的声也即用以称牛。印第安人称鸦为 kaw-kaw，称一种夜啼的鸟为 pono-ponu。英人称雄鸡为 cockadoodledoo 及 okoko，鸦为 kaka 或 caw-caw，猫为 miau 或 mau。又我国人以“错错而鸣”者谓之鹊，亚亚者谓之鸦，苗苗者谓之猫，哤哤者谓之龙。又如水像水澌的声，火象火炽的声。此外如银、铜、鸠、鸽、笙、竽、江、河等字都由声而得。世界上各民族也都有这类字。这类字称为拟声语（onomatope）。这类字形成了以后常常使用，有时且被转借以指别种有关系的事物，如 taucan 一语原指一种鸟，其后竟用以称南美洲的一种印第安人，因为他们的鼻甚大，像这种鸟的大啄一样。又如英文里的 pipa 或 peep 是一种管乐器，其名由声而得，其后竟用以指其他的管。

呸呸说（pooh-pooh theory）即感叹说：这说以为语言有源于感叹的声的。因为动物便已经有叫声以表示心理，故人类的叫声想也有成为语言的。如呸呸（pooh-pooh）是表示鄙视的叫声，其后竟成为一字。此外英文中如 tut oh，ouch，hi，ho 等都是。国语中这种感叹字也很多，如唉、呵便是。这种感叹字在低级民族中更常用，这类字后来或者被借用，或和别字合并而渐失去原意。

亥唷说（yo-he-ho theory）或社会说：这说以为人类合做一种工作时所发的声，后来或者便成为那种工作的名称；例如合力举一重物时所喊的 yo，he，ho，后来便成为 yo（唷）、heave（抬）、hawl（拖）诸字。

语根说（root theory）：上面所举的三说还不能说明一切的语词，因为最简单的语言中也不止包含这三种来源的字，而且这三种字也还居少数。大多数的字其实都是由所谓“语根”（roots）构成。例如梵语、希伯来语、汉语等语词虽多至数十万，除开小部分的自然语（即上述三种来源的语词）外，其余都可以追溯于少数简单的语根。语言学家缪勒氏（Max

Muller）说这种语根在梵语中有 1706 个，希伯来语中有 500 个，汉语中有 450 个。语根犹如木枝与石头，同是最初的东西，由木枝与石头发展为各种各样的器物，由语根也构成了无数复杂的语词。欧洲的语言都源于古雅利安语的语根，如 wa 意为去，构成英文的 going。ma 为量，构成英文的 measure，rag 成为 ruling，都是。语根原无品词、动词等词性的分别，但有一种意义。我国的语根例如 m 语根有不明之意，故如暮、昧、盲、迷、梦、雾等字都从这个语根演成，又如 Dee 语根有“下”的意，故低、底、地、弟等语词都从这音。这些语根究竟从何而来？是否为人类的天赋，而人类自然晓得用这种语根表示意见？对于这种问题现在还不能有答案，或者永不能有答案。拉伯克氏详究各民族的“父”“母”二个语词，集成一张详表，发现其语根多数是 pa 与 ma，如英文的 father，mother，马来语 bapa，ma，非洲 wadai 语 abba，omma，澳洲语 marmook，barbook，汉语的父母爸妈，都是如此。以 pa 为父以 ma 为母的很多，但也有反过来的。又这二个语根且被引伸以指有关系的事物，如梵语 pa 意为保护，便是由此来的。拉伯克氏断定这二个语根是婴孩最易发的声，即自然的声。由此观之，或者别种语也有出于自然的。

综合以上所述的模拟声、感叹声、合力工作所发声以及最重要的语根，便成为语言的基础了。

语词的构成——基础已经有了，进一步便是把它们构成为语词，即字，以表示种种事物。这种构成法在各民族的语言中颇有相同的，但所注重的有异，有的多用此法，有的多用彼法。

（一）语音的抑扬（intonation）：亚洲东南部的民族多用之。其法以同一语根念作高下长短不等的数音，以代表数种不同的事物。如暹罗语 há 意为寻访，hã 为疫疾，hà 为美丽。汉语中也盛用此法，通常各为四声，即平、上、去、入四种，其实还不止此数。

（二）字母的改变：雅利安语中常用这法。例如表时的改变则 meet 变为 met，表数的改变则 man 变为 men。这法别族也常用它，如非洲土人的言语便如此。

（三）重叠（reduplication）：这法很多民族都用它。表多数的话常重叠一字中的一部分或全部。例如马来语 raya 是一个王，raya-raya 则为多数的王；orang 为一个人，orang-orang 则为众人或人民。美洲西北民族如 Tsimshians 族也常用此法以表多数。希腊文也用此构成不定格过去动词。汉语中这种叠字极多，或者因为是孤立语，一字当须与别字合，或自己重叠，又因不是音标字不能如上一法改变字母。

（四）复合（compounding）：这是最简单而且也最普通的方法，各种语言中都有。其法即联合旧有的字以成新字。如印第安人中 Sacs 及 Foxes 族的话，kicus 是太阳，tepek 是夜间，合为 tepekicus 则为“夜间的太阳”即“月”。又如 conia 是银，而 sã 是黄，合成 sâ-conia 意为“黄银”即“金”。美洲印第安人又常用这法制造新字，以称欧人的舶来品。

此外如语言的发展，语词的分类变化，文法的组织等都属于语言学范围。这里所述的不过要表明语言也是人类一种发明，并略供民族研究的参考而已。

民族的语言差异——世界上各民族的语言虽根本上的原则是一样的，但其形式却千差万别，其原因便在于几个要点的不同，略举几条于下：

（一）声的不同：各民族有不惯或不能发某种声音的。世界各种语言的声约有三四百种，而一个民族只用其中一小部分，如英语中的声不上 50 种。各民族对于自己的语言中的声发得很熟，觉得很自然，但对别种的语言的声便常有几种觉得很奇异，甚且很难发得来。古代希伯来人常以 shibboleth 一语试人，因为这语的发音很难。德国人也不易读 thistlethwaite 一字。l，n，r 三字母的声，在有些民族是分别清楚的（如英语），但在别的民族便有混淆不清的，如美洲印第安人有念英文的 Cedar rapids 为 Cedal lapids 或 Cedan napids 的。最为奇怪的音则如霍屯督人的“格磔”（clicks）声，印第安人 tl 声。美国白人采用印第安人的 chocolotl 和 tomatl 二字，却因其音难发而改为 chocolate（朱古力）和 tomato（蕃茄）。

（二）音轻重的不同：字音的着重点各族不同，例如法语的重点多在字末，德语的重点多在字首。

（三）语根的不同：例如雅利安语的语根是单字母的，闪米特语（Semitic Language）是三字母的，马来波利尼西亚语则倾于双字母的。

（四）文法的不同：文法上的相应（agreement）发生繁复的变化，有时连字母都改变。如土耳其语的不定格（infinitive）无一定的字，加于 sĕv 则为 mĕk，加于 bäk 则为 mäk，都是由相应而变化。

语言的分类：——语言的构造可分之为三种，即曲折语、胶着语及孤立语，有更加结合语一种而成为四种的。

（一）孤立语（isolating language）即单音语（monosyllabic language）：以单一音且孤立的单字表现一种观念，其字都是语根，无接头语（prefix）及接尾语（suffix），字中也无变化。字与字的关系视乎在句中的位置而定。又同音异义语（homophonaus words）甚多，其意义以说话时的音调分别之。汉语即属于此种。但如属曲折语的英语中也有这种孤立字，如 heart of man 便是三个孤立字，等于汉语的“人的心”三字。

（二）曲折语（inflective language）：这一类的字中有一种，其字的内部可曲折改变，以表示不同的意义，如英语 write，wrote，written 便是。但也有不变内部而只用附加语（affix）以表示不同的意的，这种附加的接头语（prefix）或接尾语（suffix）不能独立，独立便无意义。如英语 kill 加 ing 或 ed 意义便改变，ing 及 ed 便是附加语。

（三）胶着语（agglutinative language）：这种字由几个要素合成，其要素原各有意义，但都胶结为一，不可分离。例如土耳其语 arkan 意为“绳”；与 la 合为 arkanla，意为“结绳”；与 lyk 合为 arkanlyk“上等绳”。

（四）结合语（incorporating）或多缀语（polysynthetic language）：这一种原是胶着语演成的，结合多数单字而成为一个等于一句的长字。结合后其各单字的原形由于约音（syncope）、省文（ellipsis）、名词的动词化等而改变。例如印第安人中阿尔衮琴族（Algonkin）的语言：Nadoholi niu 意为“拿我们的船来”，由以下诸字合成：nalen（拿来）、amochol（船）、i（音便，无意义），niu（给我们）。印第安语多有此种。

以前的学者将各民族的语言分属于这三四类，如以汉语、印度支那语、西藏语为属于孤立语，雅利安语、含米特语、闪米特语为属于曲折语，其他语言属于胶着语或结合语。这样分法也有很合的，但也有不甚确的，因为一种语言常不止属一类，如英语中也有可入孤立语的，也有属胶着语的，印度支那及西藏的语言中也有带胶着的性质的。故以此为各民族语言的分类标准不十分正确，但若只当它做语言的形式，拿来分析语言是很有用的。

以前的语言学家又有推想语言进化的阶段的，以为各民族的语言最初必是孤立语，其次进为胶着语，最后方变为曲折语。但实际上却不然，曲折语中（如英语）反有趋于孤立语的倾向，而胶着语也有似乎比孤立语为早的，故进化的次序很难明。

原始民族的语言——原始民族的语言颇有几点异于文明民族的语言，但这种差异却未必便是优劣之分。语言与文化是互相表里的，原始民族的语言与原始的物质生活、心理状态有密切的关系，其语言的特征大都是文化的反映，不是语言本身的劣点。

数量：原始民族语言的数量通常都以为是极少，其实不然。征诸实际，美洲印第安人的一个粗朴的部落也约有7000字，非洲祖鲁人（Zulu）有17000字，达科他（Dakota）印第安人有19000字，中美马雅人（Maya）有20000字，中美纳瓦特尔人（Nahuatl）有27000字，而文化极低的南美火地人（Fuegians）也有很多的字。原始民族的语言据说最少的也有5000字。他们的字数较之文明民族的自然还不及，但也不算少了。文明民族的字数之多，是因为事物繁多，原始文化中事物很少，何以字数却不很少？这种原因便在于下述的另外二种性质。

事物的区别：原始民族的语言常把一种事物细加区别，因而生出许多字来。例如火地人的“他”字有20个以上，太阳有2个，月有2个，圆月另有2个。易洛魁语关于人类的名词和人类以外的名词不同，而后者还再分为固定的与不定的二种。夸扣特尔土人（Kwakiutl）说及一屋时必须区别它是近我的不近我的，近你的不近你的，近他的不近他的。又如“坐”字有各种不同的字，如坐屋内地板上，坐地上，坐海滩，坐一堆物上，坐圆物上等。爱斯基摩人的语法中“地位”很重要，例如adliru是在屋内地上的一盏灯，qudliru是在上面的灯，kidluliru是屋后的灯。事物的区别有些是显然由于实际效用的，如澳洲新南威尔士（New South Wales）土人的枪有8种名称，因为各有一种用途；印度托达人（Todas）的神牛也有几个名称，依其仪式而不同。爱斯基摩人分别海狗为晒日的海狗，浮在冰上的海狗，还有雄的海狗，雌的海狗，各种年龄的海狗。又如aput是地上的雪，qana是下降时的雪，piqsirpoq是漂流的雪，qininqsuq是积雪。风则有带雪的风，入谷的风，海面的风，陆地的风，海岸的风，还有八方的风，都各有一个名称。因为风雪对于爱斯基摩人的生活很有关系，故特于分别。

概括字：由区别而生的字都是特殊的字，至于总合各种特殊的字而成为一个概括的字虽不是没有，但却很少见。例如各种“割”的字虽发生了不少，但一个无特殊意义的“割”字却不易找到。塔斯马尼亚人（Tasmanians）有各种树的名称，但却无一个总称的“树”字。

抽象字：如精神、灵魂、希望、恐惧、物质、地方、数量、程度、色彩、音调、两性、种类等字都缺乏。有时抽象字由具体字变成，如非洲齐语（Tshi）的 kai（记忆）一字由 ka（触）变成。

无别的字：和上述相反的是有些事物在文明人语言中已有分别，在原始民族语言中却还没有，塔斯马尼亚人无硬、软、冷、暖、长、短、圆等字。颜色的字在原始民族也少，如非洲西部阿散蒂人（Ashantis）只有红、白、黑三字，黑字用以总称各种暗色，如蓝、紫、棕等色，红则包括赤、橙、黄诸色。

数目语——原始民族的数目语很有趣。南美博托库多人，只有一个“1”字，此外都是“多”。澳洲 Cape Yorkers 土人的数目字只用“1”、“2”二字，构成如下：

1. netat
2. naes
3. naes-netat
4. naes-naes
5. naes-naes-netat
6. naes—naes—naes

以手指计算是很普遍的风俗。故原始民族的数目语常即用手指的字样，非洲齐人（Tshi）说“1”是拇指，“2”是食指，“3”是中指。拉布拉多（labrador）人称“5”为“1 手”，称 20 为“2 手 2 足合”。穆伊斯卡（Muysca）印第安人称 5 为“1 手完”，6 为“别手 1”，10 为“2 手完”或“足”，11 是“足 1”，12 为“足 2”，20 是“足完”，或“1 人”，因为 1 人有两手足，合为 20 指。中美加勒比人（Caribs）称 10 为

chonnoucabo raim，意为“2手的指”，称20为chonnougouci raim，意为“手指和足趾”。马来人的5字lima意也是“手”。非洲约鲁巴语（Yoruba）5是arun，意为“完”，即数完1手之意；10是ewa，意为“合在一起”，即指2手合在一处。

原始民族的数目字大都如上。其数字既少，数目也有限。有人说布须曼人只能算到2，阿维波内人（Abipones）只能数到3无误。这话或者太过，但原始民族的数目字少有达到百千却是实在的。

原始民族的数目字不发达的缘故或说是由于智力未充足，或又以为是由于无需要故不注意。博厄斯（Boas）主张后一说，以为计算的需要在于事物失去个性而只有通性以后。如畜牧的人，家畜虽多他若能一一认识其特征便无需乎计算，出阵的战士也是呼名查点而不是计算人数的，故数目字因无需要而不发达了。这话确有证据，例如非洲卡菲尔人（Kaffirs）能算至10以上的很少，但一群数百头的家畜失去1只也能立刻察出，因为他们觉得不见了一个熟识的面。

第四章　信　号

信号是用于长距离的。其号为大众所公认，可以一望或一闻而知其意义。分别为二种，每种再分为数类，列举于下：

（甲）视觉的信号（optic signals）

（1）用于远处的拟势。印第安人以臂及身的动作为远距离的信号。如将二指伸直，他指屈合，举臂向上，便是说“你是谁?”

（2）摇动手中所执之物，如旗，毯，带叶的树枝，火把或扬尘土于空中。

(3) 步行或骑行作倏进倏退的动作，或作圆圈。

(4) 用烽火（signal-fire）或狼烟（smoke），其次数、位置和数量，都有意义。狼烟的分次发作是用皮或湿毯把火盖了又开，开了又盖而致。烽火的意义大都是报告远客的来访，朋友的归家，或警告侵略者的前进。烽火与常火的异点是一现即灭不再延续。

(5) 照耀镜光，放火箭，敲燧石使发火星。

(6) 饰树，束草，排石阵，插树枝于地上。这些方法一面作通告，一面又是疆界的记号，是用于警告越界的，施行者应当特别注意它，否则常有危险。

(7) 作画图或符号于地上，岩上，树皮上，或一块的皮上。这种信号是布告某一群人的去向，他们做过的事，并说明他们的目的是友谊的或是敌对的。

（乙）听觉的信号（acoustic signals）

(1) 特殊的叫喊，吹哨，吹角，吹喇叭等。吹哨者谓之哨语（whistle language），哨即口笛，吹时有一定的次序。故可表示意义。

(2) 敲锣鼓或敲木、舟、盾等。打鼓者谓之鼓语（drum language），最为发达。非洲土人常有鼓语。其所表示的语言有至二三百语的。欧洲人赴非洲内地的常雇“鼓手”（drummer）为翻译人，每到一地便打鼓宣布来意。据说鼓声愈急则意义愈明。

第五章　记　号

无文字的民族常用种种物件，做成符号，以帮助记忆，这便是“记号”（mnemonic mark），故记号可算作文字的先驱。略举著名的数种于下：

结绳记事（knotting cord）——这是一种常见的原始记事法，上古时的埃及、中国、日本、秘鲁都曾行过。在波利尼西亚及其附近各群岛也曾盛行。其中以古秘鲁印第安人的最为发达。在欧人初到美洲时，秘鲁土人使用一种打结的绳名为“魁普”（quipus），意即为“结”，其物系由一条具一种颜色的主要的绳，以及多数次要的及又次要的各种颜色的绳而结成。各种颜色代表各种意思或事物，打成各式各样的结或环，便能表示各种复杂的意见。魁普如用以记载人口，则色绳的结使用以代表人数，于代表男人的绳上另加以小绳，以表示鳏夫之数，代表女人的绳上所加的小绳则表示寡妇和老处女。结所表的数以 1 单结为 10，复结为 100，2 单结相连为 20，2 复结为 200。结在绳上的位置及其形状也有重要的意义，各种事物在绳上都有其特殊的位置和形状。每种魁普送到登录所时都有辨认的记号以辨别它是记载人口调查的，或财赋收入的，或战事的。如辨认的记号不明了时，则遣人执之以请问能记忆者。魁普的表示数目很为完备易解，实是很足用的记数法。除秘鲁的魁普以外，还有夏威夷的“税入簿”（revenue-book）也很有趣，这是一条长约 2400 英尺的绳，全部分为多数段节，其数等于地方区域。收租吏用种种形状及颜色的环结，把一地方的人民、财赋都详详细细地记载在每段的绳上，但它的缺点便是除收租吏以外不能索解，收租吏本人须跟绳而走，以解释它。

刻木（notched plank）——锡兰（斯里兰卡）的僧迦罗人（sinhalese）使用两种通信木条（message sticks）。其一是一根蔓藤，其上有 1 至 3 个刻缺，用布包起来，用此送交受者，他便晓得是唤请他的意思。如事属紧急，则刻缺的数便加多。有时还把从死人头上割下来的头发缠于枝上，用叶或布包起来，以当作讣告。另一种通信物则系刻画简号的树叶或木片，这是用以送给维达人（vedda），告诉他们要鹿肉和蜂蜜了。澳洲土人也用一种通信木条，由使者携之以行于各部落间，除了传达消息而外，还带有出使凭证之意。通信木条之外必附以口头的报告，因为木上的刻缺不过是帮助记忆而已，只有使者本人能晓其意义。

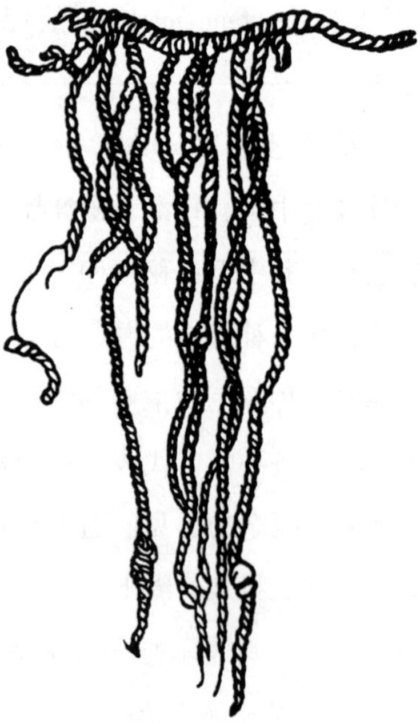

古秘鲁人的结绳记事
（采自 Marshall—*Story of Human Progress*）

阿尔衮琴印第安人保存他们的神话和历史的方法是用 6 英寸长的木条，上有绘纹，捆扎成束。后来他们的技术进步了，不用简单的木条而改用木牌，上有烧痕绘纹及刻缺，其上并加以刻画而成的象征符号，其名为 walam olum。

其他方法——东部阿尔衮琴人有掘地成穴以记载部落大事的。熟悉旧事的老人有时携带小孩到其处告诉他们每穴的意义。萨科人（Sacs）和福克斯人（Faxes）有一种神物称为“弥甘”（micams），是一个箱子，内藏各种奇异的物件，每一种都表示一件部落史实或仪式。在宗教节日时，老僧侣由箱内一件一件取出来给大众看，并说“这些物件是要使我们记得威疏卡（Wisuka）在世时教我们应做的事”。由于这些助记忆物，于是威疏卡的教训和部落的法律便一条一条的传述下来。易洛魁人（Iroquois）的贝壳珠带（wampum）也用于讲和等公事。其珠分白紫二色，组成纹样，以帮助记忆二族的条约，或部落的历史。保守这些珠带

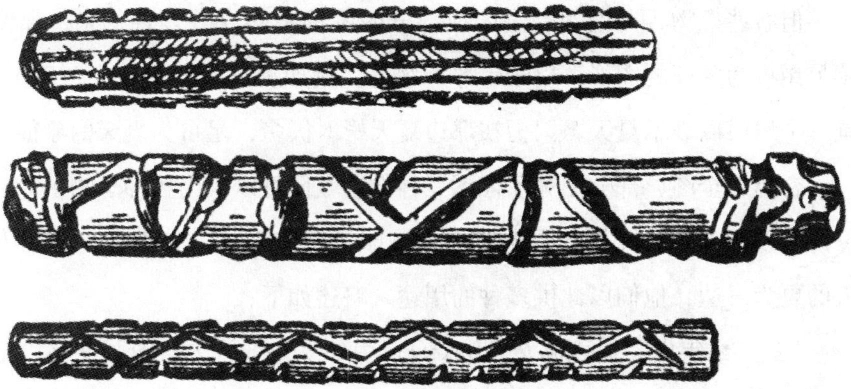

澳洲人的通信棒

（采自 British Museum—*Handbook to Ethnographical Collections*）

的人便能知晓其意义。欧洲旧石器时代有一种小石，其石上有1至9的赤色点，似乎也是为助记忆的。

第六章　文　字

图画文字——绘图以表现思想，记载事实，是文字发生的第一步工作。这种图画与真的图画不同，因其目的不在美感的抒写，而在观念的表现，故绘法也较为简单。这种图画实是介乎图画与文字之间，故称为“图画文字”（picture-writing or pictography）。

绘完全的图要有时间、耐性和技能三种条件，颇为麻烦，故常有用经济的手段只绘一部分而代表全体的。例如一个战士曾杀死 4 个敌人，如要记载它，固可以绘一幅详细的图画文字，但也可以用简法，只绘 4 个头颅，在颈际绘一横线，表示被刀砍断，这样便也可以表出同样的意思了。

但有些事物，无论用完全的或部分的图都不能充分表现得来，那便须另用可为象征的图形，以暗示那种观念。例如祖尼族印第安人（Zuni）画一个蝌蚪以表示夏天，因为在那边夏天蝌蚪极多，足可为夏天的象征。

合上述全图、部分图和象征图三种方法，便可以表出各种事物了。

用图画文字的民族如爱斯基摩人、印第安人都是，其中尤以印第安人的更为发达，他们以此供多种的用途，略述如下：

（一）纪年史：达科他人（Dakota）用牛皮为纸，上绘图画文字以记载每年的大事，每年只记一件事。如记 1800 年的，画一个人形，遍身加以红黑二色的点，这是记载那一年的痘疫。1813 年也是一个人形，从口际起画 3 条横线，这是记载那年有百日咳。1840 年画二手相向，这是记载那年二族讲和。1851 年的图，中间的是一方毡毯，周围是环坐的人，记载那年初次接受政府送毡毯。

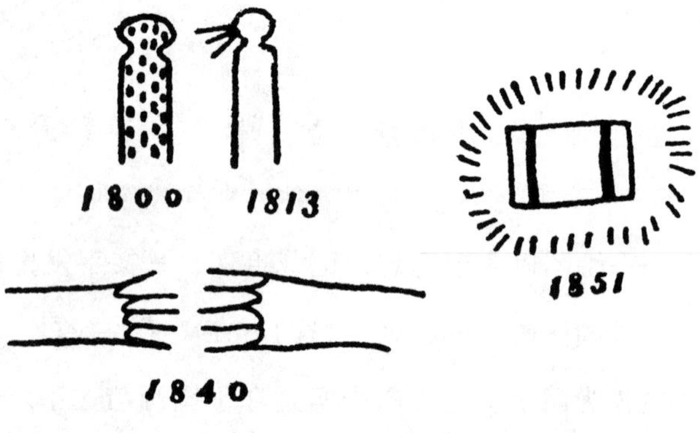

图画文字一：纪年史

（采自 Starr—*First Steps in Human Progress*）

（二）请愿书：1849 年奇佩瓦族（Chippewa）向美国大总统呈上一张请愿书，请求给予在一个小湖的渔业权，该湖在苏必利尔湖附近。图中 7 个动物是 7 个部落的图腾，用以便代表 7 个部落。第一是鹤；第二，三，四，都是貂鼠；第五是熊；第六是“人鱼”（manfish）；第七是鲶鱼。

图画文字二：请愿书

（采自 Avebury—*Origin of Civilizations*）

由各动物的眼及心分别都牵了一条线和鹤的眼及心相连结，这是表明他们是一心的，又从鹤的眼牵一条线到湖 8，表明他们要这个湖；还有从鹤的眼牵向前一条，表明向国会请求。10 是苏必利尔湖，11 是路。

（三）传记：下图记载 Delaware 部落一个著名酋长名 Wingcmund 的一生事迹。

图画文字三：传记

（采自上书）

1 是龟，即他的部落的符号，表明他属于这个部落的一支。

2 他的图腾或符号。

3 是日，其下的 10 画表明他曾参加 10 次的战争。

4、5、6、7 都是人，即他每次出战所获的俘虏，男和女都有分别；活的上面有一个头，死的则无头。

8、9、10 表明他曾攻过 3 个堡垒。8 是在 Erie 河的，9 是在 Detroit 的，10 是 Fant pitt。

11 无说明。

12 是他的部下的人数，计 23 人。

（四）墓志铭：右图是一个著名的酋长的记功墓碑。他属于圣马利队（St. Mary's Band），名 Shinga-Ba-Was-Sin，1828 年死于苏必利尔湖。他的图腾是鹤，在这里倒转过来，表明死的意思；左边 3 粗画，表明他曾 3 次参预和平大会；右边六画或者表他的 6 次战功；底下的烟斗是和平的象征，斧头则为战争的象征。

左图是一个著名的战酋名 Wabojeeg 的。他属于鹿族。左边 7 画，表明他 7 次统领战士；鹿下面的 3 横，表明在战阵上受了 3 伤；1 个麋的头，表明有一次曾与 1 个发怒的麋恶斗。

（五）战歌图意如下：

1 战士带翼，表明他的迅速。2 他在晨星之下。3 他在天的中央的下面，手里拿了战棒和响器。4 吃肉的鹫回翔于空中。5 战士授命于疆场。6 飞升天空成为神灵。其歌如下：

1 我希望身如最快的鸟。

2 每日我都看见你，其余的半日唱我的歌。

3 我投身向前。

4 鸟儿们飞翔于空中。

图画文字四：墓志

（采自 Avebury—*Origin of Civilizations*）

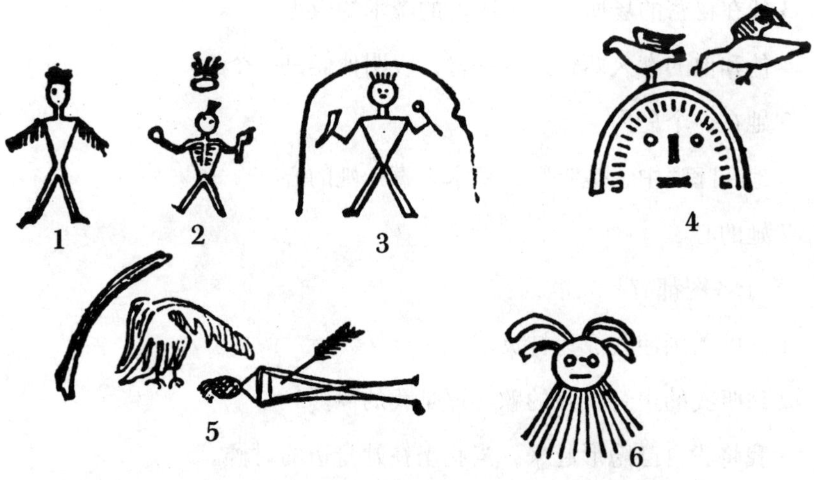

图画文字五：战歌

（采自 Clodd—*Childhood of the World*）

5 我何等欣幸能加入于战死者之列。

6 高处的神灵重叫我的名字。

（六）恋歌：图意如下：

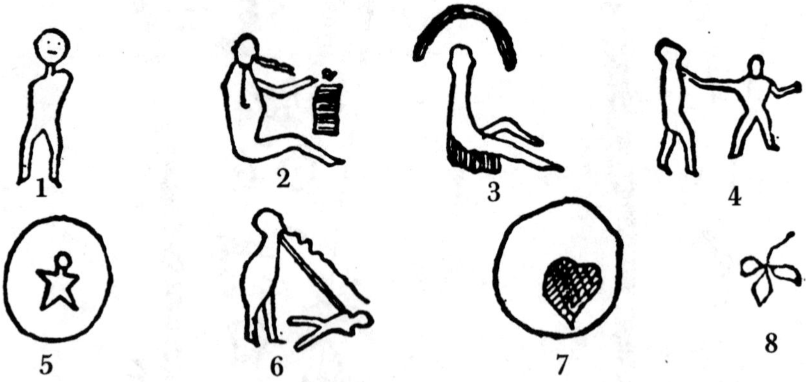

图画文字六：恋歌

（采自上书）

1 恋人。

2 他在唱歌并打魔术的鼓。

3 他在秘密的场所内，表明他的魔术的效力。

4 他和他的女人两臂连成一臂，表明他俩是一个人。

5 她在一个岛内。

6 他在睡眠中，他唱歌的魔术力直抵她的心。

7 她的心。

关于各图都有一句歌词：

1 我的图画使我成为神灵。

2 请听我的声音，我的歌，那是我的声。

3 我将我自己隐形起来，当我坐在她身边的时候。

4 我能够使她害羞，因为我听见了她说我的话。

5 即使她在很远的岛上，我也能够使她泅过来。

6 不论怎样的远，甚至在别一半的世界。

7 我直对你的心说话。

真文字的发生——文字的构成法有二种，一是表意法（ideography），一是标音法（phonography）。图画文字便是用表意法的。但其后竟逐渐演进而生出标音法。所谓标音便是不以图形代表意义，而视它为音的符号。

墨西哥印第安人的图画文字发展最高，其字大都是表意的，但似乎已知晓标音法。例如他们中有一个古酋长名 Itzcoatl，其名的文字有两种写法：一是画一条蛇，蛇身插一列的小刀，因为 Itzcoatl 意义为“刀蛇”，这一种便是用表意法的。另一种写法是画一刀一盆和水，刀音为 itz，盆意为 co，水音为 atl。三图若不管它们的意义而只当作音的符号，则三音合起来便也是 Itzcoatl。故墨西哥的图画文字是刚在由表意法进到标音法的阶段。它们在美洲初发现时已达到这种程度，已有很多的书籍，可惜这种古文化竟被侵入的西班牙人破坏了。

古埃及的文字最初也是图画文字，例如鹰便画一只鹰，鹤便画一只鹤。其后图画字中有几个竟被用以代表声音，于是遂进入标音的阶段，如鹰字不用以代表鹰的意，而是用以代表鹰字的声，把这些标音的图画文字错综结合起来便可代表许多话语了。但因为这种文字只能代表声音，在意义上便不很明，每字中故再加以“定意号”（determinative）以明其意。定意号也是一个图画字，但这是表意的，看字的意义是属于何类事物的，便用何类事物的定意号加入其中，以明其意义。如属人的事便加一个人形，属木的加一个叶形，属花的加一个花形，故埃及的文字实是包含二种要素而成，一是标音的，一是表意的。每个标音的字其初是全部的音都用，其后则改为只用头一音，这叫作“首音法”

(anology)。例如枭字  ，原音为 mulok，其后只用其头音 mu。埃及文字的形状，初时虽都是图画文字，其后形状也渐变简单而失去原形，如鹰字后来变为 *v*，枭字变为 з。

腓尼基人方创立纯粹标音的文字，他们采用埃及的字母，但却弃去其表意的部分而只取其标音的部分，用这些纯粹代表一音的字母，以拼成话语。其后希腊文、拉丁文及近代欧洲文字都源于此。如埃及文的鹰字便成为 A 字，鹤字便为 B 字，枭字成为 M 字。

我国的文字构造法有 6 种，即所谓六书，其方法极为巧妙。通常以为我国的文字属于表意法的，其实还兼用标音法，如埃及文一样。六书中象形是纯粹的图画文字，如鸟写  ，鱼字  ，指事会意都是用象征法，也属图画文字的范围内，这都是表意的。形声便是兼用标音与表意二法的，每字由二部分构成，表形的一部即“定意号”（determinative），我国谓之偏旁。另一部便是标音的，如铜字由表意的金字与标音的同字合成，江字由工及水合成，即是照此法则。埃及字即盛用这法。转注与假借也都兼用标音法。故我国的文字实兼表意和标音二法，但音的方面不曾形成字母就是了。

参考书目录（以采用多少为序，括号中即为本篇内采用之章数）

（1）Starr，F. —*First Steps in Human Progress*，chap. XVII—XXI（第2，3，6 章）

（2）Avebury—*Origin of Civilization*，chap. XII（第3、5、6 章）

（3）Kroeber，A. L. —*Anthropology*，chap. V，XI（第3、6 章）

（4）Wallis，W. D. —*An Introduction to Anthropology*，chap. XXXV（第

3、5章）
（5） *British Association for the Advancement of Science Notes and Queries on Anthropology*（第4章）
（6） Mason，W. A. —*A History of Writing*（第5、6章）
（7） Elliot，G. F. S. —*Romance of Savage Life*，chap. XVIII（第3、4章）
（8） Marshall，L. C. —*Story of Human Progress*，chap. VII（第2、3、5、6章）
（9） Marshall，L. C. —*Readings in the Story of Human Progress*，chap. VII（第2章）
（10） Ellwood，C. A. —*Cultural Evolution*（第1章）
（11） Klaatsch，H. —*Evolution and Progress of Mankind*（第6章）
（12） Drummond，H. —*Ascent of man*（第1、3章）
（13） Marett，R. R. —*Anthropology*，chap. V（第1、3章）
（14） 西村真次——《文化人类学》第五篇（第1、2、3、4、5、6章）
（15） 田崎仁义——《绘文字及原始文字》（第6章）
（16） 梁任公——《从发音上研究中国文字之起源》（在近著中）（第6章）

后　记

本书作者林惠祥（1901—1958），又名圣麟、石仁、淡墨，福建晋江人。中国人类学家、考古学家。厦门大学社会学系毕业。后入菲律宾大学研究院，获人类学硕士学位。回国后，历任中央研究院特约编辑员、民族学组成员，厦门大学历史社会学系教授、主任。新中国成立后，任厦门大学历史系主任、人类博物馆馆长、南洋研究所副所长。毕生致力于人类学的研究和教学工作，是对台湾高山族最早进行调查研究的学者。除本书外还著有《台湾番族之原始文化》《世界人种志》《中国民族史》《民俗学》《神话学》等书。

《文化人类学》一书通俗地介绍了人类学的定义、对象、分科、目的及人类学与其他学科的关系；介绍了文化人类学的产生、发展及学派；并具体介绍了原始物质文化、原始社会组织、原始宗教、原始艺术及原始语言文字。该书不仅对当时世界上有关人类学方面的各个派别的材料加以广泛引证和综合研究，批驳错谬，博采众长，而且对于研究原始社会组织、婚姻制度等问题，也有独到的见解。

该书是作者在厦门大学任教文化人类学时的授课讲义，被列入“大学丛书”之一。是当时国内有关人类学方面的重要著作，确立了中国人类学的新体系，受到当时学术界的普遍重视和欢迎。在目前我国人类学著作还不多的情况下，对了解和研究文化人类学及原始人生活状况仍具有很高的参考价值。

本书于1934年初版，由商务印书馆出版。本书以此为底本编辑整理，在尊重底本的前提下对个别字词和标点符号作了技术处理，余则保持底本原貌。

图书在版编目（CIP）数据

文化人类学 / 林惠祥著. —北京：东方出版社，2013
(民国大学丛书)
ISBN 978-7-5060-6570-2

Ⅰ.①文…　Ⅱ.①林…　Ⅲ.①文化人类学　Ⅳ.①C912. 4

中国版本图书馆 CIP 数据核字（2013）第 169322 号

文化人类学
(WENHUA RENLEI XUE)
林惠祥　著

责任编辑： 李　斌　李红艳
出　　版： 东方出版社
发　　行： 人民东方出版传媒有限公司
地　　址： 北京市东城区朝阳门内大街 166 号
邮政编码： 100706
印　　刷： 三河市金泰源印装厂
版　　次： 2013 年 9 月第 1 版
印　　次： 2013 年 9 月北京第 1 次印刷
开　　本： 710 毫米×1000 毫米　1/16
印　　张： 25. 25
字　　数： 338 千字
书　　号： ISBN 978-7-5060-6570-2
定　　价： 56. 00 元
发行电话： (010) 65210059　65210060　65210062　65210063

民国大学丛书

哲　学

《道德学》 温公颐著

《清代学术概论》 梁启超著

《新理学》 冯友兰著

《中国近三百年学术史》 钱穆著

《中国哲学史》 冯友兰著

《中国哲学史大纲》 胡适著

《哲学概论》 范锜著

《哲学概论》 温公颐编译

《西洋哲学史》 [美]F. 梯利著　陈正谟译

《逻辑》 金岳霖著

《现代逻辑》 汪奠基著

《美学原论》 [意]B. 克罗斯著　傅东华译

文学 语言学

《文学大纲》 郑振铎著

《欧洲文学史》 周作人著

《中国文学批评史》 郭绍虞著

《中国文学史大纲》 顾实编纂

《法国短篇小说集》 刘半农译

《近代英文独幕名剧选》 罗家伦选译

《意大利现代文学》 [法]B. 柯莱箴著　董家溁译

《短篇小说作法研究》 [英]B. C. 威廉著　张志澄编译

《中国音韵学》 王力著

《高等国文法》 杨树达著

《比较语音学概要》 [法]保尔巴西著　刘复译

历史学

《中华二千年史》 邓之诚著

《中华通史》 章嵚著

《中国古代史》 夏曾佑著

《中国近代史》 陈恭禄著

《国史大纲》 钱穆著

《世界通史》 周谷城著

《欧洲近代史》 王绳祖著

《俄国史》 何汉文著

《史学通论》 杨鸿烈著

《通史新义》 何炳松著

《新史学》 [美]J. H. 鲁滨逊著　何炳松译

《世界史纲》 [美]H. G. 韦尔斯著　梁思成等译

《多桑蒙古史》 [瑞典]C. 多桑著　冯承钧译

《美国史》 [美]C. A. 俾耳德　W. C. 巴格力著　魏野畴译

《英国史》 [英]G. M. 屈勒味林著　钱端升译

《近代意大利史》 [意]G. B. 马克勒兰著　朱基俊译

《新史学与社会科学》 [美]H. E. 班兹著　董之学译

经济学

《中华银行论》 马寅初著

《中国经济史》 马乘风著

《中国经济改造》 马寅初著

《中国经济思想史》 唐庆增著

《经济学方法论》 刘絜敖著

《经济学原理》 吴世瑞著

《经济学概论》 马寅初著

《财政学》 尹文敬著

《新经济学大纲》 沈志远著

《中国国民经济史》 罗仲言著

《赋税论》 胡善恒著

《中国经济原论》 王亚南著

《世界经济地理》 傅角今著

《广义政治经济学》 许涤新著

《货币学概论》 李达著

《财政学与中国财政——理论与现实》 马寅初著

《经济学史》 [英]J. K. 因格拉门著　胡泽　徐炳汉译

《经济学说史》 [奥]O. 史盘著　陈清华译

《经济学概论》 [美]F. R. 费尔柴尔等著　巫宝三　杜俊东编译

《数理经济学大纲》 [英]J. K. 麦塔著　胡泽译

《土地经济论》 [日] 河田嗣郎著　李达　陈家瓒译

《财政学新论》 [印]薛赉时著　许炳汉译

政治学 法学

《欧洲政治思想史》 高一涵著

《政治学概论》 李剑农著

《欧洲政府》 张庆泰编译

《政治学大纲》 张慰慈编

《中国政治思想史》 吕振羽著

《行政学概论》 [美]L. D. 怀特著　刘世传译

《近代国家观念》 [荷]H. 克拉勃著　王检译

《政治科学与政府·绪论.国家论》［美］J. W. 迦纳著　孙寒冰译

《政治科学与政府·政府论》［美］J. W. 迦纳著　林昌恒译

《比较宪法》王世杰　钱端升著

《中国法制史》陈顾远著

《民国政制史》钱端升等著

《欧美日本的政党》彭学沛著

《中国民法总论》胡长清著

《法学通论》何任清著

《国际法发达史》刘达人　袁国钦著

《英宪精义》［英］A. V. 戴雪著　雷宾南译

《民本主义与教育》［美］J. 杜威著　邹恩润译

《教育之基本原理》［美］E. L. 桑戴克　A. I. 盖兹著　宋桂煌译

《教育心理学概论》［美］E. L. 商戴克　陆志韦译

《教育社会学原论》［美］C. C. 彼得斯著　鲁继曾译

《教育实验法》［美］W. A. 麦柯著　薛鸿志译

《教育研究法》［美］C. V. 谷德著　李相勖　陈启肃译

《教育原理》［美］J. C. 查浦曼　G. S. 孔次著　赵演改译

教育学

《中国教育史》陈青之著

《中学各科教学法》钟鲁斋著

《西洋教育通史》雷通群著

《社会与教育》陶孟和著

《教育与学校行政原理》杜佐周著

《教育之科学研究法》钟鲁斋著

《教育社会学》雷通群著

《教育哲学大纲》吴俊升著

《比较教育》钟鲁斋著

《中国教育史大纲》王凤喈著

《现代西洋教育史》姜琦著

《古书读校法》陈钟凡编述

心理学

《儿童心理之研究》陈鹤琴著

《社会心理学》孙本文著

《心理与教育测量》王书林著

《行为主义》陈德荣著

《人类的行为》郭任远著

《心理卫生概论》章颐年著

《发展心理学》左学礼著

《心理学大纲》陈大齐著

《心理学》［美］E. G. 波林　H. S. 兰费德　H. P. 卫尔德著　傅统先译

《社会心理学》［美］F. H. 奥尔波特著　赵演译

《现代心理学与教育》 [美]C. E. 雷斯德著 钟鲁斋 张俊玕译

《学习心理》 [美]S. S. 科尔文著 黄公觉译述

《格式心理学原理》 [美]K. 考夫卡著 傅统先译

文化艺术

《中国文化史》 陈安仁著

《文化人类学》 林惠祥著

《中西交通史料汇编》 张星烺撰

《人类学》 陈映璜著

《近代中国思想学说史》 侯外庐著

《世界文化史》 [美]L. 桑戴克著 冯雄译

《房屋建筑学》 陈宏铎编

《中国绘画史》 潘天寿著

《造园学概论》 陈植著

社会学

《人口问题》 陈达著

《社会学原理》 孙本文著

《现代中国社会问题》 孙本文著

自然科学

《达尔文主义基本原理》 中国科学院遗传选种实验馆 北京农业大学编译

《天文学》 陈遵妫编

《科学概论》 王星拱著

《群论》 [日]圆正造著 萧君绛译

《生物学精义》 [日]岗村周谛著 汤尔和译

《科学与科学思想发展史》 [英]丹丕尔·惠商著 任鸿隽 李珩 吴学周合译

《造林学》 郝景盛著

《中国作物论》 原颂周著

民國大學叢書

民国大学丛书

人类学

RENLEI XUE

陈映璜 著

人民东方出版传媒
東方出版社

出版说明

在学术氛围相对开放自由的20世纪三四十年代，以“国化教科书”为鹄的，以“学术独立”为旨归，商务印书馆等出版机构陆续规划出版了一系列以“大学丛书”、“大学用书”等命名的著作。这些著作虽名为教科书，但突出的是学术性和专业性，许多著作至今仍是相应学术领域的必读必备之书，就其思想性而言，更有着当今学林难以企及的高度。

且以商务印书馆之“大学丛书”为例。其最为人所瞩目的一大特点即是名家集萃。丛书的编委、作者大多不但学有专精，且学贯中西，如冯友兰、胡适、王云五、李四光、何炳松、马寅初、傅斯年、蔡元培、竺可桢、蒋梦麟、顾颉刚、郑振铎、金岳霖等，可谓极一时之盛。故不管是译著还是编著，俱能保证较高的学术水准。

其特点之二是选题的多元性。不同于今天学术界，尤其是教育界指导思想自上而下的整齐贯一，民国时期推崇的是学术自由，包涵万流。如同名《中国近三百年学术史》，梁启超与钱穆的著作就各有千秋，甚至钱穆的很多观点就是针对梁启超而言的。再比如胡适的《中国哲学史大纲》，其观念更是与冯友兰的《中国哲学史》大相径庭。不同观念、不同流派、不同思想的著作俱为同一“大学丛书”所收录，并由全国各大高校师生自由选择，这本身就是学术自由的一种最直观的体现。只有传道授业者拥有了这种得以在大学课堂上传播一见一得的自由，才有可能建成“大学之为大”的理想高校，培养出“独立之精神”的一流人才。盖民国大学之辉煌，正在于此。

正因为“大学丛书”等一系列著作对中国学术文化及高等教育发展的特别意义和重大影响，自上个世纪出版发行以来，始终备受各界学人和普通读者的推崇喜爱，即便是于战火之中，亦屡有重印。然至今时今日，“大学丛书”中虽有部分名家名著零散出版，却不成系统，拣选不易，甚或有明珠蒙尘，一般学子遍寻不得者。有感于此，我们重新编辑出版了这套民国大学丛书。

此次重编民国大学丛书，是在商务印书馆出版之“大学丛书”，中华书局出版之“大学用书”，以及上海生活书店、三联书店出版的“新中国大学丛书”基础上，融入了北京大学丛书、清华大学丛书、中山大学丛书、东南大学丛书等民国著名高校名师课程讲义而成。丛书由著名历史学家李学勤担纲选目，既可再现民国大学学术繁荣之盛景，又可为今日之大学学科建设服务。

我们希望，这套民国大学丛书能对广大青年学子拓展知识视野，培养独立人格有所裨益。

我们更希望，这套民国大学丛书能对诸多大学的学科建设、教育理念及学术精神有所启发。

东方出版社

2012年5月

目　录

人类及类人猿
澳大利亚土人
黑猩猩
大猩猩
长臂猿
猩猩

绪　言

每世纪之后半期，与前半期相比较，沧桑之变，莫可端倪。其中最剧烈最急骤者，地理学之进步也。试取四千年前之舆图，与最近之舆图对照之，许多白色之部分，已消灭不留痕迹者，不知凡几。即以旅客自外归来之报告，往往有风土、山川、人民、风俗，匪独为吾人从来之见所未见；世界中尚有如此土地，如此人种，如是之生存竞争，如是之盛衰消长，种种离奇变幻之事实，更为吾人之闻所未闻。地理学之进步，既日新月异如此，乃最近六十年间其发达之状况，尤足令人惊愕者，则人类学 Anthropology 是也。或携罗针历海上以探险，或执锹锄入地下以凿幽，凡古来之隔于瘴烟疠雨，蔽于土壤沙砾，史乘弗载，口碑弗传之杂物碎片，人畜化石，纷纷以发见见告矣。即书契以前之人类，世所谓原人者，亦能扩充范围，广罗证据。吾人一观察书契以前之遗物，获知人类之智识，如何由单一简易，蕲进于巧致复杂，其生存竞争之结果，实不难积渐演进递嬗递新。

远溯历史以前之事实，近考万国之人民，土地气候之所趋，其知识技能，既有与书契以前之程度相等伦者，即有开发进步，不啻有霄壤之别者。世有骄傲人种，见有与己貌不同之人种，肆意轻蔑，辄谓有色人种，未吸文明之空气，未浴开化之雨露。彼构成野蛮五体之原素，较吾人之组织物质，遥为劣等，其心思材力不能逮吾人之敏锐精明，更勿论矣。加以奴隶贩卖，残忍无智之恶习，又足以助长其口实，遂判定世界人种，有优劣贵贱之别。甚至虚造学说，谓先天的主治者，特造此等奴隶，以供优等人种驱使，故非洲黑人，不应享有人种。此种妄自尊大之见，几固结不可解矣。自北美合众国，南北战争落著以来，乃恍然人类至为平等，无论为有色人种，白皙人种，皆社会必要之伴侣。容貌之美恶，身体之强弱，皆由生活之文野，饮食之精粗，渐次变化而成，非人类之本质异也。

于是倡以人类之模范的体格（即当然之构造），决无优等劣等之说。彼骄傲人种，骤闻之下，势必掉首不应。试为之让步，即令体格构造，果如彼所云，开化国民精神之发达卓绝乎。蛮民乃日常浮沉于过冗之奢侈品中，沉醉荣华，恐退化之倾向，日相寻于靡觉矣。如北极探险某氏，在丁抹领格林兰（Greenland）对于壹斯基摩 Eskimo（壹斯基摩者，食生肉者，之名蒙古人种，又亚美利加印度人种。其种总数不下四万，大都自亚美利加及亚西亚之北部海岸以至北极诸岛间，无不散处，而彼等之驱体与其生活之状态及宗教国语等，实于人种研究上大有趣味）矜矜自翊，谓我辈之身分，实优于尔辈万万。壹斯基摩傲然答曰：财力与势力，固不及汝，然丁京屈汝辈于膝前之例甚多，特未闻世界有一人颐使我辈者。可知希望自由，即未进于开化之人种，亦同具此观念矣。

要之各国人民，社交上之风俗习惯，皆因其社会组织异同之结果，原不足异。如以某民信偶像，某民无夫妇之别，或啖生肉，或焚杀魔巫，或牺牲子女，似此蒙昧之习惯，恒不恤诽谤而骂詈之，徒以自尊自大之偏见，侮蔑他人种，适自形其浅陋，且与研究人类学之本旨，相剌谬也实甚。

人类学者，正贵有世界的眼光，世界的观念者也。文明之程度日进，万国之往来日繁，使徒以拘墟之见，胶执不通，一旦旅行异域，虽确有研究人种之机会，而观察不周，凡人种间之头形、眼形、鼻形、手形与毛发须髯及一切生活现状，未暇比较其异同，是虽置身万里，与足不出户庭何异，不亦深可惜乎？为救此弊，在有人类学之应用，凡人类之皮肤色泽，面貌形态及风俗嗜好，无一非吾人研究之资。虽此学进步之程序，卓有专门，未可骤致，然具有观察之实力，则人类之起源如何，过去现在人类之进化比较如何，将来人类之前途推察如何以及人类对万物之地位如何，不难知其梗概矣。

第一编
总 论

人类之范围 人类云者，自他生物区别之，人间全体之总称也。其范围极广，凡得认为同类者，无论其时之过去现在，及地之南北东西，凡具此人类之通有性者，均得以人类呼之。故无论为中国人，为英国人，下至于倭奴、黑奴等，其种族虽有不同，而具此人类之通有性则一。本此通有性得与他生物区别之者，其主要之点如次：（一）头胴与四肢有明了之区别。（二）耳、目、口、鼻所存之部分，较包被于脑之部分为小。（三）足之拇指，殆与次趾同长，得以并行。（四）进行时直立步行。四者具备，乃得呼为人类。以自然之性质言之，亦不过一种之高等动物。然智力优胜，手指得以自动，用言语达意志，执器械善制造，相倚相助，人之经验采于我，我之经验传于人，为他动物所不能企及，遂益高其位置。人之视力劣于鹫，然有望远镜、天文镜之发明，则鹫之所不能见者人见之；人之进行劣于马，然有汽车、电车之利用，则马之所弗能走者人走之。因智力之增进，而人类之物质的文明，精神的文明，遂蒸蒸日上弗可量矣。

人类学之定义 人类学者，人类之理学也，定义因学者而异。法之卜罗喀 Broca 谓人类学者，为考究人类与万物之关系之理学也。英之边的希 Bendyshe 谓人类学者，人类表出之现象，得以归于法则之理学也。哇列斯 Wallace 谓人类学者，因人类亦为动物，特具有道德、智识，研究其对于下等生物，对于同类，并对于宇宙之关系之理学也。德之瓦滋 Waitz

谓人类学者，关乎人类总体之理学，质言之，即关乎人类性质之理学也。外此各种学说相次而起者，不一而足，随博物学之发达，现长足之进步。今日文明各国，有志斯学者日益加多，其间分两大派，或以人类学为关于人类诸性质研究之总括，或以人类学为由诸方面所得之人类之研究。前者集合解剖学、心理学、言语学、社会学各部分，爰定以人类学之名者也；后者于人类之体格上或行为上，行特殊之研究者也。诸家用语不一，要不出下列诸问题之外。

（一）人类在自然界之位置如何？（二）所有人类属一种耶或数种耶？（三）人类之地理学的分布如何？（四）诸地方住民性质之异同如何？（五）人类之分类如何？（六）人种的性质相异之原因如何？（七）人类果如何出于世？（八）本源之人类为何？（九）人类之存在，应以何时为证？（十）本源之人类之住地安在？

如上所述，则（一）（二）人类本质之问题也，（三）（四）（五）人类现状之问题也，（六）（七）（八）（九）（十）人类由来之问题也。是则人类学之定义，毋宁谓“人类学者关于人类之理学，其目的在明乎人类之本质现状及由来”为适当。

人类学之语源 英语谓之 Anthropology，法语谓之 Anthropologie，德语谓之 Anthropologie，要之皆原于希腊语。希腊语“Anthropoth”云者，人之义；“Logos”云者，论之义；Anthropology 即由上二语组织而成。乃学者研究之基础未定，遂致采用此语者，意义纷歧。希腊古哲学者，由人类心理上之研究，或身体上之研究，以论人类之性质，故谓之 Anthropology。近来哲学家，有以 Anthropology 与心理学同意者，有以 Anthropology 含有解剖学、生理学、卫生学者。即辞书所载，意亦多歧，或解为人体之记述，或解为自然之历史。美之玻威尔 Powell 氏，则谓 Anthropology 者，最初在神学上，为人类关系说之总称，后之理学家借用此语，参以新义，以人类为研究动物之一，所谓人类学者，不过人种之调查，即人类之分类，彼此研究，风靡一时。后知此人种与彼人种之间，判然境界，区别颇难，人种别之议论，渐归镇静。向之因研究分类搜罗之材料，又扩张之为种种目的之研究，遂至合人类理学的研究之全体，而命名以 Anthropology。如上所述，人类学一语，因人而异者，已成过去之事实，要之斯学之发达，有从来取同一径路，其性质内容，至今犹得寻其绪者，特申述于次。距今二千二百余年前，希腊哲学大家，亚里士多德 Aristotle 关于人类之研究，与鸟兽鱼介之研究相等，以是为博物学之一部分。后四百年，即西历纪元七十七年，罗马之蒲利尼 Plinius 其博物学书中，亦附载有人类。外如瑞典之林那 Linnaeus，法兰西之玻峰 Boffon，英吉利之哥尔斯密斯 Goldsmith 等，皆以理学的研究，而人类学适合博物学之一部。玻峰氏于千七百四十年，原以人类之研究，别为一书，只表示个人意见，未尝以研究方法，昭示后人。其以研究方法昭示后人者，自德意志之玻尔滆巴 J. F. Blumenbach 始，其书公诸世，即千七百七十五年也。此后如英之蒲利卡脱（J. C. Prichard）、法之卜罗喀（P. P. Broca）诸学者，接踵而起。人类之研究，不认为博物学之一部，然尚不至独立为一科，有附属于地理学中者，有称以人类之历史、人类之自然史、人类之研究、人类之理学或人种学者，又或于不同之学科中附入之者。故有时表题为人类学，而内容又实相反；有时表题非人类学，而内容又发见人类学之事实者。以视近日之进步，则相去远矣。

人类学之分类 关乎人类之研究，既公认为理科。大凡一科学之研究，自有分类之必要，如动物学则分为脊椎动物与无脊椎动物，植物学则分为隐花植物与显花植物，人类学如认为独立学科，其分类之法，亦当与前二者无异。英之拉达姆（Lathum）总称为人之自然史，其中区分为二，即人类学（Anthropology）与人种学（Ethnology）是也。研究人类与他之哺乳动物之关系者，谓之 Anthropology；研究诸人种相互之关系者，谓之 Ethnology。似此分类法，不无疑义，何也？以人类之起源，及人种形成诸原因之研究，未曾加入故也。法之卜罗喀，谓人种之研究，必就人类之全体研究之，实则第一与第二未免混同，不适于分类之用。英之翰德 Hunt 以人类学分为三部，如“人类发达之研究”“诸人种现状之研究”“诸人种相互之关系之研究”是也，而又于人类之生物学的性质之研究，及人类位于自然界之位置，略焉弗详。美之蔑崧（O. T. Mason）总称为“人类研究”，区分为四，即（一）Anthropogeny（二）Anthropography（三）Anthropology（四）Anthroponomy 是也。（一）为人类起源之研究。（二）为人类现状之研究。（三）为人类分类之研究世界之人类如何区别。（四）为人类天则之研究人类自然之理。分目虽多，而人种形成之研究，仍付阙如；开化之发达及人智之进步如何研究，均未论及。就学理言之，人类天则之研究，已含于前三者之中，更无特设第四目之必要。然则人类学之分类，何所适从耶？日本理学博士坪井正五郎，采取各家人类学分类之标准，斟酌而损益之，较为简明赅括。氏之所主张者，谓人类学上疑问颇多，应解释此疑问者，大要有三。即人类学者研究人类之本质现状及由来之学问也，关于人类之解剖生理、心理等之研究及自然界之位置者，属于第一目。关于诸地方住民之容貌、体格、风俗、习惯之调查，人种别之研究者，属于第二目。关于人类过去之状态、人种如何而出、人类如何而现于世界之研究者，属于第三目。此外虽仍有著手于新事实之研究者，然研究之结果，均可包括于此三者之内，故坪井氏之人类学分类法，概准乎此。

第二编
本　论

第一章　人类之特征

以人类与各哺乳动物相比较，其外形、其内脏、其生理、其发生固无悬隔之差，谓人为动物之一，固毫无疑义矣。然从来主张之说不一，如中国古书所载，称人为万物之灵；欧洲古语，或谓人为用器械之动物，或谓人为造器械之动物，或谓人为调理食物之动物，或谓人为善于模仿之动物，或谓人为不平之动物，或谓人为嗜音乐之动物。迄至近世，学说渐新，对于自然界之观察，谓人与他物，有天然之区别，乃于万物之中，分为二种：一则自外界吸入养分，营养其各部之组织，其动作因部分而异者，谓之有机物；一则不能自由生长，除破坏与移置外，其形终不变，无所谓动作，即无所谓因部分而异，取其一部分，不失其为完全，即此取得之一部分，仍得认为一物者，谓之无机物。有机物中、更分为二种：一则有生活力并有知觉与运动者，一则有生活力无知觉无通常之运动者。前者谓之动物，后者谓之植物。之数者区别较详，然只限于高等动植物，非限于下等动植物也。易言之，只限于肉眼的动植物，非限于显微镜的动植物也。瑞典林那氏于自然界中划为三界：曰动物界，曰植物界，曰矿物界。矿物无机物也，动植物有机物也。后又有扩其范围，

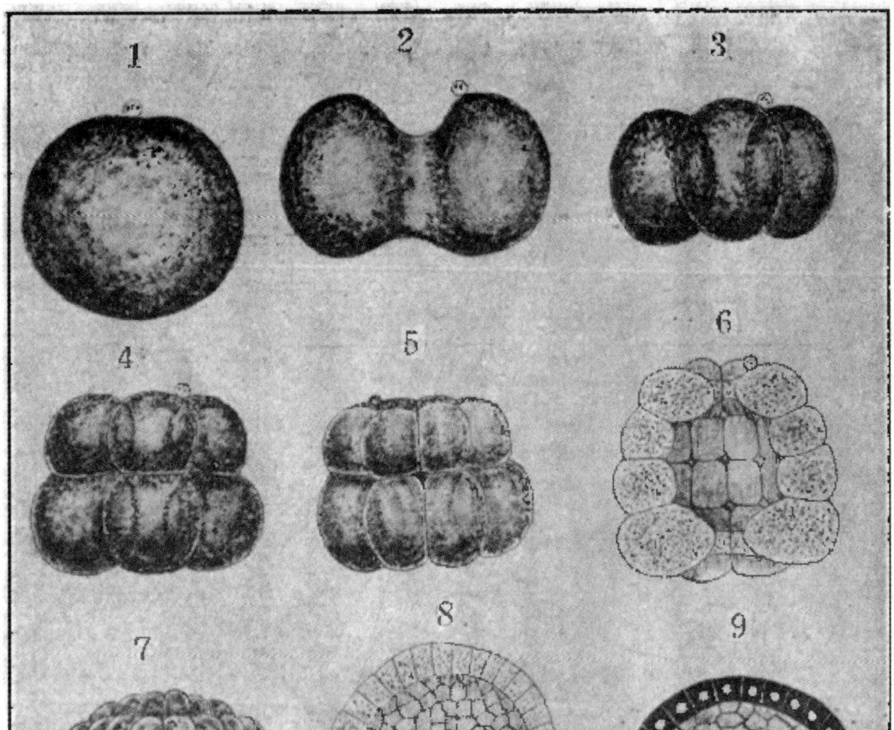

蛙卵分裂顺序图

哺 乳 类 之 发 生 比 较

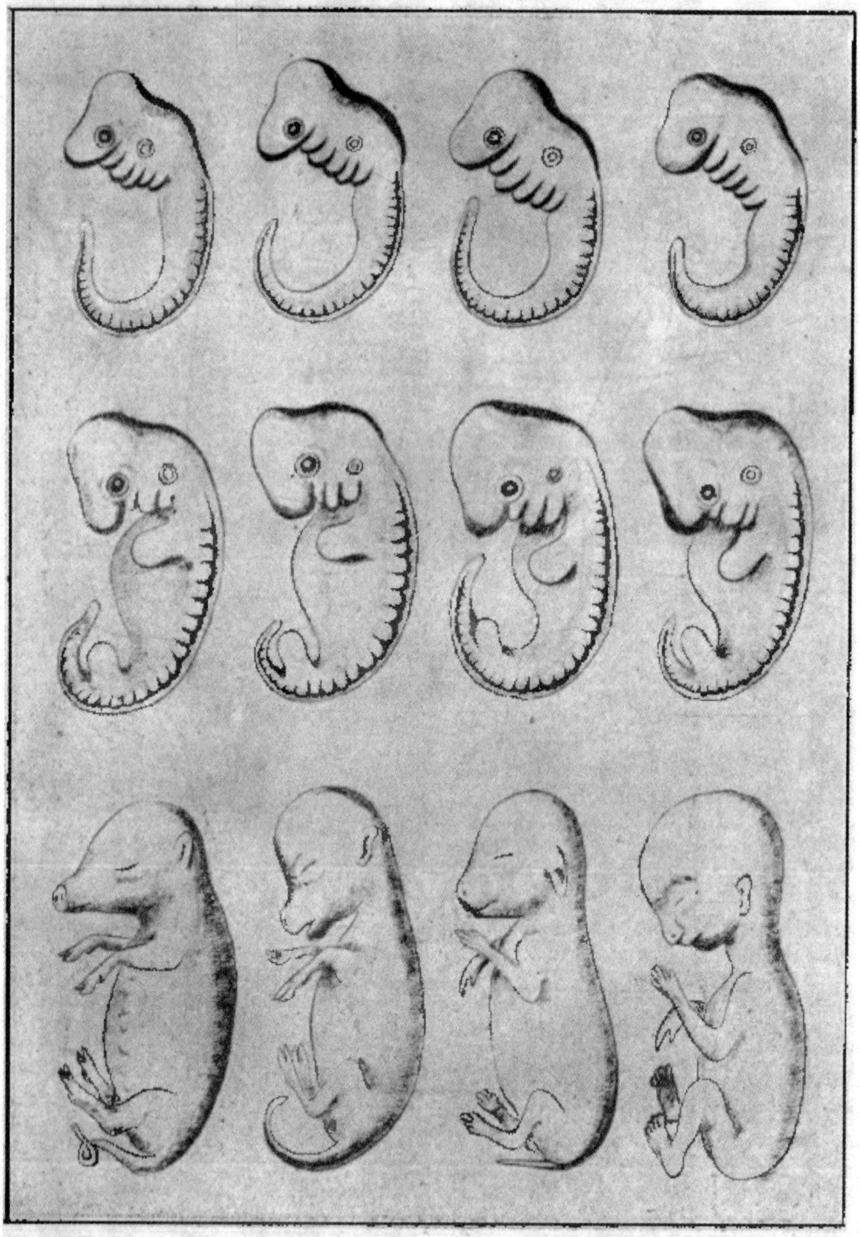

豚　　牛　　兔　　人

分为生物界，与无生物界者。今之所谓人类者，与无生物界之矿物固殊，与生物界之植物亦异。即与动物比较，不似下等动物，尚有待显微镜检索之必要，直谓之与高等动物为近缘，当人所公认也。

就发育上言之，动物者由类似本体之亲而生，而又生类似本体之子者也。至下等动物，无雌雄间之关系，而有生殖者，谓之无性生殖。无性生殖法，分为二种：一为分裂法，一为出芽法。前者由一物分裂而繁殖之者也；后者由大者之侧，出以小芽，旋分离之而成一独立动物者也。分裂者虽无亲子之关系，出芽则不得谓全无亲子之关系矣。若高等动物（即构造复杂之动物），同类之繁殖，因雌雄之关系而起，即所谓雄性细胞（精虫）与所谓雌性细胞（卵）接触之结果。盖雌性细胞，受精以后，即起分裂，一裂为二，二裂为四，驯至分裂愈夥，集簇如椹桑状。次则细胞偏寄于周边，中形成一空腔，后以分裂之迟速不同，延于外面者渐不一致，全形如皮球之一部分被押，凹入而成杯状。又次第以反对之侧凹入，互相密著，而为二枚，又逐渐变化，复其原形。在外侧者为身体之外面，及神经系统五官器等；在内侧者，为消化器及附属脏器；生于内侧外侧间之细胞层，为筋肉、血管及生殖器等。除下等动物外，其发育概如是耳，所异者鸟、蛙、鱼类为卵生，借卵黄为养分。兽类经此阶级后，皆附有胞衣，原以在母体内

倭　奴

受营养者也。人类之发育如何，一如他动物，实验之，自属困难。然以病死妇人之解剖，或因流产所得之材料，实验而比较之，其发育与兽类无异。

或就其成长之身体构造言之，谓人类不得为动物之一，何也？动物全身被以毛，而人类则否，乃注目以视，谓人类毛少则可，谓人类无毛则不可。又谓动物有尾，而人类则否，乃有所谓类人猿（Anthropois spes）者，如猩猩（Orangoutang）、大猩猩（Gorilla）、黑猩猩（Chimpanzee）、长臂猿（Gibbonl）等，自外部视之，不见有尾，然彼此皆有尾骶骨之存在。剥皮肤以比较之，人与兽类之差甚少，去筋肉以察其内部，呼吸器、消化器及他之种种器官，人与兽类相似之点尤彰彰焉，进而调查其骨骼，直谓之全同也可。

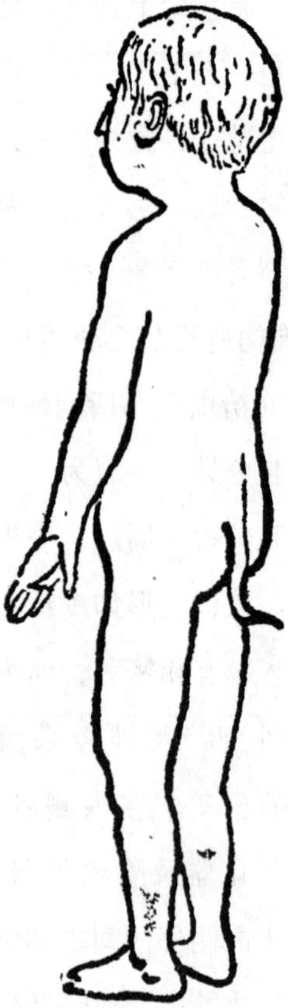
有尾之盲哑儿童

以上体格之比较，固无异论，自心理上之性质言之，又有因人而异者，或谓人类半为动物，半在动物以上，亦谓全在动物以上。人类有感情者也，动物无感情者也，然细观动物界中，得认为有感情之事实者，岂鲜也哉。

或谓推理力为人类所专有，动物乌足语此。然犬因渴而求水，则近于泉谷。象以鼻拾物，无用者弃之，有用者则送于口。亚美利加之猿，或盛糖于囊中以试之，启视之为糖，则欣然喜；次也易盛以蜂，启视之为蜂，则愕然惊。此后再与以囊，必倾耳听之，有音则弗启，无音则启之。又如猿之食鸡卵也，初任意敲破卵黄四溢，后知从顶端开口且剥且吸，其即事穷理之敏捷又何如。英之陆军，尝以象驭炮车，某次途中遇雨，轮以泥泞而不转，象则回顾审视，以鼻吸水，洗其轮以去其泥，其推因判果之能力，较人类又奚若。近顷生物学者，知此种问题，关系重大，且特设动物心理学会，愈加精密之研究。最热心者为亚美利加，制有种种器械，对于家畜、昆虫等，考其智力之有无，其所得之结果，记载于杂志者甚夥。觉动物之不具此智力者盖寡，不过发达之程度较逊于人类耳。其习见之例，在利用自己之经验，试于箱中设若干之隔壁，置食物于中间，鼠闻臭而至，欲获此美饵，惟以道路迂回，难免有冲突之虑。鼠则冒险不顾，左冲则右转，右遮则左回，经许多艰苦，始达其目的地，及至获食出关，则从容数倍。次以同法试验之，且取直进之势，行所无事，以经验为基础，转失败为成功，动物类能如是。又原始动物喇叭虫，Stentor 下部著生肉柄，上部以纤毛取食，似别无知觉可言。试以红颜料撒于上端，则虫体立行倾倒，思逃而避之，无效复以纤毛起反对之运动，更无效则竭力收缩，以待红颜料之溶去，暂时复延伸其体以试之。若颜料仍在，乃突然撑张，拔柄而去。似此单细胞之下等动物，其智力犹若此其曲折，他无论矣。或谓言语者，人类所专有，为彼此疏通意志之媒介也。然自广义言之，蚁叩以须，亦一种意志之表示，与人之言语何异？或谓必发诸口者，始谓之言语，当以狭义言之。然鸟兽自口出声者屡矣，安知非达其意乎？且鹦鹉能言，八哥学语，确有明征，故谓之言语为人类所专有不可得也。

或谓宗教者，人类所专有，据此以断定人非动物，决无疑义，何也？植物与矿物，因生活之有无而异，有生活力而又具知觉运动者，动物也。人类则于上数者外，仍具有宗教心。彼矿物、植物、动物，彼此既别成一界，人类自可离动物，特形成一人类界。是说也，以法兰西之有名人类学者阔答筏基（Quatrefages）氏主张最力。其论据以人心之具备与否，定人类与动物之差。所谓人心者无他，一则信支配己之运命者之存在，一则信灵魂之不灭，具此二信条者，即谓之人心。欲知是说之当否，非由此二方面紬绎之不可。氏之所谓宗教者，人类具之，动物缺之，果由何方面判定及此，不得不加察也。以第一方面言之，野蛮未开化之人，智识程度尚低，有不知己之运命为何物者，安得尽人而信仰支配者之存在。灵魂亦不知所指，不灭之说，更难强解。又智识之高者，或别有研究。因他种信仰，运命及支配者之观念，既不相容，彼灵魂不灭之说，自无庸问。是则无论人类智识之高下何如，就中既有非宗教之人，则阔答筏基氏之所谓宗教心共通于人类全体者，非确论也。次以第二方面言之，诸动物之比较心理学，尚为研究之初步，如引为根据，以论信仰上之事实，似嫌过早。然指一二例证之，狐能首邱，近乎仁；犬能识主，近乎义。蜂蚁知有君臣，豺獭知有父子，视我等人类之对于天神怀尊崇之心者，殆相若乎。不过人类得其全，兽类得其偏，有以异耳？

宗教云者，原不外一种想像力、恐怖心等之所驱耳。是等想像力、恐怖心，动物中亦有之矣。如夜中犬已就寝，忽起而狂吠；猫之待鼠，隐伏于穴外。此外之例甚多，谓兽类绝无想像力、恐怖心，弗可得矣。人类与动物既缺乏相异之点，则直谓人类即动物之一也可，仅类似云乎哉。

或谓惟人类可施教育，动物则否，此又一问题也。近日各国动物学家，对于种种动物，施以种种实验，据其报告，其凿凿可征者，以马、犬、猿、象成效尤著，兹述其大概于次。十二三年前，德国出一名马，号曰汉驷，颇伶俐，知算术，虽不精通，然可与初等小学一二年生程度相当。报纸登载，喧动全球，各国参观者接踵而至。据饲主所报告者，系以小学普通教授法教之。今试置黑板于前，上揭以简单算式，例如五加三等于若干，而汉驷乃以前足叩地八次。此等算式，不论如何变换，亦不论何人试验，无不应题而解。汉驷之得名于世，有由来也。后有德商名克拉尔 Krall 者，闻其事，特往购之归，而反覆试验之，始确知其有学力。惟如数叩地，其状颇拙，施以简单式则可，若稍形复杂，马则有惮烦之势矣。乃变更从来之教育方法，教以右足叩单位，左足叩十位，例如总数之和为三十三时，始则右足三叩，继则左足三叩。自得此法，马若甚形舒快，或舞或鸣。后复购马二头，亦以同法教之，均著成效。单位与十位之算法既熟，乃进而教以千百等数（百位以右足叩之，千位以左足叩之例如总数应得二千三百四十一时，始则以左右二足示四、一，继则以左右二足示二、三），未几简单之平方且从容了解。前五年克氏乃就马之智慧，及其教授法，著为一书，题曰 *Die Denkende Tiere*，此问题又复传于动物界矣。又经斯列沁 Sarasin 及札伊古拉 Ziegler 教授等之实地调查，始知其非妄，而汉驷之名益传。

自马之问题确定，同时犬之教育又传焉，此事亦出自德国。有某律师之妻，尝仿克氏之法，教其家犬习算，所得结果，与马无异。所尤异者，兼能缀字，普通物名、多能辨识。札伊古拉曾亲往试之，其报告之大略如下，以平常动物图谱示之，则犬可以字报名。氏尝以鼠、花及象三种相示，犬顺次阅过，于鼠则缀以“Maus”，于花则缀以“Bliml”，惟于象则不缀以“Elephant”，而缀以“Kama Krall”，不无可疑。反而诘其饲主，乃日前曾认得一绘有象图之明名片，此象系克拉尔氏 Krall 所饲，名曰 Kama。今缀以“Kama Krall”者，或误会为克拉尔氏之象也。氏愈奇之。

是则智力非人类所专有，既如上所述，而道德心亦犹是耳。犬不忘恩，尽人所知，为主复仇，代主殒命之实例，得之传闻者既已弗少，最著名者，则为亚尔布斯犬 Alpine dogs。此犬系亚尔布斯 Alps 山之寺院所畜养，用以为迷途之向导者也。每日放出二头，一则系以酒瓶，一则被以暖衣。犬奉令而出，巡回于崎岖峒崄中，见馁不可支者，解酒饮之；

冻频于死者，解衣衣之。时或在积雪中，发见尸骸，则狂吠以报僧。附近三尺童子，莫不识此义犬之名。他如蛇报隋侯以珠；虎乳菸菟于穴；顽冥巨象，犹知以德报德之义；三日雏鸦，尚感生我育我之恩。以视今世之强凌弱、智欺愚，残酷刻毒乖无人道者，为何如耶？即有时人类之道德行为，显较他动物为优，而相去之差，仍程度上之差耳。

或谓以人类与动物相推并论，是显然弃我于社会，将为世所诟詈。不知人类所由称，在自然界中有支配万物之运命者，智识助之也；有组织社会之能力者，德义范之也。舍此不顾，即自弃人类之价值，于禽兽奚择焉？谓人为动物之一，决非自外于人类。特不可不注意者，人类自祖先以来，经如何进化，始达于今日之域，当借此以自励耳。

动物之种类虽属众多，然以构造及发育为基础，概括言普通分为八门（Subregnum）（或分为十门乃至十五门）。由第一门至第七门，均无脊椎者也，谓之无脊椎动物 Invertebrata；第八门，则备有脊椎者也，谓之脊椎动物 Vertebrata。第八门中所含之动物为何？如鱼与鸟兽等是也。是等之通性如何？即于体之前端有脑，徐引而伸之为索状者为脊髓。二者同物质构造而成脑或被以软骨，或被以硬骨，即合多骨片造成箱状，容脑于其内，是谓之脑盖骨。脑盖骨内更被以膜，作囊状，均所以保护脑也。下此所谓脊椎者，由多数轮形之骨而成，中为管状，收容脊髓。此外更有诸种柔软器官，如肺脏、心脏、肠、胃等是。更有多数骨骼附著筋肉，为保护及运动之用，凡此皆第八门之通有性也。

第八门之动物，非概属同一之动物，人类暂置弗论，以他之动物比较之，其在第八门者，又得分为纲 Class，其纲有五：一鱼类 Pisces，二两栖类 Amphibia，三爬虫类 Reptilia，四鸟类 Aves，五哺乳类 Mammalis。人类近于第五纲，即近于兽也。兹欲知人类之性质，非先即哺乳类考察之不可。哺乳类之身体均被有毛，雌雄均有乳腺，动脉弓仅在身体之左方，胸之内部肺、心脏等与腹之内部胃、肠等界以横隔膜，是为哺乳类之特性，得与他动物区别之者也。人类具有以上之性质，凡哺乳类与他动物区别之要点，即人类重要之特性也。人类与犬或与猿有多少之差异，固不待言；然人类与犬、猿之差，较之犬、猿与鱼、鸟之差，尚不若是之甚。鱼、鸟、兽虽同隶一门，其中究区分以纲。若人类与哺乳类之差，与鸟、鱼等之差相等，则人类应别为一纲，否则无别立一纲之必要，故人类入于第五纲中，最为适当。以广义言之，人固为动物之一；以狭义言之，人即哺乳类之一也。然哺乳类中又各有别，纲以下谓之目 Order，暂以人类置之，已有十一目。若举其实例，第一目之例，如鸭嘴兽体为兽而嘴如鸭类 Ornithorhynchidæ；第二目之例，如袋鼠类 Marsupialia；第三目之例，如獭兽类 Bradypodidæ；第四目之例，如鼹鼠类 Talpidæ；第五目之例，如蝙蝠类 Vespertilionidæ；第六目之例，如兔类 Leporidæ 与鼠类 Muridæ；第七目之例，如鲸类 Cetacea；第八目之例，如象类 Proboscidea；第九目之例，如马类 Equidæ 与鹿类 Cervidæ；第十目之例，如犬类 Canidæ 与猫类 Felidæ；第十一目之例，如猿类 Pithcci 是也。同属哺乳类之动物，其种类之歧异如此，乃动物学者所公认也。人类与第八纲相似，且于类人猿 Anthropic 尤相似（类人猿中有身长五尺者），故得以人与猿合为一类，谓之灵长类 Primates。此类之特征安在？第一内列之齿适于磨溃食物，名臼齿，后臼齿 Molars 之构造，较前臼齿 Premolars，仍形复杂。次则他种兽类，载入眼球之窝，即眼窝，未全围以骨片，灵长类则于全骨形成之窝，嵌入眼球。又上膊之骨桡骨与尺骨，二者各为独立，大肠与小肠相系，复于横折之间附以盲肠。凡此皆灵长类之特征，人类亦备之耳。

以人类之表面与猿类较，固不难立为区别。然以猿与蝙蝠之差，马与鲸之差，而求之于人与猿之间，终不可得，是人类无别置一目之必要。申言之，即人类属于动物界中之第八门之脊椎动物中之第五纲之第十一目（灵长类）也，无疑义矣。

又各目复分为科 Family。灵长类之科果何如？暂除人类外，仍得有八。一至五与人类无甚关系者略之，第六科为西半球之猿亚美利加猿，第七科为东半球之猿有尾猿，第八科为类人猿也。类人猿之特征，于上颚下颚有二对门齿（Incisor），次有一对犬齿（Caninc）。又次有二对前臼齿（Premolar），与三对后臼齿（Molar）。故以口内全体之齿计之，总数三十二枚。其齿式如下：

$$i\frac{2}{2}C\frac{1}{1}P\frac{2}{2}M\frac{3}{3}$$

外此则无尾与颊嗛，及上肢（手）较下肢（足）为长，均为类人猿所特有。以人类比较之，不无异同。兹列其异点如下：

（一）人类之颜面之部，较脑盖骨之部分小，类人猿反是。

（二）人类之犬齿，较类人猿之犬齿小。

（三）人类之脊骨，适于直立，类人猿之脊骨，适于匍匐。

（四）人类之上肢，较下肢短，类人猿反是。

（五）人类足之拇趾，无对于他四趾之筋力，类人猿则有之。

此类差异，殆一科与他科之比较然也。试比较第一科第六科之差，得是等之差，复与第八科比较之，不难显其区别矣。第七科之特征，各颚有一对门齿，一对犬齿，二对前臼齿，三对后臼齿。三十二枚之齿，与前述者无异；而颊嗛因种类而异，或有或无；而尾则备之，但均无缠络他物之能力耳。又下肢较上肢略长，是七科与第八科之间。其尾之有无，及上肢下肢长短之比较，有以异也。第六科之特征，各颚有二对门齿，一对犬齿，三对前臼齿，三对后臼齿，齿之总数为三十六枚。皆具有尾，第因其种类，有能缠络他物者，亦有不然者。是第六科与第七科之间，其齿数与尾力有以异也。更以第六科与第八科比较言之，其齿之多寡不同，尾之有无不同，愈彰彰矣。是则灵长类中彼此不无歧异，因其异乃别立一科，亦分类学上所必要也。

第八科与人类之间，所存之异点，正如科之异耳。异点安在？即上肢下肢之长短，与拇指之长短比较，及脑之部分与耳、目、口、鼻等部之大小不一，不得不为之区别，即不得不别设一科。是则人类者，当于第八门之脊椎动物中之第五纲之第十一目，置以第九科，而定名为人类科 Hemimidae 矣。

就一般动物言之，一科中又各分以属 Jemes。人类科合世界之全体人类而言，其中亦如他种动物含有若干属耶，是不得不加察也。欲辨及属之真相，当先即他种动物举其实例。

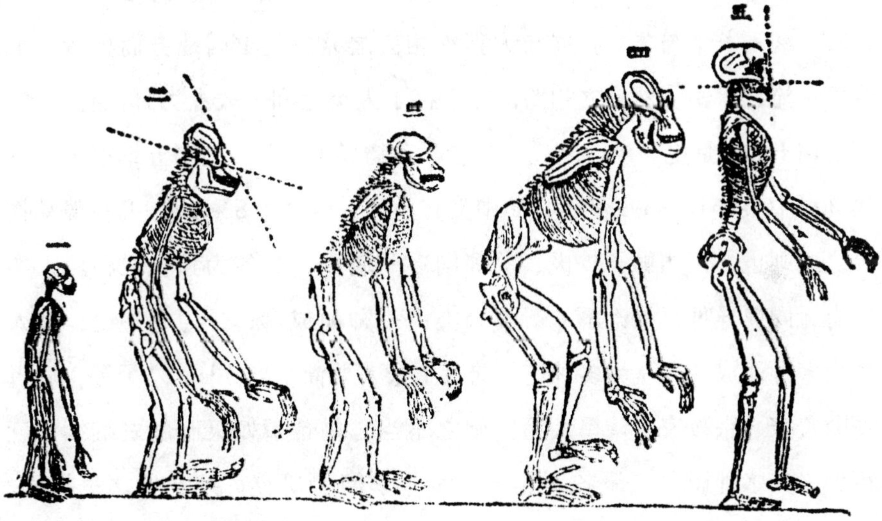

灵长类骨骼之比较

哺乳类之第九目第十二科中，有鹿与驯鹿之别，即同科异属者也。又类人猿之中，区分为四，即表示彼等之同科异属者也。其一为栖于苏门答腊（Somatra）之北部，及婆罗洲 Borneo 之南西、南东、北东、北西部海岸森林之猩猩，其头特大，胴与四肢均肥大，立时上肢达于踝肋骨十二对，身长五尺一二寸。其二为栖于亚细亚大陆之南及马来群岛之长臂猿头顶平，胴与四肢均细瘦，上肢甚长，立时趾端接于地，肋骨十二对，身长约二尺。其三为栖于中央亚非利加之黑猩猩，头骨较圆，立时上肢将届于膝下，肋骨十三对，身长约五尺。其四为栖于中央亚美利加之大猩猩，头骨不甚高，胴与四肢极肥大，立时上肢达于膝，肋骨十三对，身长约五尺。第八科中之属，比较上之差异，固如是耳。以此类推世界中之人类，得认若干属耶。日本北海道之倭奴，与台湾之生蕃等相比较，终不若牛与羊，猩猩与大猩猩相去之差。人类因地方而异者，虽为不可掩之事实，然属之相差，究不存于人类之间，故人类只认有一属，即所谓 Homo 是也。申言之，人类者，动物界中之第八门第五纲第十一目第九科中隶于 Homo 属者也。属中又有小别，谓之种 Species，乃一般动物界之通则也，例如狮子、虎、豹等同在一属中，又各为独立之种。人类中有无同属异种，议论不一。谓人类由一种而成者，是为一种论；谓人类由多种而成者，是为多种论。前者主张人类皆亚当 Adam 之子孙，后者谓慈善家、宗教家，认黑人为同胞之不当，仍希望奴隶制度之继续，庶可伸张其多种说。二派各不相下，实非学问上研究，乃意见之争执耳。久之以简单人类问题益启纷嚣，遂成为感情问题、党派问题。此千八百四十年顷，乃以种之问题，研究不遗余力也。

二派主张之异点，不外两端：一种论者之论据，谓世界人类中所见为异者，不过如一种动物中偶有变种而已，非根本上大有异也。通世界全体，无论某男与某女令其结婚，均能遂其生产。就一般动物言之，种之相异者，虽交接亦不能产子，据此则人类为一种可断言矣。

多种论者之论据，谓异地方所有人类中之差，亦如他动物之有异种。此一说也，又谓异地方男女间之生殖力，大有差异。故同地之男女结婚，其子则多而强；异地之男女结婚，其子则少而弱。狮子与虎，马与驴马，皆认为异种者也，其间虽或生子，然无血统之继续。

以上两派之论旨，公平言之，均不得谓之正确。人类殆择类而与，既有变种之差，不得不谓其种之异也。就生殖力言之，两者之材料尚少，世界中无论某男与某女结婚，均能生产，尚难一一证明；即同一地方之男女，亦有无生产者，故因生殖力而定为种之别，未能遽信为实。是则人类为一种，或为数种，判定颇难。然种之称谓，乃一般生物界所判定者也，他物且然，况人类乎。

种之定义　关于种之定义，其说纷纷，兹举数例如下：

（一）德意志之玻尔滆巴 Blumenbach，谓形状构造相似者，即间有差异，不过因变化而生，故凡属动物之一团体者谓之种。

（二）法兰西之邱威尔 Cuvier，谓继续血统者（即亲子之关系），同属一亲者（即兄弟之关系）及亲之兄弟之互相类似者，总称为一种之动物。

（三）英吉利之蒲利卡脱 Prichard，谓有特种之起源又续承特种之体质者，称为一种之动物。

（四）亚美利加之步林顿 Brinton，谓有明了的类似点，俾动物之团体，由同一祖先而绵其系统者，或如一系统而得以想像之者，乃谓之种。

以上关于种之说，各国学者，互有异同，然抉其论旨所在，玻尔滆巴，以人类为一种者也，邱威尔氏亦然。外如蒲利卡脱与步林顿两氏，莫非与一种论相表里。若就其事实观之，均可加以反对说。（一）白人与黑人之差，相去悬绝，决非由变化而来。（二）世界人种之差，较亲子兄弟之差特大，应可别为数种。（三）特种之起源，不得尽人而知之，即知之而疑信参半，不足称为定义。（四）想像之词，更非确论。是诸氏之立论，均不足称为定义也。

近来罗马涅斯 Romanes 对于种之定义，与前数者不同，其说如下：

于雌雄别之外，形态上同一者，或于二者之间，即认有多少差异，而使连续二者之中间物之存在，或得知其存在之事实者，总称此动物为一种。

如上所云，视从来学者所立之定义，较为完全，但所谓中间物者，尚存在于今，否则由化石之研究，堪信其存在，乃总称之为种耶。果尔，势将所有动物，均得认为一种。种也者，吾人所认为现存者也。如仍其说而再加“生于同一时代”一语，则中间物限于现存者而言，将为完全之定义矣。

纵观世界种种不同之人种，相差之距离颇巨，例如巴他哥尼亚 Potagonia（亚美利加之南端麦志伦海峡与列阿哥罗铎间之一州）人，男子身长平均五尺九寸；亚非利加内地之人，平均三尺稍强。试将世界诸地方之人比较之，决难强同，有五尺九寸者，有五尺九寸以下或以上者，即亚非利加中，有三尺者，亦有三尺以上者。

又综核各地方之人，其最足注目者，莫如皮肤之色。以欧罗巴北方之白人与亚非利加中央之西部之黑人相较，不啻炭与雪之差。就世界全体调查之，即有中间色，此方与彼方，可互相接近者也。

无论何种族表皮皆半透明，表皮与真皮之境界，含有色素以形成细褐色点，因此点多少不同，而人种之色随之而异。介于半透明之表皮中，有视为组织之色者，概为白色，而通过毛细管之血，则现为赤色。普通欧罗巴人白与赤混合，而与桃色相近者，色素分量少也。然欧罗巴之中如西班牙与葡萄牙人，亦有带褐色者，色素分量多也。亚细亚人，皮下组织之白色，与毛细管血之赤色，及表皮之半透明，均无异于欧罗巴人，因其色素较多，故近黄色。黑人者，非独色素之分量特多，而皮下组织之白色与赤色，均隐于褐色色素之下，而弗得现，故成黑色。是则人种色之差异，因色素之多寡而然。合诸种族而比较其色素之量，又不难循其次第，而连续之也。

又以头幅之广狭言之，欧罗巴北方之腊伯 Raab 人之头幅，如前后以百计算，左右则有八十五，倭奴之头幅前后以百计算，左右则有七十七，彼此不无差异。然合世界全体观之，终得以连络之也。

心理上之差异亦然。智、愚、贤、不肖之差，一国一族之中，常有判然不相若者，然中间终得依次而连络之。

以是与前述种之定义合证之，直谓之人类无种之差别也可。即向之倡多种论者，种究有若干亦难判定，何以故？以此种与彼种之间，无确实之证据故也。异地方之人，配偶之亦能生产之说，别为一问题；一种数种之说，又为一问题。要之人类之属，既称曰 Homo 以种推之，即可定名为 Homo Sapiens 也。

第二章　人类之分布

本篇所述，即研究所谓 Homo Sapiens 者，一种之人类如何分布于世界之大概也。第一当研究人类之地理学的分布。地球之北，北纬七八十度之处，尚住有人民，即壹斯基摩 Eskimo 是也。温带与热带及赤道之边，以至南之温带及南美之南土人。在南纬五十六度，又或于南北之间，若亚细亚，若欧罗巴，若亚非利加，以至太平洋群岛等，咸住有人。人类者，殆分布于世界全体者也。

动物之分布，决不能如人类分布之广，乃一般之通则也，就中以陆产动物为尤著。猩猩仅限于亚细亚之南，长臂猿仅限于亚细亚之马来群岛，大猩猩、黑猩猩等仅限于亚非利加之中央。陆产哺乳动物中，分布最广者，如狮子，限于亚非利加之全体及亚剌伯、印度、波斯。又如亚美利加产一种之特异动物，大如猫，他地方则无之。驯鹿虽无论欧罗巴、亚细亚、亚美利加均产之，然均限极北地方。反而观于人类，其分布则遍于世界全体，洵陆产哺乳动物物所弗及也。

或谓人类为一种，于他点虽无疑义，然对于地理分布之点，不能无疑。故人类在动物学上称为一种，与地理学的分布之关系如何，不得不加察也。

游览于动物园中，萃集各地方之动物，不可胜数，约言之，不拘以时，不拘以地，莫非以他地方之动物，令其移居于斯，饮食、蕃殖于斯者也。澳斯大利亚与新斯兰（New Zealand）原无豕与兔，自欧人移此，而豕与兔亦随之，致成今日自然之蕃殖矣。南亚美利加，原无牛与马，自欧人移此，而牛与马，遂与昔之野生者无异。是则动物之分布，固不因自然之地理学的区域，以示限制，即人为亦足使动物分布之也。人类之移转亦犹是耳。以历史上陈迹考之，各地方所余之古物遗器，数见不鲜，可知人类之人为分布，自古已然。惟古来之人类不似今日之繁盛者，因地有制限，交通不利故也。

南洋群岛中，有颇利尼西亚Polynesia。据各方面所传述者，颇利尼西亚住民，于西历纪元初，由亚细亚大陆附近之某岛分出后，遂据此岛为中心，更向各地方分出，分出之后，又各据为中心。似此则古来人类，尚未分布于全世界也明矣。然则人类之所谓种者，只就分布上观之，殊无怀疑之必要。盖人类者分布上之便宜较多，他动物则甚鲜也。

人类与外此之陆产哺乳动物，其分布究生如何差异，又有研究之必要矣。动物分布之区域，有限于范围内，其原因有二：一则由外而入内，一则由内而扩外。由内而扩外者，即生殖作用，因生齿日繁，其数渐增，势不得不徙而之他，又或因偶然变异，如随海流漂泊之例。由外而入内者，如气候的差异，或食物的妨碍，及地理的障隔之例。故以人类与他之哺乳动物相较，偶然分布之事，自以人类为多。

盖人类之智识，优于万物。气候之异，人工得以防维之。食物偶感不足，或借转输，以为挹注；或事耕作，增殖植物性之食物；或事牧畜，增殖动物性之食物。外如地理之障碍，人类则因物利用，创造舟车，越山逾水，通行无滞。是则人类之分布，远胜于此外之陆产动物，亦自然之势也。

就分布世界之人类观之，各区不无异同，其变化之境界，虽未明了，然以今日之分布世界各地方者综合言之，得认为互有关系之特别团体。盖一地方之人类，有一地方之体格、语言、风俗，其邻近地方则异是。若体格相似，而语言、风俗不同者，即谓为人类之别。

前此关乎人种之议论，第以性质之方法，以定一部分之分类，言人人殊，终无一定标准。故学者之主张不一，或分为二，或分为三，或分为四，为五、为六、为七、为八、为十一、十二、十五、十六、二十六、六十、六十三。同属人类之分类，少者为二，多者至六十三。少者即以多数种族并为一人种，多者即以相似之种，别为一种。如探其究竟，叩其分类之基础，此种族与彼种族，为同人种耶，抑为异人种耶，终弗得而知也。人种别，为学问上不必要耶，废之可也，否则公认为必要，究以何者分类法为宜，非预定其标准不可。分类法之标准若定，其利益有二：一则诸地方人民相互之关系，得以著明；一则关于诸地方人民之说明，得以简单。不此之务，徒以意见之争执，议论是逞，将日形其纷嚣终无裨于事实也。

如法兰西人，自体格上言之，为介路多 Celtæ 民族也；自言语上言之，为拉丁 Latin 民族也；自政治历史上关系言之，由北方底黝顿 Teutons 之一部。分析而来，是则谓意大利人与法兰西人同人种也可言语上，又谓德意志人与法兰西人同人种也亦可政治上，历史上，又谓苏格兰 Scotland 人与法兰西人同人种也亦无不可体格上。既有此种关系，则因如何之根据以分类耶，是又有研究之必要矣。

有主张意趣之分类者。

一　便宜分类

二　自然分类

第一重在使人易解，如书籍索引之分类；第二如书籍中篇首之目次。凡属分类法不外乎此，而第一之分类法，又分为二。

甲　常识分类

乙　人为分类

甲为最易了解之分类，不待深察者也，例如书籍有本制、洋制之别。乙为因事所定之分类，例如书籍有因大小而分者，有因重量而分者，有因价值而分者，有因纸类而分者，有因表纸之颜色而分者。第二之分类法，又分为二。

甲　类似分类

乙　系统分类

（甲）综计种种之性质，择其类似者，汇为一类。如集合矿物，以石炭与金刚石，置为一类，自常识观之，必以宝石与燃料，大有差异，兹因其本来之性质相似，故认为同类。

（乙）为系统之分类，如植物遗其种子者也，动物亦遗其种子者也，单以此点推之固相似，即验其真缘，亦可据为分类。如上之分类，大别之为二，约分之为四。

从来学者之分类，专因诸种之不同而起。如我国人，自称为中华之民，他种则称为东夷、北狄、南蛮、西戎，似此区别方角者，即谓之常识分类。欧罗巴人种、亚细亚人种之分类亦然。人为分类云者，如李尼亚斯氏，因色以分人类，欧罗巴为白色人，亚细亚为褐色人是也。如马来 Murray 与亚美利加 American 之分，谓之类似分类，玻尔滙巴之分类法，即本乎此。虽然，人类者动物之一，其研究应准于动物学的方法，今日分类，犹仿金石类之类似分类，未免混淆。惟系统的分类，其最适于今日学问之旨趣乎。

系统分类者何？第一由史传而搜索得之者也。例如亚美利加之大陆，所谓新世界者，欧罗巴人赴之，同时亚非利加之涅枯罗 Negroes 亦以充奴隶随之去矣。

或谓亚美利加之人，与欧罗巴人相似，又或谓与涅枯罗相似，则是等之人，为彼等之子孙也无疑。

又如美洲人，或与欧洲人相似。非洲之南部人，亦与欧洲人相似，或谓即荷兰人分去者也。且非洲之南部，其土人与欧洲人之间，曾出有混种，历史上可证明之。又如日本人有汉人种，亦有朝鲜人种，观今日之日本人可知也。外如风俗、习惯、语言等，有系统的关系者，正复不少。凡成一团体之人民，或因事情上之差别，而风俗、习惯、语言，因之而异，同时因彼此互有关系之故，或弃其旧而取其新。然变化虽异，而本来之风俗、习惯等，终不至全然消灭。以亚美利加、亚非利加等言之，有与英吉利为同一之风习者，殆自英吉利分出之人民，仍守其故国风也。是等事实，即历史上无确切之证据，吾人以相互之关系推测之，可断其崖略矣。又如日本人始则步武中国，继则步武泰西，故中国风、泰西风之散见于今日之日本者，不难举其实例。澳洲之苦因士兰 Queensand 人，立时以一足著地，一足举起，而非洲莱尔 Neiel 地方之人民亦如之。又居时恒盘膝而坐，与日本风无异。凡此异地方之住民，其风俗、习惯、语言有学而致者，有暗合者。（如日本语新字读为“ニヒ”与New同，切字读为“キル”与Kill同，此暗合者也。镫称为“ランプ”即Lamp，小刀读为“ナイフ”即Knife，又因学而致者也。日本日用语，由外国变成国语者，此例甚多。）暗合之原因维何，固不得而知矣。如上所述，谓风俗、语言、习惯，为人类分类之参考则可，谓此即足以断定一种族与他种族之系统的关系则不可。然则调查其系统的关系将安在耶？其最要者，即身体上之性质是也。人类之体格，非自古迄今一无变化者也。然就其通有之性质调查之，其极相似者断为近缘，其不相似者断为远缘，亦势所必至也。盖体质中有易变化者，即有难变化者，其身高等项不与焉。故体格上之调查，当注意者如次：

（一）自古迄今，实际变化少者。

（二）一团体中，具有通性者。

据埃及美菜之调查，以数千年前之人，与今日之人比较之，毛发有卷缩与伸直之性质，古今不变者也，鼻之形。如现于罗马、希腊古代之雕刻者，与今日意大利人、希腊人之鼻形一致，即希腊人额与鼻峰近于一直线，罗马人鼻与额之交界有洼，其鼻如鹫嘴，反作弓形，均古今不变者也。皮肤之色，古今亦无变化。如埃及古画中所有之非洲内地土人，概涂以黑与今日之黑人相同。

以上皆古物与今人相似者，属于第一之调查。第二之调查，身之高低，眼之凸凹，口之大小，虽不一致，而发之性质，鼻之形状，皮肤之色，三者具有通性，古今无甚变化。即以此三种关系，以考诸种族之关系，殆分类学上之最适用者乎。

盖此三者，决非一种族得以拟似他种族者，又非偶然暗合为一致者，即就生理言之，又非有不得不然之趋势者，故认此为调查系统的关系至为重要。且得此体格上调查，而风俗、习惯等，借以备历史上之参考者利益正多。若分别言之，其次第如下：

第一　体格调查。

第二　附于第一之言语、风俗、习惯之研究。

第三　附于第一第二之历史的研究。

似此各种调查，互相辅助，而系统的关系之研究，得所依据，乃不至迂阔而远于事情。故先以第一为分类，次及第二，再次及第三，此法较为适当。

亚美利加之步林顿氏之调查，其细点虽与此略有差异，然大体无甚出入，其法如下。世界之人类，可区分为四团体。

（一）毛发伸直，皮肤之色，比较的带黄色，而鼻幅位乎宽与狭之间者。

（二）毛发波状，皮肤之色多白，而鼻幅狭者。

（三）毛发缩卷，皮肤黑，而鼻幅宽者。

（四）毛发伸直，或略成波状，皮肤之色带铜色，而鼻幅位于宽与狭之中间者。有此四区，而人种之分类乃出。

属于第一者，如亚细亚之大部分，与欧罗巴北方之一小部分是，人皆称此为亚细亚系统之人民。

属于第二者，欧罗巴之大部分，与亚非利加之北部，亚细亚之西南部。就从来历史上部分之面积言之，以亚非利加为先，次则欧罗巴，又次则亚细亚。对于亚细亚系统而言，此则得称为欧罗巴系统之人民。

属于第三者，自撒哈拉 Sahara 之沙漠，而扩张于南方亚非利加之全体，得称为南方亚非利加系统人民。

属于第四者，通南北亚美利加旧来之土人而言，得称为亚美利加系统之人民。

未入此四团体之内者，澳斯大利亚之土人，及印度沿海与马来群岛迄菲律宾 Philippine 马达嘎斯加 Madagascar 之人民是也。其数颇巨，或似属第一，或似属第二。惟群岛及海岸所住者，或由他地方漂泊而来，就中虽不无纯粹之种族，然悉指为纯粹之族不得，故由岛以分类，尚属困难。邻近之岛无论矣，即同岛之中，全无类缘而杂居于其中者，亦弗不少。以此等人民，并入上述之系统中强为分类，反形其紊乱矣。

上述四系统中，在今日固有一种族之分部，与他种族相交接者，然自历史上考之，可各按其中心以寻系统。至岛民以何者为中心，尚属未详，乃假定以海岸岛屿住民而别为一类。

四系统中，亚细亚系统之人民，生髯者少；欧罗巴系统之人民，生髯者多；亚美利加系统之人民，髯极少；南方亚非利加系统之人民，概无髯。海岸岛屿人民，则种种不一，大凡属于自然者，非必尽适于人为的区别。所谓人种别者，非必谓界画明确，彼此毫不相混，要不过为研究人种学便利起见，除定以四系统仍余一岛民外，无他法耳。

第三章 人类之起源

关乎人类之起源，学说不一，既无确实之记录，又无实际之观察，今日所认为人类之起源者不过由少数材料，推测而得之结果也。兹欲于千差万别参差纠纷之学说，大括而区别之，得分为二：

第一 创造说 Creation Theory

创造说者，自古迄今，万有之形态，得神其意志，改造而变化之。如人类之高等生活体，谓由下等动物进化而来，实为梦想所不到。如邱威尔氏之主张，谓“现在生存动物之种属，皆开辟时神之所创造。第开辟云者，就动植物言之，决非限定一次。经一次开辟，则山变为海，海变为山，天地反覆，变化无常。彼时生活之动植物，一时同归于尽，此后更创造一切动植物。故今日之动植物，与掘出化石之动植物，二者皆神造也。创造之时代不同，旧者全为死绝，新者系别为创造，彼此自无关系。兹者由高山之顶，掘出鱼类之化石，即以前为海之证。其化石之形态呈异状者，考察虽属匪易，要不外海变为山，甚形急剧之征也。自世界开辟以来，至于今日，地球表面之大变化，至少经十四五次。每次所有之生活动物，皆归死灭，仅留有化石，今日尚得而认之”。

邱威尔之说，即“天变地异说”是也。盖以地上有许多变迁，神具有适应其变化之模型，作种种之动物。其归宿之目的，莫非为人类生存地上之准备。太古为鱼类而屡屡创造者，悉神之为创造人类之预为计画者也。自今日视之，此不过一种之神秘说。然当时科学未开，尚足博人信仰，而宗教家服从是说者尤众，故邱威尔氏之势力颇大。

第二　进化说 Evolutionism

唱进化说者，以拉马克 Lamarck 氏为最早。氏任职动物学教授，学名颇著，特于下等动物之比较解剖，及贝类之化石，最有研究。千八百九年著《动物哲学》公行于世，自今日读之，颇饶旨趣。然当时识者颇少，且生物学家之据高位享盛名为拉马克氏所弗及者，颇不乏人，皆主持旧式之生物学说。似此苦心孤诣之作，出版十五年后，无人过问，至可慨也。兹特以原书所载之大要，译述如次：“现在生活于世界中之动物，无论执何种以考察其所具之身体，有不适于生活之状态者乎？无有也。例如蝙蝠有翼，适于飞翔也；鼹鼠之掌平如锄，适于掘地也；螳螂之前足如镰，适于捕虫也；蝗之后足肥大，适于跳跃也。易言之，各动物日日所用之各部分即形发达，否则退化，且应于生活之状态者，不独身体之外形为然。解剖之以调查其构造，蝙蝠与鼹鼠，螳螂与蝗，互相类似，如同一模型所构造者，不过纤维间之或伸或缩偶有异耳。试即蝙蝠之翼观之，具有五指，如人类之手然，惟其指特为延长，其间张以薄膜。鼹鼠之掌，亦具有五指，惟指节皆短，反之而爪则大形发达。设有卖饴者于此，以饴假造一人之手形，就此手形，改为蝙蝠之翼，则仅延长其指，其间张以薄膜可也。又或以此手改为鼹鼠之掌，则仅缩短其指，变为肥爪可也。准是以推，凡动物之身体，皆适应于生活。今有数种动物，基于同一模型，各种器官，应于生活常用者，即特别发达，而彼此相差之点，缘是而起。傥自天地开辟以来，造物对各种动物，各为造其模型。则蝙蝠之翼，惟以适于飞翔为目的；鼹鼠之掌，惟以适于掘地为目的；根本上创造已属不同。若或有推陈出新者，谓飞翔之翼，与掘地之手，可同一模型，伸之即为彼，缩之即为此。夫岂非不可思议之异事乎。

再推论人类，人与人无殊，然常用之部分则特形发达。如冶工常用其腕，而腕之筋肉骨骼日强；车夫常用其足，而足之筋肉骨骼日大。他动物亦然，常用之器官，未有不发达者也。

特人类与动物殊者，车夫之子孙，非必皆限于车夫；冶工之子孙，未必皆限于冶工。故车夫冶工常用之器官，仅一代之间较为发达。动物则不然，亲与子孙每代几营同样之生活。蝙蝠也，每代飞空，鼹鼠也，每代掘地，急变其习性者极少。既仅以同一之器官特别运动，则蝙蝠之指长，因每代飞空之故自有伸其指之结果。鼹鼠之爪肥，因每代掘地之故，自有肥其爪之结果。抑或以螳螂之前足，与冶工之腕比较之，以蝗之后足，与车夫之足比较之，既各因其运动，各得其结果矣。傥冶工与车夫之运动，代代而继续之，又安有不获同一之结果者乎？反之不用之器官，势必次第衰弱，例如负伤之人，久卧床褥，其身虽不现如何异状，而足则日即瘦削，终至于不可起立。驼鸟之翼极短，不便飞翔，鼹鼠之眼极小，不便观察，同此理也。

又如伸其颈以探水底之饵者，鹤也，其颈特长，两鼻则甚短。鼻之自由伸出，拾地下之食者，象也，其鼻特长，而颈则甚短。善飞之鸟其足弱，善走之鸟其翼小。凡此均不外常用之器官逐渐发达，不用之器官逐渐衰弱之结果也。

由是推之，蝙蝠之祖先，决非如今日蝙蝠之翼之发达也；鼹鼠之祖先，决非如今日鼹鼠之爪之发达也。其祖先之翼之爪，为如何形状，虽不克确知，要之无论何种动物，决非自世界开辟以来，突然由天地创造，已具有今日之形状，必经多少岁月，逐渐变化，始成今日之形状者，可断言也。易言之，无论何种动物，决非由一时创造，急现于世，殆经种种进化而后出此者也。

拉马克特论之大概如此，其要点有二：第一，动物各种类，经多少岁月，其形状因次第变化，乃底于今日之现象；第二，动物形状之渐次变化者，多基于器官之用不用。据此以观察动物，不患乏此实例。自今日视之，虽不得认为完全之说明，然当日颇认为有趣之文字。特同时因邱威尔氏之说盛行，而拉马克之说，遂不获行诸世耳。虽然，拉马克以后，唱动物进化之说者，正不乏人，其中如法兰西之佐弗罗·撒·希拉利 Zooffroy Sanite Hilarire（法兰西之有名动物学家及比较解剖家，生于爱丹浦。初虽研究神学后渐好动物学，及西历一七九三年为巴黎大学校之动物学教授著书颇多），有名动物学者，论动物之形状性质，应于外界之状态，而行变化。数次在巴黎学士会院之讲堂，公开讨论，大反对邱威尔氏说。卒以邱威尔氏所主张者，可认为一个有一个之事实，而撒·希拉利氏主张动物进化之说，又不甚完全。千八百三十年七月三十日，讨论终席，表面上终归邱威尔氏之胜利。故经此次讨论后，邱威尔氏之势力反趋良好，而天变地异之说益炽。

同年英国之地质学大家来伊尔 Sir Charles Lyell 氏，著《地质学之原理》*Principle of Geology*。此书传达既广，而邱威尔氏天变地异之说，遂至全失其根据。兹摘录其大要于下：

地球之表面，自开辟以来，沧海桑田，变动颇大。山之极巅有浪痕，山之中腹有蛤及鱼类等之化石。是处为昔日之海岸或海底也，殆无疑义。此等变动，决非一时急起，必经多少岁月，次第变动，乃获此结果者也。

据康德 Kant 拉普拉士 Laplace 等所唱之云雾说推之，地球属太阳系统也。最初为热度极高之瓦斯块次第凝固，中心为太阳，周边为大小无数之游星。地球为一部分，其初亦热度极高之瓦斯块，次则如熔解之岩石，成极热之液体，其表面凝固，造成固形块之薄地壳，即至今日或仍有火山暴裂，或仍有温泉涌出。无论何地，掘之愈深，温度愈高，平均每掘至十六间，温即升摄氏一度。可知地球之内，至今尚有火块，表面所有之同形地壳，殆此火块渐次冷却后所至之结果也。无论何物，冷却之则容积减。地球渐次冷却，即渐次减其容积，容积减则收缩，收缩则表面之地壳，必起皱褶，如蜜柑之果实，置之久则水分蒸发，全体缩小，其表面生皱，同一理也。自吾人观之，山之高，海之深，不胜惊讶。然造以一间直经之地球皱形观之，其表面海与陆之比较，数千寻之深海，与数万尺之高山，在此尚不过一二分之凸凹而已。故地球表面，所有海陆凸凹之比较，终非若蜜柑之表面凸凹之显著，盖琐细之凸凹，地球少为冷却，即造成之，无足异也。如上所述，地壳之变化，随地球之冷却，不知经几亿万年，表面始生出皱褶，其特别著明者，始认有山海之区别。此外经风雨作用，河海急流，又吾人日接于目，一自然现象之结果也。风雨骤作，山之表面之岩石，碎为泥沙，落于山谷，流于河，归于海，又或于河之出口沉淀之，积月累年，造为新层。凡因泥沙沉淀而造为新层者，最初为水平，地球渐次冷却，则地壳之皱，日益增加，后变为褶，遂向种种方面倾斜，一部为山之顶，他部被埋于后来之层，深隐于地面下矣。彼高山之顶，发见鱼类及贝类之化石者，纯因上述之变动而然，决非一时急剧之天变地异之结果也。先年西印度之喷火，日本鸟山之破裂，自地球全面观之，不过一小部分，不足以论大体也。

来伊氏举种种实例，以证明其说，则邱威尔氏天变地异之说，不击自破矣。夫地球上所有之动植物，既非因天变地异，悉被破毁，然则化石之动植物，与现今生存之动植物，其间有如何之关系耶？以古代之动植物与现今动植物相异之点观之，生物之种属，虽时移世易，果无多少变化耶？此种疑问，又不得不重为研究矣。

千八百五十九年十一月二十四日，即距今五十余年前英国达尔文 Darwin 著《种之起源》*The Origin of Species* 公诸世，而生物进化之原则，乃愈觉博大而昌明。世间所谓进化论者，莫非据达尔文说。虽然，唱生物进化论者，有法国之拉马克与撒·希拉利等，均在达尔文之前，特进化之事实，缘何而起，两人均无明确之说明。拉马克之说，根据于器官之用与不用。撒·希拉利之说，谓外界若起变化，动物之形状性质之变化随之而起。达尔文者，非独集合进化之事实，立以确实之证据，因说明理由，复提出自然淘汰 Natural Selection 说。此说之适于生物进化之事实，较之前二说相去悬绝，盖自研究生物学以来，未有之创论也。曩者对于生物学之事实，尝有难加以说明者，此论一出，觉生物界之现象，咸赖以说明之，其大博欢迎也宜矣。

同时有于达尔文之外，发见自然淘汰之理者，即哇列斯 Wallace 是也。氏为英吉利有名之博物学家，又大探险家也，留南美四年，东印度诸岛八年，从事博物之研究。其中考究动物之生态，及分布之状态，竟与达尔文之说全同。氏乃撰一篇论文，寄示达尔文，属其发表于学术杂志。达尔文受而读之，见其书中所载，与已之十四五年前所考究者，不爽毫厘，大为惊讶，立传观于福克、来伊尔诸大家，并筹议处置之法。

氏等皆知达尔文对于此等问题，素有研究，力劝达尔文就自然淘汰之理，节录大要，与哇列斯送来之论文，并揭载于林那学士会杂志，以公诸世。但关于生物进化事实之证明，及自然淘汰之理，皆为巨论，决非如杂志上揭载之短篇所能罄。达尔文乃别以从来研究之结果之大要，缀为一册，即有名之《种之起源》*The Origin of Species* 是也。是则唱自然淘汰说者，虽达尔文与哇列斯二人，而达尔文则已于十四五年前考究得之者也。千五百五十九年，更出一书，较之哇列斯说，尤为周密。哇列斯见之，匪独以自然淘汰发见之功，快然全让诸达尔文，即后此自著之《进化论》等书，表题必附以达尔文说，视世之争功著述，互相诽谤，互相攻击者，其度量相越为何如耶？

《种之起源》一书，虽不过四百余页，然内容丰富，均选其必要之部分记述之，且持论郑重，无一不根据事实，实后世修生物学者之良模范也。

由是观之，今日之所谓生物进化者，决非突然生出，殆由十八世纪末，循序发达者也。其初关于生物进化之事实，不过假说而已，由达尔文之研究而确，经达尔文以后之多数学者之研究而愈确。达尔文固大有力焉，亦不得不谓之生物学全体进步之结果也，故生物进化论，不得全称为达尔文说。而说明生物进化之理由，唱自然淘汰说者，要自达尔文始，故名为真达尔文说。吾人在今日得察及生物进化之原因之一部者，皆达尔文之赐也。

达尔文氏既说明生物进化之理，然生物之起源，为一源耶，或多源耶，尚无明了之说明，试就两说之异同比较如下：

生物多源论　生存竞争日益盛，即自然淘汰日益烈，变异者忽被遗传，遗传者仍变异之结果。自今日视之，浮游于海水之小动物，与领有地球高视阔步之人类，称为一物，不过因递降递变而成者，殆等戏言，实不足信。故某学者所主张，今日生物之起源，决非一物，鸟类有鸟类之祖先，爬虫类有爬虫类之祖先，决非由共同之祖先递降而来，是即生物多源论也。

生物一源论　其引证比较的丰富，为现今多数学者所左袒，即赫克尔 Haeckel 氏之学说者也。氏谓脊椎动物之祖先，系统为一源，曾以树木示动物之系统，名系统树。又由各地所掘之化石，有与今日栖息之动物全不同者，无论编入何部，终不适当。例如德意志巴菰利亚国，掘出侏罗纪初生存之始祖鸟，嘴中有齿，前肢（翼）有三指，各具有爪，尾具有二十个尾椎，眼有骨轮，与现今之鸟类，大异其趣，似爬虫类之点颇多。虽定名为始祖鸟 Archaeopteryx，然体质实介于爬虫类与鸟类之间。

外如肺鱼类之 Ceratodus 澳洲产、Lepidosiren 亚美利加产、Protopterus 南亚美利加产等，体形如鳗，而有细鳞，偶鳍之形状，变化而为纽状，呼吸器有二，水陆均能生活。其栖于河中也，以腮营呼吸，水涸则潜于泥中，以肺营呼吸。自其构造习性言之，颇与两栖类相似，故有以之编入两栖类者。要之生物为一源或为多源，乃学者争执之问题也，唯以事实上推测之结果，先认为一源较适当矣。盖地上栖息之动物，千状万态，种类

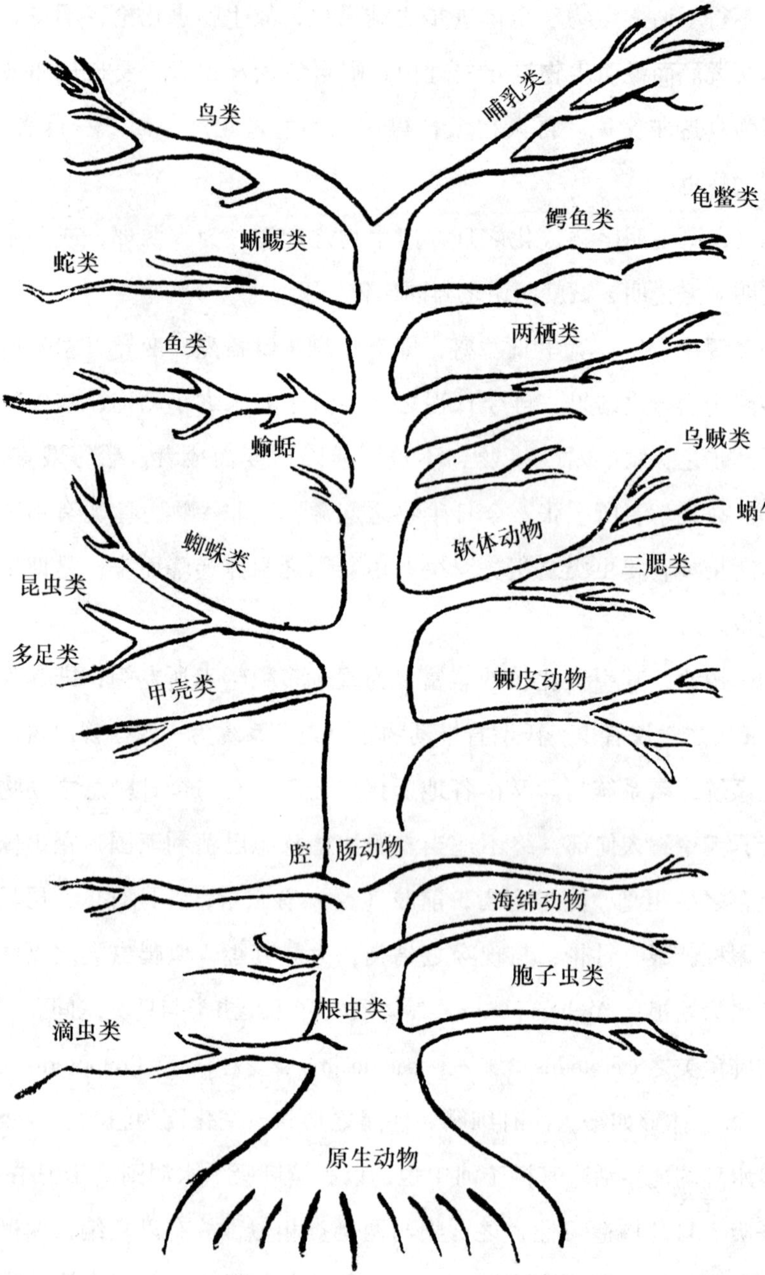
鸟类
哺乳类
龟鳖类
鳄鱼类
蜥蜴类
蛇类
两栖类
鱼类
蝓蛞
乌贼类
蜗牛类
软体动物
蜘蛛类
三腮类
昆虫类
多足类
棘皮动物
甲壳类
腔肠动物
海绵动物
孢子虫类
根虫类
滴虫类
原生动物

动物之系统

繁夥，溯厥权舆，皆由极简单而渐次进化，递增复杂，至今日吾人耳目之所及者，终不可缕指。譬有一乔木于此，古枝蟠曲，老干轮囷，而枝复出枝，干复生干，勾萌毕达，旁出小梢，骤观之几疑其千万根株，始萃合蟠结而成，而实则一乔木之附属也，动物亦犹是耳。

人猿同祖论 生物之起源既认为一，然则人类如何而生，又连类而及之大问题矣。人类者，特与猩猩大猩猩、黑猩猩、长臂猿等（即类人猿）同一之点颇多，从进化之理法论之，不得不断定由同一之根元而出，且证以后述之猿人。人与猿之关系最为密切，亦说明上最好之资料。果由此动物析而出之，一以体格上遂其发达者则为猿，一以智识上显其发达者则为人。特于此宜注意者，现今之猿即与以教育，决不能近人类。人类之初固为猿，吾人未几于人类之时代，猿亦非猿，既分为人类以后，始终为人类也。无论如何加教育于猿，使彼亦富有智识，称为进化之猿则可，认为人类则不可。犹之日本人，无论如何进步，即令遥驾于欧美人以上，而日本人终日本人，决非欧美人也，猿与人之关系亦然。

血清试验上之证明 系统与血清之间，确有关系。德国斯托罗夫氏千九百二年以种种之血清试验 Zeleachriftsür Ethnologie 揭载于杂志。血液者，由无色透明之血浆 Plasm 与浮于其中之无数血球而成。今由人类及他之兽类取其血液，令其凝固之，其表面即得浸出之血清 Serum。以由人类所得之血清，注射于兔，经二三日后，再施注射。如是行至八九回时，杀其兔，由兔之血液取其血清，以与未施注射之兔之血清相比较，则甚不相同。今由此注射所得之血清，混于人类之血，立时即生沉淀，再以之混于普通之犬之血清，则不见有何等现象。

用前述之方法，更造以牛兔血清，马兔血清，犬兔血清，以之加种种混合。牛兔血清，对于牛之血清，则生沉淀。马兔血清，对于马之血清，犬兔血清，对于犬之血清，则生沉淀。然马兔血清对于马以外之动物之血清，又不生沉淀。抑或于马则试以驴，于牛则试以山羊，于犬则试以狼之血清，均生沉淀。准此试验之结果，可知马与驴，犬与狼，牛与山羊，相似之点既多，即隶于同属也无疑。某学者，造人兔血清，与猿兔血清，四十六种，以之与人兔血清相混合，猿以外之动物，勿论何种，不见有何等沉淀。又猿之中有所谓类人猿类如猩猩者，其沉淀颇著。渐次移至下等，则递减其度。由此实验观之，人类与猿类之关系，犹马与驴犬与狼之关系，隶于同属者也。进一步言之，人类与猿类由同一祖先递降而出者也。

斯托罗夫氏曾由猩猩之死体，取其血液，以造血清，加以食盐水由六千倍以至一万二千倍，稀薄之加以十倍之人兔血清，历时三十分后，渐生沉淀。又制以马、羊、猪、鸡、犬、猩猩、人类血清之百倍液加以人兔血清，对于前三者动物之血清，虽不见有何等变化，然对于后二者则生显著之沉淀矣。外仍有证明人猿之关系者，据达尔文所述，人类及高等猿类之寄生虫，互相类似，可知两者之体质，及体液颇亲密也。

又因传染病之研究，亦有可证明者。即以人类之霉毒，不能传染人类以外之动物者，得传染于类人猿，如名医卢氏（E. Roux）以人之霉毒，对于黑猩猩实验之，大获成功。盖黑猩猩者，在现存之类人猿中最与人亲近者也。

猿类复得而区分之。(一）为东半球猿类。(一）为西半球猿类。东半球猿类复分为有尾猿类，无尾猿类。无尾猿类分为猩猩、大猩猩及人类三者。彼时之人类，即今日人类全体之祖先也。

- 人类共同之祖先
  - 东半球猿类
    - 有尾猿类
    - 无尾猿类
      - 人类
      - 猩猩
      - 大猩猩
  - 西半球猿类

第四章　人类之身体

（甲）有形上之事实

关于人体之研究，大要区为二种，即（一）有形上之事实，与（二）无形上之事实是也。兹述其第一项如次：

阔答筏基（Quatrefages）氏关于研究人体之分类有二：（一）身体上之性质，（二）精神上之性质。前者分（A）外形上（B）解剖上（C）病理上（D）生理上四项。后者分（A）智力上（B）道德上（C）宗教上三项。上之分类法，似觉适当。兹为减少其分量，先举其事实于次：

一　身体上之事项

人类身体上之事实，引吾人注目之点虽多，而重要之项目则有限，盖身体之调查，仅关于生人之种种调查是也。

（A）毛发

人类学上调查之毛发，非若普通生理的关系。调查其作用，其目的在研究其原始状态，与从来之变化也。身体上之生毛不外二种：

（1）全身之生毛

（2）局部之生毛

原始时代之人类，全身亦被有毛，此一般之推论也。通常之人类，毛颇稀薄，悠久之间，逐渐变化，其结果遂大形退化。兹欲研究其变化，必先准数条件以为论据：（一）年代之久远，（二）特性之遗传，（三）旧态之复发（即隔世遗传之谓）。

外此仍有确证，即发生上之现象是也。人类在胎内逮七个月，则全身密生软毛，尔后渐次脱落，如普通生儿之胎毛而止。彼多毛人种，如日本北海道之倭奴，又其例之最著者也。

局部生毛之现象，头发为先，次则如须髯、眉毛、腋下、阴部等，其说明虽不一致，概言之要可由雌雄淘汰，自然淘汰之理法上下判断也。兹暂略其理论，而先述其种种现象。

头发 世界之人类，种族虽异，而头发上之分类终不外下图四种。

研究诸人种之毛发，虽发源于十八世纪，然概未加详，逮十九世纪，则特形详密。世有准此以为人类之分类者，威茵大学教授缪列尔 Muller 氏是也。氏以世界之人类，为四属十二种。

人类四属十二种表

四属	头发	头盖	肤色	十二种
第一丛毛属	似羊毛丛生 断面长椭圆 色黑	长头斜齿	暗色 黄褐	（一）荷添脱妥人种
			暗色 赤黑	（二）巴布亚人种
第二羊毛属	软毛 断面椭圆 色黑	长头斜齿	暗色 黑色 又带褐色	（三）甲补亚人种 （四）涅枯罗人种
第三强毛属	强直断面正圆 色黑	大概短头	暗色 褐色	（五）马来人种
		中头亦多	暗色 黄色	（六）蒙古人种
		大概中头	暗色 黄色	（七）极北人种
		短头亦多	暗色 铜色或赤褐	（八）亚美利加人种
第四球毛属	缩形或波状断面圆形 色不一	长头斜齿	暗色 黑或褐色	（九）澳斯大利亚人种 （十）脱拉威端人种
		多数中头 间或短长相错	暗色	（十一）弩比阿人种
			红白或带褐色	（十二）中海人种

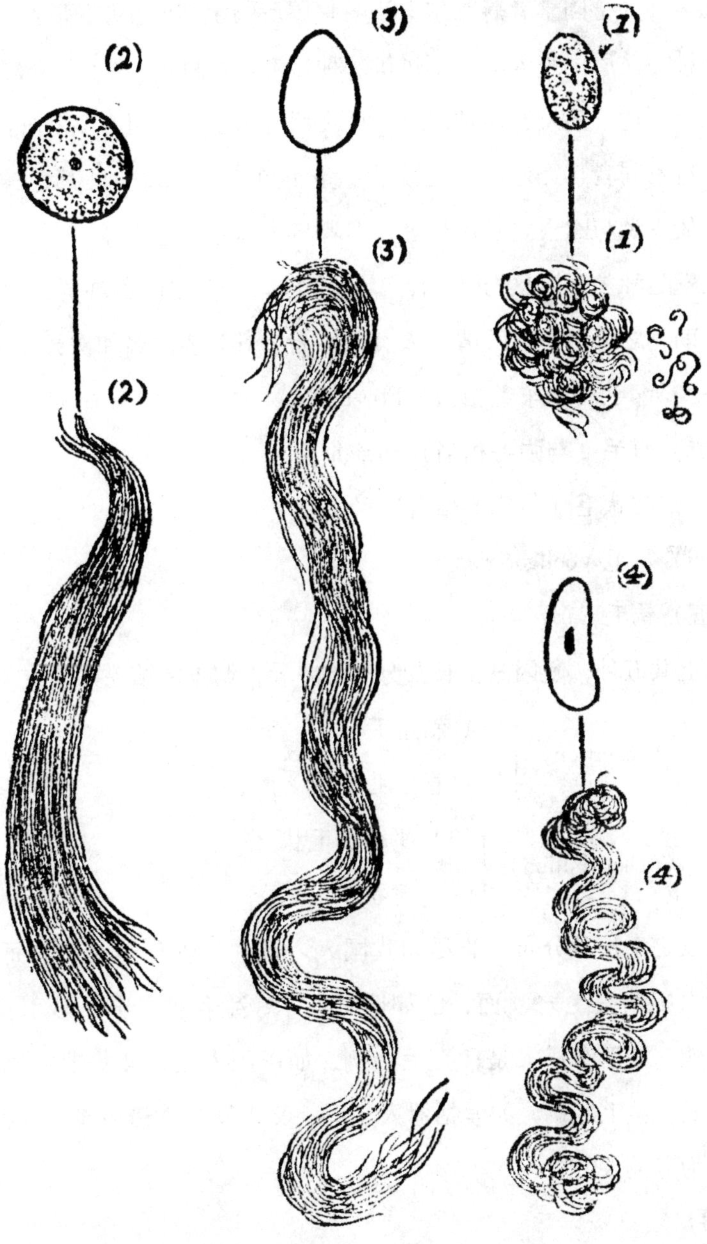

头发形状之种类

（1）缩毛　（2）直毛　（3）波状毛　（4）丛毛

此表又为德国学者赫克尔 Haeckel 氏所采用，氏之所主张者，夙认人类为一种，兹所由采入者，不过供一种参考之资料耳。

如上所述，毛发有四种之别，后之研究人类者，几认为明确之事实。其色泽有不同者，无他，如皮肤然，基于色素之分量也。其色素在表皮之下，稀少者与欧人之发色相等，多者与我国之发色相等。

毛发之种类，既区分为四，其色泽异者，发之断面亦异。又如德人约翰·朗克之著书，有所谓《人类论》者，其列表之名如次：

（一）缩毛（与羊毛相当）Frizzled

（二）直毛（与强毛相当）Straight

（三）波状毛（与球毛相当）Wavy

（四）丛毛 Voollgorerisp

（五）钩毛 Early

以上共五种，复因其生长及分布之差异，调查之结果如下：

生长（Insertion）
- （1）斜生毛
- （2）直生毛

分布（Distribution）
- （3）平等刷毛状
- （4）房状

头发之生长及分布，非尽如我国人之密生，或有作刷毛状而分其区域者。次则调查毛之断面，已如图之所示，生各种差异。若引证其例，缩毛之例，如巴布亚人是；直毛之例，如中国人是；波状毛之例，如德意志人是；丛毛之例，如涅枯罗人是也。又头发中之最粗者，为西藏人，最细者为芬兰人。

（B）须

关于须之研究，在人类学上颇称为有趣味之问题，然从来人类学者，关于此类之比较殊少。一般所传论者，不过以倭奴、澳斯大利亚土人之须多为止。

据近人所研究者，须因部分而异，缕言之可别为三，即颐须（须），颊须（髯），鼻须（髭）是也。综合诸人种之现状以证明此例，颊须者，连续于头发者也；颐须者，连续于胸毛者也。又西伯利亚之狗人，及缅甸之多毛种，颜面悉被以毛，无局部上下之分界，故须之部分，不能确定。兹所谓须之定义者，“指男子成熟时，其口之周围或颐及颊之部分成群生长之毛而言”。诸动物中，亦有如人类可称为须者，其形状无论其与此相乎与否，终属于触觉器之一，非须也。又如类人猿中之猩猩、大猩猩、黑猩猩等，面部亦有之，而人类似此类绝少。又如长尾猿、猕猴等之属于猿类者，于触感器之外，亦有与人类之须同性质者。

（一）须之性质　须之种类，得分为三类（甲）直毛　（乙）波状毛（丙）缩毛。就中以（甲）为尤多；（乙）之范围颇广，而尤以中国、日本、朝鲜人为多，即欧洲人亦然；（丙）如涅枯罗种族，即此例也。

（二）须之色　头发之色，有亚麻色、黄金色、砂色、赤褐色、黑色等，须亦有黑色、褐色、赤褐色、黄金色等。其种类虽少，然以形状比较之则为多，但须色与头发比较之则淡，且有杂色之观，例如中国人之发黑色，而须或褐色。

（三）须之生长法与诸人种　须之生长部分，因人而异，亦因人种而异。兹举其重要者如次：

（1）仅生有鼻须者。

（2）仅生有颐须者。

（3）仅生有颊须者。

（4）鼻须与颐须共生者。

（5）鼻须与颊须共生者。

（6）颐须与颊须共生者。

(1)

(2)

(3)

(4)

(5)

(6)

(7)

(7) 鼻须与颐须、颊须共生者。

生长法之长短粗密，极不一致，常见于普通诸种族间者，以 (1) (4) (5) (7) 四种为多，而倭奴、澳斯大利亚土人，又仅限于 (7) 之一种，(6) 则为英人中所具之形式，(2) 及 (3) 则为苏格兰人中所习见者也。

次就人类与猿类而述其须之异同。猿类大概有髭、须、髯三者之全部，或一部，且雌雄共有，或限于雄，即不然，雌终比雄者少。人类则女子无须，然亦非绝无此例，如亚非利加土人中之妇人有须者，乃实见之例也。

(四) **须之起源**　须之有无，人与猿似均无何等重要之关系，然事实上正与之相反，是不得不加察也。俗间有起因于防御寒暑之说，本不足取，据达尔文著之《人类由来论》*Descent of Man* 则断为雌雄淘汰之结果。最初雄者以此为装饰，因喜其存在，经年累月，后遂造为遗传性。当人类原始时代，其有须固不待论，第如今日之疏密不一之现象，不得不谓为此后之变化也。

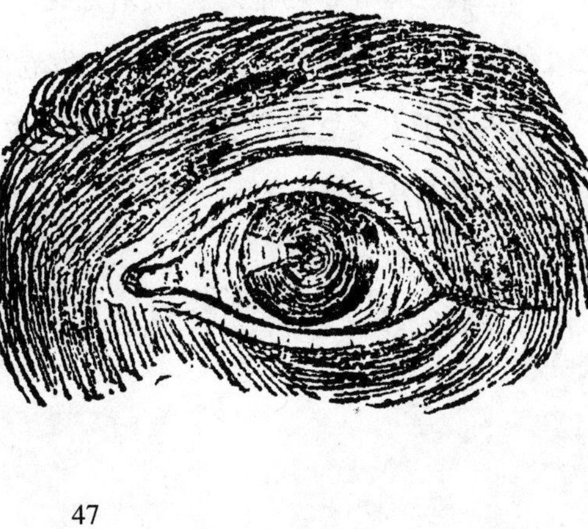

(C) 眼

诸人种之眼，亦有就各种异点，比较而研究之者，如虹彩之差异，及其原因，眼窝之形状，眼睑之异同，皆足以供研究者也。兹举其一例，如眼顶之部分，有褶襞以被其眼睑者，谓之蒙古眼，反是谓之欧罗巴眼，如图乃法儒脱比拉尔之原书中所引用者也。例如中国及日本之人民，多属于蒙古眼；马来地方之人民，多属于欧罗巴眼。

（D）鼻

人类愈近于开化之域，身体上愈形退步，如鼻之感觉其一例也。野蛮人感觉之敏锐，近于兽类，实非开化人所能及。兹不暇详论，仅述鼻之外形如下。

具人类鼻之形状者，除高等猿类外，几无此类。日本坪井博士（坪井正五郎）分鼻为三种：（一）鼻之长，（二）鼻之高，（三）鼻左右之幅。综世界人类之鼻形，均得以三种区别之。

鼻形之分类
- （一）鼻之幅狭者（鼻孔长而平行）。
- （二）鼻之幅宽者（鼻孔横长而为八字形）。
- （三）鼻幅之位于上二种之间者（鼻孔亦位于上二种之间）。

属于第一类者，如欧洲之大部，亚非利加之北方，亚细亚之西南地方诸人种是。

属于第二类者，如亚非利加之中央，由此而扩向于南方之人种是。

属于第三类者，即上二者以外之人种是。

就上列之差异，与他之体质对照之，又认为一致者，如属于第一类之人种，则头发为波状，第二类则头发卷缩，第三类则头发伸直。

从来关于人类之鼻形，所称不一。兹从英国人类学会出版之问题集中，记载其名称如下：

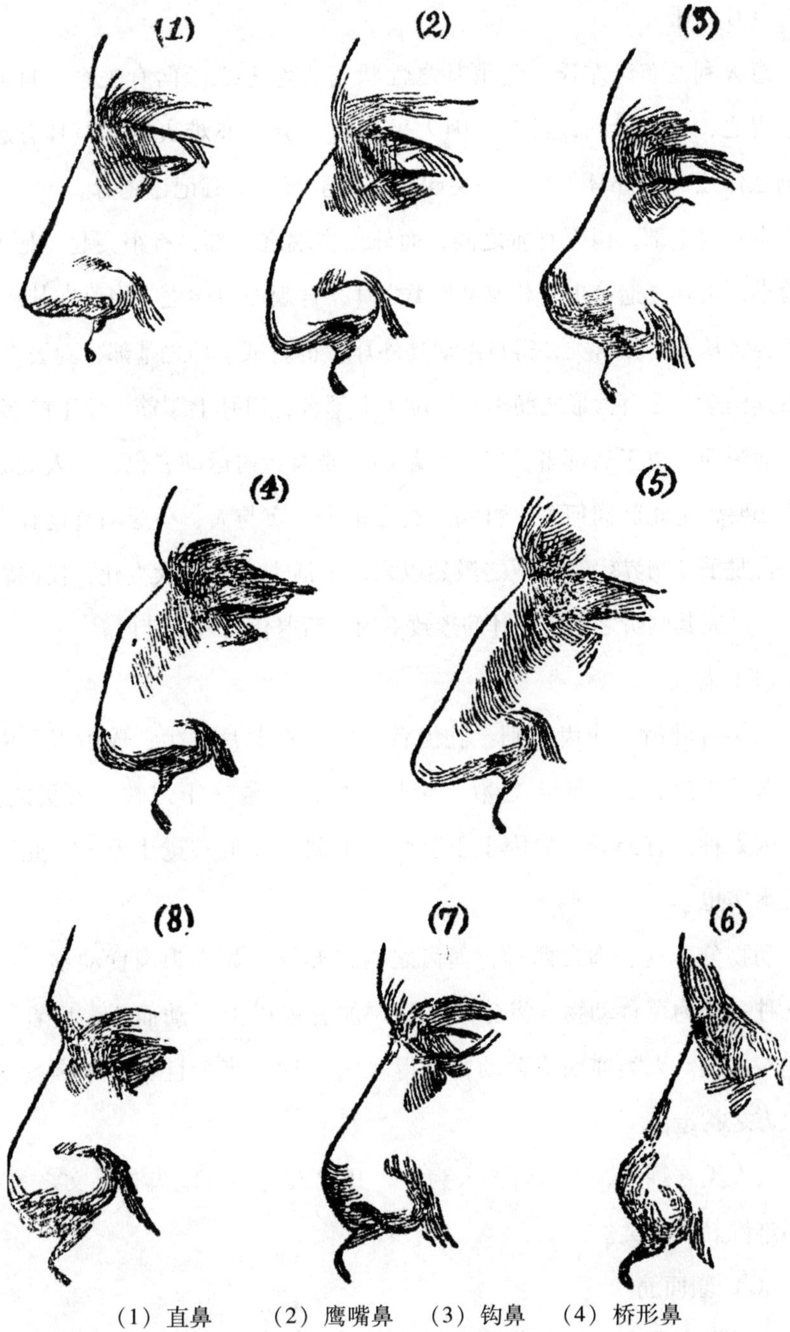

（1）直鼻　（2）鹰嘴鼻　（3）钩鼻　（4）桥形鼻
（5）波形鼻　（6）平鼻　（7）宽鼻　（8）团鼻

（E）耳

意大利龙布诺左氏，尝谓耳之性状与心性上之倾向有关系，自何点观察得之，颇属疑问，且是否因人种而有差异，亦难决定。但耳有感觉音响之作用，与外耳上部之小突起，人类学家，多有记述之者。

自耳之上部，以至耳垂之间，而外缘内端之上部，有小突起，是可认为兽类，尖耳之遗迹也。若就灵长类之耳，合观而对照之，当可知其故矣。且人类者从来本为兽类，得自由动其外耳者也。试于耳之基部，剥去皮肤，以察其构造，见有大形之筋肉三。位于上部者，曰耳上掣筋；位于前部者，曰耳前掣筋；位于后部者，曰耳后掣筋。筋肉者司运动者也，吾人既无动耳之必要，生此筋肉何为？可知人类之祖先，实与犬、马等同有运耳之妙用，自脱乎动物界生存竞争之激烈以来，生活上遂呈一大变化，仅回转其颈骨，已完其倾听之能，动耳筋遂致不用，渐退化而只余其形。

（F）齿

人类有乳齿、成齿之别。乳齿者，生后六七月发生；成齿者，由前者脱落后再生者也。乳齿之数二十枚，成齿之数三十二枚。人类之齿，虽不因人种而有差异，然因上下颚骨之形状，而形貌遂生差异，此不可掩之事实也。

动物分草食、肉食两种，而齿之构造亦异。如虎为肉食动物，齿分为三种；羊为草食动物，齿分为二种。前者齿以上下动而止，后者则上下左右动也。人类亦如草食动物，得自由运动其齿，且有适于肉食、草食双方之构造。

又人类之龋齿，大概野蛮人为少，开化人为多。龋齿与人文之关系，固不难推其究竟矣。

（G）颜面筋

颜面筋之研究，在人类学上颇为重要，然以人种之差异未明，不得互相比较。兹仅以人类与动物差异之点，略举于下。

动物愈在下级者，其表出感情之筋力愈钝，故发育益不完全。例如鱼、蛙、蛇等，除咀嚼筋外，无所谓颜面筋也，故鱼之外观上，不能表示其喜怒之情，蛙则以身体之膨胀表示之，蛇则以其体或头部之膨胀表示之。

鸟类之颜面筋，亦不发达，例如鸡似稍有掣动下颚之筋，其余则不过逆立其全身之羽毛而已。

进而至于哺乳动物，颜面筋之发育颇佳，其状态如何，一观察家畜（犬、猫等）之喜怒，可得其梗概矣。

次就哺乳动物中之高等者言之，如猿类，或上下其眉毛，或于其颜面示以潮红。猿之被窘于人时，或引其口角，于后眼睑少生皱裂，又每当快意时，口角少向其上掣，露微笑状。

猿之颜面筋据鲁格 Rooke 氏之报告，其筋之名称如下，即环口筋、上唇鼻上掣筋、上唇固有上掣筋、颧骨筋、下唇方筋、三角筋、颐筋、门齿筋、颊筋、眼轮匝筋、头筋是也。就眼轮匝筋之内，更有皱眉筋，筋之名称，与人类略同。然各筋之作用则异，中有具其形式而无作用者，如皱眉筋是，故猿类由眉间生皱襞者少。

人类之颜面筋，其种类如下：头部则有后头筋、前头筋；眼之周围，则有轮匝筋；鼻则有鼻筋；口围则有环筋、颊筋、上下门齿筋、上唇方形筋、颧骨筋、大齿筋、笑筋、三角筋、下唇方形筋、颐筋及阔颈筋；耳则有耳前、耳上、耳后三筋。

人类之颜面筋，何如是之发达耶？其理由虽不一而足，要不外精神机能之发育愈进，感情之种类愈繁，故表示此等之装置亦愈备。颜面筋之发生史，迄今虽未得十分证明，大概由阔颈筋而起。

反是而人类之耳筋又形退化者，其理由已如前述。

（H）手

人类则有手足，诸动物则有跖，即如高等猿类，其四肢虽与人类之手类似，自解剖学上言其构造，仍谓之足。惟猿类之足可供把握之用，故动物学者称之曰四足兽。盖人猿之足有差异者，即指之长短不同，及猿之拇指适于把握物体是也。且猿类四足之构造，虽可代手之作用，然随时直立之自由，又不如人类远矣。

人类之两足，最初决非今日之形状，后因手之活动居多，而两足又因不供把握之运用，其结果遂至退步，且因其适于直立之故，遂变为扁平，而指之长短，彼此无甚差异。因手之构造及运用之敏活，而器物制作之法，遂日趋于精进，足启国家社会之文明者，不得不推为人与猿相异之要点也。

就左右手而比较之，有左利右利之说。通览世界之人类，概属右利，然左利之人亦不少。其原因为何？据今日生理学研究之结果，则谓右利者左脑多活动，左利者右脑多活动，然何因必呈此现象耶，究属不详。

又就诸人种间之手，参考而互证之，指有长短之差，例如中国台湾之生蕃，无名指短者居多，中国其他地方人则反是。又欧洲人手之形状甚大，颇刚健，日本人则细小而柔软。

次则伴此手而显最良之结果者，如数之计算法，是也。合规今日诸人种间之示数法，除进化之二三种族外，皆以手指数之，如今日之五进法十进法之广行诸世者，全集于手指之数也。又计算法之外，如尺度等，关系于手之例证亦多。故研究人类之手，其趣味颇浓，而关系之范围亦大。

(I) 乳

人类无论男女，莫不有乳一对，乃以学者之调查，竟发见多数之乳。此事虽不获合所有人种，一一而比较之，第就欧日人所调查者如下：

（1）腋窝部副乳

（2）胸部副乳

(3) 腹部副乳

(4) 蹊鼠部副乳

(5) 阴唇部副乳

就中最多者，存在于胸部之左右者也。普通概在正乳之下部，或正乳之上部。其在蹊鼠部与阴唇部者，为最少数。

副乳之数，三、四、五、六个不等，或于正乳外，有八个副乳，悉能分泌乳汁者。以上诸种副乳，或谓男女间略有差异，或谓不有异同，又或谓野蛮人之数多，开明人之数少，均未判然。惟确实之证据，则本于父母之遗传。

如日本所调查者，其数有一个或二个以至四个者，或男女共有之，又或以女子为多，因其发育之程度不一，得分为四种。

副乳发育之程度
- (1) 仅有痕迹者
- (2) 仅有乳头者
- (3) 有乳晕而发育不良者
- (4) 乳头乳晕发育良者

又有发育成大副乳头者，比较上男子为多，女子反不完全。而欧人之实例，又与此相反，副乳概在正乳之上部。

自副乳之位置言之，以正乳为中心，在上部者左右之距离渐远，在下部者反是。又副乳之数目，欧人较日人为多。例如欧人男子，二百七人中，占百分之九，女子百四人中，占百分之四；日本男子，三千〇三十八人中，占百分之二，女子一千九百四十九人中，占百分之二。

(J) 皮肤

地球上人类之皮肤，黑、白、黄、赭、黝等色，不一而足，其理由如何？要不外表皮下之粘膜层，含有褐色素所致，因色素之多少，及在粘膜之上层，或下层，而皮肤之色，遂生浓淡。即瞳睛及毛发之色，与此亦大有关系。欧洲人之皮肤为白色，因其褐色素少也。从来白人自命为先天的之主治者，其精神、才智、理性、学艺及美术等之高尚发达，动谓惟白人是望，他之有色人种，只称奴隶，供白人役使而已。试以显微镜检查白人种，虽如珠玉之孩儿，其皮肤决非纯白，粘膜层之下层，终认有前记之褐色素。皮肤之构造，诸人种皆同，惟色素之所在为下层，或其分量少者，其色则为鲜白及淡红；所在为上层，或其分量多者，其色则为暗黝及赭褐。更进而考究之，即同一人种中，皮肤之色，与瞳睛毛发间，亦不无异同。今之所谓白人种者，可分为二种：一曰纯白种，一曰青白种。纯白种则欧洲之北部为多，欧洲之南部亚非利加之北部，及亚细亚之西部为少，亚美利加无之。昔者日耳曼种族，自以纯白种夸于世界，自今视之，实属颠倒。热国人种，不必尽属黝褐；寒国人种，不必尽属白皙。即纯粹白人居住之地，如芬兰之北方，有青白种之腊魄兰人；澳斯大利亚之南端，有黑种人；又横断赤道者为南美之热国，无黑色人种。又或属于青白之欧洲人种，一在热国，易变为褐色，而表皮终至剥落，手及颜面遂生夏斑。西班牙、葡萄牙、法兰西、意大利等国之人种，地球上任意居住，均耐其气候风土。在印度等热国之英吉利人，与德意志之纯粹子孙则多有变异。由是观之，皮肤之色，于身体康健上大有关系。黑色人种，非必见绌于白色人种也。如仍以皮肤之色，定文野强弱之差，殆一隅之见耳。

（K）臀斑

小儿之臀部，类有一种之斑，成长后遂渐灭其迹，我国及日本人，几成通例。欧人初以为黄色人种之特征，称为母斑，然黄色人种以外，如爪哇土人及壹斯基摩，具此母斑者亦复不少，即白人之间，亦不得谓绝无此例。据日本医学士足立文太郎所调查者，大略如下：

就白人之尸体七十余具，高等下等之猿类二十六匹，在显微镜下为母斑之研究。白人之母斑，其色特淡，故不得目此为人种之特征。盖母斑之现出，全基于色素之关系，与皮肤之色无异，惟特现于荐骨部不能无疑。不知人类之荐骨部，与他部较，无多色素之群集，故一有异常色素，即显露于外，而此部之母斑，自较他部为多。

（L）尾骶骨

一般之士，动谓人猿不同之一例，以尾之有无区别之，此大误也。即同属猿类，如高等之猩猩，黑猩猩，大猩猩等，均无尾者也。是则凡猿类皆有尾之说不足据矣，至主张人类绝对无尾说者，而证诸事实亦不尽然。非必谓尽人类而有之，而有与兽类之尾同性质者，如脊椎骨之下端，有突起即所谓尾骶骨者，是不过人类以前之旧形存在者也。以性质论，以实体论，与兽类之尾无异，其名称即不得不呼之曰尾。惟人类之尾，不若兽类之有毛，外面视若肉块，而内藏有数个小椎骨耳。

（M）身长

身长者乃人类学者之乐为测定者也，以此示人类之差异，尤为有趣味之事实。脱比拉尔氏类别现在之差异为四种，其表如下：

身长类别表	（一）低身（一米突六〇以下者）
	（二）高身（一米突七〇以上者）
	（三）平均以下（一米突六〇乃至六四九之间）
	（四）平均以上（一米突六五乃至六九九之间）

（一）（二）共属极端之例，普通恒属于（三）（四）。自其极端者言之，身之最高者，如南美之巴特哥利亚人 Potagonians 是；身之最低者，如中央亚非利加之住民是。然就前表四类中，列举地方的人类，普通之身低者，以印度支那为多；具平均以下之身长者，以亚细亚之大部分与南欧为多；具平均以上之身长者，在欧洲之中央；高身之人类，为北欧与南北亚美利加之一部，及颇利尼西亚（Polynesia）之住民，或耶西窝比

亚人民（Ethropians）（位于犹太之南方）。

自人类发育上言之，不无差异，就中发育最早者，如印度人是。我国人及日本人，与欧洲人较，至十五六岁时，则发育略早，此后反迟。又自男女间言之，女子较男子为早，而身长则女子之对于男子，为九三与百之比例。

日本坪井博士就世界人种之身长列为一表。

（1）巴特哥利亚人（高五尺九寸）

（2）英吉利人（高五尺六寸）

（3）法兰西人（高五尺四寸六分）

（4）中国人（高五尺三寸七分）

（5）日本人（高五尺二寸八分）

（6）澳斯大利亚土人（高五尺一寸八分）

（7）腊魄兰人（高五尺〇五分）

（8）布修曼 Bushmen 人（高四尺六寸二分）

（9）亚加 Akka 人（高四尺五寸）

（10）湾布丢 Wanbudura 人（高三尺七寸）

世界之住民，位于是表之中间者居多，且同一人民中与他人民之平均身长不等者亦复不少，故不得据此以定彼我人民之境界。

二　解剖上之事实

（A）头骨

头骨之研究，有数种方法，或以颜面角度之测定为主。其法由听道，即前齿之上部，向耳孔引一横线，外于前额与鼻下引一斜线以测其角度。准是一则察其颚骨之突出，一则察其脑之发达。其结果知野蛮人种，与猿相近，开化人种，与猿相远。

上之测定法，虽属旧式，然角度之得以数理的表示之者，其功绩亦

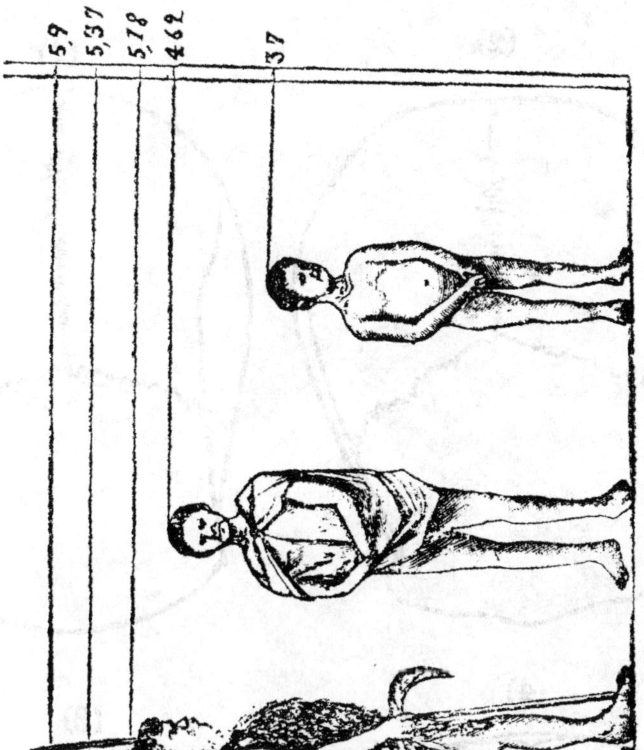
5,9
5,37
5,78
462
37

(2)

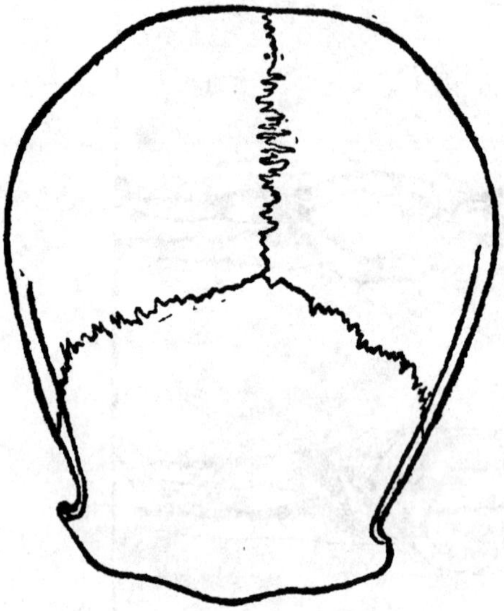

(1)

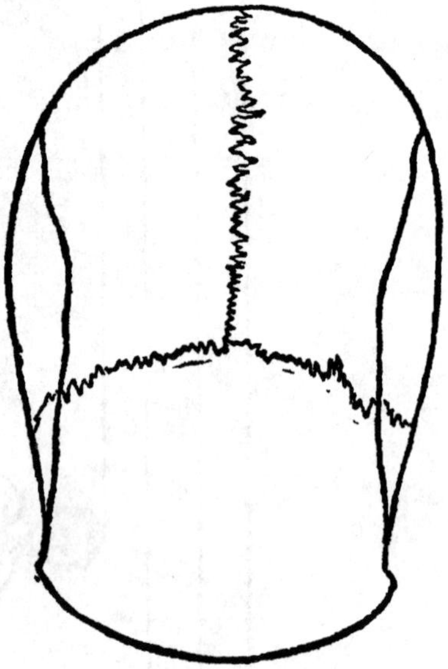

(4)

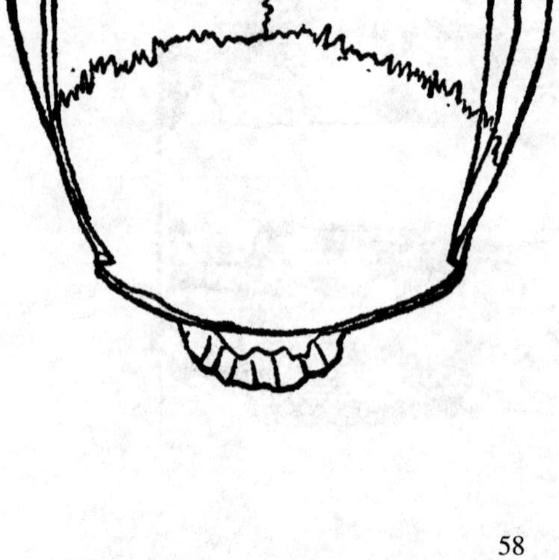

(3)

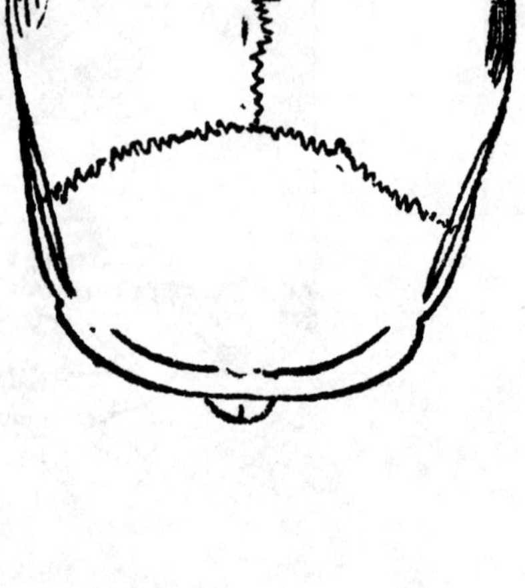

(1)

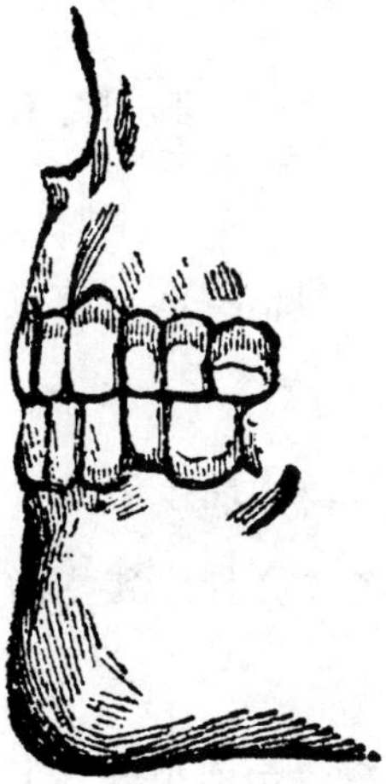

(2)

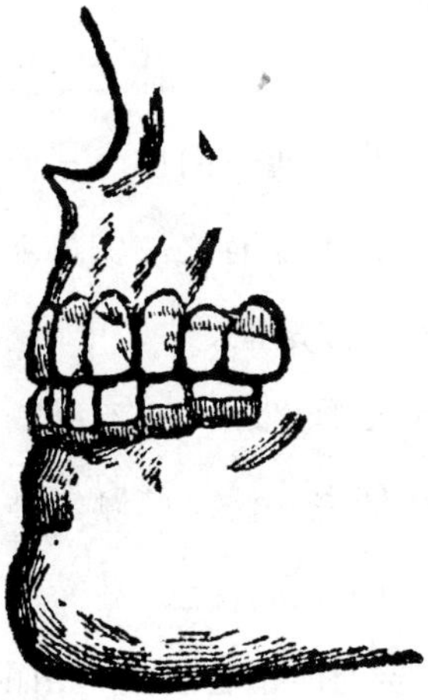

(3)

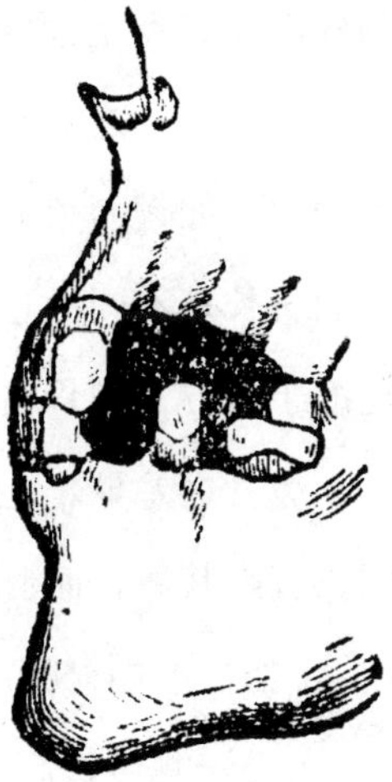

(4)

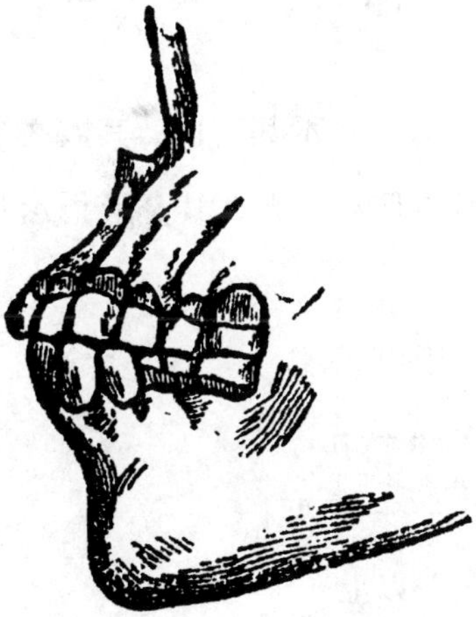

(5)

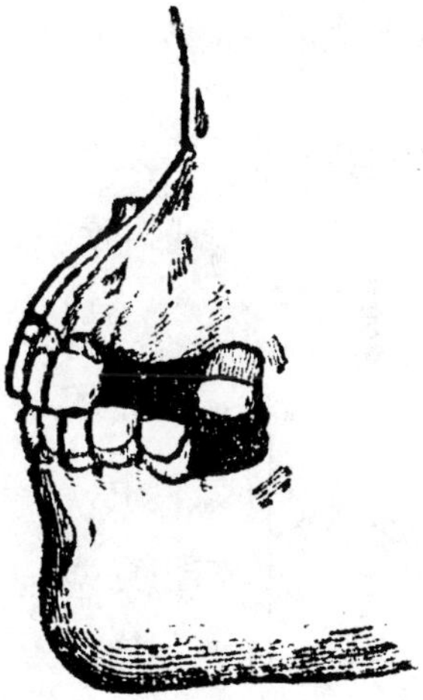

足多也。尔后人类学之鼻祖，如玻尔渑巴氏创有于眼下测定头骨广狭之新法。他之学者又以测纵横之长，定为百分比例，其法如次：测头骨之最长部，所得之数以百〇〇乘之；测其横之最宽部，依此数以除前数。

人类之头骨，其广狭大小，因人而异，一人种之间，亦生数种，上之测定法，未免无效。实则以人种间之平均数，互相比较，即以平均数为标准，终不至大生误谬。

上下颚骨之差异。　人与猿，身体之态度，虽互相酷似，其间终有差异，一如颜面角度之相差，其一例也。其所以生此差异者，缘头脑大小颚骨长短不同故也，人类中亦有之。例如亚非利加之涅枯罗等，前额遥缩于后方，颚骨突出于前方是也。

鼻骨之差异。　古代人类之鼻，固不得调查其全形，就现今诸人种间，有因其鼻骨而测定高低之一法。其测定结果，谓之“鼻骨广狭指示数”，如日本松村瞭氏即利用此法者也。

（一）**测鼻之高**（即普通所谓长之义）由前头骨之缝合至前鼻棘之上面（以测定器测其距离）。

（二）**测鼻之宽**（即鼻腔之最大径）

$$\text{鼻骨广狭指示数} = \frac{\text{鼻之最大幅径} \times 100}{\text{鼻之高}}$$

因此法得指示数之少者，即鼻之狭，且示其高也；其数之多者，即鼻之宽，且示其低也。据今日学者所得广狭之差，其鼻形指示数，大概分为四种。

鼻之分类	（一）狭鼻	四七·〇以下
	（二）中鼻	四七·一—五一·〇
	（三）宽鼻	五一·一—五八·〇
	（四）最宽鼻	五八·一以上

自此分类法视之，中国人及日本人，适与此中鼻相当。兹犹列他类于次：

壹斯基摩（四二·二是为最狭）

甲补亚人（六一·七是最宽）

日本人（四九·五）

英吉利人（四六·〇）

涅枯罗（五五·一）

澳斯大利亚土人（五六·二）

头骨之研究　人类学者所视为重要者也，兹以脱比拉尔氏，著书中揭示之图，举其人种名于次：

（一）纽赫布列颠斯（New Hebrideans）土人之头骨（与长头相当）

（二）玛喀萨斯（Magaesian）岛土人之头骨（与短头相当）

（三）由古代之坟墓发见者（与中头相当）

（四）萨摩耶安（Somæides）之头骨（与最短头相当）

就中惟（一）之指示数为七〇·四，余则不明。又今日学者一般所采用者，有下列四种：

头形之分类		
	（1）长头	七五·〇以下
	（2）中头	七五·七—七九·五
	（3）短头	八〇·〇—八五·〇
	（4）最短头	八五·一以上

头骨广狭之指示数，分为上列四种，其名称之规定，殆经千八百八十六年万国会议之结果也。

头骨研究之要点大要如下：

（一）前头缝合　前头骨，普通原无缝合，然间亦有此例者，人类与类人猿类，大概相似，至下此之哺乳动物，均存此缝合者也。

（二）鼻骨之愈合　鼻骨由二个而成，然野蛮人类，间有愈合为一个者，如涅枯罗，二十七人中，有五人如是，外如黑猩猩至二岁则愈合之，他物较此尤迟。

（三）颚间骨　哺乳动物，生上下门齿之部分，有颚间骨，人类无之，然在胎儿时代，则成同一之现象，成长后则附著不留其迹，但涅枯罗及澳斯大利亚之土人，成人中具此例者，亦复不少。

（四）颅顶间骨　此骨在颅顶骨与后头骨之间，成人无之，有之亦为少数，然在胎儿时代，与前骨无异。

（五）齿数　齿之数，普通三十二枚，然因人亦有增减，例如门齿有三枚者，后臼齿有四枚者，又或有不生后臼齿之一部者，又上段之门齿中或有缺外侧一对者。总之野蛮人之齿，较普通之定数为多。

又人种上之特征，可示其要点者如次。

（一）大后头孔之位置　大后头孔，即头骨里面之大孔也。欧人则在中央，野蛮人则在后方，他之四足动物更在前后三分之二。

（二）缝合　野蛮人曲折之度散漫，开化人则甚形密致。又纵走之线，开化人则成一直线，野蛮人则成斜形，与猿类相似。

（三）肩弓　此部分之突起，澳斯大利亚土人及欧洲先史时代之人类，特为显著。马来地方之住民反是。又突起之例，男子多而女子少。

（四）鼻骨　鼻之洼即前头骨与鼻骨之缝合，亚细亚系统之人民其洼浅，欧洲人特深，澳斯大利亚土人及达斯马尼亚人则尤深。

（五）颧骨　亚细亚系统之人民，此骨突出特大，欧人反是。

（B）骨盘

骨盘之研究，亦人类学上必要之条件也，且足以示人种之差异。涅枯罗与澳斯大利亚之土人，在人类中最认为幼稚者也，彼等之骨盘特小，殆与类人猿相似。盖人类之骨盘，大于猿类，女子尤大于男子，此不易之事实也。人与猿之所以生此差异者，人类既非若猿等之匍匐而行，又常以直立支其体重，腰部发达，为生活上所必需。女子则又因胎儿分娩之结果，故较男子为大。涅枯罗之骨盘，固较类人猿略大，然以之与世界诸人种较则甚小。

（乙）无形上之事实

（一）言语上之状态

人类学者调查人猿之类似，在探求原始时代之状态，而言语不置重焉。盖以代远年湮，言语之变化，视体格较繁故也。然形成现代诸人种而生差异者，其时代比较的近，则世界诸人种言语之大别，与人种系统有特别之关系，又为研究所必要矣。

（二）言语之分类

自古迄今行于诸人种间者，言语之种类，漫无纪载，其详不可得闻。兹示其大略于次：

言语之种类
- （1）孤立语 Isolating languages
- （2）漆著语 Agglutinative languages
- （3）屈曲语 Inflectional languages
- （4）连续语 Incarpor languages

人类之种类颇多，因之用语各异，大别之分为上四种，如步林顿氏即准此分类者也。其表如下：

言语之分类
- （1）孤立语
  - （甲）汉语　西藏语　西番语等
  - （乙）罗斛（Loot）语　西萨（Cssam）语
- （2）漆著语
  - （甲）
    - （A）颇利尼西亚语
    - （B）巴布亚（新墨内正）语
  - （乙）
    - （A）鄂尔泰语
    - （B）韩语
    - （C）日本语
- （3）连续语
  - （甲）……亚尔加的亚语
  - （乙）……土耳其语
- （4）屈曲语
  - （甲）……埃及语
  - （乙）……亚利莽（Aryan）语

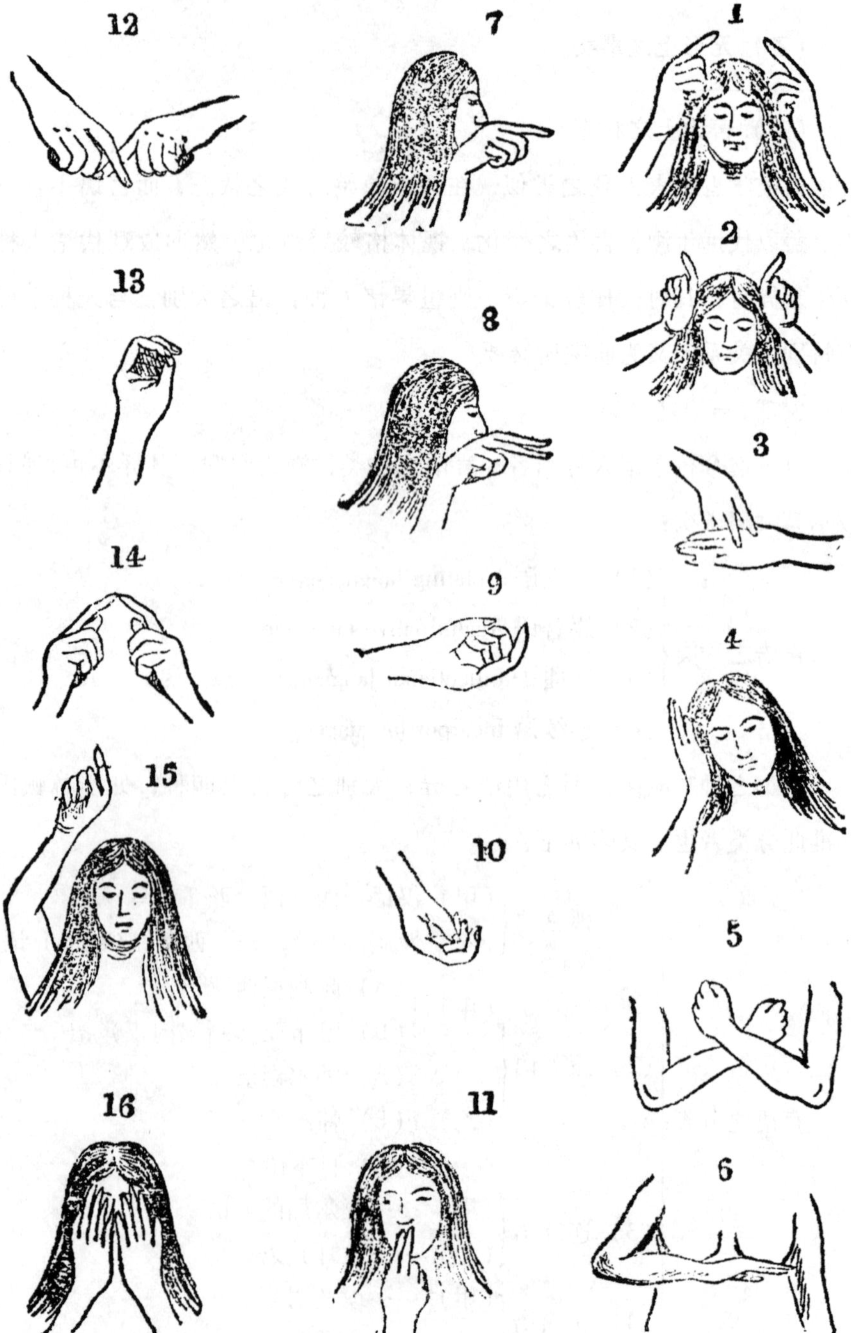
12
7
1
2
13
8
3
14
9
4
15
10
5
16
11
6

（三）人种与言语

人类者自由使用言语者也。他种动物，除因某种感情发音外，则不能表示特别之意。然原始时代之人，亦不克如今日操复杂之言语。有所谓形语者，如图乃北部亚美利加土人之形语，其起源在几百年前不可决定，而人类学者据以为形语之实例，亦最有趣味者也。

图中（1）示水牛之义。（2）指普通之野牛。彼此指之方向不同者，表示其角之状态也。（3）示乘马之意，以左手拟马，右手拟人。（4）表示死之状态。（5）爱之符号，如把腕之意。（6）表示其善。（7）表示其诚。（8）伪之义，以表示其有二舌也。（9）求己之义。（10）表示银货之意。（11）表示兄弟之意。（12）表示商业之意。（13）表示太阳为圆形，由东方渐次起于头上之义。（14）尖之义。（15）表示首长，在上之义。（16）涕泣之义。

此不过举一例而言，若合诸人种比较而综合之，其通有之点及特具之征，自复不少矣。

第五章　人类之发生

推察人类过去之经历，证之身体之比较解剖，所得之资料，既不一而足，试进而检查其发生之状态，又当如何。

凡生物个体，概由卵发生而成，自发育期以底完成期，必经多少变化。考察其渐次变化之阶级，即研究发生之谓也。由小而大，自短而长，是亦变化之一解。兹之所谓变化者，非就其程度言，乃专就其发现之性质言也。凡百生物，当发生进行之际，定例必以祖先历来之性质，于途中顺次发现。质言之伴其个体之发生，明其种族之进化是也，人类亦难逃此定例。准其现在发现之性质，推其过去经历之路程，似此规则，至为重要，特称为“生物发生之原则”。

◎生物发生之原则

生物之一个体，由卵以至完成，将生物所属之种类，自古迄今逐渐进化之程，于发生期内，反复表现之者也。（此原则乃德人生物学大家赫克尔 Haeckel 所发见，原称复现说 Recapitulation theory。复现云者，于个体发生中将其祖先种属，全体经过之径路复行表现者也。）

凡生物皆适用此原则，但当应用于个别生物之际，须有相当之心得，否则未能适合。盖个体发生之状况，及其全体进化之程序，有时不同出一辙者。其主要之原因如下：

第一　年限之差　个体生物，由卵以至完成，所费之时间，大动物亦不过十月或十二月。其种族经数千百年或亿万年间，渐次变化者，今以时间之短长计，殆无比较之可言。因之个体生物于发生期内，尽将其所属之种类，所有进化之程序，概行发现之，此不可得之势也。

第二　生活之差　个体生物发生期内之生活，与其所属之种类之生活大异。完成生物之生活，至为复杂。独立以防敌，冒险以求饵，劳动之外仍事生殖。生殖者乃维持种族之要件，旷观动物全界，有一物不经过此期（生殖期）者乎？反之在个体发生期内，外敌无须自防（鸟类则居卵壳中，兽类则居于母胎内），食物无容外取（鸟类则以卵壳内之卵黄为滋养物，兽类则直接吸取母体之血回于体内），至生殖之劳，此时更无论矣。

如上所述，“生物发生之原则”非生物个体之发生，反覆循其生物种类进化由来之径路，一无所变更，实则

（1）有躐等或中间省略者，又或

（2）有稍变其形状者。

由前之说，以极短之月日，反覆数千万年之陈迹，舍躐等与省略外，

已无他法。由后之说，生活之状态既殊，旧辙之遵循匪易，稍变易其形状，亦势所必至。如体会此旨，以推合“生物发生之原则”，庶不至拘泥而鲜通乎。

生物发生之原则匪特为生物学上之定说，施之他方面无不从同。兹就他动物之实例，证明于下：

动物之种类最多，而又为普通所习见者，莫过于节足动物，发生中之最易调查者莫如甲壳类。此类除蟹、虾外尚有同类异属者二种：一曰糠虾（Neomysis japonica Nakazawa），一曰水蚤（Daphnia morsei Ishikawa）。四者外形虽殊，而发生系统上实相联属。

第一　水蚤之发生　水蚤咸淡水均产之，为鱼饵之小动物也。体形椭圆，酷似蚤类，故有水蚤之称。产卵于水，得适当之地位，旋即发生，渐次成长。

第二　糠虾之发生　外形如虾而小，海产也。足之构造酷似蟹、虾，惟先枝分歧，是其异点。发生状态，较前种略形进步，由卵先变为幼虫，其形态与水蚤类似，成长脱皮 Moulting 是为变态 Metamorphosis，变态毕，遂与亲体同形。

第三　虾之发生　虾之发生状况，较为复杂，即由卵而成为水蚤状之幼虫，成长后即脱皮。脱出之动物，颇似糠虾，具有先枝分歧之足，后脱皮一次，始达成完全之虾。

第四　蟹之发生　蟹之发生次序，其初略与水蚤同形，次脱皮而成糠虾状，再次脱皮而变为虾状，复经三次脱皮，腹部短缩而宽在虾状时代腹部颇长，身体向内侧弯曲，始毕肖其亲。

今将此类发生联络之次序，列表于下：

（1）水蚤→卵→水蚤

（2）糠虾→卵→水蚤→糠虾

（3）虾→卵→水蚤→糠虾→虾

（4）蟹→卵→糠虾→虾→蟹

可知高等生物，由卵以底于完成，中间必将其同类之下等生物，次第经过其阶级，始与亲体同形。譬之蟹类，当其发生也，一方面表现其自己历来之路程，一方面又反覆其虾及糠虾等之故态，所谓伴其个体之发生明其种属之进化是也。“生物发生之原则”，既可证明其实例，可适应于蟹类者，即可适用于他生物。人类既为生物之一，断无独反此原则之理。若调查人类自卵以至于完成之发生状态，则数千万年来经过之阶级，渐次进化而达于今日之域者，不难推察其崖略矣。

夫个体人类之发生，最初果为何物，亦一卵耳。此卵在发生学上，称曰卵细胞 Eggcell（Ovum），或曰女性生殖细胞 Female germ-cell，乃女性体内之产物也。此细胞与男性体内射出之精细胞 Spermatozoa，或曰男性生殖细胞 Male germ-cell 相结合，而基体以立。自是由母体受取养分，次第发育，经一定时期乃由母体产出。分类学上尝别动物为卵生 Ovliporous 与胎生 Viviporous 二种，此特就其产出时之形态言也，究其原生之初，均属一卵。所异者卵生动物，将原卵产出，在母体外孵化而成；胎生动物，在母体内发育而成耳。胎生动物之卵，尝较卵生动物者小。人类之卵则尤小，以我国普通裁尺计之，长不过一分之三十分之一，若将三四十颗卵平列一直线上，尚不过分许，故欲察其一个之形态何如，非借显微镜之力不为功。

人类发生之第一期　人类发生之第一期，即所谓卵细胞与精细胞结合之时期也，以显微镜窥之，其体制构造，与他单细胞动物相等，大致为变形虫 Amoeba 状，仅具有单简的生活力，手、足、耳、目诸器官，均阙如也。据此以征之“生物发生之原则”，人类最先之元祖在不可计算之几千万年前，亦不过成变形虫之体制营变形虫之生活而于此发生第一期中反覆之也。

人类发生之第二期 卵在胎内经过变形虫状，细胞之数，渐次增多，乃变为珊瑚虫状之生物，是为发生之第二期。准之“生物发生之原则”，人类最先之元祖，亦不外有腔肠动物之构造也。

人类发生之第三期 此期颇不明了，盖以极短时限之胎内生活，与远昔一个体之外界生活，其状态迥殊。人类发生中，若干部为反覆祖先之生活状态，又若干部为适应于胎内之生活状态，颇难判然区别，故当此第三期在今日学问上尚无确实之证明。

人类发生之第四期 由第二期珊瑚虫状时代，飞过第三期之不明时代，进而为鱼类同形之构造，是即第四期也。匪独身体之构造俨若鱼形，而头之两侧有腮孔数个。腮孔为鱼类呼吸时迸水之要具，分类学上，尝列此为特征之一。而人类发生途中，既显出此等特征，是则人类之祖先，在某时代，为水中生活，一若今日之鱼类，可推测也。

人类发生之第五期 鱼类体形之次期，乃变为蛙形或蜥蜴形之构造。蛙与蜥蜴，分类学上原属异类，人类发生之途中，变化之进行颇速，蛙形偶现，旋即蜥蜴，其阶级连续之紧逼，有不容判为两期者，故便宜上并此二者变态之时代，称曰第五期。

人类发生之第六期 此期渐进高等，体制近似兽类，臀部有尾，一呈犬、猫等胎儿之观。倘取出与兽类并列，孰为人类，孰为兽类，遽难识别。是则人类远古之祖先，在某时代，具有与兽类同形之身体构造，又可推测也。

人类发生之第七期 此期之胎儿，征之头部尾部，显与兽类有别，惟当注意者此时尚不得为完全变态，何也？人类胎儿，本母体内之生活，普通须满九月，自卵发达而至于第七期，仅月余之变化耳，后此八阅月，始行发达人类之构造，即脑髓之表面凸凹现矣，手足前端之指趾分矣，阴部之襞褶雌雄判矣。迨全体发育完竣，将离母体而出，始成为今日人类之状态。

人类发生中反覆其祖先进化之涂径，只限于最初之一月间，已如上所述。而其所经过各种类动物之时代，如变形虫，如鱼，如蛙与蜥蜴，谓之与彼等之状相似则可，认为与彼等之生活全同则又非也。约言之模型相似，而大小长短不等；要点相近，而特征个性实相远也。兹若以人类之发生简单言之，大要如下：

第一期　变形虫状

第二期　珊瑚虫状

第三期　不确实

第四期　鱼类状

第五期　蛙及蜥蜴状

第六期　兽类状

第七期　现在人类

如上表所示，自变形虫状之时期，循序渐进，至经过第六期后，始现出人形，无论何人检之，皆得认为人类之胎儿。至以前所经过各种动物之形态，殆就昔时彼等之祖先而言，并非就现在者之变形虫、珊瑚虫、鱼类、蛙与蜥蜴、犬与猫等言之也。现在生存之种类，按之动物系统树图，一一与其梢相当。人类由卵发生，以至成形，经过七大时期，准此以推察远古，人类之祖先，次第进化之路径。此一时也，为此种之身体，彼一时也，为彼种之身体，并非谓由系统树图之梢，舍此移彼，殆由树之根而大枝而中枝而小枝以进于梢，有共同之进路也。以是知现世生存之动物，无论何种，可认为当人类之祖先者，一未曾有，不过在远古祖先体制之模型，与现在之种类比较之，略相仿佛云尔。世人不察，辄谓今日之猿类，即人之祖先，略治生物学者，必斥其谬。惟相当人猿同祖之动物，果使生存于今日，则以其近似猿类之点，较近似人类者居多，分类学上则以之编入猿类可矣。又人类祖先中某时代曾具有鱼类之腮，已如前所述。所谓某时代者，亦今日之鱼与人类同祖之时代也。今日之鱼类与系统树中之细梢相当，该时代即与其大枝相当，由大枝而分若干之中枝，中枝之中，某枝渐次进化而为鲤为鲋，某枝更渐次进化而为人类。谓今日之鱼类在昔与人类共同祖先则可，谓现在之鲤若鲋等，与从来人类之祖先为同类则不可。果使人类与鱼类同祖之动物，犹生存于今日，则以体制酷似鱼类，而与人类一致之点尚少，则分类学上当以此编入鱼类。由此类推，更追溯远古之祖先，或为珊瑚虫时代，或为变形虫时代，亦止于现在生存之种类，在某时代与彼等之祖先为一源耳。如误会今日之珊瑚虫或变形虫等，即与我人类之祖先为同一，则惑之甚者也。

第六章　人类之化石

人类既由数千亿万年之远，渐次进化，逮有今日，则人类祖先之骨骼，已成化石以埋存于旧地层中，不待论矣。果于旧地层中，发现化石，得证明何者为人类之祖先，人类殆由此渐次进化而来，是则人类学上最有价值之事矣。第证之实际，化石之为数尚少，人类姑置之，即验之各种生物，其死后遗为化石者，其中有万分之一，或千万分之一，尚在不可知之数。是欲就人类之现状，考其过去，一一将标本陈列，按之实物，述其变迁，与人人以确信，其势有所不能。

化石在地层中，比较的稀少，其故安在？动物中如犬猫如牛马，生殖较繁，死者遗其骨骼，理也，乃掘地以求之，此类骨骼之成为化石者，仍不获多觏。盖动物之遗体，经风雨侵蚀后，其肉固腐朽不留片影，即坚硬之长骨，亦易成为碎粉，代远年湮，仅求之化石已不可得矣。例如日本房州馆山之公园，十数年前曾以鲸鱼之头骨，建一纪念碑，高达二丈，资极洁白，至为美观。未几经风雨侵蚀，易为黑色，藓苔丛生，全形摧削，卒至塌圮，今日已不留其迹。夫既重以纪念碑，经人力之保存也可知，乃卒不免于消灭，则他生物死后之自消自灭抑何足异。然则所谓化石得留遗至于今日以待人考究者，必具有条件如下：第一该物体必落于水中者也。即有例外终居少数。盖水底泥沙，逐日沉积，沉下之动物体，渐被覆压，受泥沙之保护，免外界风雨之患。积之既久，其泥沙亦渐次固结而为岩石，动物之骨骼，遂埋于岩石中，所谓化石者此也。陆生动物之骸骨，在陆上直接成化石者，尚无此例，有之必别有原因，或偶以失足堕于川，或洪水为灾漂流以入于海。故自古迄今陆生动物其数不堪毛举，而化石则卒不可多得，其有经人类之保存于博物馆者，又不过化石中一小部分耳。今日调查所得，已发见化石者，首在欧罗巴，次则亚美利加，又次则亚细亚之一小部分，余洲尚付阙如。故认为化石以供人类之研究者，亦不过一小部分，以是而欲详察动物有生以来之实迹，诚戛戛乎其难。至人类之化石，非特较他动物尤少，且皆为新生地层中所发见者，证据亦不甚确凿。于此欲专就人类之化石，而察其进化之经过，恐未能吻合。无已，惟先就动物之全体研究之，按其化石之变迁，察其变相之由来，爰据所得之事实，以推及人类。人类之化石虽少，以是供参考对证之资，亦事实上所必要者也。至若动物之化石，自古迄今，其变化如何递述于次。

现出化石之地层，不论其所在何地，均以当时水底之沉砂，渐凝结而成岩石者为限，此类岩石谓之水成岩 Aqueous Sedimentary rock。水成岩之成因，既由水底之沉砂渐次叠压而成，细检其内容，见含有若干动物之化石。化石之种类，因水成岩之层列而异者，何也？生成之时纪不同故也。水成岩之时代，一如人类之历史，可分别言之。即水成岩最古层之一代，称为原始时代 Primeval Era，次则称为古生代 Paleozoic Era，又次则称为中生代 Mesozoic Era，其后则称为新生代 Cenozoic Era，新生代之次期，即现代也。现代地层中，虽不无动物骨骼之发见，然在学问上不得称为化石。化石云者，指现代以前之动物遗骸而言，生于现代之动物，遗骸虽已变为石，亦不得以化石名之；反之现代以前之动物遗骸，虽未变为石，亦得以化石名之。

含有化石之水成岩，按其生成时期之次序，分为四代，已如上所述。此不过举其大者而言，细分之仍有二十余纪，兹从略，仅分述四时代如下：

第一　原始时代　此代之水成岩，其层厚，其质坚，全体构造，与后数期迥殊。盖以岩石生成之年代，其最古者必居最下层，后来者叠居其上，积累之层多，则压力大，压力大则热生，因压与热两种之作用，而水成岩之质变矣。岩石之实质既变，则深藏于岩石中之化石，势必与之俱变，故由此时代发见化石，且确认其为何物者，未之前闻。

第二　古生代　岩石层亦厚，中含有生物之化石颇夥。欧美博物馆中，自古生代岩石掘出之化石，星罗棋布，目不暇赏，若检查其种类，求其与现代之生物相似者，绝不可得。化石中最高等者为鱼类，位于鱼类之上者如兽类，及蛇、蛙等动物之化石，竟至不获一种。所谓鱼者，与今日普通鱼类中之鲤、鲋、鲷、鲣等相比较，其性质状态相去悬绝，或被坚甲，或附巨铠，谛视之乃知其为鱼类也。植物之化石，若木贼、若土笔、若羊齿、若蕨，与今日之草本迥异，大有及数抱者。

第三　中生代　此代动物之化石，蜥蜴居最高等，其形态伟大，种类复杂，非今日之蜥蜴类所能拟及。陆生之种类，如 Atlantosanrus 北美所发见者。身长九尺有奇。海生之种类，如 Ichthyosaurus 及 Pteranodon，视今日之鲸尤巨。二种亦为北美所发见。又或以后足著地，前足上举，如澳洲产大袋鼠 Kangaroo 之形状者有之；或又以前足变为翼飞翔空中，如南美产之公佗鹫 Condor 者有之；此外奇形怪状，不可殚述。要之中生代之蜥蜴类，可称极盛，与今日吾人所习见者，其种类之多寡，及其体格之大小，概无比拟之价值也。植物之化石，则概属松、柏、杉、桧等类，如今日之被子植物具有奇丽之花卉者，未之见也。即就松、杉论，其大亦非今日之松、杉可与等伦。

第四　新生代　其化石概属于高等之兽类，种类数目，视今日生存者尤夥；身体外形，视今日生存者尤大。如今日陆生动物最大者莫过于象，乃新生代中有所谓 Dinotherium 者，只一头骨，殆六尺有奇。最猛者莫过于虎，乃新生代中有所谓 Machaerodus 者，其牙修可尺半。又若鹿类，两角左右之距离，竟至丈余，其体躯之伟大，可想见矣。又彼等化石之产地，分布极广，即蕞尔小都，时搜集化石无算。某化石学家在希腊某处采有骆驼、麒麟、野猪、狮、象等化石各二十余种。据言该地面积，仅千八百方步耳，而化石已若是之多，则昔日种类之繁盛可知也。若夫蜥蜴之化石，至此则大形减少。

第五　即现代也　现代之生物，与今日所习见者无异，自无备述之必要。

然则人类之祖先，在原始时代，究为何物，虽直接不能证明，按生物全体进化之路程，比较而互证之，则古生代之祖先，或为鱼类，或在鱼类以下，中生代之祖先，或为蜥蜴或在蜥蜴以下，驯至近生代，祖先之为祖先，亦不过一兽形耳。惟兽形之种类颇多，人类之祖先，原始之形状若何，以势度之，决非如 Dinotherium 之伟大也，又决非如 Machaerodus 之暴横也。易言之，其身体比较小也，其性质比较弱也。虽关于此等问题，尚复有种种议论，而证佐不确，已无讨论之价值。但举一例而言，新生代一名第三纪（以原始代既不含有化石故略之），此纪中无人类化石之可见，固为不可掩之事实，而疑其有人类者，正复不少，何也？谓其有石器之存在也。然就其实物察之，石器极形粗劣，尚未能断定为人类之祖先所手造，或为急流所冲激，致岩石之互相磨碎而成，亦未可知。既不能确认此石器为人类之手造品，即不能证明新生代已有人类之存在。

人类真确之化石，现于何时，即新生代之次现代是也。现代又分为前后二期，后期即本期，前期特称为第四纪。人类之化石，即自第四纪发现者也。发现之度数，迄今只十次，产地仅十一二所，检出之化石，完全无缺者极稀，或仅颚骨，或仅鼻齿，或头骨之一部，或肢骨之破片。汇集十一二所，所发见之化石，可分为二类：一为第四纪之新时代，一为第四纪之中叶较旧之时代。其属在旧时之化石，概为近年所发见，极不完全。一九〇七年德国之海埕尔别尔（Heidelberg）附近，掘出下颚骨之化石，与今日人类之下颚大异。今日人类之下颚，必有突出之部分，此化石则缺之。其全形恰与猿类之颚骨相似，然齿之构造，纯乎人也。又于英国掘出之头骨，乃人类最古之化石也，一见而知其为人骨，第与现在之人类，终有差异，最著明者，头骨特小。据此二种化石，已足证明人类逐日渐变之理，往古之人类，决非同今日之人类也。

此后掘出之化石，自德意志、法兰西、比利时、澳斯大利亚各国所发见者仍有头骨、上颚骨、下颚骨、脊椎骨各种，执此等化石与今人之骨骼相参考，不无岐异。即头部狭小，眉下之骨，向前突出，颚则兼人猿二者而有之，又脊椎骨之曲度，较今人特大。据此可证明昔时人类，不能直立，趾骨之长，略同兽类，又可证明昔时之人类，手足不分。

关于人类化石之知识，今日搜集所得，大概类是。以此少数之遗迹，推定过去之全史，罣漏殊多，然综合新旧化石察之，当时之人类为立于人猿中间之动物也无疑。准是以推，人类某时代之祖先，确属于猿类，迨逐渐进化，某时代六分为猿，四分为人，次则人猿参平，驯进于八分为人，二分为猿，终企于现代人类之全形。又据近年南美之报告，新得一种，经详细之考察，产出之时代，颇难了解，能否命名化石，尚属疑问，姑略之。此外可供研究之资料者，即前三年在非洲发见之人类化石，其人为德国柏林大学地质学教授，因调查地质，偶然发见人类之化石，当电告于伦敦《泰晤士（*Times*）报》，究为人类之某种骨骼，尚待详考。

统计发见人类之化石，前后约十二三次，所得有限，准是以推察人类之过去，材料未足，实不足论全体。要之人类者，经多少年代次第渐进以底于今日者也。就人类化石而论，其化石愈新者，愈与今日之人类近似，否则与猿类近似，故人猿同祖之说，愈赖以证明矣。

关于猿人问题，而又有所论争者，递述于次。距今约六十年前，德国之度斯尔独 Dusseldort 市附近，名涅闇埑尔塔尔 Neandertual 地方，发见一头骨。此骨与今日之人类大异，头盖部小，眉部突出，毋宁谓与猿类之头骨相近。

当时学者见解各异，或谓近于猿之人类，或目为人与猿之间子。然有名之病理学者威尔朽（Rudalb Virchow）则断为畸形者之头骨，不具者之遗骨也。因是学者之论辨，顿归沉静，无异天与之材料，视同废物弃之矣。虽然，真理未出，而证明事实之材料，终或表而出之。忽由比利时之斯摆发见一个头骨，又由枯罗亚暹掘出八个头骨，与前之涅闇埑尔塔尔所得之头骨无异，威尔朽氏所判为畸形之头骨，其说渐破矣。

近顷学者愈为注意，皆认为极有趣味之问题。距今十余年前荷兰之狄博士（Dr. Eugene Dudois）受本国政府之命，由千八百九十年至千八百九十五年，在爪哇探究脊椎动物之遗迹，不图于赤领尼尔掘得头骨一具，腿骨一枚，齿两枚。此四物者非得之于同地，亦非得之于同时，惟皆属于同一之地层中，且彼此相去不过寻丈。得此后二年，狄氏送往荷兰雷敦市之万国动物学会，且以此为发见人兽环连之过渡物。证明此头骨之容积，为九百或九百五十立方生的米突，其程度适在最高级之猿人，及旧石器时代最下级之中间物。因最下级猿人之脑量，为六百立方生的米突，最高级者则为一千二百立方生的米突也。眉棱甚高而有威，额盖甚削，想见其生前之容态甚凶恶，两齿之形势亦介乎猿齿人齿之间，腿骨密近于人，然较弯曲，且重量则较人骨为倍。雷敦会场中，因此问题乃生狂热之竞争，相持甚久，最后公举十二专门名家，共相评定。有三人定此为古世异状之人类，三人则定为已灭绝之猿人，其余六人皆如狄博士之意，目为猿人，及野蛮间过渡之人类也。后指为异状人类之三人其中倡首者，则为最与天演学理为敌之孚久教授。孚氏前一年在奥国维也纳之人类学会，悍然告人曰：如其可指人类为渊源于猿，则吾亦随意指之为渊源于象！故断此爪哇人骨以为异状之人类者，殆归于病理上之问题，其人之赋形偶异者也。然近日德国有名之著作家霍内斯氏则谓孚氏之所指，全属谬论。后五年至千八百九十九年，又经十八名家所论定，评此头盖，只三人目之为猿类，九人则断之为最初之人类，六人则仍指为猿与人之中间物。霍内斯博士则归结其说曰：既经多数名家之审定，可指为猿人，可指为最初之人，又可指为猿与人之中间物，以此遗骸断之为猿与人之中间物，夫复奚疑。自是世人习称此物，皆曰此为爪哇直行之猿人。此等半猿半人之体状，据天演之学理，自当置之于人类之先，然迄今尚未人之于人类祖系之中者，因恐此为人类前枝分之一族。彼特演进而具有似人之资格，中途又遭遇他故，致久已灭绝者也。惟此骨足以见重，一则可见其在猿人之上，有较高级之体构；一则在生民未有之初，借此始显人类之风味。故近日有名之博物院，若伦敦博物学陈列院，王家外科学校陈列室等，模此遗骨，皆直置之于人类之间。

四骨在数月之间，赓续而掘获，果否属于一人，此非重要之问题，惟四骨出于同一之地层中，吾人必当注意。如其果如狄博士所言，四骨皆在第三级之最新层，则时期将推而至于甚远。或则力辨此骨所在之地层，系经迁移而杂入，并非其本来埋迹之处，又有为地质学上之检查者，且言得此四骨之地层，实属于第四纪，故四骨之形状，自无不许为较古，至其时代之断定，尚有待于讨论。一千九百六年德国曾遣搜探队更往赤岭尼尔搜掘，所得材料甚多，正在悉心检验，经此一大研究，必当更有定评也。而且用此孤证，欲造一广大之理论，尚有一要点，不可尽忘。即脑量者，虽小族聚居，往往互有差异，必尽一族之所有，取其平均之数，然后可取此数为一族之代表。故旧石器时代之脑量标准，即广集旧石器时代之头盖，得其中数而定。虽古世一族人之头盖，决不若时世之愈趋晚近，即同族间亦生差异，此证诸旧石器时代之头盖而可知。若爪哇猿人之同族，彼此之头盖，愈相接近，以平均计数之推量，决不可不视为造论之要点。今日所得者，仅有个人之遗体，与寻常之人迹，皆相离绝，而必贸然定之曰，似此个人，其所隶之同族，其形状皆当如此，未免过于武断矣。

然对此遗骨，吾人又未尝不悠然神往，想见古世印度洋中已沉之大陆，似此猿人者，尝游行出没于其间。观其腿骨，猜想其物，当为五尺稍修之高度，虽其骨之弧度甚著，显留其祖宗四肢并行之遗迹。然此物必已植立甚稳，由头盖与齿牙，凝思其状貌，当在猿人及澳洲土人之间，必为一棱角分明之兽面，眉骨高耸，额盖内削，齿形粗突，牙床厚大，下颚敛缩，筋肉偾起。又必生有浓厚之发，覆盖于头顶，显证其脑力郁发之被阻。似此猿人之状态，证天演家之理论，其位置当在第三纪之末造。因狐、猿之出现于第三纪之始新层，猿则发生于中新层，则猿人必属于最新层。至第四纪初期之冰纪层，遂有旧石器之蛮族。以中新层人猿之化石，与冰纪层野蛮族之遗骸相比较，猿人适居其中。盖人类演进史中，曾断定人类之大进步，即始于直立。直立之生物，初出现于何地，则谢为不知。博士凯恒氏曾欲搜索于印度洋之边岸，以古世人迹初生之大陆，共证为已没于洋海之底也。即如四种类人猿，如黑猩猩，如大猩猩，如猩猩，如长臂猿，由此而欧而亚而非，欧产虽灭绝，非亚两境则其种尚繁，而独不生于美洲，此即从没入洋海之大陆，就近分布之一证。然则爪哇之直立人骨，适然而搜获，岂不可谓又增一信条乎？惟此等之推想，又为下文之论点所纷错。

所谓纷错之论点者，则舍人类之骸骨，而旁及其遗器。其最启人论争者，即法国教士蒲下叙于一千八百六十七年曾取得第三纪之石器，陈列于万国人类学会一事是也。当时陈列于会中者，皆裂有网形之细纹，其文必由加热而成，大约先置火中，裂为细片。今世即有数种蛮族，制作石器，皆用此法。又蒲氏所得之石器，多半仅削其缘边，制作之粗略不必论，而皆得之于第三纪中新层之石层中。所得之地，则为巴黎西南之屯内城，掘地十六尺而得。其时则棕榈之树，繁植于法兰西之北境，而鳄鱼则游泳于其川。自蒲氏之石器方出，而论争即起，迄今虽为时已过四十余年，而是非未决，犹如昔日。专门名家如苏奇，如穆提来，皆许为确系第三纪人类所手制，更有若干大著作家，则全然否认，然大部分之学者，则皆阙疑以待他证。

又蒲下叙氏之外，以第三纪之石器见告者，正不乏人，尝于葡萄牙之乌达村亦在第三纪之石层中，得有石器。穆提来等数人，皆许此为适当之工作，为中新层上部之人类所为，大多数人则反对穆氏等之说。又匹古尼市第三纪石层中所得之石器，全与乌达相同，承认之者则为凯恒、为黎图、为克拉奇、为穆提来等之若干人。同时于非洲于印度于全欧之各部，又获若干石器，亦经凯氏等之承认，指为最古石器时代之遗器。

最古石器时代之命名，犹云前此旧石器时代，第三纪即赅括其内也。据遗器为论断，其艰困之状，自不待言。因就一方面而论，澳洲达斯马尼亚岛已灭之蛮族，明明为级度较高之种类，然彼所作之石器，决未能趋过于最古石器时代人类所制造者也。又就一方面而论，有多数著作家，皆言今日所指为最古石器时代之石器，往往有天然剥裂之石，颇与形似。即此两方面之淆杂，已觉圆满精细之确论，犹有所待。虽今日普通之意见，皆以为人类之踪迹，或可远追于第三纪之末叶，然此时之人智如何微弱，必未有手制之遗器可供论证也。

第三纪之石层中，往往遇有割裂难辨之异骨。近日美国之嘉利福尼省得有头盖与他骨，亦称为第三纪之人类。最近于南美又有之，然过问之者殊少。

石器之奇证，有在法国赉萃尔所得最古石器，谓得之于第三纪渐新层之中，约计年载，当去今四五百万年。诸器之中，已有石刀及穿穴之具。又在法国南境澳利拉得有最古石器，亦谓出于第三纪之中新层，此类广漠无涯之推求，最热心者为比国之黎图氏。黎氏为有名之最古石器家，亦即比国古物学家之领袖，特彼之所指论，殊与种种学术，皆不相调和。故附和之者，亦只引其说以备参考，而排斥之者，仍不留余地。

然最古石器之搜求，与夫辩护者之坚劲，尤莫过于英伦之哈利孙氏。昔在伦敦东南庚德省之霭站得有石器若干，次其种类，合为一组，证为最初人类所制作。复于庚德之北部掘获石器，其面布满砂砾，亦决为最初人类所使用。其工作粗劣，似未经用意斫削，合于人智幼稚之状态。细辨各石，有为当时之饰品，有为刮物穿穴之具，或则粗斫其边而成棱。最可异者，此等同形之石，得之于庚德者复得之于庚德东北之安瑞格省，及西南之铎赛德省，且不惟英伦得之也，而比利时、法兰西、德意志、非洲、印度，均得有与此同形之物。今虽不能穷状此等石器之形质，一一加以详判，然一造于伦敦博物学陈列院，则必见有千百此等之石器，一一加以说明之标签，皆指为正当之最古石器。题此签者，乃为此学名家之丕斯瑞。当哈利孙之发见品，初献于学界，大半不肯见信，而丕氏则首以哈说为有据，且证明庚德诸石器所在之地层，亘于高原者，殆由二千五百尺之峻岭，以无量数之年载，坍塌而成，故以地质学上之状况为断，此等石器，必为甚古。惟丕氏之说，亦有信有不信，当若博士凯恒，古物学大家劳卜克、兰开斯图诸人，皆左袒哈丕；又有大著作家，若史弥兹等者，均反驳不遗余力者也。虽倭凡斯氏为反对党之首领，于一千九百二年，曾告人曰：哈利孙氏之重要发见品，得于庚德省白垩层之上，关于年龄与性质，重使我等之概念，为之变易。然倭氏卒持其故见，排斥哈氏之说以至于死。

于最近数年中英伦之最古石器派，稍占优胜，因续有多数著作家出而扶持。一千九百八年十二月朔，史曲宰教授与皮佛氏于英伦大市曼哲斯达之文学哲理学会，读其意见书，力言最古石器之有补于人类学。于是拔克摩博士，又大索于铎赛德省之地层中。谈此学者之兴会，为之大增，即笃旧之士，如文德璐博士者，亦能笃信于最古石器之有据，且言最古石器时代，即当定为第三纪之最新层。大陆之学者，如穆提来、如黎图、如克拉奇、如斯庆甫诸家，皆起而与文博士之说相应和。惟德法多数之巨手，均不认第三纪有人为之品物，仍不过以为人类之出见，或可追溯于第三纪而已。

要而言之，第三纪之人迹，尚未有不可驳之实证，徒以旷代之名家，若凯恒、劳卜克，若兰开斯图，若黎图，若穆提来，若克拉奇，若苏奇等于英伦，于法兰西，于比利时，于西班牙，于意大利，有严重之评定，故又决不能不保存众说，以待解决于方来。

况如诸家所论载，用以游想于世界普通之演进，则又未尝无可永之神味。向闻第三纪之中新层，欧洲之气候，半近于热带。今日之论争，以为第三纪实有人迹，将见彼时之英伦，尚与法境相联接，而为大陆之半岛，棕榈之树密布于英南与法北。此时所谓人者，或竟初离其猱树而居之故习，强能以后肢直立而行，而用前肢若手。则彼初用之器械，必为折枝而成之木器，或则拾天然之石块，相与抛掷。木质易腐，是最古之木器，自必无久存之理。及直立既久，相传已无量数代。当人类第二纪之演进，取其常掷之石块，略加选择，击而斫之，为棱为尖，以广其用，则又出于智力发展之不可以自已。如其直立而在中新层，则斫石为器，即可断为最新层。如其有嫌今日所指最新层之石器，过于粗劣，则更无病于置对，因有人曾往澳洲达斯马尼亚岛，曾见有往古土人之遗器矣。抑或不必远至澳洲，但就近于缅甸西南海中，登安达曼群岛而观其野蛮人之用具，当见二十世纪人类之治石法，尚同此粗劣。

如上文之推想为不谬，则最新层之时代必有一种人类戴其脑盖倍于类人猿，半于澳洲土人，常在英伦，南边与法境相接之小溪上，往来游行，怡悦于适宜之天时，与河马兕虎，常升高涉水而相嬉。迨子孙又传无量数代，不知因若何现象，天气渐变而渐冷，欧洲之北境，将成为冰原，于是棕榈之树，与热带之兽，皆转而南徙。此时之人智，尚未有御寒之意识，自不得不随禽兽草木为进退。盖当中新层之末造，在地球极北之处，始积冰流而下注。其时欧境未有所觉也，迨最新层则冰流益趋而南，始屏逐人物之踪迹。至于第四纪之晓光已动，北欧与北美，皆积冰至五六千尺之高，于是成为冰纪层之时期。

从化石学考察人类之元始，可证明其结果者，即表现于始新世哺乳兽类中之半猿类是也。由此分为二枝，一则发展而为类人猿，一则发展而为人类。彼头盖骨及四肢之骨骼，位于此二者之中间，有所谓 Pithecanthropus 者，殆将成人类，而途中消灭之一侧枝也。

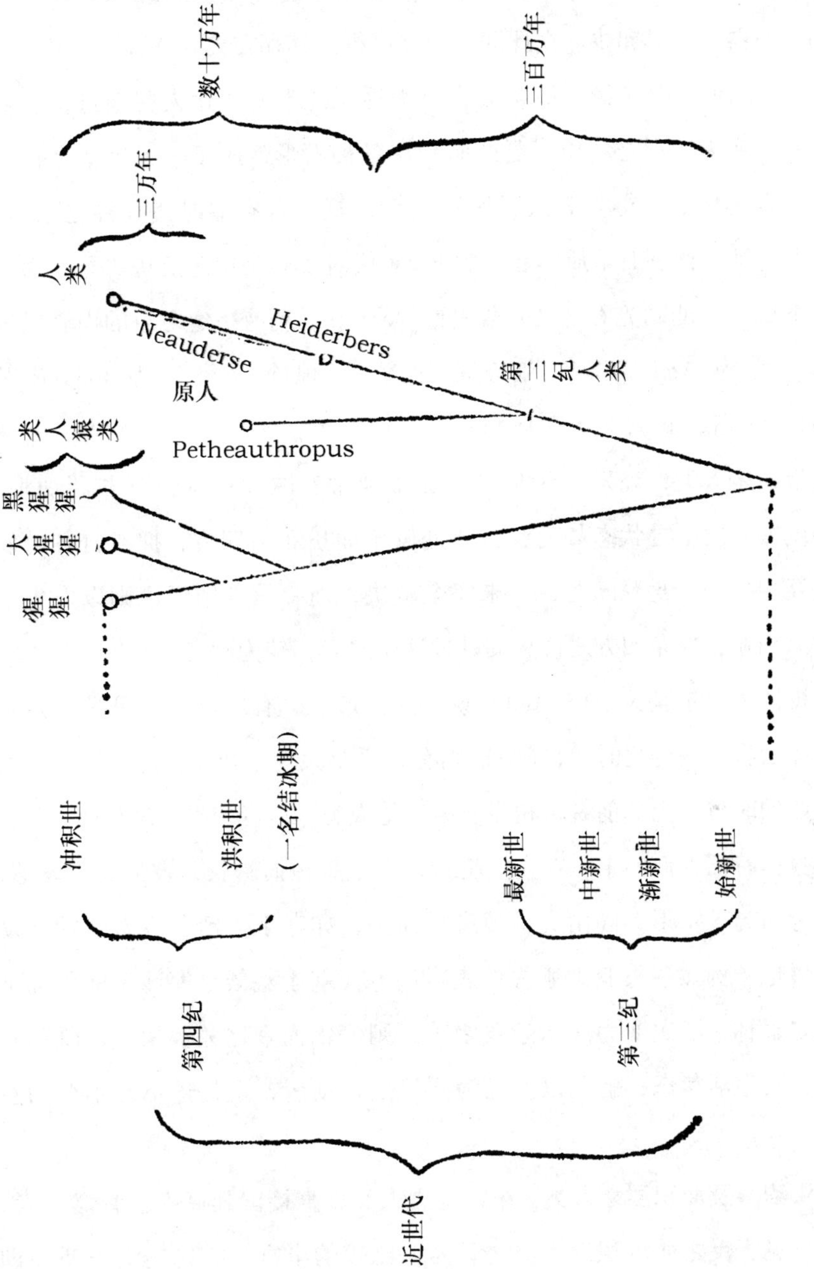
数十万年
三百万年
三万年
人类
Heiderbers
Neauderse
原人
第三纪人类
类人猿类
Petheauthropus
黑猩猩
大猩猩
猩猩
冲积世
洪积世
（一名结冰期）
最新世
中新世
渐新世
始新世
第四纪
第三纪
近世代

人类地质时代编年表

第三纪有人类之生存其直接之证据（即骨骼），虽未经发见，而人类所用之石器，发见弗少，据此即可间接以推测其存在矣。

考石器使用之次第，最初似为猿类适用之器具，迨人智渐进，应名之形状，变为特别之利用，更进而利用各种石形，应于个人生活之目的假人工以变化之，得与天然石区别之者，复参考石器时代人种之技术，益信而有征。比利时地质学者卢脱 Rutot 氏对于有利用之痕迹之石，而称为 Eolithe（文明曙光石之义）魏窝窿 Verworn，谓有一定之目的而施以细工者，称为 Archäslithe（细工石之义）。现今之可认为 Eolithe 及 Archäslithe 者，此例正复不少。

最初之人类，究发生于何处？亚细亚耶？欧罗巴耶？亚非利加耶？或印度耶？发生之状态如何？自此处发生而扩布诸四方，抑或自各处发生而互相接触。此等问题，尚未完全解决，而综核各家学说则以发生于中央亚细亚，扩布四方之说，其种种证明之点，较为确实。

据博士亚尔脱氏（Dr. Aldt）说，人类形成，有二阶级，即（一）则有身体的特征获得之时代，（一）则有言语及火食之智识，进于高等文明之原始的时代是也。前者略相当于第三纪人类，后者相当于洪积期人类。

身体特征者何？第一在直立步行，因之腕短而脚长，臀部筋肉发达，脊椎弯曲为 S 字形，固由类人猿进化而来，亦存于生活条件自然的变动之结果也。例如中央亚细亚之地表隆起，实基于气候之寒冷，前此郁郁繁茂之森林，渐次变为灌木杂草之野，则攀木而登之人类祖先，既已不能维持其生活状态，前此以四足为同等之运动者，至是遂不能不变为直立。

洪积层及冲积层之人类　第三纪之人类，直接留其痕迹（骨骼）者，既难概见，反之而洪积期人类之骨骼，比较的丰富。兹先述洪积期（即结冰时代）于次：

结冰时代末期人类之生活状态

结冰时代之光景

如前表所揭，续于第三纪者，为第四纪，分为洪积期与冲积期。其在洪积期也，北半球之气候寒冷，大部分以冰河覆之，故名结冰时代。次则冲积期，气候温暖之时期也。终则至于现代。第三纪第四纪之间，原无明确之境界线，乃如是区别之者，不过为研究上便利计耳。

地球之两极，犹覆以千古之冰田。某极地探险者，航海中曾遇有长十海里高百十尺之浮冰。以冰与海水之比重言之，如有八分之七，在水面下，则此浮冰之高，实达于七百七十尺。以此溶解之，旧大陆之住民，每日各用饮水一桶者，足供给二十二年又三月。乃此等浮冰，不过北极冰田之一破片，其全体之广大，可想见矣。且结冰时代，尤为洪大，如英国达米斯 Thames 河以北，全被没于其下，德国之莱茵 Rhine 河口及哈疵 Harz 山亦然。亚细亚则延及于堪察加 Kamtchatka 半岛、乌浒 Oxus 河及贝加尔 Barkal 湖北美则没及于坎拿大 Canada 全土，以至阿海呵 Ohio 州。

宾枯氏以结冰时代，大别为四。各时代之间有间冰期 Interglacialzeit，比较的气候温和之时代也。故于间冰期有各种生物繁荣者，得于相当之地层中，以察其生物之痕迹。

际此时代而称为全盛者，即哺乳动物是也。如旧象、犀等之厚皮类，随冰河之一进一退，徬徨于南北。又如狮子、豹、象、河马之暖地动物，一时有栖息于欧洲南部之形迹。

十九世纪之初，西伯利亚利那（Lena）河口，发见象之一种，名 Mammath，被冰雪拥之，其皮肉之新鲜，似屠杀后经数日者，胃中并含有桧之绿叶。西伯利亚地方所出之象牙，多与现今之象牙异者，即此 Mammath 之牙也。现今动物园之象，每日所需之食物，尚如此其甚，况较此尤大之 Mammath，当其群生时代，所需之食物，又当如何耶？故观此巨象之遗骸，而当时植物繁茂之状态，从可知矣。

原始人类之容貌，及其生活状态。 如前所述，一八五六年（距今六十年前）德国之度斯尔市附近，发见一原始的头骨，因其在涅闇垤尔塔尔所发见，遂认为涅闇垤尔塔尔人种，因存于洪积期，故名为洪积期人类。后休哇尔别教授，又与以原始人类 Homo primigenius 之学名，综合发见之骨骼，而附加以想像之皮肉。所谓原始人类者，大概具下列之状态。

头盖骨低及脑之容积小，可知智识发达之程度，尚形幼稚；鼻低而幅宽；眼窝之上缘，非常隆起，盖为保护其凸眼也；下颚骨之颐较小，可知言语能力，尚未完全发达，仍有待貌之表示 Mimissche Bewegung 与身之表示 Pantsmische Bewegung 以补充之者。试观诸今日野蛮人之现象，历历可征，盖非此不能传达其意志也。

又于枯拉比那发见原始人类之旁，有炭与灰及灶类之痕迹，并发见烧有痕迹之人骨，可知原始人类，已知火之使用，且推及当时已有食人之风 Kanifaliseuus。

火及言语之起源

又亚尔脱博士所谓人类发展之第二阶级者为何，即火之使用与言语是也。前者为石器时代移于金属时代之导火线，后者为社会生活之连锁，且每代相积次第渐开其智识者也。二者皆为文明现象构成之要素，兹述其起源于下：

据旅客报告，谓通过亚非利加蛮地时，彼等曾在森林中焚火，去后而周围之猿，亦相集而来炙火，但无添薪之智识，薪尽火消，即散于四方，是则知火之用法者，实以人类为嚆矢。

人类之用火始于何时，虽难确定，然洪积期之中顷，既认有使用之痕迹，其发见或犹远在第三纪也。

发见之原因维何，在今日固多设想之辞，约言之恐不出下列四种之外。

（一）原始人类之石器，燧石为多，击之发火，其旁或偶有易燃之物，引而附之。（二）或因落雷而山中发火。（三）或木与木摩擦而生火（例如桧）。（四）或因钻木而取火。

至火食之法，缘何而起？或谓当山中发火时，以偶尔烧死之兽肉为起因，或谓燧人氏，钻燧教人以火食。总之火食者，乃人类非常之幸福，亦进化之一大原因也。

言语何自而生，此又经多数哲学者、心理学者、言语学者、共同研究之问题也。据浑特 Wundt 氏所研究者，大体分为四种：

第一发明说 Erfindungstheorie，谓由奇特之人，或神之考究而出者也。此正与人类创造说同，在今日已无讨论之价值。

第二模仿说 Nachahmungstheorie，凡属语言，概由已经知觉之事物模仿而生，先与事物有直接之关系，乃有此发声运动 Artikulationsbewegung。

第三自然音说 Naturlanttheorie，卢梭 Rousseau 谓猿人之言语，获得之状态，如孩儿之片言时代，知此一二语渐次发展者也。然孩儿之片言，依乎遗传，发声气官之构造，亦与有力，且周围已有善于言语之社会与之相接，自与原始人类获来之言语，未可一概论也。

第四奇迹说 Wundertheorie，即音声与意味之间，认有声音模仿，声音变化，声音类推之关系是也。然此等不过表明言语之具体的特性，补助之手段也，而言语之起源，究未详加以说明。

对于以上诸说，又有所谓发展说 Entwicklungstheorie 者。有言语与无言语之时代，固难区别，要之伴意识之发达，乃次第发展言语，此不掩之事实也。何则？如感情涌现于脑，非表现于外不止，然则现于面耶抑现于全体耶？既有时主于貌之表示，即有时主于身之表示，因此表情运动之一部，而发声运动以起。次因仅以同一之声音，仍不足达其意志，遂发各种声音，以成某言语（至今未开化之蛮人，犹有以身之振动表示其意思者，然终难完全达出）。

古代人种之兴亡

涅闇垤尔塔尔人种，约三十三万年间，生息于结冰时代之大部者也，对于天候及动物界，有不息之奋斗。证之古拉其 Graches 教授所云，此原始人类，亦动物中之一，善循应乎外界，文明之程度虽低，然具有我辈未有之特征，得以繁荣于当时之世界。较此智力稍发达者，即澳利枯拉枯 Aurignaemenschheit 人种是也。涅闇垤尔塔尔则一部分已归绝灭，一部分与之混合，终至绝迹于地球上矣。

据一九〇九年贺泽尔 Hauseri 氏所发见之骨骼，多有共通之点，然终与涅闇垤尔塔尔人种迥异，由多数学者判定，遂命为澳利枯拉枯人种 Homo Aurignacensis Hauseri。其头盖骨既已发达，可表示其智力之进步也；其颐之突起亦已发达，可表示其言语能力之进步也；第三臼齿与他臼齿较小，可推测其火食之程度也（现今之人类称第三臼齿为智齿，此齿甚小）。其四肢长而直，不似涅闇垤尔塔尔人种之短而曲，体之外部，并可想像其有著明之须髯。澳利枯拉枯人种，与涅闇垤尔塔尔人种，精神方面，亦有特别之差异，盖彼等遗留之器具，已具有美术之萌芽也。

一九〇八年在澳斯大利亚之威连脱夫（Willendorf）发见之遗物，仿造一中年胖女。全体以有孔性之石灰制成者，而乳房、腹部、上腿部等，特表出女性的特征。

彼等住屋之壁，画有巨象、野马、野牛等物，骨制之用具，亦画有人与动物之姿势。

试观其以角或鸟之管骨造出之笛，可知其已有音乐之倾向也。其器具刻有三角形或十字形之符号，表示其所有权，是即后世之家纹，或文字之滥觞也。又遗物之中往往发见大针，可知当时已有以毛皮制作衣服之证。

至从事战斗，其在近距离者，大概用斧，至远距离之战斗，则进而用弓矢或枪械。此人种既与洪积期初期之涅闇垤尔塔尔人种并存中顷驱逐之或一部，混合之而变为枯罗玛利 Kuromannon 人种。

据卜罗喀 Broca 所云，身体精神的两方面，均已进于高等，再进一步，即蕲进于新文明之域矣。所不可解者，随冰之后退，即渐次不留其影。或谓追驯鹿之后而移于北方，或谓为北欧长头人种之祖先，均不过一想像辞耳。

以上洪积层时代，谓之旧石器时代，次则名冲积层时代，即新石器时代也。

远溯一万年，乃至一万四千年之遥，虽属低级人种，而耕作、牧畜、陶工、金属细工等事，已备文明之基础。此间发展，必需悠久之岁月，有史以前之推定年月，因人而大有差异，其确实认为第三纪人类之遗物者，为堪达哈尔 Kandhara 之石器，乃四十万乃至四百万年以前之遗物也。就结冰时代十五万乃至百万年之继续者推定之，结冰期以后，又经过二万乃至五万年之岁月。是等年月之久，计算颇难，改为世代计之，若百年变为三代，十万年则三千代，百万年则三万代也。但以此数字计算，则定形之器具制作，及其组织的使用，人文之发达，最初经如何困难，始由此迂远之径路而来，一比较观之，未免叹其迟缓。且研究有史以前之人类发达，其材料多限于欧罗巴，故研究之结果，专示欧罗巴人类发展之径路。同时世界中他部分之人种，亦取同一之径路耶，是不过一种之推测而已。

埃及人去今六千年以前，已了然金属之调制工作。南德意志，在纪元前二千年，欧洲之北部，在千六七百年，始入青铜时代。哥仑布

Columbus 发见亚美利加大陆时，多数土人，居于石器时代之中央。即今南海诸岛亚细亚极北之人种中，仍有以石器为唯一之武器者。据是以推想于太古之遥，而人种文明之迟速，不能索解人矣。

有史以前冲积层之人类

结冰时代之终，冰雪融解，冰田之南界，次第而移诸北，致动物生活之条件，遂来一大变动。或归灭绝，或移住于北方，人类之生活法，亦次第变更。学者乃征种种遗物，区分三期，即新石器时代，青铜器时代及铁器时代是也。新石器时代之遗物，最著名者，即瑞西之杙（短柱）工事也。自一八五三年冬，迄翌年春，欧洲罹从来未有之旱魃，瑞西国之苏黎世 Zurich 州，湖水涸竭，有自古未传之古杙，次第现于水面。古物学者，乃探其水底，发见种种器具，及动物之遗迹，外仍研究他湖，乃知有石器时代，青铜器时代，铁器时代之区别矣。

据恺尔列尔 Kerler 氏说，因上古冰田之渐次减缩，草木繁茂，禽兽蕃殖，渐以郁苍之森林，覆于地面，而石器时代之人类，遂移居于此，或从事牧畜，以饲养牛、马、羊、犬，或猎山渔水，又或知稼穑之法，以繁殖谷类。据此等家畜及植物，关联于亚细亚及埃及者推考之，此等人种，或即由亚细亚移居者也。又察其杙工事之大，既已成大部落，其人口约得千二三百人。再观西部瑞西之杙工事，殆经青铜器时代，而达铁器时代之初期者也。东部瑞西异是，似金属发明后，不久即消灭也。

至近世除瑞西之外，若奥、若意、若法、若德、若英，继续发见杙工事者，亦复不少。

丁抹及其附属岛之东海岸，在海面上约有十呎如堤之小丘，高三尺乃至十尺，长一千尺，宽二千尺。上有无数之介壳，盖上古人类，取食牡蛎及其他种贝类，而遗弃其壳于此。介壳之外，又杂有粗制之石器、土器及鸟类鱼类之骨，但家畜之骨则未发现。虽四时聚居于斯，至今日仍未见有居宅之痕迹，以树木之枝叶，作为小屋，或张兽皮以为大幕寄居其下欤。

瑞西杙工事于石器部分以外，仍得区分为青铜器及铁器之部分，详言之，即青铜器时代之前，仍有极短之铜器时代，次则移于较长之青铜时代，又次则移于铁器时代。在北欧固可以区别此三时代，但青铜之流行，则由北以进于南，铁器之流行，则由南以进于北。

据亚利葬 Aryan 人种所传述，及博物学者之研究，上古有一种民族由西亚细亚之山国而起，蔓延于南欧，即伊别利亚 Iberian 与里格利亚 Liguria 人是也。伊别利亚人种，蔓延于意大利、西班牙、法兰西之南部。纯粹之种，现居于比利涅 Pyrenus 山麓者，乃不过巴斯枯 Besgus 族。因其与亚非利加北海太古人种之一部分相似，其初或涉基布罗佗（Gibraltar）海峡而来（在西班牙南方之海角），但此等人种，渐次被亚利葬人种排斥而丧其国土。

欧洲人种之消长如是，今日之主要民族，如何由内部亚细亚开展之耶，所考之证据如下：

较第三纪人类尤古，近于类人猿之种属者，假称为原始人 Protanthropus，由此出而与欧洲之第三纪人类为平行枝者，即扩于南方印度之总发族。一支族与多数之印度式动物，远渡于亚非利加，形成最古式之亚加 Akka（Akkan）族及其族缘，如荷添脱妥 Hattentate（德领西南部亚非利加）乃特别遂其发达者，一时充满于亚非利加，更延于伊别利亚 Iberian 半岛，及南方法兰西，以形成伊别利亚族。黑人种者，非出于荷添脱妥，乃直接出于亚加族者也。总发族之支队，东走于印度以及马来半岛。澳洲达斯马利亚 Tasmania 以形成巴布亚 Papua 族，其技术并原始石器而弗逮。巴布亚由第三纪人类而生，受威答涟 Weddenlen 第二之民族压迫者也。

自第三纪人类而出者，西方于欧罗巴，则有涅闇垤尔塔尔人种，同时东北亦分一大支族，最初之痕迹，于倭奴 Aiun（Aino）见之，此外复有前佗罗比达 Drovida 族出，遂驱逐威答涟种族。

或以澳洲族 Austratier 属于佗罗比达族，毋宁谓其属于威答涟，或直接出于第三纪人类为适当。佗罗比达族，共由前佗罗比达族而出，达于后印度者，即原马来人种 Urmalaien 也。后又以蒙古人种杂于马来人种，亚美利加人种，与涅闇垤尔塔尔人种为平行枝。前佗罗比达之一支族，有蒙古人种 Magolen 吸收倭奴缘族，早移住于北方亚细亚。一派为匈奴 Huns 族，延及北部欧罗巴，匈奴族及土耳其族之扩布，其历史颇久；一派走于南方，与原马来人种共形成马来人种；又一派流于亚美利加，被流冰遮断，现出固有之亚美利加印度人型。同时西走于欧洲者，为亚利莽人种，他一族与黑人交混以形成奴比尔 Nubier。以此等系统示之，列表如右。

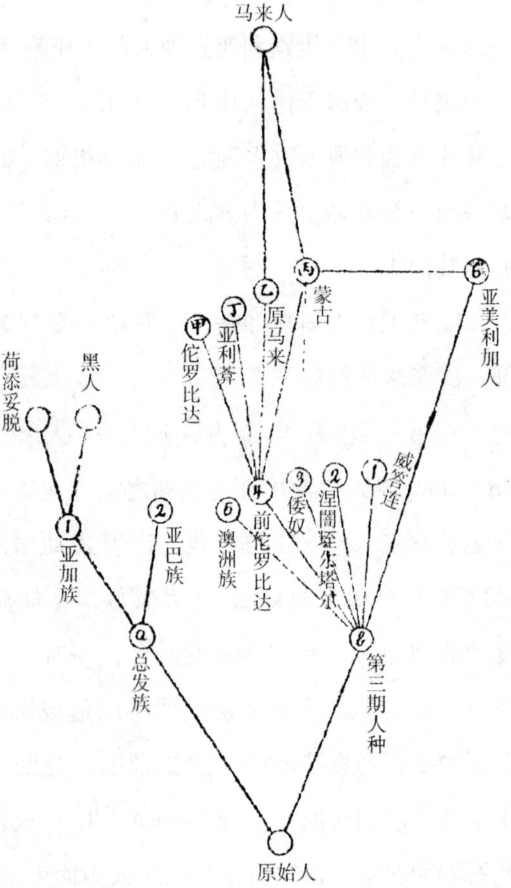

第七章　人类心理性之进化

关于人类心理性之起源及发达，目进化上观之，约分为三大学派。

（甲）唯物的学派。　进化论未起以前，德、法、英诸国之唱唯物论者，以物质之微分子，为宇宙之究极物，人类之思想、感情、身体、神经等，莫非原因于微分子之理化学的作用，就中以属于脑髓者为尤著。彼等以达尔文之进化论，援助己说，进化云者，无所谓灵魂，无所谓生命力，所谓心理的现象，正可以唯物论说明之也。盖灵魂与生命力之谓，原起于科学尚未进步，未开时代之一种迷想，今日所主张者，凡属心理的现象，不过脑髓之微分子运动之附属的现象而已。属于此派者，如斯脱拉斯 Strause、赫克尔 Hacckel、阿斯喀 Osker、士密妥 Schmidt 等是。

（乙）心理性进化派。　确信人类之体，由动物之体进化而来，人类之心，亦由动物之心进化而来。盖人类之心之性质及价值，非因其起源决定之，乃因现在之实状决定之也。起源即甚劣等，而现在之状态，已进于高等，且将来发达之程度，正未可量。欲研究人类之心理性如何由动物之心理性而起，其方法有二：（一）曰理论的方法，（一）曰观察的方法。就中以观察尤为切要，苟注意于微末，而人类之心与动物之心之类似点，无难发见，其结果即属最劣等之动物，有类于人类之心理作用者，洵非鲜也。如喜怒、如记忆、如联想，各种之心理作用，皆无难择例于动物，据此等事实，以证明人类之心，由动物之心进化而来。主张是说者，如达尔文 Darwin、罗马涅斯 Romanes 等是。

（丙）心理性注入派。　注入 Involution 云者，对于发展（进化）Evolution 而言。发展云者，由内而渐向外发之意，例如卵发展而为雏，以潜伏于卵内者发现于外。注入适与此相反，即在内之潜力，由外注入之谓，非由外入，即无所发现。人类之体，由动物之体进化而来，固无异议，人类之心，殆被加于动物之心，发达而为灵敏的永久的者也。加入即注入之义。主张是说者，如英之哇列斯 Wallace，德之涅蒙脱 Du Bois Raymond 及士密妥 Schmidt，法之阔达筏基 Quatrefages 等是。

当初倡进化论时，只就体而言，关于心理性之进化，持论特少。自（乙）与（丙）二学派发生后，关于心理之起源及进步，其议论遂日出不穷。兹述其最著者如下。

（一）达尔文之见解 达尔文于其自著之《种之起源》尚未以自然淘汰说，推勘于人类，仅于其末章略置数语，谓“此种自然淘汰说，对于人类之起源及历史，或可稍与以光明”。后之读此书者，于此简单文字，不无误解。或谓达尔文之说，以人类之地位，与动物同，以致大起反对。或谓达尔文之所谓自然淘汰者，只能行之于动物界，而不能行之于人类界，盖人类之起源，全异于动物之起源也。或又谓人类之体，纵令因自然淘汰，由动物进化而来，而人类之心及心之所有知力德力，决非由动物进化，乃神之特别赋与者也。如有名动物学者窝温 Owen 之演说，“猿类与人类之体，虽有极相类似之点，而人类脑髓之组织，究相去悬绝”云云，是其证也。

达尔文研究人类与他动物心理性之比较，为时最早，如一八七一年出版之《人类之由来》*Descent of Man* 即研究之结果也。此书分二部，第一部关于人类之知识及感情，以之与动物比较，证明事实，颇饶趣味。第二部《雌雄淘汰说》，即《种之起源》之补遗也。据云现在之人类与他动物之知的脑力，虽大有差异，细察之动物之中，有发见人类之萌芽者矣。现在人类之脑力所发表者，或有一二种不能尽求之于动物，然合多数人观之，某人种亦有缺及此者，反求之动物之中，有酷似人类之性情者，岂鲜也哉。如苦痛、喜怒、爱恶、嫉妒、复雠、忍耐、勇气、好奇等之感情，以及注意、记忆、想像、辨识、判断、选择、模拟等之能性皆是也。言语为人类所独有，动物则以音响互相交通，某种高等动物，并了解人类之言语，以上皆达尔文著《人类之由来》中所论述者也。其结论犹谓高等动物与野蛮人，差异虽多，究非根本之差，乃程度之差耳。至谓概念及道德心等，全为人类所独有，凡此皆谓之发达之智力之偶然的结果，其智力所由发达者，言语使用之结果也。（据达氏之说，人类之言语，始于猿类时代，使用之而智力随之发达，至进化于高等人类，乃造成比较的完全之言语，因盛行使用之结果，而高等智力遂增。）

一八七三年达尔文出第三之进化论书，即 *The Expression of the Emotions in Man and Animals*《动物与人类感情之表现》，谓感情之表现，因筋肉与神经组织而然。哺乳动物之筋肉及神经组织，殆与人类无异，感情亦然，但赤面之点，人类有之，动物则否。此盖因耻辱或忸怩之感情，间接影响于支配血液流行之神经者也。是书之结论，人类所认为感情的表现者，无一非由动物之逐次进化而来。达尔文之主张虽如是，而进化之程序及原因则未加详，间亦论及动物或人类某种进化之性质，例如感受性、推理性等，由生活上利益推想，因生存竞争，由下等移进于高等。其或有非生存竞争上所必要者，例如羽毛之美，声音之美，是又因雌雄淘汰之结果而起者也。

（二）赫胥黎 Huxley 之见解　盖反对窝温 Owen 之说者也。赫氏据比较研究之事实，主张人猿同祖说，后以数回之演说，缀成一书，即《自然界中人类之位置》*The Place of Man in Nature* 是也。此书谓人类脑髓与猿类脑髓之差异，除大与重量外，无甚区别，第加有注释，“将来或因两者脑髓之大与重量甚有差异，而彼此之智力遂殊”，“抑或两者脑髓之组织已有差异，今日科学之力，尚未能发见及此”。赫氏虽认有两者之智力大有差异，然自其议论之大体言之，只注重两者之类似点，而差异点则不甚措意。是非独赫氏为然，外此之主张进化论者亦复如是，殆当时学说上自然之趋势耳。

又谓人类与猿类之差异，在言语力，言语力惟人类所独有，其理安在，骤难强解。因有此力，而各种心理的现象自生。关乎此力之有无，而人类与猿类之悬隔益远，以今日人类之文明进步与猿类较，直谓之有无穷之差异也可。

自赫胥黎之人猿同类说出，大为宗教学者、哲学者、伦理学者所惊异，致引起纷纷议论，盛行猿人之比较研究。而进化论者，益热心探索于人类之心理性由猿类之心理性逐渐发达之径路，搜集许多之珍异材料，愈引起吾人之注意。所谓比较心理学者，遂乘时而起，至今日关于此类之著作，日出靡穷。凡欲研究人类之心理作用，则不得不研究比较心理学及脑髓之组织。

（三）斯宾塞 Spencer 之见解 据斯宾塞之论，所有现象之本源，在直接或间接之究竟实在，即哲学之真正出发点也。然所谓究竟实在，终为吾人所不能识，故称之为不可识者较为适当。

可识者

多数之现象，吾人得以识之，即谓之可识者。可识者之间，多有类同点与相异点，由此异同点观之，所有现象得分为生生的现象与隐微的现象二种。前者属于客观世界，后者属于主观世界。生生界得形成一有联络之世界，其联络日坚，终不得而分离之。隐微界毫不影响于生生界，然或至某程度，得平衡于生生界。

进化及退散

凡物由不可见界出现而来，初为萌芽时代，由是而成长而完全，更由是而退化而消弱，终于解散复归于不可见界。欲知一物之历史，非研究其完全之径路不可。其物之自始而达于完全之径路，谓之进化；自完全而归于原来之径路，谓之退散。进化与退散两作用，互相反对。退散者取消进化之作用者也，进化者非必先立于退散，退散者亦非必次于进化，两作用同时动作于一物之中者有之。易言之仅一方之作用有动作者转少，大概合两方共同动作者也。是则进化欤抑退散欤？因两作用之平均而定者也，知此即可论斯宾塞所谓进化之定义。

> 进化云者，物质之凝结，与伴此运动之分散。此间物质，无所谓结合与调合，因同式状态，定为结合调和之异式状态，并保存此间之运动，而遂其平衡之变化者也。

如上所述，进化有二种变化，同时表现，即物质愈形凝结，同时运动而渐致分散。惟定义中略形费解者，即“此间物质，无所谓结合与调合，因同式状态定为结合调合之异式状态”数语。试一探索之，或谓物质之最初，混沌无定形，无微分子之结合，乃不调合之同一状态也。由是凝结而为分子，为星云，为太阳系，为万物，取一定之形，均以调合而进于复杂之义，因此定义得知宇宙之所以然，即进化之始，为分散于不平均之物质与势力。此后物质凝结，形成各种形状，所有势力，益见分散而渐求平均，至全数平均运动静止时，即进化之终也。故自一方言之，势力平均者，而物质愈不平均也。

生命及心之起源

关于生命及心之起源，其臆说有二，即特别创造说与进化说是。由前之说，则凡有机体之各种，乃造物之分别创造者也，是非独为思考所不及，并陷于论理学上之难点，且缺断定之证据。由后之说，今日活动吾人目前之势力，昔日亦曾活动之，经多少阶级，渐次变化以成今日多数之种类者也。虽未说明进化之原因，究不似特别创造说，陷于论理学之难点，且断定之证据亦多，故优于前说。

地球之进化，自根本上考察之，原因于太阳之势力。植物之生命，不过因太阳之势力，变化而出，动物之生命亦然，即最劣等之物理的形式，经吾人视察所弗及之多数阶级，驯至于最高等动物生命之形式。是故心理的势力，直谓之已经变化之物理的势力可也，如运动、热、光及化学上之所谓亲和力等，皆得互相变化。不第此也，感觉与感情、思想等，亦缘势力之交换，得以变化者也。

（四）赫克尔 Haeckel 之见解 赫克尔之宇宙观，乃一元的，普通之宗教家及哲学家之宇宙观，概二元的。彼之所谓一元论者，与一般之哲学家、宗教家，以及唯心论者，一神论者之所谓万有之本源，可作一观。所有现象，皆由此一之本源而出之说，颇异其性质。据彼所见，曰物质，曰心灵，无所谓基础，强立此区别者谬也，二者不过实在物之二方面而已。实在物云者，有物质即有心灵也。普通之唯物论者，凡属心理的现象，皆物质作用之所产，凡属物质的现象，皆心灵作用之发现。是说也，实为二元论，真正之一元哲学，所谓物质与心灵之区别，非根本上否认之不可。盖彼之所谓“一元论学者，无势力之物质，或无物质之势力，均非所知”。合之诗人哥的 Goethe（德之大诗家）所云物质者无心灵、无存在、无活动，即心灵者无物质、无存在、无活动数语，不啻为代表一元论而发也。

关于人类身体之起源之见解

赫氏于一八七四年著*Anthropogenie*一书，该书唯一之目的，在证明人类之身体，全由动物进化而来。其证明之方法，约分二种：第一据比较胎生学，第二据比较解剖学。先以一个人，由单细胞以至成人，其成长之径路，多示以精细之图画，以此与他动物成长之径路相比较以示其类似点。又据比较解剖学，举人类之主要器官及其运动与他动物之类似点，以推论人类，由前世界之类人猿进化而来，断定“人体器官中无一非由类人猿遗传而来”。

*Anthropogenie*之频博高调者，即所谓复现说（Recapitulation Theory）是也。谓一个动物由单细胞达于成长之径路，该动物必复现其由几万年前之祖先进化至现在之状态之径路，是即赫氏有名之根本的生成律也。但赫氏以前已有此说之暗示，彼频主张是说，又举多贤之实例，故博得一般学者所承认也。如达尔文、赫胥黎、罗马涅斯等之进化论者，亦以赫氏之说，有拥护进化论之功绩，故其名益传。

关于人类灵魂之起源之见解

自赫克尔之一元论，以说明人类之灵魂，又当如何？赫克尔有曰“灵魂云者，不过系人类之物质的基底，一种之势力也”，即人类之灵魂其性质上与物理的势力为同一者也。磁石力、化合力、蒸气力等，若与生物界所发现之势力，同视为活物，则所谓物理的势力，与生物的势力，及人类思考之势力之区别，不过单简复杂之程度异耳。人类思考之势力，特为密致，分析之不能实见其活动状态，物理的势力之性质固易信其有异，实非异也。吾人若研究人类灵魂之由来，必先即哺乳动物灵魂之由来，比较而研究之。人体即由同种类之动物进化而来，灵魂何独不然？动物灵魂之种类实多，就中或无脑髓，甚至无神经而仍有灵魂者。

又据赫克尔所云，胎盘动物 Placentalia 中最下者，如懒兽 Sloth，如犰狳 Armadillo，最高等者如犬如猿如人，高等下等智力之差异，视胎盘动物与有袋动物 Marsupialin 智力之差异犹多；人类与犬类智力之差异，视犬与下等动物智力之差异犹少。据生理学之研究，人类与他动物，其灵魂与神经及脑髓之关系，无甚差异。人类之灵魂，乃神经与脑髓作用之产物，伴此等器官发达者也。此等器官，由下等哺乳动物及无脊椎动物发达而来，而灵魂亦即由此等动物发达者也。

对于赫克尔说之批评

（1）就赫克尔之著书，浏览一过，独断的见解颇多，而实举其断定之证据与理由者极少。例如胎生发达之状态，以图画表示人类之始于单细胞以至成人之径路，复以之与他动物成长之径路相比较，其精妙实属可惊。似此微妙之状态，决非以支配木、石、水、火等死物之微分子之势力及法则，可以说明者也。仅据吾人所识之固形体、流动体、气体之元素及性质，说明动物之起源尚不足，而况于人乎。然赫克尔之主张，以是等死物，说明生物界微妙现象之原因者屡见矣，而又不举其证明，是谓之独断学说可也。

（2）赫克尔乃发生学之专门家也，立说之新，绘图之巧，固能使一般人士，了然易辨，第对于画之真实与否，不能无疑。一八七七年德国乌疵卜尔枯 Würzburg 大学某教授，对于赫克尔说，曾指摘而评论之，然当时学者，尚未注意。近顷德国布拉斯教授极意评论赫克尔之主张，及图画说明，发现之缺点颇多。例如胎生画，某时为犬之胎生，某时为鸡之胎生，乃用为鼷鼠之胎生。赫克尔乃著名学者，研究动物之发生，主张复现说（Recapitulation Theory）之最力者也，似此误谬，未免损其价值。二三年间，此种评论，日即蔓延，今日有欧美之眼光者，对于赫克尔之胎生学，暂有堕其信用之倾向。

（3）赫克尔近更著一书，题曰《宇宙之谜》。前年柏林大学教授玻尔珍博士，批评此书，谓世界学者，无论如何购读，如何尊重，而我国国民之一般教育，对此极不满意。

（4）反对赫克尔说者，谓赫克尔之知识学说，不过反覆于第十九世纪间（自六十年至八十年）之学说而已，近来所倡之隔离说，器官淘汰说，异常变化说，俱未了解。据是等新说，大概否认亲之得有点遗传于子之说。乃赫克尔 *Anthropogenie* 之最后版，即一九〇三年所出之第五版，有曰“得有点之遗传，为生物学上最重要之现象，盖经数千之经验，证明为进化论必要之基础也”。

（5）赫克尔之名著 *Anthropogenie* 仅研究人类之生理的器官而止，人类之心理性，及其心理的现象，概未加以研究。故关于感觉、意识、苦乐之感情，思考之能力，理性、道德性、宗教性等，一无何等之言论。易言之，此书仅限于肉体人类之研究，无所谓灵魂人类之研究也。

（6）要之赫克尔自第十九世纪之六十年迄八十年间，兴起进化论，大有功绩之人。惟以前之进化论，为通俗的说明，且附以朴素之哲学说，虽自称其哲学为一元论，实不外唯物论也。但进化论与唯物论，非有存亡相依之关系，即令否定赫克尔之唯物论，同时并无否定进化论之理由。

（五）哇列斯 Wallace 之见解　哇列斯关于进化论，及他种问题，有益之著作颇多。一八七一年，著有《自然淘汰说》最负盛名，堪与达尔文之《种之起源》比肩。后于一八八九年复出一书，就达氏所倡之进化论修正之，仅据适者生存之事实，以说明进化，而达氏所倡之雌雄淘汰说则否认之，最后一章，人类进化之问题比较的陈说颇详。哇列斯又于一九○○年著《人类在宇宙之位置》，一九○五年作《自传》，并著有《可惊之世纪》，一九一一年著《生命之世界》。其主旨在表明究极者之创造力，与宇宙支配之心，及万有之究竟目的也。似此卓然名著，俾生物界之形形色色，均提供以新知识，从有神论之见地以解释其意义，读者极表欢迎，遂引起天下之注意。匪独对于赫克尔之唯物的进化论，多所反对，即对于赫克尔著《宇宙之谜》亦指摘不遗余力也。

氏以人类与四手猿，其骨骼、其筋肉、其脑髓，类似之点颇多，人类之身体不得不谓之因自然淘汰，由动物进化者也。然人类之身体，有时退化之者，或又因智力之进步，受境遇支配得以变化之也。例如人之造火、造器具、造家屋、造衣服等，生活上大获便利，而自然界及于吾身之影响，则渐形减少，因之体力之发达，遂形弛缓。盖自然淘汰之作用，影响仅及于脑髓，似专使脑髓遂其发达者，故人类与自然界之竞争渐缓，而人类界之竞争遂烈。凡脑髓发达智力优特之人种，即占生存竞争上之胜利，盖胜力之券，不在体力在智力也。

然则自然淘汰之作用，既由人类之身体而移于脑髓，则促进脑髓之发达足矣。然此犹未能说明人类最高尚之能力也，何以故？以人类尚具有与生存竞争全无关系之性质故。性质益为高尚者，可力言其愈无关系，欲说明此等性质，非于自然淘汰以外，探索其原因不可，如数学上之能力，其一例也。高等数学之能力，动物缺之，劣等之人类亦缺之，澳洲之土人，有不能计算二数以上之种族，即昔之希腊人、罗马人之已开化者亦复如是。至近代亚刺比亚数字传于欧罗巴，发明十进法，而数学遂有长足之进步，无论若何大数，均得以计算出之。且据此以研究数学原理，而数学之能力，渐表现于十六七世纪之交。虽然，数学之能力，究非始于此时，实自古有之，不过无发表此能力之方法及机会耳。太古之初，有此能力者，得生存竞争上之胜利，否亦未即于灭亡，故谓此能力不因自然淘汰而起，殆归于此外之原因者也。

哇列斯抑又有说于动物性以上，加以高上的性质，以假定宇宙之进化，得分为三阶级。第一，无机物变化为有机物时（即起生命时）以由外加来者假定之，谓之植物。第二，于此生命加以感情时，谓之动物。第三，于动物加以高尚能力时，谓之人类。

试熟察此等现象，以灵的世界支配物质世界。此物质世界诸势力之本源，不得不认有为生命之本源，及动物与人类新感情之本源，并人类特有高尚能力之本源。但物质界之与植物界、动物界、人类界之差异，因灵的世界灵力注入之程度而异，其灵力注入之时与地，或难目及，要之得谓有灵力之注入也无疑，是则人类之进化与动物之由自然淘汰而化者无异。惟人类之所以为人类者，不在其体，在其心耳，此心不由物质界、动物界而来，由目所不及之灵界而来。哇列斯说，盖仅以灵界说明人类界之现象者也。

（六）阔答筏基 Quatrefages 之见解　与达尔文之见相同，亦认人类之心性由动物之心性进化而来，然关于进化之原因，则不取达尔文氏之说明也。非独人类为然，即动物之身体及心性进化之原因，达尔文实尚未发见。盖谓使动物进化之原因，同时又使人类进化之原因也。故阔答筏基虽赞成共同祖先说，然人类与动物之间，两者全属于别界者，可证明其差异，其差异即不在心理性，而在道德性与宗教性也。盖人类所有思考力、思解力及言语力之心理性，动物亦得由同质之能力进化之，而人类所具之能力，为动物所缺乏者有二：（一）识别善恶，不关于苦乐利害，能选择其善，实行其道德的能力；（二）信人类死后存在之宗教的能力，或谓道德及宗教之念，即心理性之产物也。动物则不见有道德的现象，故断定其无心理性。然阔答筏基则区别心理性与道德性及宗教性，心理性直谓之动物与人类同质可也。然则道德性及宗教性之原因如何，即答以不知庸何伤，何也？是与不知生命、感觉、意识等之原因无以异也。求是等原因，往往墟拘无益思辨界，离确实科学的立场之人也。即令不解其起源，而人类有道德及宗教之能力，确为事实，准此而区别动物，决非过语。

下列二表乃阔答筏基氏表示现象界之区别者也，据此即可知彼之关于人类之本之见解。

Ⅰ The Inorganic Empire

Kingdom Force

1. Siderial (a) Gravitation

2. Mineral (a) + (b) Etheorodynamy

Ⅱ The Organic Empire

3. Vegetable (a) + (b) + (c) Life

4. Animal (a) + (b) + (c) + (d) Animal Mind

5. Human (a) + (b) + (c) + (d) + (e) Human Mind

以上所述之大体，即阔答筏基氏论进化论史之第一期。兹摘其前述之要点，而移于第二期。

达尔文及赫克尔，主张人类之心理性，由动物之心理性进化而来，其证明比较的茫然。二人所竭力证明者，乃人体上之事实，而心理上之证明，颇不完全。哇列斯及阔答阀基等皆谓人类之心理现象，其著明之起源非于动物性上，加以外来之新势力，终不得以证明，故彼等论人类之特质时，特与动物比较，证明其差异。人类与动物之差异，非程度的，乃种类的，故仅以自然的进化，论断人类由动物进化而来，不可得也。

（七）罗马涅斯 Romanes 之见解 关于人类心理性之进化，说明颇详，兹介述于下：

决定心之有无之标准

先下心之定义，爰就种种动物以调查心之有无，并显明其心之种种程度。据彼之意见，欲知动物心之存在，仅就其运动观之，犹以为未足，何也？若水若风，谓之有运动则可，谓之有心则不可。故必以有机体的运动，乃可表示其心之存在。何也？有适应的运动故也。适应的运动之中，有由反射作用而起者，亦有由器官之组织而起者。试以蛙切去其头，强令其步行，以手触其痛部，即起运动。盖具此反射的运动之器官，一受外来刺激，遂起此种运动。此器官因遗传的作用，凡动物皆备之，决定心之存在之标准，仅断其适应的运动，似觉未当。运动中必含有选择者也，选择者，心之存在最明确之佐证也。

本能与知能之区别

本能与知能，区别之困难，乃一般学者所共认也。罗马涅斯则就其困难点，详加说明，并下其定义如下：

（甲）反射的运动　反射的运动云者由祖先遗传而来之神经器官，所起之筋肉作用也，全属诸心以外，盖因器官之性质而定，纵有适应作用，或为无意识的，不含有心理的分子也。例如口中入以食物，则分泌唾液，再入于胃中，即起消化作用者，反射运动然也。此种运动，由外来之刺激而起应一定之刺激，起一定之运动者，决非由心理作用而然。

（乙）本能　本能云者，伴于意识之反射作用也，原不拘经验之有无而起，其动作之目的，及其动作法，适应于达其目的与否，均非所知。例如昆虫动物，为儿之生育，产卵于适当之地，产后即死，并未及身亲见其子。昆虫之产卵者，为遗其子孙也，其目的非必知此产地之适当。凡此动作，谓之本能，即反射作用之略伴于意识者也。

（丙）知能 知能云者，为达其目的，择适当之方法基于有意识者也。有此知能，始足处此新境遇，又足使新事情适合于己。

罗马涅斯，以上之三定义为基础，自初生动物以至猿类之动物界，均在彼研究之中。关于知能之事实及其程度，凡足供证明之材料者，搜索不遗余力，其结果发表于书，大要谓由于最高等之动物以至最劣等之动物，得见有知能之证据，即单细胞动物中，亦有为达其目的，用适当之意识的方法者。其知能之程度，固有种种差异，要之神经愈复杂者，知能之程度愈高，其动作则愈复杂，且愈高尚而愈显明，其大较也。

心与体之关系

心与体之关系问题，判断颇难，然罗马涅斯则认为最有趣味之问题也。所著《动物之知能》有曰心也者，由非心理的之先在要素进化者也。后复著《动物心理性之进化》如何由非心理的之要素，进化而生心理的现象，但未加以证明。书中关于动物心之进化，则言之缕缕，而此种最大问题，转未置一辞，且明言动物之有心理性者，不过唯一之推察。约言之，吾人观于动物之心之知识，即基于吾人自身之心之知识推察之者也，是谓之“Inverted Anthropomorphism”（转倒拟人）。其意义即转用神而为人类化，动物而为人类化之谓。据罗马涅斯见解，即谓吾人知动物之心，实不过由符合吾人之心之状态，以推察动物之心而已，动物所有之思想感情，实非吾人所能知。

就心与身体之关系，即心与脑髓之关系言之，罗马涅斯则取平行说Parallelism（心身平行说）。盖脑髓之必然的动作，止限于脑髓之范围内，于心不受影响；心之自由的动作，止限于心之范围内，于脑髓亦不受影响。然两方动作，实相伴于平行，故主观的心理作用与客观的作用，为同一之价值。易言之，即物质的动作，限于物界，心理的动作，限于心界。故脑之动作（有物质者）与心之动作（无物质者）虽不互蒙影响，然实相平行，即心外之状态与心内之状态平行者也。

心之根本的要素

罗马涅斯论究心之存在之证据，在以意识的选择适合于目的之方法，更进一步，心之根本的要素安在？即识别刺激之性质之能力，与适合于刺激之能力是也。前者为知识的能力，后者为意识的能力，此等能力，最下等动物亦有之，乃罗马涅斯证明者也。例如于满水坛中，加以砂糖与盐，以显微镜检察之，水中若有变形虫，究起如何之状态。变形虫受盐之强刺激，仍避之不应，且移进于砂糖之附近矣。始终以同一之刺激，始终得同一之结果，以是虽不足许为心之存在之证据，然动物对于刺激，有恶者避之，好者趋之之能力，据此以证明心之存在，亦无不可。

心的能力之进化

罗马涅斯著有 *Mental Evolution in Man* 说明人类之知识的能力及其进化之次序与原因，其详于第一章者如次。

人类之心信由下等动物进化而来者，其理由有二：（一）理论上之理由，（二）实验上之理由。所谓理论者

（甲）匪独动植物为然。人类之身体由优胜劣败适者生存之原因，逐渐进化，驯至今日之状态，身体如是，心理性之进化亦然。（乙）各个人之存在，由一个细胞而起，渐生长而为成人，细察其成长之过程，果于何所及何时为心之突然加入之证据，不得而知也。盖成长中无论何时之状态，由直行之状态，继续而来。人类之心，亦由零而起，经吾人目所不及之阶级，渐次成长，以达于完成之域者也。（丙）个人身体进化之径路，与单细胞之初生物，多有类似之点，是称为身体上之复现

Recapitulation。心之进化之径路，应有同样之复现。倘谓人心之进化，与动物心之进化无关系，则身体上之复现说，即不能成立。以上皆理论方面以考究心之进化者也。

所谓实验者，观察动物与人类之心，比较其类似者也。以 *Mental Evolution in Animal* 中所散见者，赅括言之。（甲）人类之感情与动物之感情，相似之点颇多，例如恐怖、惊骇、爱情、争斗、嫉妒、愤怒、游戏、怨恨、悲哀、嫌恶、残虐、慈惠、复仇、诈伪、喜笑等，皆得于多数动物实验之者也。以动物之感情与幼儿之感情比较之，类似颇多。据此而知心之进化之复现，亦可证明其事实矣。（乙）就本能言之亦然，例如赤子，有吸乳之本能，有啼泣之本能，大人有保护其子之本能与高等动物无异。（丙）动物虽无人类之自由，而有人类之意志与知性。人类之意志与知性，不过由动物知性渐进于复杂者也。高等动物知性之发达，与人类赤子知性之发达无以异，唯此后则动物的知性，渐次发达进于成人之知性，其程度乃有差耳。

动物及人类之感情发达表（罗马涅斯原表）

人类之年龄	动物之种类	感情之种类
十五个月 十二个月 十个月 五个月 四个月 十二周间 七周间	类人猿　犬　猿　象 肉食类　啮齿类　反刍类　鸟类 膜翅类 爬行动物头足类　高等甲壳类 两栖类　鱼类 昆虫类　蜘蛛类　软体动物 幼虫环虫　棘皮动物	耻辱　诈伪　复仇 悲哀　残暴　恐惧 傲慢　同情　爱情 嫉妒　争斗　惊骇 残虐　滑稽　愤怒 嫌恶　慈惠　好美 游戏　好奇　恐怖
胎儿 卵细胞及生殖细胞	腔肠动物 单细胞动物　原形质的生物	以下不见有相当之感情

（八）孔德 Comte 氏之见解　关于进化之定义，有三法则。（一）曰差异法 The law of differentiation，因进步而起差异者也。（二）曰全体进步

法 The law of the progress of the whole，即令有退化之部分，而对于全体为有利益，亦得谓之进化。（三）曰转换的进步法 The law of cyclical movement，因时而有种类盛衰变化之谓。孔德以上之三法列图于下：

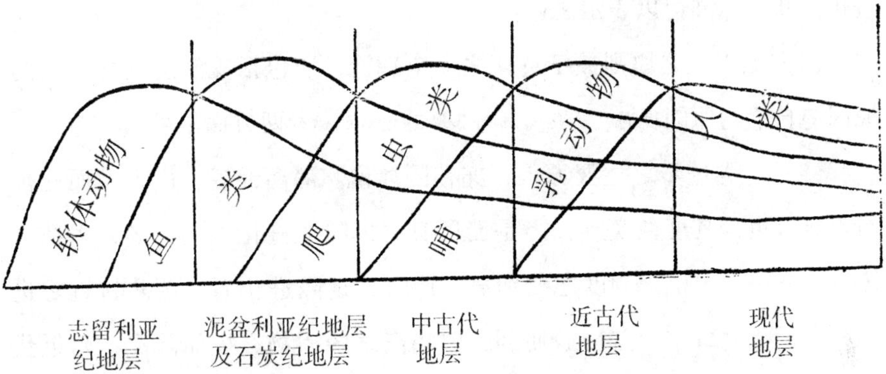

（九）菲斯克之见解　美国有名学者，流布进化论功绩最大。关于人类之进化，有所谓创见者，人类成长与动物成长之比较是也。下等动物之子，产出后即能营独立之生活，寻至高等，而独立之生活渐难，不得不赖亲之保护与援助。哺乳动物之子最弱，成长亦最迟，就中尤以人类之子为最，非赖亲之力，立即死亡，三四年不离于手，此后仍须十数年，前后约二十年以至二十五年。菲斯克注意此种事实，复研究其意义，动物之愈近高等者，其幼稚时代愈长，乃一般之通则也。

邱利克氏之见解　最确信进化上之原则者，约分为五：

（1）远隔的进化，非第因境遇之变化而起，有时并利用歧异境遇之方面而起，是不独人类界为然，即最下等之动物界，亦通行于进化上之一大原则也。纵令同属一种类，而甲与乙丙与丁各利用其境遇，或因其支配之方法，而身体上大生差异。

（2）身体之变化，匪专因境遇之变化而然。“多数进化论者，谓人类之进化，因外部的运命受其支配，全不适合其事实也。”

（3）以有器官之生物运动，与无器官之生物对照之，其特色有二：

（一）预期之反应的运动，（二）为获将来之结果之协同运动。之二者由最下等之单细胞动物，以至有心灵的生命之高等人类，通生物所具者也。因动物之高尚，而其特色愈显，反之则愈即朦胧，盖此特色之程度，因进化判断之标准得以表示之也。

（4）据以上之原则关于进化之完全理论，非包括支配进化之他治的原因与自治的原因境遇之感化与利用其境遇之心的运动两方面不可。

（5）人类进步之主要原因，亦在隔离说。隔离云者，由人类而起推行不息者也，其度数实夥，因是而所有之远隔的进化以起，遂生多数之人种、言语、风俗、制度之差别矣。反对此远隔进化者，谓之接近之进化，乃近代之事实，盖交通便利，俾隔离之障碍物，拔而除之，殆近代文明之结果也。

罗马涅斯等谓人类之心，由动物之心加以自然的动作进化而来，究之自然的动作，特别之起因如何，概未深论。据邱利克氏进化之原则，宇宙进化之全体，为自然的并为超自然的（造物者之动作）。人类之灵魂无论其逐渐进化，或为异常突出，要皆为神之作用，但自其大体言之，与其突然出现，毋宁谓逐渐进化较为适当。

（十）朵拉们妥 Drumond 氏之见解 著有《心灵界之自然法》，概略如下。宇宙可见之方面（自然界）与不可见之方面（心灵界），其根本一而已矣。宇宙之法则，通两界而利用。试调查所有自然界之法则，与心灵界之法则，决无异点。两界均有生命，有进步即有退步。均有成长，其成长为自发的，且为神秘的。成长者决非因成长之意识的努力乃因自然自发之力。又两界均有死，生命有反应境遇之力，死即失其反应力，乃两界通行之事实也。物理的生命，反应物理的境遇。心灵的生命，反应心灵的境遇。心灵的境遇云者，含有诸善之意义，善之究极为神，然则永远之生命安在？如斯宾塞、赫胥黎均主张存在者也，即生殖细胞初发以来，连续几千万年间之生命，虽经各种分裂，而最初之生命仍未绝也。保此永远生命之条件，第（一）有完全之境遇，第（二）对于境遇有完全之反应力。具此二条件，可谓生物为不死。斯宾塞之持论，概如是耳。但据朵氏之所见，此种条件，虽不实现于实质界，而心灵界实有之。神者即人心之完全境遇也。苟心从乎神，有适于神意之反应，则不得不信其有永远之生命矣。

朵氏又就生命之起源，区分宇宙万有之阶级为三：第一为无机界，第二为动物界，第三为天国界。三阶级之间，复有限制，即无机物不能仅以己之动作入于动物界，动物亦不能仅以己之动作而入于天国界。自他一方面观之，动物者无无机物，不能存在，不能生活，心灵者无动物，亦不能存在不能活动者也。宇宙所有之阶级，虽得以同一法则活动之，而阶级有高下之分，不得不区以别矣。

（十一）基铁茵枯斯 Guiteyengs 之见解　此后对于人类心理性之进化又略有变更者也。氏谓社会学之最大特质，在使社会之得以成立者，有同类意识 The consciousness of kind 故也。无论其高下之等级如何，他人与我凡有同类之意识者，均得而承认之。兹申其说如次。同类意识，以广义言之，有死物与生物之界线，生物内又有门、纲、属种之界线，然既承认为同类，则各种团体及阶级皆可结合以为基础。如经济的、政治的、宗教的行为，自社会的行为区别之，均可为同类意识。详察同类意识之动作，并研究其现象，即无难完此社会的主观说也。基铁茵枯斯说，概括之固主张今日人类个人之性质，与今日社会之性质及人类祖先之动物的性质，皆由社会的生活进化而来者也。

（一）基铁茵枯斯以同类意识与生命同时而起，即原始动物以及凡有活动力者皆具此意识，殆天赋之性能也。其起源虽不可说明，要可据其性能以测其生命之存在。

（二）植物者失此同类意识，其动作亦止，故无群集之必要，且生活中无同类之交际，自无庸同类意识之机会。

（三）因同类意识生出之结果，种种不一，略言之，因此意识而生活之方法，愈上进而愈确实，此自然之势也。盖因此意识而交际乃始，因交际而心神活泼，性能灵敏，产出各种之结果，不难立辨。例如会合时，互相起刺激，生模仿，发同情或反情，增进辨识之能力，协同之精神，及兴业之希望等，皆其例之最著者也。一人所得之知识，渐传于他人，终成全体共有之知识，与生活上莫大之便宜，则应于境遇之力日强，而增进个体及全体之势力愈大矣。太古野蛮时代，民智未开，或关于对敌之防御法，或关于竞争之胜利法，或关于捕鱼猎兽及饲养栽培等法，因一人之进步上达，遂延及全体，今日亦然。一国几亿万人中之一人所发明者，旋即变为全世界之共有物。此外基于同类意识所起之共同的活动，与社会直接之利益，修练补助社会各个体者，正不暇枚举也。基于同类意识之社交，促心理性之发达者也，心理性之发达，影响于肉体器官，或变化之，又或增进之，加以新势力，而尤以促进神经及脑髓之发达为最著。

因同类意识之动作，而生活之道愈形确实，人类之数遽增，食物遂形不足。以多数团体，聚族一处，因生活上密切的关系，势必分数小团体散住各方，因之各团体之生活法，不无歧异。生活法既异，群居之状态亦变，从来之同类意识，为适应于此，亦不得不异其趋向。当食物最缺乏时，而生存竞争乃起，强者生存且横暴，弱者遁走或灭亡。是同类意识应于各种方面，无论为直接间接皆胚胎进化之原因者也。

（四）据基铁茵枯斯之所见，同类意识，对于动物进化全体之历史，可谓尽其重要之职分。盖所有动物，莫不有社交性，其性之最强者，进步愈速。达尔文之主张自然淘汰与雌雄淘汰云者，在生物变化已起之后，始为有效之动作，引起变化之原因安在，即生物之自身选择其生活法是也。其选择基于社交者，则又源于同类意识者也，故种（Species）之究极原因不得不归于同类意识。

社交之最大结果，知力之发达是。“动物之社交的生活，影响于器官之最大者，自脑髓神经始”。知力发达，在生存竞争上，较腕力尤为有效。故谓“生存竞争上得胜利而全其生命，较所有原因为最有力者，即社交的本能，及其生活法是也”。社交上之能力既增，即知力愈进，虽处最难之境遇，亦无难遂其生活矣。

（五）基铁茵枯斯曰“人类之社会，自动物之社会，连续而起”，又曰“人类之祖先，为一对之夫妇耶，或数对之夫妇耶，证据颇难。人类者除认为起于社交的团体外，别无他说，何也？使人类与动物异途，有身心上之特色者，由社交的生活而生者也”。无社会则不能生此特色，古代之人类，其生活属于社会的者，不难举其实例。如世界各国中所发见之贝冢，乃古代人类之合数百人或数千人聚居于同一部落。食贝类而遗其壳，所集而成者也。丁抹所发见之贝冢，其深达十尺，其宽约百五十尺，其长约百尺。历多少年代始成，姑不具论，要之不得不认为古代人类之社交的生活之遗迹也。一人之力颇微，乃与最有力之猛兽战而获胜利者，全依于团结力与战具之知力也，故得谓知力为社交之产物。

基氏又谓人类之所以为人者，第一在有言语，是亦为社交之导线。动物亦容有造抽象的思想之能力，人类与动物之差别，不在抽象的思想之有无，乃本此思想，化其形体，以言语符号表示之也。故发达同类意识者为言语，言语者乃类人猿与人类之经界线，进言之，即种族与种族、国民与国民之经界线也。言语足以开发人类之知识，知识之量增，与其进于明了之域者，固借言语之力，知识之传播，如一人之经验，转而成千百人之经验者，皆言语媒介之也。因有言语，致引起好奇心，发见新事实，增进欲望，团结势力，皆相循而至者也。

（十二）瓦脱 Ward 氏之见解 瓦脱乃美国有名之社会学者兼地质学者，其成名则社会学较胜于地质学。

瓦脱氏持论之出发点。 凡社会的活动，由心而起，即氏论之出发点也，是不独限于人类界，动物界之事实亦然。据彼之所见，社会学者不得不基于心理学，但所谓心者，与普通之用法异，限于知力之范围也。实则知力者不过心之一方面，凡谓之心理性者，乃包含情的部分与知的部分而言，前者谓之客观的，后者谓之主观的。从来心理学者，大概只注意于知力，此大误也。盖人类活动之原动力，存于情的方面，对于此非加以科学的研究不可。易言之，即感情、性质、状态及其发达之研究，由知力发生而来者也。似此情的要素，瓦脱氏称之曰灵，即古代希腊人所谓 Psycke 是也。瓦脱关于心理性之见解，分论于下：

（一）心之起源。 心之起源问题，与生命之起源问题不可混同，心之未起以前，不知历几万年。要之在有生物以后，其生物起感觉时，始可谓心之萌芽感受性者。心之最单简之性质也，不因此性以感受苦乐，则运动于空间之力，与有机体变化其形体之力，均不得认其存在。盖有机物之生命，因运动而存在，其运动因感受而起，故能行其运动之生物，其内必含有感受性。因此性而求滋养，避危险，故苦乐之感觉为保持生命之存在所必要者也。

所谓灵者，总括感觉及其结果之运动而言，故感觉初起时，即灵之发生时。进言之，即地球之历史开新时也，何也？以灵生则进化之道开，心理之原因已起，各方面现普通之进化。夫进化之时期不一，可分为三：（一）生命之发生，（二）灵之出现，（三）知力之发达。此等区别乃根本之论，世之持进化论者，往往不认此区别，故陷于失败。

（二）生物进化之二种类。 因引起进化之力之性质，可大别进化为

（甲）普通，（乙）例外二种。前者为机械的，起直接之变化者也，其产物与普通之物异，故改作新阶级。致转变进化之径路植物及下等动物之进化，由普通之径路与势力而起，仅有神经系统之动物，由例外之径路与势力而进化发展者也。例如昆虫类已可证明其事实，驯至于鸟类，则神经之组织，大为进步。由是而认有特别之进化者，如哺乳动物是，就中又以人类为最，即“主宰自然界之变化，为真正之势力者，灵是也。灵与欲望及其意志的冲动又因客观的势力即境遇，得以支配之由是而开发的自动的之进化以起”。是则区别进化为二种，非归宿于外界所产之客观的进化与内界（即灵）之自身所产之主观的进化不可。

（三）灵为生物进化原因之一。 瓦脱以灵之生出后，动植物进化之径路，日形变化，无难历加以说明。因昆虫类生，即生有花植物，又因昆虫之好美性，而花色又分种种在地球之白垩时代，且因昆虫类促进有花植物之进化，世界之状态显呈变化。或谓因鸟类生，为植物之发达之一大时期最初鸟类啄树之实必择其肉之多者，遂渐生多数果类谷类，亦由鸟类之选择的活动其种类遂多且性质亦增进；或谓因哺乳类生，更助长植物之进化若无神经之动物如昆虫、鸟类、哺乳类等之活动，决不能成今日美丽世界，或至人类不堪居住。更进而论人类之灵及于生物进化之影响。就女性男性比较之，女性者保存生命且继传种族，持重大之任务者也；男性之任务，比较的轻小。此例验之于下等动物之间，尤为历历不爽，故因动物之种类，有男性之生存期间极短，而忽生忽死者。鸟类与哺乳类等，男性之任务，虽占重大之位置，然受女性之感化者夥。例如雄鸟体之大，羽毛之美，嘴与距之锐，筋肉力之强，皆雌鸟之感化使然。雌鸟择具此等优点之雄鸟，交接而生子，经永久岁月，雄鸟之特征，渐形发达。人类之男性，受女性之感化者亦复不少，概言之男性较优之脑力体力，均为于女性内灵之所产物也。

是则决定生物界大体之进化，主要之原因为灵。灵之要求，即促起生物变化最重大之原动力，并以造客观的要因即自然淘汰作用之机缘。客观的要因，虽限于变化之选择而止，其引起变化之第一因者，灵是也。

（四）人类与动物之差异。 瓦脱氏对于此种问题，说明极简。人类异于动物之特质，在对于境遇之状态，凡动物多因境遇而起变化，人类反足以变化境遇。知力之发生，同时支配自然界而利用之者，是为人类之特长。自生物的方面言之，人类之身体，弱点颇多，因知力补其弱点者，如造器具、衣服、家屋之例是也。有此即可战胜动物，俾世界为己之所有。盖人类与动物之异点，因活用其知力以产出文明。例如政治、法律、宗教、道德、仪式、习惯等，皆所以除去动物的遗传互相损害竞争之方法也。自片面观之，人类之脑髓，应于生存竞争铁律之下，逐渐发达，以成今日之现象者，与牛之角、狮之牙同出一辙。惟脑髓活动之知力，视竞争战斗，尤为无上之武器。若对于社会的生活，以协同和洽为主，则日发挥其特质愈助长社会之进步，俾动物遗传之蛮风，驯至绝迹，而文明进化，将代嬗于世界而相寻无既。

（十三）别尔格逊 Bergson 氏之见解 氏为法之大哲学家，对于从来之哲学，颇不满意。关于人类之进化，著作颇多，兹采其持论之要点，节录于下：

（一）究竟实在之性质并物质之根源。 究竟之实在，有类于施行二种运动之心理性。二种运动维何？即紧张 Intension 与弛缓 Relaxing 是。何谓紧张？例如吾人遇一大事，为决其生涯之浮沉成败，集注其固有之能力。有活动其人格之决心，瞬息之间，注入之内容要素，备形丰富，所谓豪杰之士临大事而勇于谋者类是。

反之而弛其意志，经验与思想，一任自然，希望与目的，听其消灭，即前此结合之思想感情，渐生离解而失其连络。是则人类之心理性，不外此二种作用，有时紧张而为积极的、自动的，又有时弛缓而为消极的、受动的，或浮或沉，或伸或缩，固流转不息者也。此种作用，表示究竟实在之状态与运动，一方为进取的创造的，一方为退藏的保守的。前者为固有的心理方面，而生命、心灵、意识、直觉，因之而起。后者为物质方面，物理界之现象，因之而起。括言之现象世界，即究竟实在之紧张的及弛缓的诸动作之表现也。一则为生物学或心理学研究之现象，一则为知性之目的为普通自然科学研究之对象。

（二）生物进化之心理的性质。　生物进化之性质及其确实作用，愈研究则进化之全体，有类于意识之进化者愈形确实。就中特别著明之事实，即过去之全体，一如有生活之实在物，保存于现在之内记忆或遗传。

（三）多细胞生物之进化。　由最初之冲动，而生命得以成长，如单细胞动物，有时因遂其生长，不得不起分裂；多细胞动物，其细胞各有分业，同时互相辅助，又成一致之动作。生物进化之阶级，遂各便其使用，所认为分裂之细胞者，质言之，即生命与意识之本质，由此而生物界之组织，得因其活动，而现出无数之形式矣。

（四）动植物之区别与其心理的特质。　生物中有直接借光线之力，由水与空气中摄取滋养分为生活者，植物是也。又有由植物摄取滋养分而为生活者，动物是也。前者之生活为静止的，后者之生活为活动的。生活之方法，影响于内部之心理作用者显出之结果颇大，即取静止的生活之生物，其意识已消失殆尽，取活动的生活之生物，其意识益形发达。以现在之动物与植物较，固无难立判，然最初实认为一，故有倡共同祖先说者。盖取最初之生物，有动物与植物两性，后因生活之道殊，遂区分为二。然谓二者全为独立，则又误矣，殆互相依存，互相补足。动物之生有神经及脑髓，固由最初之冲动，植物之活动，则依日光之化质力，由水与空气中，摄取滋养分，起叶绿体（Chlorophyll）之作用，二者之根本将勿同。

（五）动物身体之特质。　动物之物理的特质，运动力也因有此力，得保存其化合力（理化学的势力），且应于一定条件之下，使用之，即可获一定之结果，其位置愈高者，愈形成复杂之有机体。如消化器官，则由外部取食物而消化之，以之保存身体之势力，由是而造筋肉与神经。筋肉者，保存势力者也。神经者，取保存于筋肉之势力而使用之者也。具此各种器官，而生命愈得以支配境遇，增进能力，而生活愈形丰富。

（六）节足动物及脊椎动物之进化。　节足动物与脊椎动物，虽各异其进化之道，而彼此进化，由知觉神经与运动神经而然。因其发达之优异，对于境遇之感觉，愈形敏锐，适应于境遇之能力，愈形强大。属于节足动物之膜翅类蜂蚁等与属于脊椎动物之人类，皆最后起者也，两者之意识的生命，其发达各异其方向，前者属于本能，后者属于知性。

（七）本能及知性。　别尔梏逊氏就此二种之特色，论述颇详，兹采其结论如下。本能者，造体内之器官者也，知性者用其既有之器官造器具者也。人类之特色，非若从来哲学者所称之 Homosapiens 有知性之人，直称为 Homofaber 造物之人可也。人类有生以来，为知性之中心特色者，机械的发明力也。由制造器械而知性大促其发达，动物虽亦具有器械，然所谓器械者，属于己体之器官也。爪、角、嘴、羽毛等。本能完成，则造有机体的器械，知性完全，则造无机体的器械。二种之能力愈发达则愈分途，同一动物而为同等之发达者少。

以上皆关心理性之进化之见解者，所说不一。近代思想家日益发达，对于人类心理性之起源，及归宿之问题，研究不遗余力，著作宏富，不胜枚举，兹采其参考书如下（德法学者之著作已经英译者）：

（1）*The Science and Philosophy of the Organism*（关于有机体之科学及哲学）德国教授 Drisch 著

（2） *Animal Life and Intelligence*（动物之生活及其知解力） *Animal Behavior*（动物之行为）英人 *Morgan* 著

（3） *The Interpretation of Nature*（自然界之解释法）前人

（4） *The Animal Mind*（动物之心）英人 M. T. Washburn 著

（5） *What is Life*?（何谓生命）B. C. A. Windle 著

（6） *The Nature of Man*（人之性质）法人 Pasteur 著

（7） *Why the Mind has a Body*（何故心存于身体）美人 Strong 著

（8） *The Evolution of Mind*（心之进化）英人 Joseph Mc Cabe 著

第八章　人类之社会的进化

（一）人类生活之进化，与动物生活之进化，不同之理由。

人类者，发明器具机械且能使用之者，即人类之生活与动物之生活，进化之一大理由也。人类之文明，固萌芽心理上之实验，因其实验获得之知力，适应于境遇而利用之，故新知力之外部的特征，即在器具机械之发明。以前人类之发达，只关于身体器官，自使用器具机械，而身体器官之发达，遂有止境，转而因器具机械，从事于生存竞争，并以支配自然界。

新知能之起因，不外心理性之异常变化，因运动此知能。（第一）观察或分析周围之事情。（第二）既已观察者益深考之以明其性质。（第三）分析彼此之要素而重为结合。此等活动较优于器具机械之一大发明，易言之，即主观的器具机械之发明也。盖于己之心内，发见主观世界后，乃持以识别客观世界，种种思想，遂立以主客之区别。然自此主观世界涌现其思想，或不能统率之，即统率之，或不能传播他人，有之，亦不足重轻，故又有发明言语之必要。因言语之辅助，而主观世界益臻于明确。听其言语，即唤起联贯之思想，而彼此得以沟通之、比较之或结合之。是则言语者又人类发达上伟大之发明也。

人类既发明客观的及主观的之器具机械而使用之，造成进化新时代新方向之原因，即促使其优胜于猿类进化之原因也。斯宾塞称之为Supraorganic Evolution（器官以上之进化），即以前之进化，为身体器官之进化，后此之进化，原因于客观的及主观的机械发明之进化也。

（二）促人类进化之新势力。

促人类进化之要因，约言之可分为二。

A 选择力

最初之进化论者，就动物之进化，过视境遇之感化力，而动物之选择力，毫未厝意。近代之进化论者，发见此种谬误，渐重视其选择力，以选择力认为进化之主动力，则进化之方向，渐趋于有意识的准一定之思想活动之者也。盖由选择力进化者，由前方引伸，自由之进化也。前者为必然的、物质的、机械的，后者为意志的、心灵的、心理的。故受境遇力支配之动物界之进化，与受选择力支配之人类界之进化，其结果固殊，其原则已大异。

B 练习力

选择之内，含有练习力，为完成其选择，非练习事物不可，此人类最重要之条件也。选择云者，不过为练习之初步立一定之方针反覆选择之，则精神之实现愈易。选择既精，即成习惯，故习惯为选择后之变名也。

试注意调查生物的进化之状态，先练习一事，以成固定之习惯，其习惯深印于器官，保存之即为人类进化之大原则矣。人类以下之生物，其习惯为无意识的，人类则为有意识的。赤儿或孩提时代禀赋之本能，虽多无意识的动作，然模仿事物，凡属于有意识的者，终养成种种习惯。

（是则人类器官以上之进化，因选择而发起，由练习而保存之以成惯性。各时代之人类，习见祖先之经验，复以自己之经验加于其上以遗子孙，而文明益形进步。近代之人类，教育其子孙，出莫大之金钱与劳力者，正利用此选择力、练习力为希望人类最有价值之产物也。）

（三）新能力之社会的结果。

人类者，在类人猿内其知性特别发达，由少数之团体而起者也。因知力较优，自然与他种猿类，取特异之生活法，因是而自然隔绝。既已隔绝，则与他猿类无交接，仅与同族交接，其种族之特质，渐有著明之发达，亦势所必至也。此力自生物学方面研究之，固应如是，即自社会学方面观察之，其种族产生之子孙，有生以来，已呼吸于智力发达之空气中。更有与猿类之子孙异者，有促进其知性发达之机会，或造器具，或通言语，为动物界从来未有之社会的生活。个人之经验、思想、感情、欲望等渐成同族之共有物，久之全族俨如一体之状态，并能行动物界所不经见之共同运动。

（四）新能力之个人结果。

伴社会性之发达，而及于个人性，凡达于数百人乃至数千人以上之团体，其生活及思想之状态，即日趋复杂，而个人性以起。所谓个人性者，匪独原因于遗传之相异，并原因于境遇之不同，即令同亲同家族同受遗传所生之子，应于境遇之变化，不必尽同。日常之所见所闻，及其家族或他人所对待者，或略有歧异，少长受家庭外之感化更多，言语、思想、志向、习惯，渐不一致，至青年时代更出多端，而个人性遂显著明之差异。各个人由社会之全体受感化者，其程度分量，因各方面而异，或因身体强健，而营活泼之事业，为动的人类，或反是而为静的人类。甲之取容于社会之部分，或与乙之取容于社会之部分异，则甲之所感所识与乙异趣，亦自然之成行者也。又或各个人之原因不明，有不能预见之要素者，既非因祖先以来之遗传性，又非因社会之遗传，更非因他人之交涉关系。而营独立自由之活动者，其所赴之区域达于何境，实不可以预言，因此要素，而个人性之种类，不一而足，即同一境遇，而反应境遇之方法独异。故各个人具有社会团体之性质，同时又具有自己特殊之性质。自此点观之，各个人皆有一种异常变化，又造有不能让与他人一种特别之性能，是所谓个人性也。因此性而蕴于思想，现于行为，发诸言语，皆不必强同于人。

（五）人类社会的生活之二大特色。分业与协同

身体之进化，由组织身体之细胞有分业与协同运动而起，易言之，即各细胞行特种运动者，同时因身体全体之进化，而协同运动渐生。此后之进化，各细胞之活动，愈趋于分业的，而细胞与细胞之关系，益形密接，遂致协同尽力。社会之进化亦然。各个人始为孤立之生活，衣食住万端待理，以一人处之，纵结有数个之社会的关系，匪独无社会的进步，而个人之进步如故。盖一定之事业，既未底于纯熟，则迫于生活中之相环而起者，必不能创始。自有分业，则取一定之事业以营生活，渐致精巧，知能丰富，对于社会之寄与，亦形增殖，而个人与社会，共发达矣。则是因分业而所业之能力愈进，所产之性质益良，且增其分量，时间转得以省节之，休息游乐，且有社交之余暇。

分业者，与协同相俟者也。大工之生活，非仅以大工之事业营之，

其借助于食物、衣服及其他种事业者，正复不少。分业愈细，则依赖于人之事益形必要，故分业之发达伴协同运动而行。分业与协同者，社会及个人进步之经纬也。自人类进化史一方面观之，分业与协同实为关联的发达，即以两者发达之程度，示文明之程度，非过言也。社会之衰退，原因于分业或协同之不健全，坐是而生活状态，限于困难，且程度日形低下。

是则分业与个人性，协同于社会性，如阴阳电气然，两性固相吸不相斥者也。

（六）人类不绝之要求。

动物之生活，伴于苦乐之感情，人类则远超于动物，能感于苦乐未起之先，并感于苦乐已去之后。富于苦乐之经验者日后追溯之仍引起一种感情。且人类与动物异者，非第因五官之感觉限于生理的情感而止，乃心理的情感也，如道德上、美性上、宗教上等之心理的情感，毋宁谓其占大部分。进化之人类，轻视肉体上苦乐者，因其为一时的、表面的也，重视精神上苦乐者，因其为永久的、里面的也。

苦乐感情，为保存动物之生命，不可一日或缺者也。盖动物之活动，因感受性而起，苦则避之，乐则趋之，皆生活上之动机也。

或谓凡动物所要求者，不外生存，就生存竞争言之，即可括动物生活之全体，实则要求生存，不若要求生存上之情感。自有人类以来，其进化之大特质，即情感之性质与分量继续上进是也。文明人与野蛮人异者，非在增加其快乐之分量，在要求其性质之向上也。动物者，得遂其身体上之生活，即已满足，人类则更要求心灵上之生活，故曰人类有不绝之要求也。

（七）人类界不绝之问题。

人类者，营个人的与社会的二种生活，互相关联而不可离，如两翼然，缺一不可。因此二种生活，而个人及社会之最大难问以起，必如何乃使两生活调和以至圆满，良非易易。盖国家与社会之发达，以个人之自由及其自由之结合统一之程度为准，个人与社会伏有矛盾之性质者也。一方圆满，他方或形缺陷，故统合颇难，或认为团体统一之必要。匪独牺牲个人之自由，并有牺牲其性命者，或对于团体为保存秩序，造成固定之习惯，而个人之权能，被其限制，个人性之发达，被其阻害，将崭新之思想与事业遂难产出。自秩序方面言之，固有利益，自进步方面言之，则否。团体之进步，缘个人之新思想新行动而促进，束缚个人之自由者，断进步之枢机者也。

自社会习惯形成结晶体以来，则社会进步之动因渐形停滞，征之前代历史，此例已数见不鲜。为保护团体之利益牺牲个人之自由者，终至团体之自身蒙大损害。夺个人之自由，致掘其成长发达之根，不平之气爆发如火然。人类非可永寄于爆发之内者，终必恢复其秩序，由是又造成固定之习惯以束缚个人，故社会与个人之关系问题常起伏于人类界也。自个人主义言之，恒视己为中心主义。此外之社会的个人主义，非所论也。尊重自己之个人性，以主张自由同时热心他人之利益幸福者，即社会的个人主义，必如何始造成此主义之人物，是又当研究者也。

（八）社会组织之分析。

人类由最初而组织团体，渐次膨胀而为大团体，更进而起分业，又分多数之小团体，民族及国民之特性，缘分业与团体之关系而定略述于下。

（1）社会之经济的组织

人类生活上为日常所必需者，食物也。太古之人类，人人自造其食物，自世界进化以来，乃以少数人，造多数人之食。如动物然，始以所有细胞，取入食物，渐次进化，而取食遂为口之专门业矣。又如器具为人类生活上所必要，始则每人制造之，渐致为少数人之专门业矣。大多数者，转依赖少数者以利其用。此外所有物品皆复类是，由是而起多数之分业，成多数之小团体，凡人类生活必要物之生产与分配，乃社会之经济的组织，伴社会之发达，成一定之原则者也。

（2）社会之政治组织

人类既形成团体，若谋团体之统一与发达，则政治的组织又为必要，即政治上之专务者随之而生。但团体极小者，从事于他之职务，仍可兼营政治；至团体愈大，而政治遂为专业，或握大纲，或司小纪，或全体，或局部，或调查局部之关系。远追上古，人类者，就种种实验，生种种之政体者也，其中有女权政治、族长政治、君主政治、民主政治、专制政治、立宪政治、无政府主义等。自今日现象言之，无政府主义，渐为一般所否认，女权政治及族长政治，仅限于小团体，大团体中之所谓最良政治者，尚在研究中也。

（3）社会之家族的组织

人类分男女两性，因两性结合而产子，以为人类之继传与繁殖其子孙之教养，又需若干年月。因教养而发明人类家族一种特别之社会的习惯与制度，因其习惯与制度之性质如何，而男女之关系始定，育儿之方法加详。自已往以迄来兹，对于男女，对于子孙，对于社会，准如何之制度习惯，始现出良结果耶？是又由人类初代以来经验之大事实也，今日最良之制度习惯，乃所谓理想的家庭。普通所谓家庭制者，或一夫多妻，或一妻多夫，或一夫一妻，或混交，或纳妾。自其结果观之，若计及夫妇之爱情，家庭之平和，子孙之教养，人物之养成，社会之秩序及进步，终以严正之一夫一妇之制度为最善。

（4）社会之法制的组织

对于社会酝酿害恶之处分，亦人类一种之经验也。在昔为杀戮或放逐之习惯制度，人文明时代以来，则趋重个人之价值及权利。执悛恶迁善之方针，制定矫正的方法，初不过为习惯，渐成一定之法律制度，为实行其制度，特设官吏。初为执一般政治之官吏，至近代遂有特别之官吏，例如裁判官、警察官、司狱官等各有专职是也。

（5）社会之宗教的组织

有形世界之上，有目所不及之无形世界。人类与此无形世界，有密接关系，因其对于世界之态度行为，而分祸福，此种信念，有史以前之人类已有之。司宗教之事有所谓僧侣者，形成特别之阶级，人心上占有非常之权力，或于某时代与国王同等，或据有以上之势力，后经种种变迁而宗教制度，渐形发达。因人类之知识、道德、品格之进步，关于神之观念及对于神之行为，益形进化，然宗教虽历古来许多之经验，迄今仍未完全解决。且有主张废止一切之宗教制度者，第持此极端之意见之人，比较的少，大多数人，终认为宗教及宗教制度之必要。宗教者，原根于人心之源起，非入宗教的元素，终难望社会之组织及活动之圆满。

（6）社会之教育的组织

普通之教育制度，比较的起于近代，然论及少数者之教育制度，古代已行之，当教育之职任者，宗教家也。我国立于世界各国之先而设教育制度，非受相当之教育者，不得关与政治，其主义今已广行于各世界。但关于人类教育之实验尚浅，至今日而最良之教育法，尚未明了。然大势所趋，如不欲强固国家及社会之基础以驯至于善之状态则已，否则改良教育制度，仍当务之急也。

（7）社会之慈善的组织

往古之人类，因不能伴社会之进化而起反应，致不能营独立生活，则慈善之方法，又不得不乘时而立。近代社会之性质状态，日进复杂，生存竞争，日形激烈，而弱者愈形增加，故慈善的组织，尤为必要。然组织愈多，将增长弱者之依赖心，或转为社会之蠹，则所谓最良之慈善法者，又当以科学研究之也。

（8）社会之娱乐的组织

人类日从事职务，未免过劳，应此要求，即有以娱乐为专门者，或为音乐家，或为演剧家，自古已然。至今而娱乐之种类愈多，所费之金钱益巨。

外如社会之军事的组织、卫生的组织、商业的组织、科学的组织、哲学的组织等，不堪枚举。要之人类者，营社会的生活者也，欲增社会全体之幸福，则各方之组织，皆认为必要。

关于社会进化之参考书如下：

（1）*Social Evolution*（社会之进化）1894. Benjamin Kidel.

（2）*The Basis of Social Relations*（关于社会之基础）1902. D. G. Brinton.

（3）*The Principles of Sociology*（社会学之原理）1896. F. H. Giddings.

（4）*Introduction to the Study of Society*（社会学进阶）1894. A. W. Small & Ges. E. Vincent.

（5）*Social Elements*（社会之要素）1898. C. R. Henderson.

（6）*Social Laws*（社会之法则）1899. G. Tarde.

（7）*Introduction to Sociology*（社会学捷径）1898. Arthur Fairbanks.

（8）*An Introduction to Social Philosophy*（社会哲学初步）1890. J. S. Mackenzie.

（9）*Moral Evolution*（道德之进化）1896. Pres. Geo. Harris.

（10）*Control in Evolution*（进化之支配）1903. Geo. F. Wilkin.

（11）*Social Control*（社会之统御）1908. Edw. A. Ross.

第九章　人类之未来

由现在以说未来，人莫不斥其妄，何也？如天气预报，学术上有根据者也，然卒有验有不验。人类界之现象，至今日复杂已极，将来果达如何之境，究在不可知之数，即欲以预言测之，恐终难见诸事实。虽然，未来之事，非绝对不可以预言者也，如历之预算何年何月何日有日蚀，自何时何分何秒而起，迄何时何分何秒而终，其卒也历历不爽。又如先年出现之哈雷彗星 Halley's Comet，预计此后若干年又当出现。盖哈雷氏 Edmond Halley 1656—1742 计算一六八二年出现彗星之轨道，与一五三一年及一六〇七年出现彗星之轨道极相似，断定为同一彗星，约以七十五年之周期循椭圆轨道绕太阳而运行者，乃预言一七五八年此彗星当再出现，征诸事实，果无或爽。若是者决非有特别之秘术，惟正确测已往之天体运动，探求其支配此运动之法则，以箝合将来。人类学亦可如天文学取同一之方法，调查生物界既往之变迁，由此而探求支配生物界各种荣枯盛衰之法则，以箝合人类，推测将来。不过天体之运动简单，生物界之现象复杂，未可以数学计算，预指以时日进行之方向，及将来所达之终点，终得以推测之也。

人类驰骋于生存竞争之场，果何由战胜他动物，获得今日优势之地位，是不得不加察也。次则调查地质学上之各时代，极盛之各种动物，如何得势于一时，又何故终归于灭亡。准乎此，则我辈推测人类之将来，即知所从事矣。

人类之发达　由简单之下等生物，渐次进化，多至数十百万，其中惟人类高视阔步，独占优胜之位置。旷观今日之世界，非人类之世界乎，推其原因，约有二端：一则因其有富于思考力、推理力之脑，一则因其有运动自由之手。假人类之手，无伸屈自由之指，一如牛马等之附著以蹄，则人类可达今日之位置与否，当不待烦言而解矣。是则手也者，即对于人类之进步万不可缺者也。又手或缺指，第一不能握物，极简单之器械亦不克使用，若人类不能使器械，必不能制胜他物。人类之所以获胜于动物，及文明人所以征服野蛮人者，全赖器械力也。人类以外，仍见有用器械之动物乎，无有也。故曰“人类者，用器械之动物也”。又或人类之脑髓，尚未十分发达，则人类可断言其无今日矣。无论如何器械，用之使手，必同时使脑，造器械者更不待论矣。以脑之考究而出之器械，手用之愈熟练而愈精巧，因手而积以经验，脑则更形进步，不难改良器械。二者互相依助，即互形发达。脑之思考力、推理力既进，则对于筋肉之强于我者，感觉之敏于我者，爪牙之锐于我者，而我以智力胜之。人类之制胜于他动物，及文明人之征服于野蛮人者，亦由斯道耳。

无论如何器官，决非一跃而发达者也，其间必经过多少之程序，乃渐进而来。人类之脑亦然。因手与器械获得之经验，而脑遂日形发达；此外仍有大关系者言语是也。今日动物中有言语者惟人类而已，故曰“人者有言语之动物也”。通常谓言语必出诸口，实则口之对于言语，不过为发音所必要之器官，为使用言语之器械者脑也。其初为简单之言语，后日进于精巧，推理力愈富，即判断力愈增，事无巨细，无难以智虑处之，故终制胜诸动物，而达于今日之优势。

上古之世，与人类为敌之动物固多，后以连战连北之故，渐致屏息而不敢抗。洎于现代，因其遗传之性质，见有扬手之人类，即自减其威而超然远避，故除去供人奴隶之家畜，猛禽巨兽与人为邻者，概不多见。夫如是，动物行将屏迹，战备或可稍弛，从此高枕而卧，以庆我人类之泰平，亦事所应有也。然准之进化定律，既有生存，必有竞争，日积月累，断无代为递减之理。此后之敌，恐不在异族而在同胞。何也？即人类战争是也。凡一战争之起，必有一战争之单位，而此战争之单位，乃因动物生活之状态而异。独立生活者，则以个体为单位，社会生活者，则以团体为单位。人类虽为社会动物，而战争之单位，与时为变迁，或个人与个人争，或团体与团体争。团体之战中，又分种种，或小团体与小团体争，或大团体与大团体争。更或团体无殊，而宗旨相同者与宗旨相异者争，若学说，若商贾，若政党，均有实例，无暇备举。惟当草昧时代，其团体之组织比较的小，少则数十人，多则不过数千人。现今团体之数目，比较的多，此则散于水滨，彼或聚于山岛，日事群争，随时随地而不息，其结果败者殆全部灭绝，胜者忽子孙繁起。行之既久，则残余之团体，必尽属适者之部落，因之适于团体生活之性质，乃渐次发达，愈进愈上。其性质为何？即利他心 Altruism 是也。利他心者，以自己之利害为轻，而以团体之利害为重之谓。一己之利害，既漠不关心，则阋墙之内乱，决无由起。遇有外侮，众志成城，均以维持团体为目的，白刃可蹈，而此志不可夺。战事之胜败无常，而要以人和，则败事少而成功多。然据此即谓师克在和不在众，亦非也。盖团体竞争时，人数之多少，亦为其胜负标准之一，势力不相上下，人和者固得利居多，若相差过远，而寡不敌众，终非无隙可乘。是故以力敌则斗和，不敌则斗数，人数多即稍有缺点，究有战胜之望。行之既久，团体竞争之单位，渐由小而大矣。

团体之组织既由小而大，团体之数目，亦因之由多而少。试即我国而论，古史酋长时代无论矣，禹会诸侯于涂山，执玉帛者尚有万国，至春秋时减而为十数国，洎至战国只余有七，后且统一于秦。今日之人类虽普延大地，而国之为数究有可指，故今日团体最大之单位，是曰国。国中人数，多则万万，或数千万，至少者亦不下数百万。以若大之团体，为同类之竞争，现在之状态如是如是。惟团体之组织愈大，利害之关系亦愈杂，障碍难行之弊，势所必生。弊生，即一团体之分裂所由是而起也。政见相异，甲党与乙党争矣；商业相同，新贾与旧贾争矣。就外形观之，团体之数非特不减少，且日加多。然兄弟阋墙，外御其侮，以个人之利害，而自危其国者，究亦属鲜例，故完全团体之单位，仍以国论为宜。

现在人类之状况，其为生存竞争也，虽有种种之阶级，而最大之单位，究无过于国，再扩而充之，驾此而上者又有人种。历史上最显著之人种，则为黄、白二种，其内均含有若干之国。然干戈从事之例，仍行于各国之国际间，合人种为一致之举动者，战史中尚无此等特笔。是以按之实际，似无单位之显征，若统其全体而论，则异种相争，确为事实。诘其何为，恐彼亦不自知，但以种族相异，则彼此相嫌，相嫌不已，终至相争，执此例之动物，实相类似。动物界竞争之现象，起于异种间者居多，特于同种相属之变种 Variety，而仇视为尤甚，说者曰变种同属之动物，日常需用之品，均属相若。所求常浮于所供，此有所得，彼有所失，一有退让，将作饿殍，与其坐以待毙，不若决战以死。其互相仇视也固宜，然其果均如是则亦已矣，而利害毫不相关之时。在变种动物间，恒以仇敌相待者，更时见其例。由此而代想其理由，终觉莫解，即动物自身，除相猜相忌之外，亦无他心理作用可以证明，试举天竺鼠（豚鼠）Marmot 为例。此动物原产于南亚美利加，以其性易驯，欧人常购之持回本国，加工饲养之。近因人为淘汰之力，而变种颇多，使再与原地栖息之种类同室并饲，若一种各置十头时，则欧洲种之十头，别居一隅，美洲种之十头，独霸一方，决不互相交通，故产出之子亦尽属纯血儿。同种者尚如是，又何论夫异种？人类亦犹是耳，在昔交通不便之际，偶与异人相值，视其碧眼紫髯，适为赏心悦目，虽无善感，亦无恶情，而好奇者，且乐与之交。然稀则见奇，多则生厌，异种杂处，因其性质之相违，势必嫌忌之叠生，独至新开大陆，而此种现象，尤为特著。试游历亚美利加，当不乏此实例。美洲原住之白色人种，对于非洲航来之黑色人种，其感情之恶，不堪言状。火车中有白人专乘及黑人专乘之分，公园中有白人坐椅黑人坐椅之别，同乘乱坐之事，为一般所不许。又印度停车站中，其便所均二个并立，白人便所，印人禁入，若有冒违，即行殴打。推其用意，亦非谓印人尽属下等不屑为伍也。印度人中长年游学欧美，得大学博士学位者，屡有其人，然入此站内必遵定章。次则亚非利加南部，亦属人种剧战之场，该地初以荷兰人居多，近则英人与之俱盛，此外以力服役者，则有我国人，入而为奴者，则有印度人。人种既殊，强弱互异，故彼等对于印度人，其凌虐之极，固不待言，即驱策我国人，亦以对待牛马之方法施之。更如澳斯大利亚自欧人插足以来，逐日扩张其势力，近且唱天为白人所设之澳洲说，凡一切著色之人种，俱不得移住其内。由是以观，世界各处，莫不有人种问题，近虽思百法解决，而此事既属天性，终难有通融之一日。过去时代，则人与动物相争为主题，现在时代，则人与人相争为专策。小而个体相争，大而国家相争，其甚者又有人种相争。今日之状态，即所谓人类内哄时代也。

个体或小团体间之竞争，均以国内所定之道德、法律为限，故虽争犹不烈。人种间之竞争，虽散见于世界中，而全体为一致之举动，以与他种相抗者尚未多觏。竞争之最无限制，且瞬不稍息者，则仍归于国家竞争。国家竞争有二种，曰平时竞争及战时竞争是。前者为平和的，后者为剧烈的；前者为永久的，后者为一时的；且前者为无形的，后者为有形的；前者为准备的，后者为实行的。二者之性质虽殊，而关系仍密。欲避剧烈之竞争，必先务和平之竞争。思制胜于一时，必决胜于平日。无形之失败若萌，有形之失败立至，准备不善，实行未获有当也。现在竞争之实力，仍属过去遗产。遗产者何？如手与脑是。盖凡百器具，以手运用之，用之不便，以脑改良之，二者相须为用，种种巧妙之机械以生。若平和竞争之实业品，战时竞争之军用具，散在目前，各有实物之可证。一有败征，则手脑之真相，遽为他人所窥破。苟缺乏改良之毅力之决心，将来陷于何等困难之境遇，诚难臆测。波斯、印度覆于前，安南、朝鲜陷于后，此次之欧战，又现如何之结果，各国之盛衰，更转若何之形势，具有手脑者，均应觉悟。以特殊之手脑，为立国之竞争 ，现在之态状，固如是其不爽矣。

国家竞争之际，既以手脑二力为比较。凡为国民者宜同心戮力，抗他国之文明，不让其独步，方为今日之急务。然遍察各国实情，准是以行者概鲜，半以内部之自阋，杀其外向努力，禁之不得，减之莫由，来日方长，伊于胡底。概括言之，其自阋为何，即所谓贫富之争是也。此争为各国之通病，特文明之程度愈高，受弊之程度亦愈深。何也？以争之起源，仍属于动物所未有之手，及人类所独发达之脑为之也。旷观社会生活之动物，昆虫如蜂蚁，飞禽如雁乌，哺乳类如海狸，久为人所共知，其纤细之规则虽不同，而内哄之事绝少。且非特无内哄已也，弱者强者扶之，幼者长者育之，死于道者携之归，濒于难者救之起，其亲洽和睦之情况，诚令人见之生羡。盖社会营生之目的，原为对外而起，苟时起内哄，既难御人，适成自杀，又何贵有此团体哉？至若群栖之兽类，虽不无内哄之例，然亦止于暂时，未几且抚面交欢矣。其如人类贫富之争，连续不已者，尚未之见也。生活之性质，人与动物，既毫不相殊，乃生活之状况，竟天渊有别。噫！此其故可知矣。试先即手以思，手之属物，自身原无大用，使第以之采食捉物，其特别之价值，亦仅与狒狒相等。初无关乎富贫之相争，影响于此问题者，在其所用之器具。有一器具必有一专属，有专属则所有权乃成立。他人欲享此器具之权利，必对其所有主，尽相当之义务，于是贷身贷金之事起。贷身者酬以劳，贷金者偿以利。譬之临渊羡鱼，已无钩网，向人索取，必约以报酬，或献鱼数尾，或为佣数日，或偿值若干。世之恒有事也，迨捕捞事毕，虽所获无几，定必如约以偿，即幸而获利，亦属由无数之劳力交换而来，而贷人者乃安居无事，坐享其酬报之仪。人同此人，手同此手，只以器具之有无而不平若是，故谓人类为器具相争之动物，良非诬也。然此特小焉者耳，赁人之屋者返人以租，食人之食者贷人以身，已既视为当然，人亦认为公理，相争之说，无缘可起。惟智力日开，器具因之日精，在昔非百人不办之举，自有器具，一人优为之矣；在昔非数年不立之工，自有器具，数日毕乃事矣。果如是逐日进步，则持有万能之器具家，必乘时而起。有此器具者，虽安闲自若，可日享清福；无此器具者，虽汗血淋漓，且食不得饱。当此之际，若人无特别之脑，其各相安于无事也，仍未可知。乃器具精确之发现，正脑力进化之特征，以如此复杂之脑髓，触如此变象之世界，其不平之思想，当勃然而兴。夫世之器具家，非尽贤能者也；世之白战家，亦非尽顽愚者也。彼人也，我亦人也。我与彼

既无所短长，我则操作不息，几为吴牛喘月，彼则高卧袁安，俨若羲皇上人者，此其故果安在？伏首以思，乃知天下之事不平，莫甚于此，是以倡均富之论，创公产之说，虚无党生矣，社会党起矣。稍留心社会问题者，当早见及此。然形势之危险，虽极于绝巅，根本之解决，乃无从著手，鹬蚌相持，至今日而已烈矣。

约而言之，现在人类之状态，以手脑之力量，战胜动物全界而霸权独操，代此而起者，乃为同类之相争。其中有人种之争，有立国之争，争之范围虽稍异，争之器械则同，即均以手脑之积蓄，为战阵之先锋。优者胜，劣者败，适者生存，不适者灭种。败而灭种者，已无再行淘汰之价值。胜而生存者，以文化之日进，生不平之波折，一面向外部发展，一面对内部喧哗。富者愈富，贫者愈贫。愚者逸而致利，乃先祖优胜为之也；智者劳而受困，亦先祖劣败使之也。现代之智愚虽如此，前代之智愚乃如彼，不揣其本而齐其末，徒慨世局之不平，而生均产之妄想，按之实行，破灭之道也。人类现在之状态，无往不如是耳。惟此种问题极大，若就各方面详为解说，非特关于人类全体难述其万一，即一国之小部分，其复杂之景况，亦究非此篇所能尽。兹所论者，乃只就过去之径路，窥现在之实情。自生物学上观之，聊借以推察未来之结果，以供参考云耳。

人类以前地球上极盛之动物　欲测将来，当窥既往，人类以前，在地球上称全盛者，各种之动物，终得如何之运命耶？是不得不加察也。盖人类以前之世界，直谓之动物之世界也。如古生代之鱼类、两栖类，中生代之蜥蜴类，新生代之兽类，各于其时代，俨如今日之人类，绝对占优势之地位，亦非谓举世无敌者乎？古生代之鱼类与今日普通之鱼大异，被光泽之鳞，其厚如骨，全身若甲胄状，乍视之非鱼类也。中生代之蜥蜴类，就近顷发掘之化石言之。陆生之 Allantosaurus 身长九丈有奇，水栖之 Ichthyosaurus 体大于鲸，空中飞行之动物，若公佗鹫者，翅广六尺，可谓今日鸟类中最大者也，而当代之 Petrondon 较此尤大三倍。走旷也，游水也，飞空也，几无一非为蜥蜴也，其盛亦云极矣。降至近世，兽类代兴，象如 Dinotherium 只一头骨，长逾六尺，虎如 Machuerodus 仅一犬齿，修可尺半，现世生存之鹿类，若 Elk 者 or Moose 前者欧语，后者美语两角左右之距度，殆半尺余耳，而其体重已达千斤，而当时之巨鹿，两角之距度竟有达一丈以上者。是则长鼻类也，食肉类也，有蹄类也，何一非庞然大物，共称一世之雄者乎？

大动物之末路 如上所述，大动物之极盛于一时者，乃时移世易，盛于古代者，绝于中世矣，盛于中世者，绝于近世矣，强于近世者，衰于现世矣，证之化石，历历可辨。以绝对优胜之资格，降于劣败难堪之地位，此中盖有说焉。然生物学中，关于此问题之研究，未有详闻。化石学中，对于此问题之批评，亦无确解。普通学说，但以生存竞争之结果，为优胜劣败之定论，彼等之所以灭亡者，乃更有较强之动物现出使之然。以吾观之，此特为动物之亡，而非动物中所以亡也。夫动物既已占有优胜之地位，其对于本体生存竞争上，必有特长之点，因其特点而占优势，则他动物均隶居其下也可知。乃时代变迁，一则跌足不起，一则长足进步，优劣易位，高下倒置，揆之于理，似不甚合。沧海变为桑田，桑田转为沧海，天覆地陷，时或有之，若无此剧动，而劣者崛起忽堕最适者于地下，常人之识，且不敢遽信也。若然则动物所以灭亡者安在，曰有二因：一曰内因，一曰外因。内因者，其种属自身之内，先生有取亡之道之谓；外因者，他种族乘机窃取，日跻强盛之谓。前者为主动，后者为被动。主动者自侮，被动者在压制之下，决无由乘隙而起。

例之以手压绵，则绵缩为块，手不释，而绵不涨。无蠹之木，风不能摧，无蚁之堤，水不能溃，二力不交相为用，生物盛衰枯荣之现象，鲜有能生之者。世人咎六国之亡，或曰弊在赂秦，或曰不厚韩亲魏以摈秦，试律以生物学的六国观，赂秦亡，不赂秦亦亡，厚韩亲魏亡，不厚韩亲魏亦亡。盖此皆六国之亡，而非六国之所以亡也。是以在剧烈竞争世界中，务期内治自卫，方可保无忧，动物与国家，均属一理。无论占有如何之优势，若自侮偶露，外患立生，向之劣而败者，乃得起而代之矣。中世之爬虫，近世之猛兽，其气焰之盛，几欲称万世之雄，乃为时未久，俱灭亡以至绝种者，谓非由物腐虫生，当不至若是之速也。

横行于地球之动物，概由内因而灭种，已如上所述。其内因为何？曰促其勃兴之原因是，易言之，即促其兴之勃，正所以促其亡之忽也。凡事皆然，固不独动物已也。古语有云：利之所见，弊即随之。又曰：长于此者，必短于彼。独至生物之器官，其进化之程度愈高者，此等之现象尤显，鸟之翼，驼之蹄，其实例也。动物得势之要件，虽有种种，要不外筋力发达，及武器角、牙、蹄等是精锐二端。以强人之筋力，与他族相争，在生存上固为有益之举，而因此之发达，所需之食物必多，成长之年限必久。食量增多，则运动不敏，成长期长，则蕃殖转滞。又以坚利之武器与外敌相抗，在竞争上亦属制胜之具。然各种器官，互相伴为发达，有巨大之角，必有相当之头骨载之，有健壮之牙，必有相应之颚骨附之，且为运动武器之便利，则附属之筋肉必多，为营养筋肉之活动，则集来之血管必增，由是一身之担负重而生活之困难起矣。国家练兵，诚为必要，若不量国力，侈然以扩张陆海军为武器，势不至课重税不止，税重则多方疲敝，国之全体衰矣。是非适于生存者，反不适于竞争乎。诚观动物，恃一种优胜之器械，战胜他族时，揽公共之世界，为同类之世界。同类以外既无二敌，则同类之战争，遂相继而起，何者？盖凡动物之蕃殖，类速于战捷之初期，外族虽灭，同族忽增，各有生命，各须谋食，供给一有不足，竞争在所必起。竞争时所用之器械，仍旧战胜他动物时所用之器械，不过在昔施之于他族者，今则施之于同类矣。惟同类之器械，大致相若，胜败之标准，只以强弱为定衡。强者胜，弱者败，适者生存，不适者灭种。淘汰日久，则所持之武器，必愈为进步，于是适宜之筋力，为自己之生存，而发达过度矣。恰当之爪牙，因同类之竞争，而发育异常矣。倾身体全部之供给，为器官一部之要需，如穷国练兵者然，除灭亡外终无他道。所谓促其兴之勃，正所以促其亡之忽者此也。

人类终局之推测 人类战胜动物之器械，曰手与脑，迄于今日，已臻全盛之状态。人类以外，既无他敌，同类相争，固其所也。其相争所用之器械为何，仍属手与脑二者。手灵脑敏者胜，手迟脑钝者败，行之日久，当必异常发达。若至局部异常发达之程度，全体应大受其弊，不识不知之中，生殖力为之顿失，最终之结果，诚有不堪设想者矣。手与爪牙无殊也，脑与筋力无异也，过去之径路，又与动物相若也。现在人类之状况，更与全盛之蜥蜴或兽类一致也，而将来之终局，与彼等不同蹈覆，辙诚未敢断言者矣。

人类退化之倾向 先就身体方面言之，平常生活之状态，一概反乎自然，冬则引火，夏则制冰，御寒则重裘，却暑则电扇。凡所以能供一时之便者，无不竭力为之，久之调节力减，抵抗力失，外界稍有变化，内部大受影响。试证之一身，终年著衣之部分，冬季中偶或裸出少许，则伤风之疾立至，若顺其自然之颜面，无所事也。更证之人种，野蛮未开之区，寒也除借毛外无他策，暑也除乘荫外无善术，其体格之强，反较文明国人为优。非洲之土人，冒雨裸体归家而不病，欧洲某学者，偶以脱靴而中寒，其明证也。又澳洲旅行记中，载有妊妇产子一节，某妇与旅者同行，途中分娩，寻一树荫以产之，产罢，乃抱儿就洗河滨，负之而行。初未闻有产婆以保护之，何独无产后伤风，产后患痢等症。及至文明国中，怀妊中坐立不敢倚，辛味不敢尝，分娩时，产婆侍其侧，看护妇随其后，然稍有不谨，则病魔缠身，性命且不保矣。是知抵抗力之大小，在乎一身锻炼之有无。若徒以人工征服自然为务，则中毒日深，自然之报复反烈矣。又身体之退化，与医术之进化为比例。医术益精，体质愈弱，虽对于个人，不无回生之小功，而对于全体，实有灭种之大害。今日著名之医术，首推血清疗法 Serumthrapy。血清者，系由血液中除去血球及纤维素所得之澄清液体。其色虽因动物之种类而异，概为无色透明，以内含多量之抗毒素 Antitoxin，注射于传染病体，或虎列剌 Cholera 病体中均可奏效，以此法得愈者，是曰某病血清疗法。最显奇验者，为窒布的里亚 Diphitheria 血清疗法，从来一罹斯症，概属不治。自此法发见后，多庆更生，可谓医学中特书之事件也。然赖此庇荫，易得苏苏者固多，复以此结果，转致传染者亦复不少。盖不治之症，因人力得以延年者，其后世子孙必易染斯症，获利一时，遗患后世。对于个人之病体有益，对于种族之体质有损，遗传之性显，而抵抗之力弱故也。是以医术亦犹衣服，衣服愈暖，身体愈不可以风，医术愈精，人愈不可以病。西儒有云：医术之精，弱种之兵。斯言诚不我欺。夫疾病之起源，概由于霉菌之作用，固也。然内若不伤，外决不感，试思病原菌蕃殖之速，急于星火，分布之广，尽于三圈。空气圈、水圈及岩石圈（即陆地）。受其攻击者，几尽人有之，而不尽罹此患者。此其故可知，抵抗力强，即使其能为病原，一入肺胃，且被组织吸收矣。反之抵抗力弱，偶传即染，即令素非有此性质，而以自由蔓延之故，久之终使为虐。现代绝技之医术，固有著手回春之妙，惟人尽以药营生，则后裔之体质，必逐代退萎，因之病名递增，病夫日加。文明之国，新病迭出，开化之区，医院林立，此其显见者也。

且身体衰弱之程度，实与生活困难之程度为并行，生活益难，个体愈困。现世人类以外，既无二敌，则人类之蕃殖，忽形猛烈，各为自己之生存，乃起同类之竞争。且互事竭力之竞争，恐为绝望之生存，时以患失患得为念，致种种不自然之状态，现于全身，忧虑不已，继以疑惧，疑惧不已，终以疲困，而显受其弊者，是为神经系统，神经衰弱之症候，称曰神经病 hypochondria or nervous disease。初因疲劳不胜而过敏，后因刺激不堪而麻痹。过敏者事即纤微，辄至丧胆，其究也陷于癫狂；麻痹者凡百世事，茫然罔觉，其极也陷于呆痴。是等病征，特于器械生活时代为尤甚。都市之汽车、电车，工场之电机、汽机，扰攘喧哗，无时或已。凡所谓文明便利具者，无一非属刺激品，虽日日习以为常，毫无意识作用于其间，而神经之兴奋如故也。新式电影，人尽视为娱乐之资，其实强光闪铄，迭相变更，一秒间之变换，足达二三十次，惟观者判断之作用甚迟，无一一区别之能力，但见为连续现出之活动画耳，而网膜之深域大脑之表面，早受其剧烈戟刺矣。总之文明生活，反成不自然之生活，开化器具，尽转为弱身体之器具，以视夫野人之饥食倦卧，随遇而安者，其强弱之相去，当不啻倍蓰也。更有所谓文明病或时代病者，此其特征，种类固多，约言之有三：一曰花柳病，二曰酒精中毒，三曰结核。是等皆昔所未见，因文化之日增，致病势之猖狂，故称之曰文明病，或时代病，今依次递述于下。

花柳病者，今日文明国中最有势力之一种病也。其主要之原因，乃属于结婚困难，即已达结婚之年龄，而不能实行其希望。夫身体方面，虽具有种种之欲望，最不可忍制者有二，曰食欲，曰色欲。前者与生俱有，后者至一定之年龄，始行发生，发生后，旋能遂其所欲，结为夫妇，成为家庭，则配偶有定，当无他患之或生，否则辗转反侧，必别思他计。穷斯滥，淫斯邪，事同一理，相习成风，蔓延日甚，花柳之毒，从此而起。故欲免斯弊，先务求人尽配婚。然社会之进化，既蒸蒸不已，而生活之景况，又历历维艰，自谋衣食，尚虞弗及，恐遽成室家，徒寻苦恼。且夫妇若成，子女继起，教养等费，在所必需，使无相当之预算财产，而冒昧结婚，徒自累耳。矧时至今日，巨富居奇，贫者几无生财之道，春情发动，恰当丁年，更无偶富之理。由各种原因，催梅毒之勃兴，以理性制之，势亦有所不能。试即文明各国考之，结婚年龄概晚，不识者辄谓其为强种计，其实皆因生活困难而来。男则自顾不暇，固不敢作好逑之妄想，女则待聘无人，亦何自有于归之早赋。惟色欲本性，不戢自焚，始也尝试，旋即荡逾，终至一倡百和，靦不知耻，无惑乎花柳之毒，与世界为并进，而有识者，所以兴文化 Civilisation 即梅毒化 Syphilisation 之感也。先年柏林大学举行体格检查，学生百人中，不罹花柳病者，仅十数名。又近年欧洲各国征兵时，极注意斯事，据其总计平均数言之，罹此症及淋症者，十之七八，或轻或重，虽因地区而异，在统计表上，确占多数。学者乃视为极有研究之价值，热心调查，至千九百三四年间，始得真因，即此病原体，亦属一种细菌，颇易传染，身体各器官中，均可自由蔓延，时而达于脑髓，惹起精神异常，症重则不治。二三年后，必归于死，轻者即不至丧生，而身体残废，为害犹浅，延及子孙，祸无已矣。是否为真正之遗传，姑置弗论，亲患梅毒，而其子定有此弱点者，乃事实也。

鉴于近世梅毒之盛行，欧洲医学家、社会学家及教育学家，皆大为惊心，思设法以戢之。立花柳防禁会，以防于未然，派公娼检查所，以遏其已然，出杂志以警众人，布婚律以杜后患。其他若学校授课，从来生理一科，除医学专校外，特讲生殖器者概少，自梅毒危状递显，教育家多以生殖论应加于普通教育之中，述其解剖，详其生理，使生徒知此器官，乃紧要器官，间或受弊，流毒非浅，复揭以简单卫生条件，使读者各知自卫，以理制欲，不敢毁伤。此说倡出后，迄今虽尚有异议，而实行之国，已居多数，以理度之，诚可谓预防之一道，其效力所及，究有若干，仍属疑问。要之花柳之传播，多由生活困难而起，结婚既失适当之时期，思遂其欲，势不能不于夫妇以外求之。因私奔公卖之结果，生殖器随秽污而致毒，其危险自不待论矣，使欲焰过烈之余，但以病死警之，恐无济也。虽然，见兔顾犬，机不可逸，亡羊补牢，时犹未晚，全效虽不可期，末路或犹可望。若明知其无功，而辄事暴弃之，又非教育之本旨也。

次于梅毒之害者，是曰酒精中毒。酒于生理作用，有言其为滋养品者，有言其非滋养品者。二说虽未确定，若饮不继以淫，均认为有益品。其保持体温与脂肪有同效，据之实验，百十三立方糎酒精其发温量与百瓦脂肪相当。然世之爱酒者，乃未受其益，往往至于醉。醉之云者，改变其精神之普通状态之谓也。然推其原因，出于豪纵者半，出于抑郁者亦半。诗有云：何以解忧？惟有杜康。类此俚谚，各国通有。日谚曰：酒者，扫忧之玉帚也。英谚曰：There is nothing so good for pain as drink. 因百感之交集，思一醉以解忧。以普通之手段禁之，势有所不能，然其止于解忧则亦已矣，因解片时之忧，遂遗无穷之祸。酒之为害，古来论之已详，短篇简句，散见群书，兹无备举之必要，但就其生理之影响，略述于次。酒入唇后，经食道而达于胃，浆液膜受其刺激，忽盛行分泌，久之则加答尔 Catarrh 之病以生。

一部有损，他部自疲，显呈变化者，是为肝脏。初则膨大而湿粘，继则萎缩而硬化，若犹不自谨，害及门脉，则水痘等症，因之继起。又酒精通过消化管时，辄为血液所吸取，巡遍全身，化为尿以排出之。排滤作用，原为肾脏之专责，时受无益之劳动，渐致机能顿失。匪特唯是，饮之过量，心脏必疲，动悸急而脉搏旺，其结果致外形骤变，普通健全之心脏，恰与己拳相当，至酒后乃膨隆突兀，忽增其大，夫海绵遇水，亦膨胀之一，因此则非其例也。心筋组织，因酒之刺激，起脂肪变质性，因脂肪堆积，致原形递变，实际之收缩力，反形迟钝。抑更有说者，嗜酒之徒，其血管壁常因酒力之扩张，渐失其弹性，即转形脆弱，一经强压，势必突然崩裂。崩裂现于他部，尚或可望苟延残喘，发之脑髓，生命危矣，嗜酒者多罹脑充血症，殆以是欤。

然此特就个人言之耳，试观其后世子孙，心身状态，亦与平常人迥殊。据医士统计之报告，凡低能儿、白痴汉等，出于酒徒之后裔者居多。学校生徒检查，遇有精神反常及体质残伤者，究其家族系统，非其亲为酒友，即其祖为瓮仙。不有以止之，恐将来种族之退化，日益加深，于是禁酒会，戒酒局，依次成立，限以种种规则，并缕陈利害，此等举动，几于无国无之。曾亦思饮酒一事，概为忘却暂时之生活困难而起，此关既牢不可破，而徒欲以利害动其心无当也。花柳病之起原，既因生活困难所由发，已如上述。至若酒痴之中，虽不无富家，而最大多数，概属寒士。要之富者为图乐而饮，贫者为忘忧而饮，前者皆出于本心，决不以醉为目的，后者皆出于无聊，动辄以醉为前提。且社会制度，随文明进步，而去理愈远，富者至于无限之富，贫者至于不堪之贫，日坐愁城，瞬无乐趣，醉而中毒，所不辞也。为之虑者，真正之原因莫辨，斤斤焉陈之以害以遏其欲，重之以税以禁其沽，是亦形势之防御，止于小补云尔。

次所论者，乃为结核是病也。进行之度，虽稍觉迟缓，然弱人之速，乃驾他病而上之。急性暴病，去来俱忽，患者数百人，死者有数。结核则反是，发于隐微之间，外状似不甚险恶，内毒实大可畏惧，以此殒命者，非特欧西为然，日本近亦数见不鲜。结核一语，普通概专指肺结核 Tuberculosis 言，惟证之实际，此病菌侵入体内，不论何部，均可为虐。入于皮肤则为皮肤之结核，入于腺部则为腺部之结核，入于肠则曰肠结核，入于骨则曰骨结核。由此类推，殆难枚举，不过早为世人所通知者，唯肺结核耳肺结核一名肺痨 Consumption。结核之蕃衍于世之状态，究呈若何程度，在昔毫无所闻。以该症诊察颇难，病原初犯时，尚无现象可寻，即局部受病已深，而颜色如故，精神如故，自外视之，仍不得知。自最近普里昆氏 Priquet 之诊断法出，以 Tuberlin 注于皮肤一部，其人若未罹此患，决不反应，稍有感染，立现赤色，百试之余，始知此病蔓延颇广，文明人种，几尽人有之。先年德国小学，曾经生徒之父兄允诺，举行全体之结核诊断，其结果呈普氏反应者，约得十分之七。初等一年生居其五，六年及高等一二年生居其九，似此固未免过甚，总之是病之普通，可见一班。试问若此之盛，何自而来？曰由于不自然之生活为之。太古草昧时代，人皆散居，花木当门，风光浴屋，天然卫生，随地皆然，进而至于文明，地寡人多，街巷鳞接，屋宇栉比，空气流通匪易，日光容照偏难，又限于职业，不得不杂居其间。因长年之龌龊，致体格之衰颓，抵抗霉菌之力减，则病原一入，旋复肆凶，结核之起，无足怪者。既罹此症，疗治颇难，若在初期，行迁地疗养法，或望有功，程度稍深，不可救药矣。即幸而万死一生，其感染素因，遗于其子，罹病之易，较倍于亲。由此以观，人类每代之体质，日趋愈下，人工卫生诸法，果足恃耶?

为退化之他因者，又有神经衰弱一病。其起原仍不外不自然之生活，及困难之生活所激而成。文明利器，类皆刺激品，娱乐玩具，半为兴奋剂，沉寂不堪之余，除尝试此等药品外，几别无良策。当尝试既久，脑力渐衰，遇有事故，辄昏迷不知所措，为达所欲，阻扰愈多，郁郁不得，忽自杀而杀人。此等现象，我国虽不常见，欧西日本，每日之新闻记事，层见叠出。现时受病较浅，相当之法律道德，犹能扶植须臾，屡进不已，则人类将来相残之杀景，不忍道也。

更以道德之方面言之。夫以文明生活，致身体之退化，迄于今日，已显见为事实。教育家等群以听之非计，对于善后方法，次第研究，不遗余力。试进而窥及社会现象，有无变化，最显著者，是为道德之退步。抑道德一说，非必只限于人类，凡为社会生活之动物，无不有此相当之举动。何谓善，何谓恶，善者为何当为，恶者为何不当为，古昔贤哲，论之已详，然其界说，只止于人类，未有谈及动物者。动物中有单独生活及社会生活二种，单独生活者，利害惟关于一身，原无道德之可言。猛虎捕羊，世人必谓其不道德，若只就虎论，其食羊也，亦与吾人之一饭相等。因生活之必要，方有此举，既不得谓为善，亦不得谓为恶，各行其是之结果，只影响于个体，成功也与人无益，失败也与人无损。强者存，弱者亡，智者肆欺，愚者被辱，既未曾荷人之恩，且未曾假人之力，律之以与人类相当之道德，茫无所据。至于社会生活之动物则反是，与他族相争，类以团体为单位，故无论举行何事，当先以全体之利害为主眼。有时己所欲为者，或不利于彼，又有时己所不欲为者，或有利于彼。斯时也，当弃己之所欲，而全人之所为。盖一己之死生利害，较轻于全体，乃社会生活上必要之条件也。使个体皆任所欲为，置他人于弗顾，己则有利矣，而全体应受如何之大害，实不敢预测。例如群猿结伴窃瓜，园丁守田，虽已就睡，若不一致严守稳静状态，恐仍难保无万一之虞。彼此竞争择肥而噬，聒噪未休，而园丁梦破，至此将获取之物，必全部抛弃，群奔走以逃生。为一饱而误大事，利耶害耶，不待论矣。故遇有此事，当各顾全局，己虽欲食，严戒之而不食，心虽欲争切禁之而不争，相让愈深者，愈为他人所尊重，己或偶遭不合，全体必表同情。热带旅行记中，尝见有“猿性”之报告，谓战斗负伤者辄为他猿所保护，或与之以食，或饮之以水，不幸而死，群猿相聚痛哭，继则寻以相应之草苇，掩裹之，葬于安全之所。此猿之为同种尽力，可想见矣。又如鸟类，某个体若偶于社会之秩序有损，即时群集其前，啄而死之，此等事实，动物界中不暇枚举。要之团体为生者，有功必赏，有过必罚，此共通之现象也。

生物学的道德观无他，即以一己之欲望为轻，以全体之要求为重者是也。惟此等语句冗长，故人类伦理学上特称曰道德或单曰道。有此道德心者谓之善，否则谓之恶。善者常为人所见重，恶者时为人所不齿，相习日深，此道德心必逐次为进步。然善者为何为人所见重，恶者为何为人所不齿？曰，由于团体生存竞争之故，团体与团体相竞争，其胜负存亡，不决之于和，即决之于数，而数之有增无减，仍由和中得来。社员之内，强弱不齐，智愚亦异，惟不自相残杀，自相凌虐，则强者固存，弱者亦存，智者固生，愚者亦生。弱者愚者，在平常时虽似无用，当群争之际，人数多者战胜之希望亦多。经验之既久，于是强弱相扶，智愚相助之性质，遂日进而不已。在昔犹出于勉强，至竞争渐烈，因历代优胜劣败之结果，此性乃与生而俱有。现世蜂蚁社会，其个体天然之欲情，与团体共通之意志，恰如一致，或出外而采食，或留家而育子，凡有所为，无一非利团体之举。雄性者除交媾外，殆为惰游，故交媾甫毕，即堕而自死（如蚁），否则旋为其团体所杀（如蜂）。脱利己小我之境，入利他大我之域，不待言道而自合于道矣。

抑人类之道德果何如耶？太古野蛮时代，老死几不相往来，其团体之大，均有一定之限制。以一定之单位，为一定之竞争，因竞争而自然淘汰行矣。弱者一有败北，全族殆无噍类，于是残留者，因代代淘汰之结果，而适于团体生活之性质。乃循序渐进，道德之程度，遂与时俱高。设无他阻力之生，能进至蜂蚁状之社会，亦未可知。今也不然，火车、汽船遍于陆海，电信飞艇驰于空际，交通既便，宁趾无人，数百万人之招集，朝发而夕至矣，然团体之范围愈大，决胜之时间愈长。即雌雄攸分，而以人多士众之故，胜者既不能全捷，败者亦不至全灭，自然的淘汰力减，先天的道德心止矣。

试观今日人类社会之状态竞争最大之单位，是为国，多则数亿万，少亦不下数百万。且当战争之余，与他动物迥殊，纯以人造之武器为比较胜负之标准，实际炮火相交之事，或十年而一见，或三二十年而一见，而平常武器准备之竞争，各国固未曾一日忘也。一旦邦交失和，忽而干戈从事，迨胜败有决，而纯就死亡者仅属军卒之一部，国内之士农商工，仍得存留无恙。动物界所谓适者生存之结果，似于现世人类而不显，职是之故，亡种之隐忧过浅，道德之进步无由，国土愈大，败坏将愈甚矣。

身体之退化，因文明的生活而起，道德之退步，亦无异于是，试究其根原，乃由于社会制度之不良。人类战胜动物，得底夫今日之全盛者，盖基于使用特有之器具。器具使用之事出，财产私有之制兴，而利益分配，遂生有不公之弊。日事劳动者，小利且不获，时为惰游者，大富可立致，如是为积进，贫者日多，富者日少。多数之贫者，以竞争而益贫，少数之富者，以贮蓄而益富。贫极且多，恒心自丧，奔走衣食之不暇，礼义廉耻，孰复暇顾。是以今而后社会中之败象，多因生活之困难以显，履霜坚冰，其由来者渐矣。

多数之贫者，为衣食之困难，致道德之丧失，固在所不免。至少数之富者，既无缺衣寡食之苦，理应好礼无骄矣，揆之实际，亦不尽然。日与因财丧道之贫者比邻而居，深知金钱之价值为高，时常利用斯物，甘为恶举。如是贫者以无金而作恶，富者以多金而破道，恶风渐染，遂普及社会全体矣。譬之尘扑水面，重者沉于下，轻者浮于上，初起之污秽，虽限于最上及最下二层，后以弥散流动，终至全水尽晦。人类尤非自然流动之水所可比，一人多金，常为百人所羡慕，为万人所尊崇，其一举一动，相默认为合理。例如狎妓饮酒，在常人固公议其非，而在富者且传为风流逸事。将见社会之裁制，可以金钱而免，公定之赏罚，可以金钱而逃，习染成风，无几何时，而道德之泯灭可立而待也。

道德之退化，按诸自然趋势，日就沦下，固确乎不疑，设当此危急万难之秋，即置之不理，更非立国之善道。今日地球表面，列强互相窥伺，武具国防，逐日预备而不息，一有衅端，转相战斗。战斗之时，道德上先退一步者，战场上将先退数十步数百步矣。故无论何国，为自己民族之将来计，道德之教育，瞬息不可稍懈。洪水若将泛堤，而多备一篑土者，终可望多得此相当之效力。人虽不能胜天，因人力之抵抗，而稍杀其天然力之趋势，亦非全然梦想之事。吾愿有教育责任者，关于此方面之努力，益加奋励也可。至若知识之方面，今日文明生活之影响，身体道德渐作退化之势，稍有科学知识者，莫不鉴此事实矣。至知识方面又奚若耶？此乃人类战胜他动物之利器，亦文明人制胜野蛮人之前锋，其性质与前二者稍殊，今而后益行上进，确可预知。然有注意一事，就此问题研究时，当先即智力与智识区别之智力者，乃可得知识之势力Energy之谓。知识者，因智力之活动所得之结果之谓，易言之，智力即收获知识之器具。例以工具与刨相当知识，即此器具所生之产物与其刨花或云刨屑相等也但用刨之目的姑作别论。以智力之动作而得知识，犹之以刨之推剐而生刨花者然。智力愈活动，而知识愈增加，犹之刨愈磨推而刨花愈堆积者然也。如智力与知识既显然有分，则我人类自古及今智力增进与否，例之于今日之刨，较昔时愈加锐利与否。吾尝反覆考之，乃知今人之智力与古人不甚悬殊，异常之退化固未生，而显著之进步亦实未见。吾非重信古人，执近顷之书，与古昔之书相比较，当易见矣。夫知识本随经验为递增，古人所有知识之分量，远不逮今人所有知识之分量，自不待论，而得此知识之器具，即所谓思想力者，终不见大有变动。试即实物的研究学科而论，如理学、农学、工学及医学等，其书之内容，均以经验所得之知识为主，故材料之丰富，方法之完备，较昔时固有倍蓰之相违。及至不直接夫实物，专赖脑髓之思想为研究，如哲学学科者，近代之著作与二千年前之著作，亦鲁卫之政耳。最新流行者，虽多不胜举，而著作中之杰构，必首推别尔梏逊 Bergson 及优肯 Eucken 二氏所著。彼等之哲学思想，高则高矣，试执此与远昔希腊时代之哲学书为对读，其相去又在何点耶？吾恐除利用他学科新知识外，较昔别无特色，可断言也。唯其能利用科学也，今日之书，比诸往昔占有价值之地位似进步矣，反之专即其脑髓作用之一点为比较，谓今人远胜古人，究未敢深信也。

世界愈进化，社会生活之状态愈复杂，社会之现状愈复杂，人己间之关系愈混乱，此理所当然，勿庸多赘者也。然为解决此复杂问题，则法律规则之研究，势必成一专门学科。因智力之作用，理解深益求深，试观其结果奚似。彼等之结论，往往与普通人以常识判断之处，恰为反对，是何也？盖以进步未终之智力，思以解决极复杂之问题，而人类脑髓之发达，其界限止于现时生存竞争之必要。今人之脑髓既正在进化中，其未底完全也不问可知，而外界变化之状况，又常较脑髓为先。欲以简单后进之脑髓，思以解复杂先驱之世变，无惑乎其不合目的之结论，层出叠见也。

附言

专就脑髓论，今人与古人，并未大见进步，故今人之智力与古人之智力，仍不甚悬殊。人身各器官之进化，一如生物之外形递变者，然二千年间，其无剧大之变动，理所宜然。哲学家尝以自己之脑力为完全万能之器官，误矣。

少数之专门学问大家，其智力与古人无殊，因上述之理由可见一般。至于多数之普通人士，其智力较前人奚若，更无五十步百步之相差。现世物质文明，共相矜长足进步矣，转而察其思想方面，不论何国，今日仍盛行迷信事件，至可喧笑者，不一而足。例如久旱不雨，则对神降香，久病不起，则向佛求助，类此之事，时见于文明报纸。谓此异乎三千年前石器时代之人类可乎？惟所异者，石器时代所供奉之神，类持以巨大之石斧、石棒或石剑等物，今日所供奉之神，概持有伟大之铁刀铜戟及金棒等物之别耳。若推及其根本思想，因惧神人有非常之能力，所以尊之敬之者则一也。又在欧美诸大都会中，见有业卜为生者，执一二极端之适例，断人生祸福之预兆，某黑痣也而主贵，某横纹也而主贫。偶有一中，即传闻四隅，显宦妇女时雇乘自动车而亲往就卜。夫自动车乃智力活动之结果，所获得知识中最新应用之物也，乘此而炫于卜者之门前，且赖其预断自己之运命，两相对照，可笑孰甚？其他若以德律风而求推八字，驭飞行机而参诣太尊，诸如此类，无国不有。物质文明日进，知识次第增加，孰曰不然，惟关于脑中思想方面，仍未显进步，证诸事实，更大可见也。

夫生物之进步，既皆因淘汰而始行，优者生存，劣者败灭，是以随世代之变迁，增种类之优良。至若人类，优者劣者，均可遗其子孙，淘汰既不行，故进步无由显，肉体如是，智力亦然。残留有后者未必尽属智力优胜之士，死亡灭种者，未必尽属智力劣败之人。智力者，人类生存竞争之余，似为大有力之武器具，窥之实际，或不尽然。昔人战胜动物，文明人制服野蛮人，莫非以智力为先决，反观今日文明之社会，以智力之优劣，定胜负之标准，则未见其有当。所以然者，由于人类社会中，当个体互相竞争之时，出发点显为不公平所由起。如生而具有天资者，其智力虽较常人为独优，然以位于下等社会之故，活动此智力之条件不备，遂渐致泯灭无闻。又如已赋有非常之智力者，虽日思大展其抱负，而以有权力者压服其上之故，无自由发表此智力之机会，亦终致埋没草野。反之下愚之子，生于上流社会，虽智力有劣败之征，而生活仍有优胜之望。种种不平，既由斯而起，欲言进步，亦戛戛乎其难。若然，今日之智力，与二千年前无大相悬殊者，其故可思矣。

又如上所述，知识之由来，譬犹以刨剐木，刨花渐积渐多。今日智力之分量，较昔日智力之分量，显增其重，固不待论，知识增矣，又生若何之结果乎？皆人类应行研究之问题也。知识者，乃人类战胜动物所用之武器，亦文明人征服野蛮人所用之先锋。生存竞争，身体之强健，及道德之完美，固在所必需，而充当斯战之中坚者，尤推此之多量之知识为巨擘，知识多则物质之利用广，物质之利用广，文明之器械备。一言以蔽之，曰知识多而物质文明日进也。物质文明日进，未始非为美事，而因此日进之结果，生活不自然矣，身体渐就衰弱，道德日就式微。关心世变者，道当于此注意，徒矜知识之进步，据为人类之幸福，误矣。知识为人类生存竞争之武器，武器之为物，可以随之所之，而自由使用，有时可为攻敌用，亦有时可为自卫用。智识之应用，用之于正当行为也可，用之于不正当行为也亦可。用之于正当行为，固可夸为良效，用之于不正当行为，又反酿为恶果矣。且知识日进，对于研究世事之材料日多，傥或赋性邪僻，举动乖张，则知识实足以济其恶，饰非文过，愈多愈巧。警察虽严，不能寻其劣迹，刑罚虽奇，亦难究其真相，而狡黠之徒，非特以优游卒岁，兼能遗其子孙于无穷之乐境。遍观今日之社会，以大盗获罪者，曾几何人哉？虽然，身体退化，应如何防范，道德式微，应如何恢复，究其善后妙策，又非赖知识卓越不为功。知识也，善恶两方并利，惟现于恶者之倾向易，见于善者之倾向难，与世浮沉，则身体道德，有不觉而每况愈下者矣。

以上只举要点而言，夫人类渐次进化，至有今日，可谓已达于全盛时代，而因此得有今日全盛之原因，推及后日，究生若何之恶果，有识者尚难预测。身体退化事实也，道德式微亦事实也，此等事实之起因安在？以个人之意见窥之，社会腐败之原，仍与人类得达全盛之原因为一。盖此种原因，已含于人间生来特性中，不能祛此特性中之原因，但以所为智识之武器者，遏身体方面、道德方面之退化，即云奏效，亦属小补，非根本的制御策也。

由此以观，智力一事，自古及今，既未曾大见进步，而赖此智力所积得之识，分量愈增，复愈致身体、道德于败落。是则知识者一害物耳，抑而止之可乎？抑又非也？世界万国并立，各以知识竞生存，知识稍进者，物质文明之程度亦稍高，反是二者之民族若相争，稍高者当先有优胜之希望。国家之强，种族之盛，其原因固不止一端，而知识稍进之国，较劣下者著著争先，已无庸议。是以今日之社会，有此知识之民族，辄因其渐高而影响于身心之衰退；无此知识之民族，又常以劣下而致被他族所征服。目下应研究之问题，欲锢蔽其知识，而坐以待亡乎？抑欲奋发其知识，而达于极端乎？吾知有政教责者，当知所从事矣。

知识不足，在今日世界中，旋为他族所胁制，此固必然之势也。然世界万国林立，程度互有不齐，即竭力启钥知识，而终非他国之匹敌者有之，或早为严加驱策，而将与他国并驾者亦有之。前者独立之资格已失，除为人灭种，及作人奴隶外，别无他道，后者在现代竞争场内尚可存定，努力则前途有期，稍懈则后患立至。斯时最重要者，即无形之武器，所谓知识者是也。置此不顾，邻国之文明，蒸蒸日上，将不数年，致相去霄壤，即欲力追，且望尘不及矣。今日有教育专责者无论矣，即普通人士，当教育其子孙时，亦宜以增长知识为前提，勿让人先著我鞭。但注重智育，而体育、德育概置诸弗论弗议之列，更非得策，必三者平等并进，庶可略保无虞。此固非根本的善后策也，然际此竞争不息之秋，知识方面日形发达，而身体、道德两方面之退化，已成为事实，未来之结果，虽不可测，此后之司教育者及国民全体，当共加之意也。

第十章　人类改良之研究

今日文明生活之人类，以种种经验，抗自然之变化，寒则有防寒具，暑则有避暑器，防尘烟之侵入，制有新式之呼吸套 Respirator，惧肠胃之虚弱，备有高峰之消化丸 Takadiastase 此药系日本高峰博士所发明，其消化淀粉有神效，各国驰名。近据柏林大学病理教室之实验兼能消化脂肪及蛋白质云。其图便一时，未始不为得计，惟久以器具及药物为生，则器官固有之作用，因不用而退化，非特严寒剧暑，在所不堪，即对于小形之 Bacteria 且不敢少抗。是以卫生学、医学虽逐日进步，而病死者之数仍不加少，极言之，反逐岁加多矣，个体如是，社会方面亦然。以器具制物品则物之所有权者出而凭器具以为生命，则生活上之不平等者显，借物生息富者益富，贫者益贫，而生活难之呼号，繁聒于社会中，一面与富翁宣战，一面与道德为仇。语曰：衣食足而知荣辱，仓廪实而知礼义。若呼庚之不暇，则社会全体之利害，在所不计，事之能救一己之急者，虽贻害于全体，亦甘为之而不顾；利之能苏一时之困者，虽酿害于数世，亦忍为之而不辞，仁义廉耻之谓何，概置度外。始则一二人为之，继则亿万人效之，世风日渐颓危，人道日形泯灭。有心世局者，所以触目惊心，欲竭力维持，乃奋然起也。抑又闻之，贫富之阶级，虽各国所同，而相隔悬殊，则于文明国为尤甚，推其由来，盖原于私有财产之制度完备所致。财产既无危险，富者则以本生息，以利增利，必致愈富。一富之起，万贫所出，生活路塞，必致愈贫，贫富悬隔，积之久则社会益惫，何也？人之于社会，犹细胞之于身体然，一个体恰与一细胞相当，若身体中之少数细胞，营养特盛，则此有所余，彼必有所不足，日积日厉，则全身病弱，所由致也。一部器官发达乃亡种之原。即如人体之中，有所谓瘤病者，即一部细胞特为发达之谓。此部细胞愈得势，平常细胞之生活愈难，以一部而累及全体，故以瘤为病。今日文明社会之现状，诚无异于是。人类既为社会的动物，非社会则一日不生。贫富之分，对于个人似有利害之可言，对于全体乃只有害而无利。富者持金愈多，贫者度日匪易，则富者直谓之人类之瘤可也，欲除此瘤，当求根治，根治之法维何？曰人种改良是。

人种改良之说，自昔倡之，但近来欧洲盛行之术语，与古意少异，英文系 Engenies 按其字意，译为善种学者有之，译为优良种族学，或人种改良学者有之，或以民种改善学为适当。倡者说者，即进化论首导家达尔文之从弟戈尔同 Sir Francis Galton。是说于十二三年前发表，题书曰 *The Engenies*。

关于研究之方法、目的、范围等，揭载备详，刊行后此学语，遂为世界各国所通用。书之内容姑不论，其简单之定义，云“善种学者，乃研究淘汰人种之方法，而使其代之渐就于善之学科者也”。氏幼时各种科学，均有涉猎，特对于遗传 Heredity，尤潜心研究，阐发特详。广察遗传之现象，悟及种族之改革，善者之性质，务使其逐代递增，恶者之性质，务使其逐代递减，依次淘汰，终将国民之身体精神，必渐次优良，渐次健适。要之其主要目的，在乎扶植人类向上，防止民种退化，与昔时所谓以杂婚强种者有别日本前三十年间尝盛倡与欧人结婚说，借其强血扶彼弱种，不得不注意也。

人类之性质，原不能无善恶之分，至此等性质之起源安在？学者所说，应统其大要而论，可归于先天及后天二种。先天云者，直接受之于亲，即与生俱来之本性是。后天云者，成长中因外界诸势力之感化宗教教育社会状态当代境遇，所得之习惯性是。二者之力量，孰为强弱，戈氏就双生之儿，曾有研究矣。人类之双生儿，凡有二类，曰个别双生，曰混同双生。前者兄弟呈分化之状态，同时在亲体内，受同等之养育，后者本种原应单生，次相分而成二子。执二者互为比较，前例发生之余，或同性单行若两男或两女，或异性并出者一男一女，最属普通，是以产出之子，弟兄互相若者有之，姊妹迥相远者亦有之。后者之例，发生间尽属同性单行，异性并出之事，一未之见，且其生出之儿，颜貌之状况，皮肤之色泽，以及体格之高低，并精神的性质，一一均相符合，毫无彼此之分。若同塘就浴，或同时出游时，遇之者即有离娄之明，定生亥豕之惑。当时戈尔同集若干之双生，为研其后天之材料，反覆试验之余，混同双生儿，不论置之如何相异之境遇下，究无甚大之变化。个别双生儿，不论与以如何相同之感应法，终有甚大之差别，乃知先天性较强于后天性，生来之本性为主，习得之惯性为宾，先入者主，于是以定。夫人有恒言，种瓜不能得豆，盖主重先天也。又曰，学问变化气质，盖主重后天也。平心论之，二说固各得一面之真理，然戈氏虽主重先天，与种瓜不能得豆之说稍异，以其内含有可变之意，可变似又重后天也。又与学问变化气质之说相远，以其内含有渐变之意。近朱者赤，近墨者黑，近之即赤即黑之事，实有所不能，故谓内性为固定，确非固定，谓外感为速能，亦非速能。如是以人为淘汰法 Artificial selection，使恶者 Malum 渐向善者 Bonum 为步趋，善者渐向至善 Summum bonum 为进行，一二代间，虽无显著之变化可见，年代久远后，定有日善之希望，性质为然，身体精神亦然。此戈氏善种学之本旨也，即近时人种改良之真义也。

人种改良之际，应如何著手实行，又有研究之必要矣。先年开善种学万国会议时，会长先将善种大意，简单说明，其论法颇饶趣致，今略述于次。社会中之人类，犹河水中之砂砾然，人类善恶优劣之不齐，亦犹砂砾，白黑赭褐之不等。砂砾固有之色，黑者不能变为白，白者不能变为黑，理固然也。然或将黑者检而出之，则全色之浓度，必显形其薄，人类亦复如是。本来之心身性质，恶劣者固不能遽化为优善，然试将此恶劣之种子，渐行择出，不使遗其子孙，将来社会全体，或可有希望尽善之一日，虽不能洁白无瑕，亦可得灰褐相称也。然则除恶之法安在?

曰须先调查其遗传之有无，若者性质为遗传，若者性质为非遗传，遗传之恶性，设法禁止之，非遗传之恶性，只限于一代，无庸特为处罚，疾病亦遵此例。遗传性症，虽轻必禁，非遗传性症，虽重不罚。有罚之禁之之道，而特别法律，在所必需，对于个人似未免过苛，对于社会全体，及其后世子孙，实大有益。此所谓正本清源之治法，即善种学得以成立之由来也。

善种学家，首先调查之事项，是为遗传之研究，而研究遗传之方法，厥道有二，个人系统调查，及多数统计调查是也。其法先就个人心身上所现之种种缺点中，详考其何者遗传，何者非遗传。次以同样之顺序，就多数人之统计中，何者遗传多，何者遗传较少。互为比较之，以所得之结果，列为一表。其他尚有一补助调查法，即就动植物遗传之现象，实地观察之，探其根本的性质，定一确切的原理，以应用于人类者是。盖人类既为生物之一，生物之遗传，当与人类有共同之法则。既不能直接以人类为实验之资，欲补其遗憾，非取资动植物，无他策也。十九世纪后半，自生物进化说确定后，人工培养之动植物，改良成功者，几指不胜屈。就中年月较短，而特效较著者，则为无刺之仙人掌，此系北美California州人巴班Burbank氏所淘汰而成。仙人掌原为家畜最良之饲料，只以刺棘丛生，不适于用，自巴氏成功后，美国饲畜殆以此为上品。生物有如是之奇验，施于人类，亦应有同功，戈氏善种论之发表，殆原于是欤？现时根本的研究地，则为伦敦大学之善种实验所，此所即戈氏私费所创立，今已认为专科。迨戈氏亡后民国元年逝世，年高九十，其门弟子继承其志，以此地为研究学科之中心，益事扩展，统计的报告，不时刊发，个人的疾病系目，迄今已达二十余册，材料之丰富，调查之精密，于斯为最。其次亚美利加，亦颇称盛。纽约附近处，善种学纪录局，现已成立，成绩报告，时有所闻。日本数年前，亦盛倡斯说，此后渐衰，终未见诸实行。某学者尝揭一“民种改善学之实际价值”论，以讥其国民性之无恒。至于我国，译者眼界固狭，而提倡“Engienies”之说者，尚无所闻，殆以民种之性质特优，无须改革欤？抑以斯学无研究之价值，不屑从事欤？

善种学一语，固为戈氏所倡，而同时注意此方面之研究者，是为德国生物学家，所倡导之“人种卫生论”（Hygiene for human race）。人种卫生云者，即致力于公共卫生，或社会卫生之谓。社会卫生之不讲，则个人卫生之举，对于种族全体，反为有害。故欲强我种族，先须致意公共卫生，乃不言公共卫生而特言人种卫生者，正欲就广义言也。此学说之发端，受医学之影响而起。数十年来，德国医术，特形进步，危笃病症，时赖药力以起之。惟是个人既因药得生，后世子孙或以药致弱，何以故？以抵抗自然之变化力，及扑杀细菌之侵犯力，逐代减少故也。据医家报告，显有实例，设不早为之所，恐举国病夫，即在目前，欲救此弊，始倡人种卫生说。其主要目的，以强种为原则，务使健全者多遗其子孙，病弱者严禁其生殖，设有多方条件，以期便利实行，举凡专门杂志，特别机关，亦依次建立。大意所在，与戈氏所谓善种者相同，但就卫生二字考之，似专由身体方面著手，与前略殊。然今日盛倡善种学之亚美利加，其实行之例，仍复注重身体者居多，凡患结核病及精神病者，限其生殖。身体现有犯罪之证，及具有饮酒癖者亦然，疯狂之辈，即使全愈，非逾三年，不许缔婚。以外法条尚多，要之以罹病之状态，定结婚之限制。人种改良乎？人种卫生也。此说一兴，亚美利加即行采入，倡之于德者，反先行之于美。盖世界新国，易醉新说，固不第美洲然也。

要之人类问题中，今日最新流行之学说，匪曰人种改良，即曰人种卫生，一唱百和，谓人类万世不灭之计，在此一举，黾勉从事，惟日不遑，然详为度之，效则有效矣，而万效则未也。既有伤痕之陶器，缮之补之，未始不止漏隙，而铿锵之声不复也；既极污垢之敝衣，涤之濯之，未始不较清洁，而纯白之质不现也。今日文明社会中，人民之体质，虚弱已极，人道丧失殆尽，甘为败坏公益之性质，且牢不可破。究其原因，仍属固有自由之手，与夫特发达之脑，制胜动物，其生活渐致困苦，而各种问题以起。此种原因，既不能去，勿论有如何善法，决难望其立奏大效。善种学也，卫生学也，社会改良学也，乃一时维持之策，若于长久间严密行之，本来之缺点恶性，未始不可稍为抑止，一有疏虞，则根性立现。英国某政治家有曰政治之要，以造就不易为恶之社会为目的，其言可深长思也。吾又考之植物，知人类不能不渐次退化者，有由来也。试将一种霉菌培置于滋养物中，未几即盛行蕃殖，以分体法 Binary fission 由一而二，由二而四、而八、而十六，如此递增进行，及达至极度，俄然失势，退化之现象以生。此等事实，稍从事细菌学及传染病学者，人尽知之。其退化之现象若何，即所谓变形者是。纤细者或膨胀过度，延长者或卷曲不伸，一端突起，下部作棒者有之，某处凹陷，他处作钩者有之。大小异状，长短殊形，种种奇态，现于镜下（显微镜），无何生机尽，厄运迫，即不特加拂拭，而俄顷皆消灭矣。今日人类之现状，诚无异于是，全盛时代，已入末期，退萎时代，已达初期。试观医院林立，奇症怪病之例，数见不鲜者，非体质退化之特征乎？疯狂辈出，杀人自杀之事，时有所闻者，非神经退化之左证乎？此曰人种卫生学，彼曰社会卫生学，凡此何莫非因人体退化之事实日接于目乎？否则此二专科，决无缘而出。身体既有变化，精神亦因之反常，各个人所理想之事，尽属反对公益之事，各个人所乐为之举，半是矛盾团体之举。道德之设，陶铸人类之维持公益者也；法律之兴，束缚人类之败坏公益者也。绳人之法愈多，人类退化之实证愈显。盖团体动物之生活，类以固有之利他心为维持，固有者乃与生俱有，原无待外力之压迫而始显，象之结伴旅行，弱者置之内轮，幼者位于中央。蜂之协力营巢，职蜂之壮者，出外采食，老者留家育子，诚以与外团相争，为保存本团之种族计，一己之生死利害，非所顾也。孟子曰，上下交争利，而国危，英谚曰“United we stand, divided we fall”，均同一用意。而在人类以手脑发达之结果，交通日益便，武器日益精，人为之团体渐大，自然之淘汰愈少，竞争即有胜负，存者仍属多数，亡种之说，视为迂阔，故妨害公益之事，皆乐为之而不忌。人类团体之生活，与象、蜂等耳，而道德之程度，反较彼为低，谓非退化，抑又何辞。退化之原因，既在于不能去之手脑，则主张善种学、卫生论者，虽大声疾呼，不遗余力，其究竟之效果，恐无救亡种之实力。无救于亡，而必思制其不亡者，试取一近喻，当恍然悟矣。以重载之车，下倾斜之岗，危险之状，有目共睹，一或不慎，颠跌立至。惟进行之余，既不能中止，除使扼辕之马，步行维谨，一面防其滑跌，一面徐事下降外，觉无他策。竭无穷之精力，冀万一之不滑，其果终不滑也，固为天幸，即明知其必滑，而于未滑之先，肯遽牺牲其荷车者，恐世无其人。防灭种者，亦犹是理。世界非一国之世界，人类非一种之人类，即同一人种中，又划分若干国。我持竞争之能力以与世界相见，而世界足为我竞争之敌者，又不知凡几，稍有不敌，辄为他人所压迫，而生活蹙矣。故全体人类之退化，虽尽在斜岗之中途，除各保其荷车，使勿速跌外，无他道也。人之寿命，确知有限，乃期颐已至，犹研究卫生者，人皆不笑其愚，病之状况，确知必死，乃一息尚存，犹治疗不绝者，人亦公认为是，盖衡情度理，应如是也。退化之程度，无论达如何之境，而知有生存，必有竞争，欲持续其竞争，仍必思有以保之之道。人事已尽，天命听之，事至万万无可为，则又当别论。善种学之所以成立，卫种学之所以大受欢迎者，其以是欤，其以是欤。

第十一章　人类教育之问题

人类迄于今日，身体退化之程度，逐日递增，识者忧之。以此若弃之弗顾，将弊害愈深，抑而止之，计将安出？抑止后进而上之，又有何策？一时议论百出，遂作为世界通有之问题矣。戈尔同氏因生物遗传之法则，悟人类改革之真理，历经实验之余，知人性虽天赋者主，然亦非固定不移，使以择种之法，逐代递为淘汰，定有日益迁善之希望，爰倡善种学说公之于世。当世人士正苦于灭种之祸，忽闻此说，无任欢迎。数年来从事研究者，系统报告，层见叠出，见诸实行者，婚姻禁律，雷厉风行，亦云盛矣。惟身体上之改良，可由婚姻而得性质上之改良，又非兼由境遇不可。境遇中最有势力者，是曰教育。曼提因 Montaigne 曰，“授以知识，养其道德，教育之事也”。黑智尔 Hegel 曰，“使人类为道德的举动，惟教育为能”。其甚者且谓教育为万能。又如康德 Kant 有曰，“人字只以教育而成立”。洛克 Locke 有曰，“人类可任教育为转移”。似此固未免走极端，而使种之恶者可稍减其恶，善者可愈进于善，实昭昭焉。是以教育一事，复为文明国人所特重，独至今日而价值尤高，凡具有国家之资格者，靡不以此为急务。然就人类之过去现在考之，而测其未来为何如，则今日教育问题，可见为烦碎不当者有之，堪认为重大至急者亦有之也。

夫教育普通概分为三类，曰身体上之教育，曰知识上之教育，曰道德上之教育。约言之，即体育、智育、德育是也。三者原为讲学上便利而别，徒执一端，不辨其何属者，所在皆有。盖体、智、德育，既非单独所能成立，而体、智二育之间，更有直接亲密之关系。特分而论之，似属赘文，但此法已为一般所通用，似不必矜奇立异于其间。就体育而论，现无根本的问题之可言，良以守身为大，人皆公认为是，所有异议者，只问其守之之法为何如耳。向同地而遄征，此则取道于左，彼则取道于右，所取之路程虽殊，而达到之目的则一。体格应如何发达，体质应如何健全，甲建一议，乙树一策，立论多端，其均以身体为重，思有以善其后者，无不相同。言教育者，类以其国民之风俗习惯为参考。因风俗之悬殊，致见解岐出，理有固然，无足怪者。究之乃琐屑之学说，非重大之问题也。若夫智育，此亦为今日急务之一，已为识者所公认，第僻居深山，交通不便之域，仍属例外。譬之印度北方，界在印度、中国西藏间者有一国，号曰涅巴尔 Nepal，四面山岭回环，殆有离世独立之观。日人旅行至此，拜谒其国王，谈次偶及时局。王甚不满意于欧化，谓我国人民，顺天然之状态，营自然之生活，皞皞如，熙熙如，各相安于无事，雅不欲以繁杂之新知识，破固有之真幸福也。其言固非尽属无理，然闭关时代，或能有效，若日与他族相交接，执此策以为国，自灭之道也。试思人类先祖，所以能渐次发达，至有今日者，谁实为之；世界各国，其能安然独立，不为人灭者，又谁实致之。探厥本源，当以知识之有无，及其发达之高下为断。不有知识，则猛禽巨兽，决不畏裸体之人类，印度、波斯，决不受暴虐之英俄。是则一己之国土，仅适于本种人之生活，当作别论，否则必设法防外人之侵入。抑或己国之领土，独超夫人类界范围之外，又当别论，否则必设法抗异族之欺凌，防之抗之之道，势难尽述，而当务之急，仍以启发智力为要。智力备矣，无相当健康之身体，固仍属缺点。果相去不甚相远，则种与种争，国与国战，概以此智力之优劣，为胜败存亡之定衡。智力之在今日，于立国强种上有绝大之关系，此文明人士众口同音，一无异议者也。涅巴尔王未见及此者，一限于地势，二域于目前，傥将来门户渐开，与异种杂居以为生活，犹固执此谬论，恐未能久立于世界矣。盖智育之效果，举则兴，不举则亡，勿论其为若何国家，若何社会，若何民族，均难逃此定例，但增进之方法，则因地而殊。方法云者，原为达此政策之手段，愈加研究，愈底精深，在讨论中，当无一定之规则，然反对此智力为无用者，尚无其人。故就此问题根本上立言，亦与体育相等，所未能立行解决者，仅限于进行法之细微事项，而究竟之目的，敢断言其不可易也。

体智二育，为现在民族所必需，各国学者既已公认，即对于方法之研究，见解不同，而正相反对之事，尚未前闻。至于德育则何如，其尤为重要不待言矣。独关于实行上之议论，互相抵牾者，尚有二派，且各持极端，两不相下，已无调和之希望，谁去谁从，尚难预决。就今日之国家，思民族之将来，此洵一大问题也。二派在教育书中，亦无特称，不过察其用言所在，确知其主义攸分。简单名之，一曰专制的，一曰自由的。专制的云者，有教诲无问难，教者如何指示，受者如何遵从，例如“此事为人所当为”或“某事必如是而后可”。教育者之言论，被教育者必一一听从之。何者为善，善则当为，何者为恶，恶则不当为。至何事之善果安在？善则为何当为，何事之恶果安在？恶则为何不当为。此种疑问，在所不许，无他，绝对服从而已。反之而为自由的，以所教者为参考，准随意为取舍。某某也善，趋之可也，某某也恶，避之可也。教者固如是为训导，而或趋或避，一任受者之自省。若教者所称之善，自以为非善，则可以不为；教者所指之恶，自以为非恶，则仍可以为。教育之势力，决不害趋避之自由，无他，听其判断而已。前者之主义，纯属宗教的德育之一种，论其结果，在野蛮及半开时代，最为有效。盖野蛮人心，类皆畏惧不可解之现象，畏惧极而尊崇之念生，利用其愚，教之以趋善避恶，可得以指挥如意。至半开时代，虽稍有知识，而地狱天堂之说，仍锢蔽于心，刑罚所不及者，以神道服之，立见其功。特与他国各民族相争之际，若知识尚未大开，而有权力者，制以适宜之信条，促其国民之自尊，谓本国迥与外国相殊，某天神特为之造，某地祇别为之设，使彼等一心敬服，不致侧生他念，其收效更捷如影响。惟时代递进，知识渐增，犹以专制的主义施之，则智育、德育间之互相矛盾者不少，智识愈高，矛盾愈甚。迨一般人民，均有普通科学的思想，此德育主义之效力失焉，且非特失之已也，执行不改，强之使从，则于将来智育之进步上，必大生妨碍。盖智育之发展，原胚胎于思想之自由，有阻碍其自由者，其不能速为发展也宜矣。列强并立，群角智以争雄，一国落后，他国之压迫即至。智育之劣，生存困难之兆也。是故始终主持服从主义者，在昔野蛮未开时代，虽特著成效，迄于今日，各国智力剧增，仍欲以德育方面，因循旧辙，为竞争生存计，似非安全之道。此事证之现在各种统计，固历历不爽，而关系最著明者，乃为犯罪之人数，即罪人之增加，与教育之进步，并驾齐驱是也。夫既曰教育，则智、德、体三育，必尽包括其中，因其感化之力，而罪人应日益减少，乃揆之实际，大相剌谬者何也？德育无效之可言也。孔子曰：道之以德，齐之以礼，有耻且格。胶执以前之宗教的德育为驱策，非特有耻且格之不可期，即民勉无耻之程度，且不易见。各国虽不尽如是，按统计表观之，确为不移之事实，可知从来之德育为虚设也。独至宗教的德育，在统计表中，尤显见其无效。盖智育益进步，知识愈复杂，遇一事则生批评之想，闻一理则穷钻研之力，命之使信，彼决不遽信，强之使从，又安肯盲从。斤斤然以信之则善、违之则恶之教育法，施之于文明发达之时代，恐难见诸实行。然则德育之实施，与其失于专制，莫若任其自由，以自己之判断，定善恶之从违。其极也虽不免有偏于利己之弊，然当其判定善恶之余，总不外磨练自己之智力为标准，依此法行之，或转较前此之希望为大。至若养成个人判断力之道安在？则归于智育方面者居多，以所授之知识为材料，遇有新生事件，即诱之使其自动，积之既久，习惯自成。对于道德问题，乃于不知不识中，生自行取舍之念，何去何从，久之可养成其判断力。能否奇效立见，固不敢期，而胜于绝对服从之主义，当意中事也。非直唯是，由来宗教的德育法，因智育之增进，发见其自相矛盾之事，不一而足，迨至智识普及，势力即为之消失。若行其自由判断法，既增长个人之理想，行进退之决定，将伴其智力进步者，决无凿枘不相入之弊。盖智育日进，德育随之，即因证果，有如是也。

二主义中究以何者为善遵绝对服从之制，使其唯命是听乎？抑取自由判断之法，使其循序上进乎？此又一大问题也。智育、体育之问题，虽不一致，然其实均属方法之讨论，非根本问题也。若夫德育之研究，进行上果以何法见效为最速，此属根本的解决，非限于方法已也。世界进化，无时或息，图国力之伸张，及民族之发展者凡属文明各国，知专制的德育，将来遗害良多，于是舍短取长，殆属多数。例如德国僧侣，因赫克尔 Haeckel 之排斥宗教过甚，尝以其事诉之某大公，为救耶稣之面目，求禁止其发言。当时大公曰：尔曾思夫赫氏之说，亦属自信否？僧侣答曰：固为自信。大公曰：果尔，则彼之自信，亦与汝之自信相等耳，又何诉为。僧侣默然。盖以真理者，由言论自由而出，禁之使言，则智育之进步，必显受其弊，为久远生存计，适见其自蔽而已。文明国所主张之政策固如是，而由半开欲达于文明之过渡时代则何如？专制政策便利乎？自由政策便利乎？依谁是从，不易解决。即今日文明国中，试验此问题者，所在皆是，而观其学校所定之课程科目，仍有二派。一普通科学外，特设有宗教一门，每周中讲授数时间，关于此门功课，即所谓专制的教育是也。一学科只重体育、智育、修身等诸科，一概删去，其养成德育之方法，即专恃磨练智力为善策。今试即彼此二派学生之品格观之，特设宗教学科者，其道德的行为，固未见其高尚，缺此修身学科者，其道德的程度，亦未见其低劣。若以全体论，无宗教之国民道德，反较特重此科者之国民道德显为高尚者有之。据此可知自由判断，迄于今日，尤为至要，以宗教之德育杂之，非徒无益，且害之也，识者鉴之。故小学教育，凡儿童自力所能及之事，竭力使其自动，祛其依赖性，长其独立心，经一事，必得一识，遇一失败，必获一成功。自幼即如事练习，将来处世立言，定有迥不犹人之概。洛克有言，“依教师之拘束训练，而能成大知及优于何等学术者，世无其人”。韪哉是言也。智育方面固应如是，德育方面亦然。小学读本中，载以种种独立道德之训言，及历历自立成功之实例，作为诱引之教材，以起其超群之理想。复于实地教练时，与种种善良之习惯，及纪律之制裁，以固其出世之初基，以练其完全之人格。且遇有机会，兼使之自行判断，务期不拘于所学，而肆应有方。夫如是，智德二育并行不悖，较胜于前者，不啻霄壤。此后各国，以此为维持世道独一无二之策，亦势所必至矣。然按之今日人类之现状，其果能有如此预期之实效乎？此又一疑问也。人类社会之生活，如前所述，以智识用器械，恃此能力而互相竞争，因之不合理之社会制度，依次递生。社会中各分子，既多数咸抱不平，损害公益之举，将日益增多，使根本的解决无方，欲专以德育而造成一尽美尽善之社会，吾恐其绌于势也。惟德育果始终力行不懈，纵妨害社会生活无理之制度，逐日加多，而进行之速度，或可稍减，是亦可断言者也。

动物以某力而战胜群生，揽共有之世界，为独据之世界。既据之后，蕃殖忽增，为自己之生活，起同类之竞争。相竞不已，而战胜他族之有力器官，乃益行发达，迨显为过度，斯害及全属，致终有灭亡之忧者，已详述于前矣。因动物而推及人类，将来之运命，恐亦与动物同归一辙，欲救其弊者，则创有善种学及教育学等，善种学之难期速效，勿庸再述。目下之问题，则教育有不容稍缓者，身体为精神之本 Mens Sana in Corpore Sano，体育在所必须，智识为幸福之源 Knowledge is the spring of happiness，智育尤为急务，惟关于德育问题根本上之主义有二。当野蛮时代，以神道设教，固无往非宜，即半开时代，而人民之知识尚未大启，利用斯术，仍可收效。惟智育之进步，决不能中止，则各人之判断，必与时递增，遇一事物，即索其真理安在。施教育者，概以专制的方法行之，恐不可恃也。此后半开化之国，如不欲前进则亦已矣，欲进而与世界文明诸国相抗衡，非尽舍此专制教育不可。

后 记

本书作者陈映璜，字仲骧，湖北武汉黄陂人。曾留学日本，后任北京高师，中国大学哲学教育系主任，北京大学、北平女师大讲师。

《人类学》一书由绪言、总论、本论三部分构成。第一编总论，对人类的范围，人类学的定义、语源及分类进行综述。第二编本论，概括人类的特征及分布，介绍关于人类的起源的各种学说，研究不同人种间发、鼻、齿、乳等身体各部位的特征，介绍人类之发生、化石及人类心理性与社会的进化，推测人类的未来，研究人类之改良，探讨人类之教育。

该书被列为北京大学丛书，于1918年10月初版，于1919年6月再版，由商务印书馆出版发行。此次即以初版本为底本编辑整理，本书底本没有标点符号，只有点断，此次出版时由编辑靳龙龙按现代汉语使用规范注明标点符号，在尊重底本的前提下对个别字词作了技术处理，如“分晰”改为“分析”，“大学”改为“大家”，将“颇利呢西亚”“颇利尼西亚”统一为“颇利尼西亚”，“亚西亚”“亚细亚”统一为“亚细亚”，“卜利卡妥”“蒲利卡脱”统一为“蒲利卡脱”等，余则保持底本原貌。

图书在版编目（CIP）数据

人类学 / 陈映璜著. —北京：东方出版社，2013
（民国大学丛书）
ISBN 978-7-5060-6583-2

Ⅰ.①人…　Ⅱ.①陈…　Ⅲ.①人类学　Ⅳ.①Q98

中国版本图书馆 CIP 数据核字（2013）第 171630 号

人类学
（RENLEI XUE）
陈映璜　著

责任编辑：李　斌　李红艳
出　　版：东方出版社
发　　行：人民东方出版传媒有限公司
地　　址：北京市东城区朝阳门内大街 166 号
邮政编码：100706
印　　刷：三河市金泰源印装厂
版　　次：2013 年 9 月第 1 版
印　　次：2013 年 9 月北京第 1 次印刷
开　　本：710 毫米×1000 毫米　1/16
印　　张：11. 75
字　　数：157 千字
书　　号：ISBN 978-7-5060-6583-2
定　　价：28. 00 元
发行电话：(010) 65210059　65210060　65210062　65210063

民国大学丛书

哲　学

《道德学》 温公颐著

《清代学术概论》 梁启超著

《新理学》 冯友兰著

《中国近三百年学术史》 钱穆著

《中国哲学史》 冯友兰著

《中国哲学史大纲》 胡适著

《哲学概论》 范锜著

《哲学概论》 温公颐编译

《西洋哲学史》 [美]F. 梯利著　陈正谟译

《逻辑》 金岳霖著

《现代逻辑》 汪奠基著

《美学原论》 [意]B. 克罗斯著　傅东华译

文学 语言学

《文学大纲》 郑振铎著

《欧洲文学史》 周作人著

《中国文学批评史》 郭绍虞著

《中国文学史大纲》 顾实编纂

《法国短篇小说集》 刘半农译

《近代英文独幕名剧选》 罗家伦选译

《意大利现代文学》 [法]B. 柯莱蔑著　董家溁译

《短篇小说作法研究》 [英]B. C. 威廉著　张志澄编译

《中国音韵学》 王力著

《高等国文法》 杨树达著

《比较语音学概要》 [法]保尔巴西著　刘复译

历史学

《中华二千年史》 邓之诚著

《中华通史》 章嵚著

《中国古代史》 夏曾佑著

《中国近代史》 陈恭禄著

《国史大纲》 钱穆著

《世界通史》 周谷城著

《欧洲近代史》 王绳祖著

《俄国史》 何汉文著

《史学通论》 杨鸿烈著

《通史新义》 何炳松著

《新史学》 [美]J. H. 鲁滨逊著 何炳松译

《世界史纲》 [美]H. G. 韦尔斯著 梁思成等译

《多桑蒙古史》 [瑞典]C. 多桑著 冯承钧译

《美国史》 [美]C. A. 俾耳德 W. C. 巴格力著 魏野畴译

《英国史》 [英]G. M. 屈勒味林著 钱端升译

《近代意大利史》 [意]G. B. 马克勒兰著 朱基俊译

《新史学与社会科学》 [美]H. E. 班兹著 董之学译

经济学

《中华银行论》 马寅初著

《中国经济史》 马乘风著

《中国经济改造》 马寅初著

《中国经济思想史》 唐庆增著

《经济学方法论》 刘絜敖著

《经济学原理》 吴世瑞著

《经济学概论》 马寅初著

《财政学》 尹文敬著

《新经济学大纲》 沈志远著

《中国国民经济史》 罗仲言著

《赋税论》 胡善恒著

《中国经济原论》 王亚南著

《世界经济地理》 傅角今著

《广义政治经济学》 许涤新著

《货币学概论》 李达著

《财政学与中国财政——理论与现实》 马寅初著

《经济学史》 [英]J. K. 因格拉门著 胡泽 徐炳汉译

《经济学说史》 [奥]O. 史盘著 陈清华译

《经济学概论》 [美]F. R. 费尔柴尔等著 巫宝三 杜俊东编译

《数理经济学大纲》 [英]J. K. 麦塔著 胡泽译

《土地经济论》 [日] 河田嗣郎著 李达 陈家瓒译

《财政学新论》 [印]薛赉时著 许炳汉译

政治学 法学

《欧洲政治思想史》 高一涵著

《政治学概论》 李剑农著

《欧洲政府》 张庆泰编译

《政治学大纲》 张慰慈编

《中国政治思想史》 吕振羽著

《行政学概论》 [美]L. D. 怀特著 刘世传译

《近代国家观念》 [荷]H. 克拉勃著 王检译

《政治科学与政府·绪论.国家论》［美］J. W. 迦纳著　孙寒冰译

《政治科学与政府·政府论》［美］J. W. 迦纳著　林昌恒译

《比较宪法》王世杰　钱端升著

《中国法制史》陈顾远著

《民国政制史》钱端升等著

《欧美日本的政党》彭学沛著

《中国民法总论》胡长清著

《法学通论》何任清著

《国际法发达史》刘达人　袁国钦著

《英宪精义》［英］A. V. 戴雪著　雷宾南译

教育学

《中国教育史》陈青之著

《中学各科教学法》钟鲁斋著

《西洋教育通史》雷通群著

《社会与教育》陶孟和著

《教育与学校行政原理》杜佐周著

《教育之科学研究法》钟鲁斋著

《教育社会学》雷通群著

《教育哲学大纲》吴俊升著

《比较教育》钟鲁斋著

《中国教育史大纲》王凤喈著

《现代西洋教育史》姜琦著

《古书读校法》陈钟凡编述

《民本主义与教育》［美］J. 杜威著　邹恩润译

《教育之基本原理》［美］E. L. 桑戴克　A. I. 盖兹著　宋桂煌译

《教育心理学概论》［美］E. L. 商戴克　陆志韦译

《教育社会学原论》［美］C. C. 彼得斯著　鲁继曾译

《教育实验法》［美］W. A. 麦柯著　薛鸿志译

《教育研究法》［美］C. V. 谷德著　李相勖　陈启肃译

《教育原理》［美］J. C. 查浦曼　G. S. 孔次著　赵演改译

心理学

《儿童心理之研究》陈鹤琴著

《社会心理学》孙本文著

《心理与教育测量》王书林著

《行为主义》陈德荣著

《人类的行为》郭任远著

《心理卫生概论》章颐年著

《发展心理学》左学礼著

《心理学大纲》陈大齐著

《心理学》［美］E. G. 波林　H. S. 兰费德　H. P. 卫尔德著　傅统先译

《社会心理学》［美］F. H. 奥尔波特著　赵演译

《现代心理学与教育》 [美]C. E. 雷斯德著 钟鲁斋 张俊玕译

《学习心理》 [美]S. S. 科尔文著 黄公觉译述

《格式心理学原理》 [美]K. 考夫卡著 傅统先译

文化艺术

《中国文化史》 陈安仁著

《文化人类学》 林惠祥著

《中西交通史料汇编》 张星烺撰

《人类学》 陈映璜著

《近代中国思想学说史》 侯外庐著

《世界文化史》 [美]L. 桑戴克著 冯雄译

《房屋建筑学》 陈宏铎编

《中国绘画史》 潘天寿著

《造园学概论》 陈植著

社会学

《人口问题》 陈达著

《社会学原理》 孙本文著

《现代中国社会问题》 孙本文著

自然科学

《达尔文主义基本原理》 中国科学院遗传选种实验馆 北京农业大学编译

《天文学》 陈遵妫编

《科学概论》 王星拱著

《群论》 [日]圆正造著 萧君绛译

《生物学精义》 [日]岗村周谛著 汤尔和译

《科学与科学思想发展史》 [英]丹丕尔·惠商著 任鸿隽 李珩 吴学周合译

《造林学》 郝景盛著

《中国作物论》 原颂周著